Anton Čechov

Briefe

1877–1889

*Herausgegeben
und übersetzt von
Peter Urban*

Diogenes

Umschlagfoto: Anton Čechov, St. Petersburg, 1889

Diogenes Verlag AG Zürich
10/98/4/1
ISBN 3 257 06191 9

Inhalt

Briefe
1877 bis März 1889

—

»Der Tod eines Beamten«
»Ivanov«

1877–1883

1) AN M. M. ČECHOV TAGANROG, 1. 1. 1877

Genau 12 Uhr, 1877. Nacht.

Liebster Bruder Miša!

Eben habe ich 2 Schüsse abgegeben: einen aus dem Gewehr auf den Zaun, und einen aus der Feder auf Saša. Ich habe mit einem Toast auf ihn geschossen: »Mögen dein Mathematikerruhm und deine Gelehrtheit erschallen, wie dieser Schuß in dieser Welt« (nicht in jener; in jener braucht man Sünden von Gewicht und gute Werke statt kleiner Gewichte). Was für einen Schuß soll ich auf dich abgeben, ohne daß das Gewehr versagt? Ich lege 2 Patronen ein, und peng! Der Schuß war gut! Das Gewehr hat ihn ausgehalten, aber die Feder wäre beinahe geborsten. Ein Krachen ertönt, und mit dem Rauch zusammen fliegen die folgenden Worte direkt nach Moskau: »Mögen sich mit diesem Schusse alle deine Sorgen auflösen wie Rauch und an ihrer Statt einkehren Frieden und Geld!« Ich trinke auf deine Gesundheit statt Champagner ein Glas kaltes Wasser und murmle diesen Toast und schreibe diesen sehr dummen Brief. Laß dir Glück wünschen, wenn du an Neujahr und seine Besonderheiten glaubst. Kaum hatte es Mitternacht geschlagen, als ich einen Fehler beging, also werde ich das ganze Jahr Fehler begehen, ich habe nämlich statt 1877 in diesem Brief 1876 geschrieben. Zu Ostern werde ich nach Moskau fahren, ich weiß nicht, ob das ein Fehler sein wird. Ich habe Kopfschmerzen und schnuppere: im Zimmer stinkt es nach Pulver, und der Pulverqualm liegt über dem Bett wie ein Nebel; ein schrecklicher Gestank. Das kommt, weißt du, weil mein Schüler im Zimmer Raketen losläßt und mit ihnen zugleich auch sein natürliches, kosakisches Roggenbrotpulver aus dem bewußten Körperteil, der nicht den Namen Artillerie trägt. Die Rakete war gut, und mein Schüler sieht mich fragend an: d. h. was werde ich wohl darauf sagen? – »Scheren Sie sich ins Bett, das stinkt wie in der Hölle! Zu den Schweinen, zu den Schweinen! Ins Bett!« Und er sieht, daß seine Rakete wenig Wirkung gezeitigt hat, und fängt an, vom »Aul der halbwilden Völker« zu sprechen. So nennt er sein Heimatdorf und seine Kleinrussen. Im Zimmer ist es heiß, und ich habe keine Lust zu schlafen. Ich werde den Brief beenden und auf die Straße gehen (der Teufel weiß wozu; vielleicht findet sich ja auch etwas, das man tun kann). Einen Gruß an Griša und Liza, ich wünsche ihnen alles Gute. Unsere (Moskauer) schlafen jetzt, d. h. jetzt, während ich diesen Brief schreibe. So ist das.

Ich weiß, daß M. Čechov sagen wird: »Da hat dein Vetter aber einen sehr dummen Brief geschrieben! Ist das bei ihm normal?« Ich aber sage dies:

– Neujahr hat für mich mit einem Brief an dich begonnen; also wird der allererste Brief, den ich im Jahre 1877 geschrieben, an Miša geschickt. Mir kommt solcher Unsinn in den Kopf, daß ich selbst nicht daraus schlau werde. Mit einem Brief an Saša habe ich das Jahr 1876 beendet, mit dem an dich 1877 begonnen. Bravissimo, das Werk ist getan ... ich gehe schießen, nur nicht auf den Hof. Schreib, Bruder, sei nicht faul, wenn du Zeit hast; wenn du keine Zeit hast, werde ich dir nicht zürnen, denn siehe, ich bin friedfertig, obwohl Mamaša (Gott schenke ihr alles, was sie sich wünscht) von mir sagt, meine Bosheit sei angeboren und sitze tief verwurzelt in mir. Ich hingegen, demütiger Diener Gottes, schicke ihr in meiner Bosheit ein Glas Halva. Vanja läßt dich nicht grüßen, weil ich, seinen Worten zufolge, ein Gauner bin und den Gruß unterschlagen könnte. *Ich,*

d. h. A. Čechov.

1877, 1. Januar, halb eins.

Es ist Nacht. (Ich weiß nicht, ob morgen ein Tag sein wird.) Ich habe dir eine Postkarte geschickt. Hast du sie bekommen? Ich habe eben diesen Brief durchgelesen, er ist sehr dumm geschrieben und noch dazu im Stile Lomonosovs. Was tun?

2) AN M. M. ČECHOV TAGANROG, 10. 4. 1877

Lieber Bruder Miša!

Da ich nicht das Glück hatte, dich noch einmal zu sehen, greife ich zum Tintenfaß. Erstens gestatte mir, daß ich dir wie ein Bruder für alles danke, was du während meines Aufenthaltes in Moskau für mich getan hast; zweitens freue ich mich von Herzen, daß wir als herzliche Freunde und Brüder auseinandergehen, und erkühne mich darum zu hoffen und zu glauben, daß die 1200 Verst zwischen zwei im Briefwechsel stehenden Brüdern, die einander gut kennengelernt haben, noch lange eine nichtige Entfernung sein werden für die Aufrechterhaltung unserer guten Beziehungen auf lange Zeit. Jetzt folgt eine Bitte von mir, die du wegen ihrer Bedeutungslosigkeit wahrscheinlich erfüllen wirst: wenn ich dir Briefe für meine Mama schicke, dann sei so gut, gib sie Mama nicht in Gegenwart der ganzen Kompanie, sondern heimlich; es gibt Dinge im Leben, die man nur einer einzigen, zuverlässigen Person sagen kann; und dieser Umstand ist es auch, der mich veranlaßt, Mama zu schreiben, ohne daß die anderen es wissen, für die meine Geheimnisse (und ich habe Geheimnisse besonderer Art, die dich interessieren oder nicht, ich weiß es nicht. Wenn du willst, weihe ich dich ein) absolut uninteressant oder, besser gesagt, überflüssig sind. Meine zweite und letzte Bitte ist wichtiger. Sei so gut und tröste meine Mutter wie bisher, die physisch und moralisch gebrochen ist. Sie hat in dir keinen Verwandten gefunden, sondern noch vieles andere, mehr als einen Verwandten. Der Charakter meiner Mutter ist so beschaffen, daß jede moralische Unterstützung von seiten eines anderen stark und wohltuend auf sie wirkt. Eine dumme Bitte, nicht wahr? Aber du wirst sie verstehen, um so mehr, als ich sagte »moralische«, d. h. geistige Unterstützung. Es gibt für uns nichts Teureres auf dieser verderbten Welt als die Mutter, und deshalb wäre dein ergebener Diener dir überaus verbunden, wenn du seine Mutter, die nur noch halb am Leben ist, trösten würdest. Unseren Briefwechsel werden wir wohl führen, wie es sich gehört. Und darum sage ich dir nebenbei, daß du es nicht bereuen

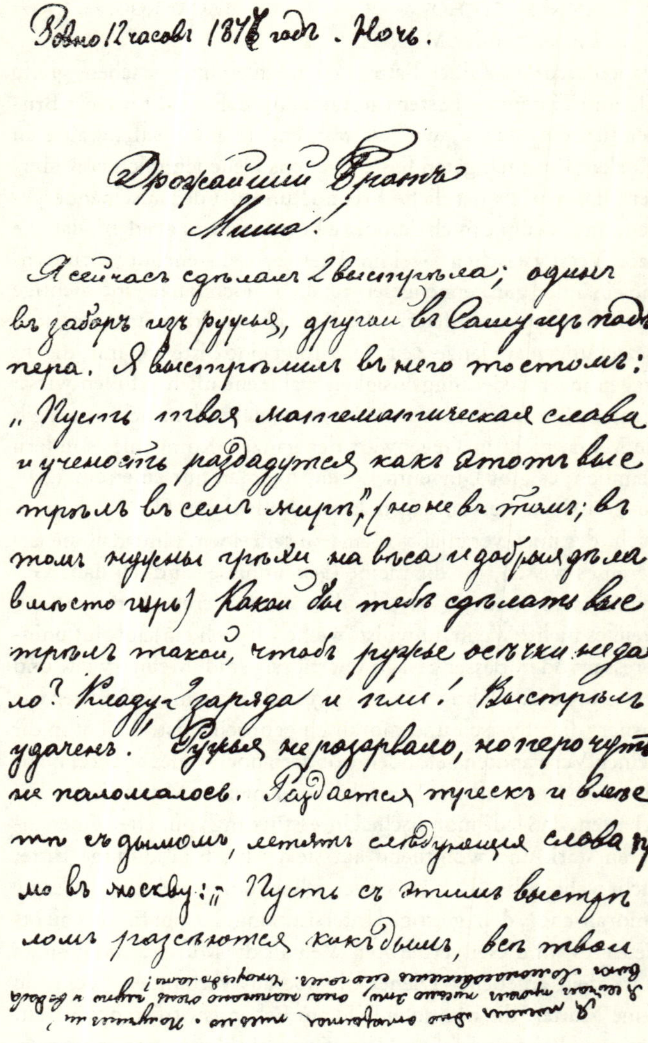

Ровно 12 часовъ 1877 года. Ночь.

Дрожайшiй Братъ
Миша!

Я сейчасъ сдѣлалъ 2 выстрѣла; одинъ въ заборъ изъ ружья, другой въ Сашу изъ подъ пера. Я выстрѣлилъ въ него тостомъ: „Пусть твоя математическая слава и ученость раздадутся какъ этотъ выстрѣлъ въ семъ мірѣ", (но не въ томъ; въ томъ нужны грѣхи на вѣсахъ и добрыя дѣла вмѣсто гирь) Какой бы тебѣ сдѣлать выстрѣлъ такой, чтобъ ружье осѣчки не дало? Кладу 2 заряда и пли! Выстрѣлъ удаченъ. Ружье не разорвало, но перо чуть не поломалось. Раздается трескъ и вслѣдъ съ дымомъ, летятъ слѣдующiя слова прямо въ Москву: „Пусть съ этимъ выстрѣломъ разсѣются какъ дымъ, всѣ твои

Brief an M.M. Čechov vom 1. Januar 1877 (vgl. Brief Nr. 1 dieser Ausgabe).

wirst, daß du mir so vieles gesagt hast; mir bleibt nur, dir für dein Vertrauen zu danken: du sollst wissen, daß es mir teuer ist. Leb wohl, ich wünsche dir alles Gute. Einen Gruß an Liza und Griša und deine Kollegen. *Dein Bruder A. Čechov.*

3) AN M. M. ČECHOV TAGANROG, 4. 11. 1877

Taganrog, 4. November 1877.

Lieber Bruder Miša!

Ich habe die Ehre, dir zum Tage deines Engels zu gratulieren und dir all das zu wünschen, was auf Erden nur gut sein kann; ich wünsche dir erstens Gesundheit, zweitens einen Haufen Geld, und drittens Erfolg in allem und Glück für deine ganze Familie, die für dich das Teuerste auf der Welt ist, so wie die unsere für mich. Entschuldige, Bruder, ich bin vor dir schuldig, schuldig mit meinem ganzen Wesen, und bitte um Verzeihung. Ich habe dir nicht geschrieben in Ermangelung von Zeit, an der ich ein Defizit verspüre. Die Photographie habe ich bekommen und danke dir sehr. Du und deine Schwester Liza seid einander sehr ähnlich, Griša ebenfalls. Ich stehe also in deiner Schuld. Ich bin gesund, und wenn schon gesund, dann auch munter; ich habe nur eine geheime Krankheit, die mich wie Zahnschmerzen quält – die Geldlosigkeit. Schon lange habe ich keine Briefe mehr aus Moskau bekommen, weder von den Eltern noch von dir. Hier ist es sterbenslangweilig! Wie geht es dir? Schreib, bitte! Danke für den Gruß, den du in deinem Brief an Onkel Mitrofan Egorovič an mich gerichtet hast. Bei uns in Taganrog gibt es nichts Neues, absolut nichts! Es ist sterbenslangweilig! Ich war neulich im hiesigen Theater und habe dieses Theater mit eurem in Moskau verglichen. Ein großer Unterschied! Auch zwischen Moskau und Taganrog ist ein großer Unterschied. Wenn ich das Gymnasium hinter mir habe, komme ich auf Flügeln nach Moskau geflogen, es hat mir sehr gefallen!

Schreib mir, wenn du Zeit hast, einen Brief, ich wäre dir sehr dankbar dafür. Ist es wahr, daß Apollon Ivanovič zum Militär eingezogen worden ist? Das ist eine schlimme Geschichte, eine sehr schlimme. Tante Feodosja Jakovlevna dankt dir sehr, daß du dich um Alëša kümmerst. Schreib, bitte, wie es dir geht, wie deiner Familie, wofür ich dir sehr dankbar wäre. Nun, und welchen Eindruck hat Vanja auf dich gemacht? Grüß Griša, Elizaveta Michajlovna und Aleksandra Michajlovna und sage ihnen, daß ich ihnen von Herzen alles Gute wünsche. Grüß deine Kollegen im Dienst. Laß mich, Bruder, nicht ohne Briefe von dir sein und entschuldige mein langes Schweigen.

Bleib gesund und munter. *Dein Bruder A. Čechov.*

4) AN M.P. ČECHOV TAGANROG, 5. 4. 1879

Lieber Bruder Miša!

Deinen Brief habe ich erhalten, und zwar genau im Zenith der schrecklichsten Langeweile, als ich gähnend vorm Tor stand, und daran kannst du sehen, wie sehr gelegen er kam. Deine Handschrift ist schön, und in dem ganzen Brief habe ich keinen einzigen grammatischen Fehler entdeckt. Nur eines gefällt mir nicht: warum bezeichnest du deine Person als den »nichtswürdigen und unbedeutenden kleinen Bruder«? Bist du dir deiner Nichtigkeit bewußt? Nicht alle Mišas, Bruder, müssen gleich sein. Deiner Nichtigkeit werde dir bewußt, aber weißt du wo? vor Gott meinetwegen, vor dem Geist, der Schönheit, der Natur, aber nicht vor den Menschen. Unter den Menschen muß man sich seiner Würde bewußt sein. Du bist doch kein Gauner, sondern ein ehrlicher Mensch? Dann achte in dir also den ehrlichen Kerl und nimm zur Kenntnis, daß ein ehrlicher Kerl keine Nichtigkeit ist. Verwechsle nicht »demütig sein« mit »sich seiner Nichtigkeit bewußt sein«. Georgij ist großgeworden. Ein guter Junge. Ich spiele oft Knöchelchen mit ihm. Deine Geschenke hat er bekommen. Du tust gut daran, Bücher zu lesen. Gewöhne dich ans Lesen. Mit der Zeit wirst du diese Gewohnheit schätzenlernen. Madame Beecher-Stowe hat dir die Tränen in die Augen getrieben? Ich habe sie früher einmal gelesen, und ein halbes

Jahr später noch einmal zu wissenschaftlichen Zwecken gelesen und hatte nach der Lektüre das unangenehme Gefühl, das Sterbliche verspüren, wenn sie zu viele Rosinen oder Korinthen gegessen haben. Der Kernbeißer, den ich dir versprochen hatte, ist weggeflogen, und sein Aufenthaltsort ist mir außerordentlich unbekannt. Ich werde dir etwas anderes mitbringen. Lies die folgenden Bücher: »Don Quijote« (den ganzen, in 7 oder 8 Teilen). Eine gute Sache. Ein Werk des Cervantes, den man fast auf dieselbe Stufe wie Shakespeare stellt. Meinen Brüdern rate ich, wenn sie es noch nicht gelesen haben, »Don Quijote und Hamlet« von Turgenev zu lesen. Du, Bruder, verstehst das noch nicht. Wenn du eine Reisebeschreibung lesen willst, die nicht langweilig ist, lies »Fregatte Pallas« von Gončarov usw. Maša lasse ich durch dich besonders grüßen. Darüber, daß ich später komme, seid nicht traurig. Die Zeit vergeht schnell, so langweilig es auch sein mag. Ich werde einen Kostgast mitbringen, der 20 Rub. im Monat zahlen und sich in unsere Obhut begeben wird. Ich fahre zu seiner Mutter, um mit ihr zu verhandeln. Betet!! Sosehr ihr auch beten mögt, 20 Rub. wird er zahlen. Übrigens 20 Rub. sind zu wenig, wenn man das teure Leben in Moskau und Mamas Charakter in Betracht zieht – sie wird den Untermieter göttlich verpflegen. Unsere Lehrer nehmen 350 R. und verköstigen die armen Jungen wie Hunde, mit wässriger Bratensoße.

A. Čechov.

5) AN N.P. UND I.P. ČECHOV — MOSKAU, 28. 4. 1880

Liebwerter Nikolaj Pavlovič!

Du hast mich beauftragt, wegen des Geldes für Mutter und zur Abwicklung der entsprechenden Formalitäten zu Avanco zu gehen, warst zugleich aber ein solches Rindvieh, mir keine Vollmacht dazulassen im Sinne: »Der Überbringer dieses Schreibens undsoweiter«. In der Überzeugung, daß du mir diese Vollmacht schicken wirst, verbleibe ich dein Gönner und Wohltäter, dein strenger, aber gerechter Bruder *A. Čechov.*

Zugleich informiere ich dich hiermit, schielender Ivan Ivanovič Priklonskij und schielender Ivan Ivanovič Ljadov und schielender Ivan Ivanovič Loboda und schielender Ivan Ivanyč Enjakin und schielender Čechov, daß ich in Anatomie eine 3 (sic!) bekommen habe, und in Deutsch bei Julius Caesar F. eine 2.

A. Čechov

Lieber Bruder Ivan Pavlovič!

Ich habe die Ehre, dir zum Neuen Jahr zu gratulieren und dir alles Gute zu wünschen. Gott gebe, daß du fürderhin glücklich werdest, und vor allem – Oberpriester. Entschuldige, daß ich dir so lange nicht geschrieben habe; du weißt ja selbst, ich hatte keine Zeit: ich habe die Gassen gesalzen und in der Keuschheit eines Krämertartars mit dem Hammer eine Lampe eingeschlagen. Grüße das Stadtoberhaupt von Astrachan von mir und richte ihm aus, daß ich unzufrieden sei mit seiner Gattin, denn mit Mariupol kann man einen Geigenbogen nicht schmieren wie mit Kolophonium. Die Armenier und Pfauenfedern lassen dich grüßen mit einem Pfiff und ohne jenes und danken dir für das Loslassen der Himmelsgewichte und Glockenschläge. Nun, da ich dir alles Gute und Schöne gewünscht, verbleibe ich dein Bruder, der diese alkalischen und sanitären Zeilen geschrieben. *A. Čechov.*

Brüder, seien wir keusch wie die alten Römer!!!

6) AN AL. P. ČECHOV MOSKAU, 6. 3. 1881

Aleksandr!

Ich, Anton Čechov, schreibe diesen Brief, in nüchternem Zustand, im Vollbesitz meiner geistigen Kräfte und Gelassenheit. Ich nehme zu diesem Kunstgriff von Pensionatsschülerinnen Zuflucht angesichts des von dir geäußerten Wunsches, mit dir nicht mehr zu sprechen. Wenn ich meiner Mutter, Schwester und Frau nicht gestatte, mir Überflüssiges zu sagen, so schon gar nicht einem betrunkenen Kutscher. Und wenn du 100 000mal ein lieber

Mensch bist, von dir ertrage ich, aus Prinzip und bei allem was du willst, keine Kränkungen. Solltest du, wider Erwarten, Lust haben, deinen Kniff anzuwenden, d.h. die ganze Schuld auf deine »Unzurechnungsfähigkeit« zu schieben, so nimm zur Kenntnis, daß ich sehr wohl weiß, daß »betrunken sein« nicht bedeutet, das Recht zu haben, anderen auf den Kopf zu [...]. Das Wort »Bruder«, mit dem du mir einen solchen Schrecken eingejagt hast, bin ich bereit, aus meinem Vokabular zu streichen, ein für allemal, nicht, weil ich kein Herz hätte, sondern weil man auf dieser Welt auf alles gefaßt sein muß. Ich habe vor nichts Angst, und dasselbe rate ich auch meinen Brüdern. Ich schreibe dies alles, wahrscheinlich, deshalb, weil ich mich in Zukunft sichern und vor vielem bewahren will, vielleicht sogar vor einer Ohrfeige, die du jedem zu geben imstande bist, *wer es auch sei und wo es auch sei*, kraft deines reizenden »Abers« (mit dem niemand etwas anfangen kann, sage ich in Klammern). Der Skandal von heute hat mir zum ersten Mal gezeigt, daß dein vom Autor der »Somnambulen« besungenes Feingefühl nichts einzuwenden hat gegen die erwähnte Ohrfeige und daß du ein überaus verschlossener Mensch bist, d.h. es faustdick hinter den Ohren hast, und darum...

Ergebenster Diener A. Čechov.

7) AN S. KRAMARËV MOSKAU, 8. 5. 1881

Weiser und demnach auch
überaus verderbter Solomon!

Der Brief ist dem Empfänger zugestellt worden. Ich kam hin, gab ihn ab und bin wieder gegangen, wobei... ich mich nicht verbeugt habe, mit dem Kopf gegen eine Hängelampe gestoßen bin und ein idiotisches Gesicht gemacht habe, wofür ich um Entschuldigung bitte. Ich bin gesund, munter, lerne und gebe Unterricht. Strenge mich an, das III. Studienjahr zu erreichen. Saveljev und Makar habe ich lange nicht gesehen. Goldenvejzer sah ich einmal in der Universität. Was er macht und wo er ist und wie es ihm geht, weiß ich nicht. Dich stelle ich mir nicht anders als mit Bart vor. Ich möchte es gern auch sehen. A propos! die Dame ist nicht übel... aber trotzdem habe ich mich nicht mit ihr bekanntgemacht. Warum nicht?!? Meine Zeit ist abgelaufen!!! Ich habe meine Phantasie nicht spielen lassen, nicht weil phantasieren = Onanie wäre (nach der Theorie von S. Kramarov), sondern weil ich bis zur Übergabe des Briefes geschlafen hatte: es war nicht die Zeit dazu. Komm, um zu lernen und zu lehren, nach Moskau: allen Taganrogern geht es in Moskau gut: beim Studium geht es ihnen gut, den Schurken, und von bösen Absichten sind sie weit entfernt. Die vorherrschende Note bei den Sankt-Taganrogern ist Sehr gut. Mehr gibt es nicht zu schreiben. Schreib, wenn du willst, an die unten angegebene Adresse. Deine Briefe bereiten mir Vergnügen, weil du richtig schreibst und keine obszönen Ausdrücke einflichtst. An meinem Christentum zu zweifeln gestatte ich auch dir nicht. Das Wetter in Moskau ist schön. Neues gibt es nicht. Die Beaconsfields, Rothschilds und Kramarovs werden nicht verprügelt und werden es auch in Zukunft nicht werden. Wo die Menschen ihrer Arbeit nachgehen, gibt es keine Prügeleien, und in Moskau geht jeder seiner Arbeit nach. Wenn man dich in Charkov verprügeln will, schreib mir, ich komme. Ich prügle so gern euern Bruder-Exploitateur. (Ein Moskauer Aufseher, der seinen Herrn der Exploitation bezichtigen wollte, rief einmal in meinem Beisein: »Plantator, Hundesohn!«

Mögen dir das Kiev-Elisavetgrader Schlachtfeld, der Judophobe Ljutostanskij und die Mitarbeiter des »Novoe vremja« im Traum erscheinen! Möge dir, Israelit, deine Reise ins Paradies im Traum erscheinen. Möge dich erschrecken und dir die Nerven ruinieren der gerechte Zorn der Reußen!!!

Stets zu Diensten, hochachtungsvoll und alles Gute wünschend *A. Čechov.*

Adresse: Moskau, Golovin pereulok, Hs. Eleckij. Seine Wohlgeboren* Anton (und unbedingt) Pavlovič Hrn. Čechov.

Komm nach Moskau!!! Ich habe Moskau schrecklich liebgewonnen. Wer sich einmal an Moskau gewöhnt hat, der fährt nie wieder weg. Ich bin für immer Moskauer. Komm und beschäftige dich mit der Literatur. Dieses Vergnügen ist in Charkov unmöglich, in Moskau bringt es rund 150 Rubel im Jahr ein, mir zumindest. Stunden zu bekommen ist schwer. Komm!!! Alles ist billig. Hosen bekommt man für 10 Kopeken in Silber! Und Patriotismus... soviel man will!!!! (ich ersticke...) Ein noch so kleines Sandkorn, ein noch so kleines Steinchen, und gleich ein historisches Denkmal! Komm!!! Die Moskauer Juristen – jeder ein Spasovič, und jeder lebt wie Ludwig XIV. Komm!

Deinen Brief bekam ich gestern, am 7. Mai.

Ich bin sehr froh, daß ich dir einen Gefallen habe tun können.

* Aber nicht Exzellenz: ich bin noch nicht General.

8) AN AL. P. ČECHOV MOSKAU, 8. 11. 1882

Mein Zöllnerbruder Aleksandr!

Zunächst setze ich dich davon in Kenntnis, daß alles in Ordnung ist. Zweitens bekommst du vom »Moskovskij listok« 19 R. 45 K. Davon gebe ich, wie vereinbart, 10 R. Fedja. Die übrigen schicke ich nach Erhalt an den Tanroger Zoll. Soll ich mir nicht auch Pantoffeln kaufen, oder mit den Pantoffeln noch warten? Ich habe kein Geld! Deine unzüchtigen Briefe bekommen wir, lesen sie, sind stolz auf sie und ergötzen uns an ihnen. Du sollst nicht ehebrechen, ehebrechen und naschen macht leere Taschen, du aber brichst die Ehe. Auf den Bauch klopfen darfst du: die Medizin verbietet zwar den Beischlaf, nicht aber die Massage. Nikolka ist mit Marja in Voskresensk, Miška hat Namenstag, Vater schläft, Mutter betet, Tante denkt an Wurzelsuppe, Anna wäscht ab und bringt gerade den Nachttopf, ich schreibe und denke: wie oft wird es mich heute reißen, weil ich die Kühnheit besitze zu schreiben? Dann die Medizin... Jeden Tag eine Operation. Sag Anna Ivanovna, der alte Zeitungsverkäufer ist in der Klinik an cancer prostatae gestorben. Wir führen ein ganz lustiges Leben. Wir lesen, schreiben, gehen abends aus, trinken mäßig Vodka, hören Musik, Gesang et cetera... An dich habe ich diese Bitten:

1) Fang mir einen kleinen Schmuggler und schick ihn mir her.

2) Bitte Anna Ivanovna, von mir den Ausdruck aller unverderbten und unschädlichen Gefühle anzunehmen, tausend Grüße und den Wunsch, daß du ein »glückliser Sasa« werdest.

3) Bitte (eandem), die spiritistische Seance zu beschreiben, die sie irgendwo in Tula, glaube ich, miterlebt hat. Kurz, aber genau beschreiben: wo? wie? wer? wen hat man beschworen? Sie soll sie beschreiben. Und die Beschreibung mir schicken. Ich brauche sie dringend. Ich wäre ihr dafür sehr dankbar und würde mich für diese Gefälligkeit mit einer anderen revanchieren.

4) Du sollst nicht töten.

5) Schreib' mir das Gedicht.

.... klein und drall
.... ward ich mal
.... ein General... Erinnerst du dich?

Das brauche ich ebenfalls dringend. Schreib es auf, und auch, von wem es ist...

6) Schreib öfter, aber ausführlicher. Deine Briefe zähle ich (wenn sie außer den Tulaer Versen und der Beschreibung noch etwas enthalten) zu den erstrangigen Werken und hebe sie auf. Schreib.

7) Außerdem. Das Sagbare ist, was in behördlichen Anträgen gesagt wird, das, was dort nicht gesagt wird, ist nicht sagbar... Und darum hol dir vom Onkel die Photographie, auf der wir als Gruppe aufgenommen sind (ich, du, Ivan und Nik.). Du weißt, die bei Strachov aufgenommen wurde. Schick sie her. Sie wird gebraucht.

Ich sehne mich nach dir, auch wenn du ein Säufer bist.

Sag Anna Ivanovna, daß Gavrilka sie nach Strich und Faden belügt. Schrecklich, wie der mir auf die Nerven geht.

Und was sagt Anoša zu Nr. 18? Sag ihm, daß uns die Loboda- Nummern alle nicht gefallen, angefangen von Ivan Ivanč bis zu ihm, Anosja.

Ich schreibe ein bißchen, aber wenig. Lies im »Mirskoj tolk« meine »Verspäteten Blumen«... Hol sie dir vom Onkel.

Ich arbeite wieder in Piter.

Šurka zerreiß ich die Hose, Gerška hebe ich am Schwanz hoch.

Lebt wohl, auf Wiedersehen. *A. Čechov.*

Komm zu den Feiertagen... Wegen der Papiere habe ich mich nicht erkundigt. Wenn du nicht im Rückstand bist, schreib dem Dekan einen Brief! Dekane haben ohnehin nichts zu tun.

Bekommt der Onkel die Zeitung regelmäßig?

Rr. [...]

DS. Vorsicht! Bei Gebrauch nicht schütteln.

Hrn. Sekretär
Zacharjin.

Entschuldigen Sie, aber man muß den leeren Platz doch ausnützen?

Was aber folkt daraus? Nun, und wenn nichts daraus folkt... Aber was folkt daraus?

Ich möchte dich in Taganrog sehen, und Leonid in Suraž: eben, eben, das sind doch keine Schweine, sollte man annehmen! Werd wenigstens nicht so dick!

9) AN AL. P. ČECHOV MOSKAU, 25. 12. 1882 UND 1./2. 1. 1883

2.25.12.

Der du Schmuggler-Menschen-das-Universum jagst, mein Zöllnerbruder, Schönster unter den Menschen, Aleksandr Pavlyč!

Den ganzen Monat habe ich dir schreiben wollen, nun endlich tue ich es. Während der Schielende, ma, zwei ma, Vater (er ist doch auch Jurist. Denn wer, außer einem Juristen, würde von einer Zakuska sonst noch Juristisches verlangen?) sitzen und Schinken mit Senf essen, schreibe ich dir und habe die Absicht, dir, in Zeilen gezählt, für 25 R. in Silber zu schreiben. Ich werde zusehen, daß es mich von dieser Anstrengung nicht zerreißt.

1) Das Wetter ist herrlich. Sonne. –18°. Es gibt keinen größeren Genuß, als mit der Droschke herumzufahren. Der Rummel auf den Straßen, den du bereits zu vergessen beginnst, was nur natürlich ist. Die Droschken stoßen mit den Pferdebahnen zusammen, die Pferdebahnen mit den Droschken. Auf den Trottoirs kann man nicht treten, weil man von allen Seiten erdrückt wird. Gestern und vorgestern habe ich mit Nikolka ganz Moskau abgefahren, und überall derselbe Rummel. Und in Taganrog? Ich kann mir eure Langeweile vorstellen und verstehe euch. Heute die Besuche. Bei uns ist täglich eine Masse von Leuten, und heute schon gar. Ich gehe nirgends hin: wirkliche und künftige Ärzte haben das Recht, keine Besuche zu machen.

2) Der neue Redakteur der »Europäischen Bibliothek« Putjata hat gesagt, daß alles, was du schickst und geschickt hast, veröffentlicht wird. Du hast um Geld im voraus gebeten: das geben sie dir nicht, weil sie habgierig sind. Schon das verdiente Geld ist ihnen schwer zu entlocken, und... Im übrigen (das ist nur eine Beobachtung von mir), die Übersetzung ist nicht immer gut. Sie ist tauglich, aber von dir könnte man Besseres verlangen: entweder übersetz keinen Mist, oder übersetze und feile gleichzeitig. Man kann die Sachen auch kürzen und verlängern. Die Autoren sind nicht im Nachteil, und du erlangst das Renommee eines guten Übersetzers. Übersetz kleine Sachen. Die kann man auf das Leben in Rußland übertragen, was dich ebensoviel Zeit kostet wie die Übersetzung selbst, und Geld bekommst du mehr dafür. Eine überarbeitete Sache (eine kurze) druckt Pastuchov mit Vergnügen.

3) Einem der letzten Ukase zufolge haben Personen, die im Staatsdienst stehen, nicht das Recht, an Zeitschriften mitzuarbeiten.

4) Gavrilka Sokolnikov hat einen Elektromotor erfunden.

Eine ernste, seriöse Erfindung, und ihm allein gehörig. Er kennt die Elektrizität genau, der Spitzbube. Solange wir auf dieser Erde weilen, wird jeder, der sie kennt, Erfindungen mit ihr machen. Ein weites Feld.

5) Nikolka schreibt niemandem. Das ist eine Besonderheit seines schielenden Organismus. Er beantwortet nicht einmal wichtige Briefe und hat neulich einen Tausender-Auftrag nur darum nicht bekommen, weil er keine Zeit fand, Lentovskij zu schreiben.

6) Der »Zritel« wird erscheinen. Geld ist vorhanden, die Menge. Du wirst ihn geschickt bekommen... Schreib 100–120–150 Zeilen. Der Preis 8 Kop. pro Zeile. Im »Budilnik« rate ich dir nicht zu schreiben. Die haben eine neue Administration (Kurepin und die Juden), noch widerwärtiger als die vorige. Wenn du im »Mirskoj tolk« schreiben willst, dann schreib an meinen Namen. Das ist wichtig. Denk überhaupt daran, daß alles, was an meinen Namen geschickt wird, größere Aussichten hat, veröffentlicht zu werden, als das, was direkt an die Redaktion geht. Vetternwirtschaft ist ein wichtiger Motor, und ich bin ein Vetter.

7) *Eine Woche später.* Neujahr haben wir bei Puškarëv begangen. Dort haben wir Gavrilka im Frack gesehen und Nadenka in Handschuhen...

8) Geld – kein bißchen... Mutter verflucht uns wegen der Geldlosigkeit...

Usw.

Ich kann nicht mehr schreiben! Zu faul und keine Zeit.

A. Čechov.

10) AN N. A. LEJKIN MOSKAU, 12. 1. 1883

3 $\frac{12}{1}$

Sehr verehrter Herr

Nikolaj Aleksandrovič!

Als Antwort auf Ihre liebenswürdigen Briefe schicke ich Ihnen einige Sachen. Das Honorar habe ich bekommen, die Zeitschrift bekomme ich ebenfalls (dienstags); für das eine wie das andere sage ich Ihnen meinen Dank. Ich danke auch für die schmeichelhafte Einladung, weiter mitzuarbeiten. An den »Oskolki« arbeite ich besonders gern mit. Die Richtung Ihrer Zeitschrift, ihr Äußeres und das Können, mit der sie geführt wird, nehmen sehr für Sie ein, was Sie auch bereits getan haben, und nicht nur mich allein.

Auch ich verteidige mit Macht die kleinen Sachen, und wenn ich eine humoristische Zeitschrift herausgäbe, würde ich alles, was zu lang ist, streichen. In den Moskauer Redaktionen bin ich der einzige, der sich gegen Längen empört (was mich, im übrigen, nicht daran hindert, hier und da auch jemanden damit zu beglücken... Wer kann schon wider den Stachel löcken!), aber gleichzeitig muß ich zugeben, daß mir die Rahmen »von hier bis da« nicht wenig Kummer bereiten. Sich mit diesen Beschränkungen abzufinden ist manchmal ziemlich schwierig. Zum Beispiel... Sie gestehen mir keine Artikel über 100 Zeilen zu, was seine Gründe hat... Ich habe ein Thema. Ich setze mich hin, um zu schreiben. Der Gedanke an die »100« und »nicht mehr« versetzt meiner Hand einen Schlag schon von der ersten Zeile an. Ich komprimiere soweit wie möglich, siebe, streiche – und manchmal (wie mir mein Gefühl als Autor sagt) auf Kosten des Themas wie (vor allem) der Form. Habe ich komprimiert und gesiebt, beginne ich zu zählen... Zähle ich 100–120–140 Zeilen (mehr habe ich für die »Oskolki« nicht geschrieben), packt mich der Schrecken und... ich schicke sie nicht ab. Sowie ich beginne, auf die 4. Seite eines Briefbogens kleinen Formats überzulaufen, beginnen die Zweifel an mir zu nagen, und... ich schicke sie nicht ab. Meistens muß ich in aller Eile den Schluß durchkauen und kann nicht das abschicken, was ich eigentlich wollte... Als Beispiel für meine Kümmernisse schicke ich Ihnen den Art. »Das einzige Mittel«... Ich habe die Sache komprimiert und schicke sie Ihnen in dieser komprimierten Gestalt, und dennoch scheint mir, daß sie verteufelt lang ist für Sie, während mir auch scheint, hätte ich sie doppelt so lang geschrieben, hätte sie doppelt soviel Salz und Inhalt... Ich habe noch kürzere Sachen – aber da habe ich Angst. Manchmal habe ich sie schon abschicken wollen, konnte mich aber doch nicht dazu entschließen...

Daraus folgt meine Bitte: erweitern Sie meine Rechte auf 120 Zeilen... Ich bin überzeugt, daß ich von diesem Recht nur selten Gebrauch machen werde, aber das Bewußtsein, es zu haben, würde mich erlösen von den Schlägen gegen meine Hand.

Empfangen Sie damit die Versicherung der Hochachtung und Ergebenheit Ihres gehorsamen Dieners *Ant. Čechov.*

P.S. Zu Neujahr hatte ich für Sie einen Umschlag von 3 Lot Gewicht vorbereitet. Da erschien der Redakteur des »Zritel« und hat ihn mir entwendet. Wegnehmen konnte ich ihm den Brief unmöglich: er ist ein Freund. Unsere Redakteure halten jedem Moskauer eine Philippika, der für Petersburg arbeitet. Dabei nimmt ihnen Petersburg kaum so viel weg, wie die Herren Zensoren schlucken. Im unglückseligen »Budilnik« streichen sie pro Nummer 400–800 Zeilen. Man weiß dort nicht mehr, was man machen soll.

11) AN G.P. KRAVCOV MOSKAU, 29. 1. 1883

Bester

Gavriil Pavlovič!

Ihren liebenswürdigen Brief habe ich gestern nacht bekommen und habe ihn mit Vergnügen gelesen. Ich danke Ihnen tausendmal, daß Sie uns Sünder nicht vergessen.

Sie sollten sich nicht bedanken für die Zeitschriften. Das kostet mich nichts, und ich wäre froh, mich wenigstens mit irgend etwas für Ihre Gastfreundschaft bedanken zu können.

Im Sommer werde ich vielleicht zu Ihnen kommen, wenn Sie es gestatten.

Sie schreiben: »... vielleicht ist unsere Farbe Ihnen schon nicht mehr genehm.« Solche Worte zu schreiben ist eine Sünde. Meinen Sie etwa, ich hätte es bereits geschafft, ein Schwein zu werden? Nein, warten Sie noch ein bißchen, dazu ist es noch zu früh, ich bin noch nicht verdorben, auch wenn ich angefangen habe zu leben. Aber auch in Zukunft werde ich die Menschen wohl kaum in Spielkartenfarben einteilen.

Ich habe einen Brief nach Veljun geschrieben.

Es lebt sich leidlich, aber meine Gesundheit – o weh und ach! Man arbeitet wie ein Affe, legt sich um fünf Uhr morgens schlafen. Ich schreibe für die Zeitschriften auf Bestellung, und nichts ist schlimmer, als sich zu bemühen, den Termin einzuhalten. Geld habe ich. Ich esse sehr gut, trinke sehr gut, kleide mich nicht schlecht, aber... ich habe schon keinen überflüssigen Fetzen Fleisch mehr am Körper! Man sagt, ich sei abgemagert bis zur Unkenntlichkeit.

Na, und die Frauen...

Ich arbeite für Piter und für Moskau, bin berühmt geworden, mit allen bekannt... Es lebt sich beinahe lustig. Im Sommer werde ich in den Süden fahren, um meine Gesundheit wiederherzustellen. Ich grüße Alëša, Saša, Zoja und Nina, und Natalja Parfentjevna, an deren Züge ich mich in allem erinnere (sie hat ein schönes Gesicht), sende ich einen herzlichen Gruß. Ihnen drücke ich die Hand und bleibe stets Ihr Diener *A. Čechov.*

oder: A. Čechonte

M. Kovrov

Der Mann ohne Milz.

So unterschreibe ich in den 6–7 Zeitungen, an denen ich mitarbeite. Ich bekomme 8 Kop. für die Zeile.

Schreckliche Ausgaben. Für die Droschken pro Tag mehr als einen Rubel.

Meine Adresse:

Moskau, Sretenka, Golovin per., Hs. Eleckij, an A.P. Čechov, oder an jede beliebige Redaktion. Aber besser an erstere: zu Hause bin ich öfter als in den Redaktionen.

12) AN AL.P. ČECHOV MOSKAU, FEBRUAR 1883

Mein gutartiger Bruder
Aleksandr Pavlovič!

Zuerst beglückwünsche ich dich und deine Hälfte zur gelungenen Entbindung und zu eurem Zuwachs und die Stadt Taganrog zu ihrer neuen Mitbürgerin. Möge die Neugeborene (... bekreuzige dich!) viele Jahre leben auf Erden, Überfluß genießen (bekreuzige dich!) an Schönheit des Leibes und der Seele, an Geld, gutem Ruf, Verstandeskraft, und möge sie sich beizeiten einen standfesten Mann grapschen (bekreuzige dich, Idiot!), nicht jedoch, ohne zuvor sämtliche Gymnasiasten von Taganrog verführt und in tiefe Niedergeschlagenheit versetzt zu haben!!

Nachdem ich diesen Glückwunsch ausgebracht habe, komme ich direkt zur Sache. Eben hat mir Nikolka einen Brief von dir zum Lesen zugesteckt. Die Frage nach dem Recht »Lesen oder nicht Lesen« lasse ich aus Mangel an Zeit beiseite. Beträfe dieser Brief einzig und allein Nikolkas Person, so hätte ich mich auf meinen Glückwunsch beschränkt, dein Brief berührt jedoch zugleich noch eine ganze Reihe äußerst interessanter Fragen. Über diese Fragen möchte ich reden. Und zugleich Antwort geben auf alle deine vorangegangenen Gesetzestafeln. Leider habe ich nicht die Zeit, viel zu schreiben, wie es sich gehörte. Der Übersichtlichkeit und Ausführlichkeit halber nehme ich Zuflucht zu einem Rahmen, einem System: ich werde deinen Brief Faser für Faser auseinandernehmen, von »a« bis Zet. Ich bin der Kritiker, er – ein Werk, das belletristisches Interesse besitzt. Als Leser habe ich das Recht dazu. Du siehst dein Werk als Autor – und alles ist wunderbar. A propos, das sollte uns, die Schreibenden, nicht hindern, unsere Kräfte auch im Kritikastern zu versuchen. Notwendige Vorwarnung: der Kern liegt in den oben erwähnten

Fragen, ausschließlich; ich werde mich bemühen, meinen Kommentar vom Persönlichen soweit wie möglich freizuhalten.

1) Daß Nikolka im Unrecht ist – darüber lohnt es sich nicht zu reden. Er beantwortet nicht nur deine Briefe nicht, er beantwortet nicht einmal geschäftliche Briefe; einen unhöflicheren Menschen als ihn kenne ich in dieser Hinsicht nicht. Ein Jahr lang will er nun schon an Lentovskij schreiben, der nach ihm sucht; ein halbes Jahr liegt nun schon ein Brief dieses anständigen Menschen auf dem Regal herum, liegt unbeantwortet herum, und nur um einer Antwort willen ist er geschrieben worden. Einen größeren Luftikus als unseren Bruder wird man schwerlich finden. Und das Entsetzlichste daran – er ist unverbesserlich... Du hast dich in deinem Brief über ihn beklagt, aber ich glaube nicht, daß er die Zeit gefunden hat, dir zu antworten. Darum geht es auch nicht. Ich beginne mit der Form deines Briefes. Ich erinnere mich, wie du gelacht hast über Onkels Manifeste... Du hast über dich selbst gelacht. Deine Manifeste machen in ihrer Süßlichkeit denen des Onkels Konkurrenz. Da ist alles drin: »umarmt«... »Geschwüre der Seele«... Es fehlte nur, daß du noch mit Tränen kommst... Wenn man den Briefen des Onkels glauben darf, muß er, der Onkel, sich schon längst in Tränen aufgelöst haben. (Die Provinz!...) Und du vergießt in deinem Brief ebenfalls Tränen, von Anfang bis Ende... In allen deinen Briefen übrigens, und in allen deinen Werken... Man könnte meinen, du und der Onkel bestünden aus nichts anderem als aus Tränendrüsen. Ich spotte nicht, strenge meinen Witz nicht an... Ich hätte nicht angefangen, von dieser Tränenseligkeit zu sprechen, diesen Atembeklemmungen vor Freud und Leid, diesen Seelengeschwüren usw., wenn sie nicht so unzeitgemäß wären und... nicht so schädlich. Nikolka (und das weißt du sehr wohl!) treibt dummes Zeug; ein gutes, starkes russisches Talent geht zugrunde, geht für nichts und wieder nichts zugrunde... Noch ein, zwei Jahre, und das Lied ist aus für unseren Maler. Er reibt sich auf in der Menge der Bierhallenbesucher, der niederträchtigen Jarons und anderer Ekel... Du siehst seine jetzigen

Arbeiten ... Was macht er? Er macht alles, was flach ist und billig ... während, angefangen, ein bemerkenswertes Bild von ihm im Saal steht. Das »Russische Theater« hat ihm angeboten, ein Dostoevskij-Bühnenbild zu entwerfen ... Er hat sein Wort gegeben, und wird sein Wort nicht halten, dabei würde ihm dieses Bühnenbild einen Namen machen, zu essen geben ... Was gibt es da zu reden? Du hast ihn vor einem halben Jahr gesehen und ihn, hoffentlich, nicht vergessen ... Und jetzt, anstatt ihn zu stützen, ihn, einen gutherzigen Kerl, der Talent hat, aufzumuntern durch ein gutes starkes Wort, was für ihn von unschätzbarem Wert wäre, schreibst du ihm erbärmliche, jammervolle Worte ... Du hast ihn für eine halbe Stunde bekümmert, ihn zerschmettert, mutlos gemacht und nichts weiter ... Morgen hat er deinen Brief vergessen. Du bist ein sehr guter Stilist, hast viel gelesen, viel geschrieben, verstehst die Dinge ebenso, wie andere sie verstehen – es kostet dich nichts, deinem Bruder ein gutes Wort zu schreiben ... Keine Moralpredigt, nein! Wenn du, statt der Tränenergüsse, über seine Malerei mit ihm gesprochen hättest, dann hätte er sich, das ist sicher, sofort hingesetzt an seine Malerei und hätte dir wahrscheinlich geantwortet. Du weißt doch, wie man ihn beeinflussen kann ... »Du hast mich vergessen ... das ist der letzte Brief, den ich schreibe« – das ist alles läppisch, das ist nicht das Wesentliche ... Nicht das mußt du unterstreichen ... Unterstreich du, ein starker, gebildeter, erwachsener Mann, das, was vital ist, was ewig ist, was nicht auf das kleinliche Gefühl wirkt, sondern auf das wahre, menschliche Gefühl ... Du bist dazu fähig ... Du bist geistreich, hast Sinn für das Reale, bist Künstler. Für den Brief, in dem du den Dankesgottesdienst auf den Pfählen (mit dem Eis à la Kapitän Hatteras) beschreibst, würde ich, wäre ich Gott, dir alle deine willentlichen und unwillentlichen Sünden vergeben, die du in Worten und Taten ... (Übrigens: Nikolka hatte, nachdem er deinen Brief gelesen hatte, schreckliche Lust, die Pfähle zu malen.) Du unterstreichst auch in deinen Werken das Kleinliche ... Dabei bist du nicht geboren zum subjektiven Schreiber ... Das ist nicht angeboren, sondern anerworben ...

Sich von dieser anerworbenen Subjektivität zu befreien ist so leicht, wie jemandem etwas zu trinken zu geben ... Es lohnt sich nur, ehrlich zu sein: sich überall über Bord zu werfen, nicht in die Helden seines Romans hineinzukriechen, sich von sich selbst zu befreien, und sei es für 1/2 Stunde. Du hast eine Erzählung, in der sich die jungen Ehegatten während des ganzen Essens küssen, jammern, Blödsinn reden ... Kein einziges vernünftiges Wort, sondern dauernd *Gutmütigkeit!* Du hast nicht für den Leser geschrieben ... Du hast geschrieben, weil *dir* dieses Geschwätz angenehm ist. Beschreib das Essen: wie haben sie gegessen, was haben sie gegessen, wie war die Köchin, beschreib, wie abgeschmackt dein Held ist, zufrieden mit seinem trägen Glück, wie abgeschmackt deine Heldin, wie lächerlich in ihrer Liebe zu diesem satten, vollgefressenen Ganter mit seiner Serviette um den Hals ... Jeder findet es angenehm, satte, zufriedene Menschen zu sehen – das stimmt, aber um sie zu beschreiben, reicht es nicht, daß *sie* reden und sich wer weiß wie oft küssen ... Dazu ist noch etwas anderes nötig: daß man sich befreit von jenem persönlichen Eindruck, den auf jeden Nichtverbitterten der Honigmond macht ... Die Subjektivität ist eine schreckliche Sache. Sie ist schon deshalb nicht gut, weil sie den armen Autor mit Haut und Haar ausliefert. Ich gehe jede Wette ein, daß alle Popenfrauen und Schreibersgattinnen, nachdem sie deine Werke gelesen haben, in dich verliebt sind und daß du, wärst du ein Deutscher, in allen Biergärten, die von deutschen Frauen geführt werden, Freibier bekämst. Wenn diese Subjektivität nicht wäre, diese Berauschtheit, dann würde aus dir ein sehr nützlicher Schriftsteller. Du kannst so schön lachen, spotten, zum Lachen bringen, du hast so einen runden Stil, hast viel erlebt, vieles durchschaut ... Ach ja! Umsonst verfällt da Material! Wenn du es wenigstens in deine Briefe stopfen, Nikolkas Phantasie aufmuntern würdest ... Aus deinem Material kann man Sachen aus Eisen schmieden, keine Manifeste. Was für ein brauchbarer Mensch du werden könntest! Versuch es, schreib Nikolka ein-, zweimal ein vernünftiges Wort, ein ehrliches, gutes – du bist doch 100mal klüger als er – schreib ihm, und du wirst sehen, was dabei herauskommt... Er wird dir antworten, so faul er immer sein mag... Jammervolle, entmutigende Worte schreib ihm nicht: er ist ohnehin schon mutlos genug...

»Es braucht wenig Gespür – schreibst du weiter –, um zu begreifen, daß ich mich, indem ich wegfuhr, von der Familie abgeschnitten und mich selbst dem Vergessen überantwortet habe...« Das klingt, als hätten alle dich vergessen. Daß du selbst nicht daran glaubst, was du schreibst, darüber lohnt es nicht zu reden. Wir wollen uns nicht belügen, Freund. Nachdem du den Charakter unserer deprimierten Mutter und den von Nikolaj kennst, der in betrunkenem Zustand sich an alle Welt erinnert und sie abküßt, hast du so etwas nicht schreiben dürfen; wenn die Tränendrüsen nicht wären, hättest du es nicht geschrieben. »Ich habe es erwartet, und natürlich ist es eingetroffen...« Du willst, daß es einem kalt den Rücken hinunterläuft. Es soll einem kalt den Rücken hinunterlaufen, sehr sogar, aber das erreichst du nicht mit diesen Worten. Das sind Zitate aus dem »Schwesterchen«, du hast aber auch vernünftigere Sachen, aus denen du besser hättest zitieren können.

2) »Vater hat mir geschrieben, daß ich mich nicht gerechtfertigt hätte« usw. Das schreibst du zum 100. Male. Ich weiß nicht, was du von Vater willst? Er ist ein Feind des Tabakrauchens und des außerehelichen Zusammenlebens – willst du einen anderen Menschen aus ihm machen? Mit Mutter und Tante kann man das machen, mit Vater nicht. Er ist genauso ein Stein wie die Raskolniki, in nichts schlechter als sie, ihn rückst du nicht von der Stelle. Das ist einfach seine Stärke. Er wird, so süßlich du ihm auch immer schreibst, ewig seufzen, dir ein und dasselbe schreiben und, was das Schlimmste ist, darunter leiden... Du dagegen tust, als wüßtest du das nicht! Merkwürdig... Entschuldige, mein Lieber, aber mir scheint, hier spielt noch eine andere, auch ziemlich miserable Saite eine nicht unwesentliche Rolle. Du löckst nicht wider den Stachel, sondern suchst dich gleichsam mit ihm auszusöhnen... Was geht es eigentlich dich an, wie der eine

oder andere Raskolnik dein Zusammenleben beurteilt? Was kriechst du vor ihm, was willst du? Laß ihn schauen, solange er Lust hast... Das ist seine Angelegenheit, seine als Raskolnik... Du weißt, daß du im Recht bist, dann besteh auch auf deinem Recht, was immer sie schreiben, was immer sie leiden mögen... Im (unversöhnlichen) Protest liegt das ganze Salz des Lebens, Freund.

Jeder hat das Recht zu leben, mit wem er will und wie er will – das ist das Recht des erwachsenen Menschen, du glaubst also nicht an dieses Recht, wenn du es für nötig hältst, Advokaten zu den Pimenovnas und Stamatičs zu schicken. Was bedeutet dein Zusammenleben von deinem Gesichtspunkt aus für dich? Das ist dein Nest, deine Wärme, dein Leid und Freud, deine Poesie, und du gehst mit dieser Poesie um wie mit einer gestohlenen Wassermelone, schaust jeden argwöhnisch an (was denkt er wohl darüber?), drückst sie jedem in die Hand, jammerst, stöhnst... Ich an Stelle deiner Familie wäre zum mindesten beleidigt. Dich interessiert, wie ich darüber denke, wie Nikolaj, wie Vater?! Was geht das dich an? Du fühlst dich unverstanden, so wie du keinen »Vater von sechs Kindern« verstehst, wie du früher keine Vatergefühle verstanden hast... Sie verstehen dich nicht, so nahe sie dir auch stehen mögen, aber da gibt es auch nichts zu verstehen. Lebe dein Leben und Amen. Für alle auf einmal fühlen ist unmöglich, und du willst, daß wir auch für dich fühlen. Sowie du siehst, daß wir gleichgültige Fratzen schneiden, fängst du an zu jammern. Wundersam sind deine Werke, o Herr! Ich an deiner Stelle würde, wäre ich verheiratet, niemandem auch nur eine Meinung darüber gestatten, nicht einmal den Wunsch mich zu verstehen. Das ist mein »ich«, mein Departement, und keine liebe kleine Schwester hat das Recht (gerade kraft der natürlichen Ordnung), ihre Verständnis und Rührung heischende Nase da hineinzustecken! Ich würde auch keine Briefe über meine Vaterfreuden schreiben... Sie würden es nicht verstehen, und über Manifeste würden sie lachen – und sie hätten recht. Du hast auch Anna Ivanovna auf dich eingestimmt. Noch in Moskau hat sie während der Begegnung mit uns heiße Tränen vergossen und gefragt: »Ist es mit 30 Jahren nicht... zu spät!« Als hätten wir sie danach gefragt... Es ist unsre Sache, was wir denken, und nicht die eure, es uns zu erklären. Ich würde mir eher gestatten zu platzen, als meiner Frau zu gestatten, sich vor meinen Brüdern zu verbeugen, und meine Brüder könnten noch so groß sein! So ist das... Ein gutes Thema für einen Roman. Einen Roman zu schreiben habe ich keine Zeit.

3) »Von unserer Schwester habe ich nicht das Recht, es zu verlangen... sie hatte noch nicht die Gelegenheit, sich von mir... ein Bild zu machen, das nicht häßlich wäre... Und einem ins Herz schauen kann sie noch nicht...« (Ins Herz schauen... Erinnert dich das nicht an den Landgendarmen, der in den Herzen lesen konnte?) Du hast recht... Deine Schwester liebt dich, aber ein Bild von dir hat sie noch nicht... Die Dekorationen, von denen du schreibst, haben nur bewirkt, daß sie *Angst hat,* an dich zu denken. Das ist nur zu natürlich! Erinnere dich, hast du auch nur einmal wie ein Mensch mit ihr geredet? Sie ist schon ein großes Mädchen, studiert, befaßt sich mit ernster Wissenschaft, ist ernsthaft geworden, aber du, hast du ihr auch nur ein einziges Mal ein ernsthaftes Wort gesagt, geschrieben? Dieselbe Geschichte wie mit Nikolaj. Du schweigst, da ist es kein Wunder, daß sie dich nicht kennt. Fremde haben mehr für sie getan als du, ihr Angehöriger... Sie hätte vieles von dir lernen können, aber du bist geizig. (Mit Liebe setzt du sie nicht in Erstaunen, denn Liebe ohne gute Taten ist tot.) Sie steht zur Zeit einen Kampf durch, und was für einen verzweifelten! Man kommt aus dem Staunen nicht heraus! Alles ist zusammengebrochen, was eine Lebensaufgabe hätte werden können... Sie ist derzeit in nichts schlechter als jede Turgenevsche Heldin... Ich übertreibe nicht. Der fruchtbarste Boden, damit du es weißt! Und du kritzelst ihr Lyrik aufs Papier und bist böse, daß sie dir nicht schreibt! Ja worüber soll sie dir denn schreiben? Einmal hat sie sich hingesetzt, um zu schreiben, hat überlegt, überlegt und dann über die Fedoticha geschrieben... Sie hätte noch etwas schreiben wollen,

aber dann war niemand da, dem sie sich hätte anvertrauen können und der ihr versichert hätte, daß man ihre Worte nicht mit dem Auge von Tretjakov & Co. ansieht. Ich gebe zu, ich bin zu nervös der Familie gegenüber. Ich bin überhaupt nervös. Oft grob, ungerecht, aber wieso erzählt mir unsere Schwester Dinge, von denen sie keinem von euch je etwas sagt? Wahrscheinlich, weil ich in ihr nicht nur die »heißgeliebte Schwester« sehe, so wie ich auch in Miška den Menschen nicht ignoriere, mit dem man *unbedingt* reden muß... Und sie ist doch ein Mensch, und mein Gott was für ein Mensch. Du treibst ein böses Spiel mit ihr: du hast ihr einen Wechsel gegeben und ihr auf Kredit einen Tisch gekauft, eine Uhr... Eine schöne Pädagogie! Für sie werden sich im Jenseits nicht die Eltern zu verantworten haben. Die haben damit nichts zu tun...

»Ganz zu schweigen von Anton. Du allein bist mir geblieben...«

Als Gentleman müßte ich dies mit Schweigen übergehen. Aber zu Anfang meines Briefes habe ich gesagt, daß ich das Persönliche aus dem Spiel lassen wolle... Das tue ich auch hier und verkralle mich nur in der »Frage«. (Schrecklich, so viele Fragen!) Es gibt auf dieser schönen Welt eine schlimme Krankheit, die nicht zu kennen sich kein schreibender Mensch rühmen darf, keiner!... [Ihrer gibt es viele, unser sind wenige. Unser Lager ist zu wenig zahlreich. Krank ist es, dieses Lager. Die Leute ein und desselben Lagers wollen einander nicht begreifen.][1]

Ich habe mich verschrieben! Muß etwas durchstreichen... Und du kennst sie... Es ist die Kičeevsche Krankheit – daß Leute aus ein und demselben Lager einander nicht begreifen *wollen.* Eine niederträchtige Krankheit! Wir sind gleich gesonnen, atmen dasselbe, denken gleich, sind geistig verwandt, und stattdessen... haben wir die Kleinlichkeit zu schreiben: »Ganz zu schweigen von!« Sehr großzügig! *Wir* sind so wenige, daß wir

[1]) Der Text in eckigen Klammern ist durchgestrichen. (P. U.)

uns gegenseitig festhalten müssen... nun ja, vous comprenez! Sosehr wir uns auch versündigt haben aneinander (und so groß sind doch diese Sünden nicht!), wir können es uns nicht leisten, auch nur das Geringste zu verachten, was Ähnlichkeit hat mit dem »Salz der Erde«. Wir, ich, du, die Tretjakovs, unser Miška stehen über Tausenden, nicht unter Hunderten... Wir haben eine gemeinsame Aufgabe: zu denken, den Kopf auf den Schultern zu haben... Was nicht zu uns gehört, ist gegen uns. Und wir sagen uns voneinander los! Sind einander böse, nörgeln, greinen, streuen Gerüchte aus, spucken uns in die Fresse! Wie viele haben Tretjakov und seine Companie angespuckt! Sie haben mit »Vasja« Bruderschaft getrunken und die übrige Menschheit als beschränkt abgeschrieben! Ich bin dumm, kann mir nicht die Nase putzen, habe vieles nicht gelesen, aber ich bete zu eurem Gott – das ist genug, damit ihr mich in Gold aufwiegt! Stepanov ist ein Dummkopf, aber er ist Akademiker, steht 1000mal höher als Semën Gavrilovič und Vasja, und ihn haben sie gezwungen, nach dem Cancan mit der Schläfe auf den Klavierdeckel zu schlagen! Eine Unverschämtheit! Eine schöne Auffassung von den Menschen, und ein schöner Umgang mit ihnen! Ich wäre ein schöner Idiot, wenn ich Zembulatov die Narrenkappe aufsetzte, nur weil er Darwin nicht kennt! Er, erzogen im Leibeigenenrecht, ist ein Feind der Leibeigenschaft – schon allein dafür liebe ich ihn! Und wenn ich anfinge, mich von A, B, C... D loszusagen, vom einen, anderen, dritten, dann müßte ich meine Tage in Einsamkeit beschließen!

Wir Zeitungsleute haben eine Krankheit – den Neid. Statt sich über deinen Erfolg zu freuen, beneidet man dich und... gibt dir Pfeffer! Pfeffer! Und währenddessen beten alle zu ein und demselben Gott, arbeiten alle ausnahmslos an ein und derselben Sache... Solch eine Kleinlichkeit! Eine Ungezogenheit... Und wie das alles das Leben vergiftet!

Man soll seine Arbeit tun, und darum halte ich inne. Ich schreibe irgendwann später weiter. Ich habe dir als Freund geschrieben, Ehrenwort; niemand hat dich vergessen, niemand hat auch nur irgend etwas gegen dich und... es besteht keinerlei Veranlassung, dir nicht als Freund zu schreiben.

Ich grüße Anna Ivanovna und die eine Ma.

Bekommst du die »Oskolki«? Gib mir Bescheid. Ich habe dir die Bestätigung von Lejkin persönlich geschickt.

Und damit – meine Verehrung. *A. Čechov.*

Möchtest du nicht ein kleines Thema?

Hab ich aber viel geschrieben! Für mindestens 20 Rubel! Mehr noch, übrigens...

13) AN N. A. LEJKIN MOSKAU, NACH 17. 4. 1883

Sehr geehrter
Nikolaj Aleksandrovič!

Ich schicke Ihnen einige Erzählungen und die Antwort auf Ihren Brief.

Sie bemerken à propos, daß mein »Weidenbaum« und »Der Dieb« für die »Oskolki« ein wenig zu ernst seien. Mag sein, aber ich hätte Ihnen diese nicht komischen Sachen nicht geschickt, wenn ich mich beim Abschicken nicht von einigen Überlegungen hätte leiten lassen.

Ich finde, daß eine ernste kleine Sache von annähernd 100 Zeilen nicht allzusehr ins Auge sticht, um so weniger, als die »Oskolki« im Untertitel nicht die Worte »humoristisch und satirisch« führen, keinen Rahmen abstecken zugunsten des unbedingten Humors. Eine leichte kleine Sache (nicht die meine, sondern überhaupt), die, im Geiste der Zeitschrift, eine Fabel enthält und einen gebührenden Protest, liest man, soweit ich das feststellen konnte, gern, will sagen, wirkt nicht trocken. Auch bei Ihnen findet man manchmal unter den Sachen des überaus geistreichen I. Grek kleine Sachen, die ins Ernsthafte gehen, die aber fein sind, graziös, so daß man sie nach Tisch zusammen mit dem Dessert zu sich nehmen möchte. Sie geben kein Kontra, im Gegenteil ... Und auch Liodor Ivanovič macht nicht immer Witze, und dabei findet man kaum einen Leser der »Oskolki«, der seine Gedichte nicht läse. Das Leichte und Kleine, so ernst es immer sein mag (ich spreche nicht von der Mathematik und vom Transitverkehr durch den Kaukasus), liest sich dennoch leicht ... Gott behüte uns vor der Trockenheit, aber ein warmes Wort, zu Ostern zu einem Dieb gesagt, der gleichzeitig auch noch ein Verbannter ist, wird die Nummer nicht verderben. (Und um die Wahrheit zu sagen, ist es auch schwer, dem Humor nachzustellen! Manchmal macht man Jagd auf den Humor und schreibt dabei etwas zusammen, daß einem selber schlechtwird. Unwillkürlich ist man in den Bereich des Ernsts geraten ...) Zu Pfingsten werde ich Ihnen etwas Grünes schicken, à la »Weidenbaum«. Ernsthaft werde ich nur an den großen Feiertagen sein.

An Ag. Edinicyn habe ich geschrieben. Das ist mein Bruder, jetzt Beamter, der die letzten Jahre für Moskauer Verlage gearbeitet hat. Er hat viel und seinerzeit auch mit Erfolg gearbeitet: er lebte vom Schreiben. Er war Humorist, schlug sich dann zur Lyrik, Phantasmagorie und ist, wie es scheint ... fürs Schreiben verloren. Er möchte vom Lyrismus wegkommen, aber zu spät, er ist darin versackt. Seine Briefe sind voller Humor, man kann sich nichts Komischeres vorstellen, aber sowie er beginnt, für eine Zeitschrift zu schreiben – ist es aus, er fängt an zu stammeln. Wenn er jünger wäre, könnte man einen überdurchschnittlichen Arbeiter aus ihm machen. Er ist kein schlechter Humorist. Das kann man schon allein daran sehen, daß er in die Zollbehörde von Taganrog eingetreten ist, als dort schon alles ausgeplündert war. Ich habe ihm geschrieben, er wird Ihnen bestimmt etwas schikken. Und selbst verbleibe ich stets zu Diensten *A. Čechov*

Am ersten Osterfeiertag habe ich Ihnen eine Erzählung geschickt: »Vanja, Mamaša, Tante und der Sekretär«. Haben Sie sie bekommen?

14) AN AL.P. ČECHOV MOSKAU, 13. 5. 1883

83 $\frac{13}{V}$

Kleiner Nutzen! ich wünsche dir den allergrößten Nutzen und beantworte jetzt deinen Brief. Vor allem bereue ich und entschuldige mich: habe lange nicht geschrieben aus von der Redaktion unabhängigen Gründen. Mal keine Zeit, mal zu faul ... Ich habe dir nicht geschrieben und die ganze Zeit Gewissensbisse gehabt. Du hattest mich um Rat gebeten, das Nestlé-Mehl betreffend, und wartest wahrscheinlich in begreiflicher Ungeduld darauf, und ich schweige und schweige ... Ich bitte nochmals um Pardon. Ich habe die Ärzte gefragt, nachgelesen, nachgedacht und bin zur Überzeugung gelangt, daß man absolut nichts Sicheres über dieses Mehl sagen kann. Die einen sind dagegen, die andern übergehen es mit Schweigen. Ich kann nur das eine raten: sowie du Durchfall bemerkst, hör auf damit. (Durchfall nicht bei dir, sondern deiner Tochter.) Ernähre deine Frucht dann mit etwas anderem, beispielsweise verdünnter Kuhmilch. Es ist sehr leicht möglich, daß sie im Sommer Durchfall bekommt. Die Mutter schwach, du ein Trunkenbold, die Hitze, schlechte Ernährung usw. Aber keine Angst. So ein kleiner Durchfall ist mit jeder Arznei schnell geheilt. Decoct. Salep. oder Altee, beides mit Opiumtropfen. Kompresse auf den Bauch. Brei, Brot, Sonnenblumenkerne, Tee und heiße Getränke gib ihr nicht. Wenn sie Vodka verlangt, gib ihr keinen. Verhau sie, aber gib ihr keinen. Wenn der Durchfall vorbei ist, gibt es – Vodka, meinst du? – danach manchmal die englische Krankheit. Aber auch die kurierst du weniger durch Arzneien als durch die Sorge um richtige Ernährung. Ich fahre in ein paar Tagen nach Voskresensk, von dort schicke ich dir genaue Anweisungen: was du ihr zu essen und zu trinken geben, wie du sie verhauen, behandeln sollst, was wichtig ist und was nicht, wann man sie von der Brust abnehmen, wann sie Brei essen kann, vor welchen Rezepten der Ärzte man sich hüten muß usw. All das ist wichtig, und ich werde die Anweisung nicht verfassen, ohne sie vorher sorgsam durchdacht zu haben. Ich werde dir aufgrund der jüngsten Ergebnisse der Wissenschaften schreiben, womit ich dich, glaube ich, von der Versuchung erlöse, Lehrbücher in Kinderheilkunde, Pädagogie usw. zu kaufen, auf deren Kauf ihr, Kindsväter, alle so erpicht seid. Ich schicke dir das ganz bestimmt. Großes Ehrenwort. Und du schickst mir dafür 100 Rub. und möglichst viele Briefmarken.

Ich habe deine Antwort auf meinen Brief gelesen. Bin teilweise erstaunt. Du hast stellenweise nicht alles verstanden, stellenweise zu viel verstanden, mein Lieber. Niemand hat dich gebeten, dich von Bord des Dampfers zu stürzen. Ich weiß doch, wie schlecht du schwimmen kannst, werde ich dir da, ohne von allen guten Geistern verlassen zu sein, einen so schädlichen Rat geben? Von Literatur war die Rede, von der Subjektivität. Auf deine Onkelnatur, mein Lieber, leg kein so großes Gewicht. Karamzin und Žukovskij jammern mit jedem Wort, schreiben aber am wenigsten von sich selbst. (A propos, ich gratuliere dir zu deinem Onkel, der eine Medaille bekommen hat. Vanka wird jetzt vor Neid ersticken.) Dann, muß man etwa, um Nikolkas Arbeiten zu kennen, »Svet i teni« abonniert haben? Du hast ihn doch das letzte Mal nicht erst vor fünf Jahren gesehen. Wie viele Bilder hatte er, als du wegfuhrst? Dann, als ich von Marja schrieb, meinte ich keine Klosterschülerin, keine Kurs-Studentin. Sie ist dieselbe, die sie war, als du da warst. Keinerlei Propaganda ist nötig (weshalb willst du ins Kittchen kommen); ich sprach von der Persönlichkeit, die ignoriert wird, damals wie heute. Von Miška habe ich nicht gesprochen, weil ich dachte, daß du dich selbst an ihn erinnerst. Er und Marja haben im gleichen Maße gelitten. Aber weiter ... Als ich von den neidischen Zeitungsschreibern sprach, hatte ich die Zeitungsschreiber im Sinn, und sag mir bitte, was bist du schon für ein Zeitungsschreiber? Bruder, ich habe so viel gelitten und so einen Haß bekommen, daß ich mir wünschte, du würdest dich von den Utkinas und Kičeevs lossagen. Zeitungsschreiber bedeutet zum mindesten soviel wie Gauner, wovon du dich selbst des öfteren überzeugen konntest. Ich befinde mich in ihrer Gesellschaft, arbeite mit ihnen, schüttle ihnen die Hände und ähnele allmählich, wie manche sagen, von ferne selbst einem Gauner. Ich bin traurig darüber und hoffe, daß ich mich früher oder später absetze von ihnen, à la Aleksandr. Du bist kein Zeitungsschreiber, sondern Zeitungsschreiber ist der, der dich anlächelt und dabei deine Seele für 30 falsche Silberlinge verkauft und dich dafür, daß du besser und mehr bist als er, heimlich von fremder Hand zugrundezurichten sucht – das ist der Zeitungsschreiber, von dem ich dir schrieb. Du dagegen, Bruder, bist ein kleiner Zweifel, ein Hauch, Gas... ein Nichts... ein Zeitungsschreiberling. Ich bin Zeitungsschreiber, weil ich viel schreibe, aber nur vorläufig... Als der werd ich nicht sterben. Wenn ich schreiben werde, dann unbedingt von ferne, aus meinem Mauseloch... Beneide mich nicht, mein Lieber! Das Schreiben bringt mir, außer daß es mich reißt, nichts ein. Die 100 Rub., die ich im Monat bekomme, gehn ihren Weg durch den Darm, und ich habe nicht das Geld, meine graue, abgetragene Jacke einzutauschen gegen etwas weniger Hinfälliges. Ich bezahle an allen Ecken und Enden, und mir bleibt nihil. Die Familie schluckt mehr als 50. Ich hab nicht einmal das Fahrgeld nach Voskresensk. Nikolka hat auch nichts. Ich tröste mich zumindest damit, daß mir keine Gläubiger im Nacken sitzen. Für April habe ich von Lejkin 70 Rub. bekommen, und heute ist erst der 13., und ich habe nicht mal das Geld für eine Droschke.

Wenn ich allein lebte, wäre ich ein reicher Mann, aber nun ja... an den Wassern zu Babel saßen wir und weinten... Pastuchov hat mich zu Testov zum Essen ausgeführt, hat mir 6 Kop. für die Zeile versprochen. Bei ihm würde ich nicht hundert, sondern 200 im Monat verdienen, aber, du siehst es ja, lieber ohne Hosen mit nacktem [...] auf Besuch gehen als bei ihm arbeiten. Ich kann den »Budilnik« nicht ausstehen, und wenn ich mich einverstanden erkläre, für ihn zu kritzeln, dann nur unter Schmerzen. Zum Teufel mit ihnen! Wenn alle Zeitschriften so anständig wären wie die »Oskolki«, dann könnte ich eigene Pferde halten. Meine Erzählungen sind nicht gemein und, wie viele sagen, in Form und Inhalt besser als andere, und die Andrjuška Dmitrievs promovieren mich zum Humoristen ersten Ranges, zu einem unter den besten, sogar zum besten; meine Erzählungen werden auf literarischen Abenden erzählt, aber... lieber sich mit einem Tripper herumschlagen als Geld nehmen für eine Gemeinheit, für die Verspottung betrunkener Kaufleute, wenn sie usw. Zum Teufel mit ihnen! Warten wir ab, sehen wir weiter, und laufen wir einstweilen weiter im grauen Jackett herum. Ich vertiefe mich in die Medizin, in ihr ist die Rettung, obwohl ich mir bis heute noch nicht glaube, daß ich Arzt sei, und dies bedeutet, daß... das sagen zumindest viele, und für mich macht das keinen Unterschied... daß ich an der falschen Fakultät gelandet bin. Aber weiter... Du schreibst, ich habe Tretjakov mit Dreck beworfen, der doch an Schwindsucht gestorben sei. Die Schwindsucht hat damit gar nichts zu tun, ebensowenig das Sterben. Zu Beginn meines Briefes hatte ich doch erläutert, daß ich mich nicht an Ivan und nicht an Pëtr festhake, die mich nichts angehen, sondern am System... Ich habe dir als Schriftsteller geschrieben und als meinem besten Freund... Wozu also da Schwindsucht und Dreck? Persönlich habe ich nichts gegen L. V., im Gegenteil, mir wird bang, wenn ich mich an sein Gesicht erinnere; ich hatte einen Fehler im Sinne, den nicht er allein hat, weil nicht er allein ein Herr ist. Ich fand und finde, daß wir beide das Zeug zu mehr haben als nur zu Gratulationsbriefen, daß wir die mit Erfolg eintauschen könnten gegen Unterhaltungen über dies und das... Ich dachte, du würdest dich so oder anders zu genanntem Fehler äußern, ihn abschwächen, rechtfertigen, schreiben, inwieweit ich recht habe, inwieweit nicht (das Thema ist doch gut), aber du kommst daher mit Schwindsucht und Dreck... Dann hättest du lieber geschrieben: »Verurteile mich nicht!« – das ist die einzige Sünde meines Briefes, eine Sünde, die einem, wie mir scheint, als Literaten verziehen werden kann. Weiter...

Deine »Osternacht« habe ich im Archiv versenkt und schicke dir im nächsten Jahr das Honorar dafür. Übrigens: »Das Wort der Zeiten, Klang von Eisen« ist gedruckt, das Geld dafür habe ich bekommen. Nur habe ich neulich erfahren, daß ich es zusammen mit einem eigenen Honorar bekommen habe. Für 5 Kop. die Zeile. Ich gebe es dem mit, der dich als nächster besuchen kommt. Der »Zritel« ist beerdigt und begraben. Er wird nicht wieder auferstehn. Lejkin schreibt, er habe es sich 20mal hin und herüberlegt, ob er deine »Pfeife« druckt, habe sich aber nicht entschließen können: er hat den Schluß einfach nicht verstanden. Er bittet dich, ihm Sachen zu schicken. Schreib. Das eine oder andere wird er dir zurückschicken, du wirst dich ein bißchen ärgern, beleidigt sein, aber dann wirst du dich einschießen und Geld bekommen für Nestlé-Mehl. Geld ist immer willkommen, und schon gar in Taganrog, wo 25 Rubel, die man mehr hat, mehr auffallen als in Moskau. Übrigens, für nächstes Jahr mietest du mir in der Quarantäne ein Sommerhaus für den ganzen Sommer. Ich werde als Arzt kommen und den ganzen Sommer mit euch verbringen. Wir werden Geld haben und uns ein schönes Leben machen. Wegen unserer Reise in den Süden läßt sich absolut nichts sagen. Zu meinem großen Kummer findet die Hälfte der Examina erst zum Ferienende statt, was mir den Sommer ziemlich verdorben hat. Wozu hat die Tante dich verführt? Da hast du ja einen Fang gemacht! Sie 1200 Verst weit kommen lassen, damit sie Hühner rupft! Die frißt dich doch bei lebendigem Leibe vor Sehnsucht nach Aleksej und wird deiner Frucht heimlich Kartoffeln zu essen geben! Mutter möchte so gern zu dir kommen. Nimm sie zu dir, wenn du kannst. Mutter ist noch wendig und nicht so schwerfällig wie die Tante. Tante ist schweigsamer, aber man kommt nicht so gut mit ihr aus. Insgeheim ist sie boshaft. Vater erzählt allen, was für eine gute Stellung du hast. In betrunkenem Zustand redet er von deiner Uniform, deinen Rechten usw. Beschreib ihm bitte deine Uniform und flick noch einen behördlichen Feiertag dran, an dem du in der Kirche standst unter den Großen dieser Welt...

»Na, und was sagt ihr zu Saša... wie? – fängt er gewöhnlich nach dem dritten Glas an. – Und der Zoll in Taganrog ist erstklassig! Wer dort arbeitet...« usw.

Weiter... Irgendwann an den Feiertagen habe ich dir, als ich betrunken war, von einem Projekt über die Autorität der Geschlechter geschrieben. So ein Werk kann man schreiben, aber zuvor sollte man erst einmal eine kleine Broschüre herausgeben. Das Thema taugt für eine Magisterdissertation in Zoologie... Kümmre dich darum! Schreib und schick Marken.

Nun, und Gerška? [...] Der kleine Sarg, der in der Dolgorukovskaja ul. im Fenster stand, ist schon ganz groß geworden. Ertrinke, Saša! Manchmal sterben die Menschen, weil sie zu lange über Steintreppen gegangen sind. Die »Somnambule« suche ich. Ich habe sie nicht. Werde Turlygin fragen. Sicher hat er sie. Ich werde dir aus Voskresensk schreiben, schreib du mir nach Moskau. Man wird mir deinen Brief bei Gelegenheit mitbringen.

Nadenka Sok. will euch offenbar besuchen. Und Gavrilka ist ein Gauner!

15) AN N. A. LEJKIN VOSKRESENSK, 26. 5. 1883

$\frac{26}{V}$

Sehr geehrter

Nikolaj Aleksandrovič!

Haben Sie die Güte zu veranlassen, daß mir diesmal das Honorar nicht nach Moskau geschickt wird, sondern an folgende Adresse:

g. Voskresensk (Gouv. Moskau).

Ich unterstreiche sie nicht ohne Grund. Oft wird auf Briefe statt Voskresensk aus irgendeinem Grunde Voznesensk geschrieben und »(Gouv. Moskau)« weggelassen, und Voskresensks gibt es in Rußland ebenso viele wie Ivanovs im Kirchenkalender und Benevolenskijs unter den Popen. Und der Brief, auf dem man den Buchstaben »g« (Stadt) vergessen hat, läuft Gefahr, im Dorf Voskresensk anzukommen. Ich wohne im Kloster Novyj Ierusalim, gehe die Mönche besuchen und bekomme die »Oskolki« nicht zu Gesicht. Ich habe die letzten drei Nummern nicht gesehen und weiß nicht, wie viele unveröffentlichte Artikel Sie noch von mir haben. Ich denke, es reicht noch, und darum schicke ich Ihnen vorläufig nichts und ruhe auf meinen Lorbeeren aus. Übrigens, heute abend setze ich mich hin und schreibe eine Erzählung für Pfingsten. Wenn ich es noch schaffe, schicke ich sie mit diesem Brief. In Moskau werde ich um den 10. Juni sein. Mein Honorar abholen, dann fliege ich hierher zurück. Es ist schön im Schoße der Natur, aber jemanden, der bankrott ist, und einen Magen »in Vernachlässigung der Dienstausübung« befällt die Faulheit, von der dieser ganze Schoß voll ist.

Das Wetter ist herrlich. Es zieht einen nach draußen. Ich muß gehen. Ich wünsche Ihnen alles Gute und verbleibe stets zu Diensten Ihr *A. Čechov.*

16) AN N. A. LEJKIN MOSKAU, 21./24. 8. 1883

Sehr geehrter
Nikolaj Aleksandrovič!

Beiliegende Sendung gehört zu den mißglückten. Die Notizen sind blaß, die Erzählung ist nicht gefeilt und so kleinlich, daß es einem weh tut. Es gibt bessere Themen, und ich hätte mehr schreiben und verdienen können, aber das Schicksal ist diesmal gegen mich. Ich schreibe unter den widerwärtigsten Bedingungen. Mir vor Augen steht meine nichtliterarische Arbeit, die mir unbarmherzig aufs Gewissen drückt, im Nachbarzimmer schreit das Kind eines eben auf Besuch gekommenen Verwandten, im anderen Zimmer liest mein Vater meiner Mutter den »Versiegelten Engel« vor ... Jemand hat eine Spieldose mitgebracht, und ich höre die »Schöne Helena« ... Man möchte sich aufs Sommerhaus verziehen, aber es ist schon nach Mitternacht ... Für jemanden, der schreibt, kann man sich kaum widerwärtigere Umstände vorstellen als diese. Mein Bett ist belegt von dem angereisten Verwandten, der ausgerechnet jetzt zu mir kommt und ein Gespräch über die Medizin anfängt. »Meine Tochter hat sicherlich Bauchweh – darum schreit sie auch« ... Ich habe das große Unglück, Arzt zu sein, und niemand, der es nicht für nötig hielte, sich mit mir über die Medizin »zu unterhalten«. Und wer es satt hat, sich über die Medizin zu unterhalten, bringt das Gespräch auf die Literatur...

Es ist unbeschreiblich. Ich beschimpfe mich, daß ich nicht ausgerissen bin aufs Sommerhaus, wo ich mich hätte ausschlafen und Ihnen eine Erzählung schreiben können, und vor allem – wo man Medizin und Literatur in Ruhe gelassen hätte.

Im September werde ich mich nach Voskresensk verziehen, wenn das Wetter es gestattet. Von Ihrer letzten Erzählung bin ich begeistert.

Das Kindsbalg brüllt!! Ich gebe mir mein Ehrenwort, daß ich nie Kinder haben werde... Die Franzosen haben wenig Kinder, vermutlich weil sie arbeitsam sind und im »Amusant« Erzählungen schreiben. Man will sie, wie ich höre, veranlassen, mehr Kinder zu haben – ein Thema für den »Amusant« und für die »Oskolki« in Gestalt einer Karikatur »Die Lage der Dinge in Frankreich«. Ein Polizeikommissar tritt ein und verlangt, Kinder zu haben.

Leben Sie wohl. Ich überlege, wo und wie ich mich aufs Ohr hauen kann.

Mit Hochachtung habe ich die Ehre zu verbleiben

A. Čechov.

17) AN AL. P. ČECHOV MOSKAU, 15./28. 10. 1883

Unser mißratener Bruder

Aleksandr Pavlovič!

Zuerst einmal sei keine Hose und verzeih, daß ich deine Briefe so lange nicht beantwortet habe. Schuld an meinem Schweigen ist weniger die Faulheit als der Mangel an Muße. Ich habe keine freie Minute. Nicht einmal Patiencen lege ich mehr, aus Zeitmangel. Ich habe (obwohl du Schwein mir wünschst, daß ich beim Übergang ins 5. Studienjahr durchrassle) Abschlußexamina, nach deren Bestehen ich den Titel Kačilovskijs bekomme. Die Katze weint über die Tränen der Maus; so weine auch ich zur Zeit über meinen Leichtsinn der vergangenen Jahre. Weh mir! Ich muß fast alles ganz von vorn lernen. Außer den Examina (die übrigens noch bevorstehen) die Arbeit an den Leichen, die klinischen Übungen mit den unausweichlichen historiae morbi, die Krankenhausbesuche... Ich arbeite und spüre meine Schwäche. Mein Gedächtnis taugt nicht mehr zum Büffeln, ich bin alt geworden, faul, die Literatur... aber Sie riechen ja nach Vodka usw. Ich fürchte, daß ich bei einem der Examina durchfalle. Ich möchte ausruhen, aber... der Sommer ist noch weit! Der Gedanke, daß der ganze Winter noch vor uns liegt, läßt mir Schauer den Rükken hinunterlaufen. Aber zur Sache...

Bei uns gibt es Neuigkeiten. Ich beginne damit auf der nächsten Seite.

Am 14. Oktober ist mein Freund Fëdor Fedoseevič Popudolgo gestorben. Für mich ist das ein unersetzlicher Verlust. Fedoseevič war kein großes Talent, auch wenn der »Budilnik« jetzt ein Bild von ihm bringt. Er war ein alter Hase in der Literatur und hatte ein großartiges literarisches Gespür, und solche Leute sind für uns Anfänger von großem Wert. Heimlich, wie ein Dieb in der Nacht, bin ich oft zu ihm nach Kudrino gegangen, und er hat mir sein Herz ausgeschüttet. Ich war ihm sympathisch. Ich kannte sein ganzes Innenleben. Er ist an Hirnhautentzündung gestorben, obwohl er bei einem so tüchtigen Arzt wie mir in Behandlung war. 20 Ärzte haben ihn behandelt, aber von allen 20 war ich der einzige, der sein wahres Leiden noch zu Lebzeiten erkannt hat. Gott schenke ihm das Himmelreich, ewige Ruhe. Er ist am Alkohol gestorben und an guten Freunden, deren nomina sunt odiosa. Unverstand, Nachlässigkeit, ein Schlafrock-Verhältnis gegenüber dem Leben, dem eigenen wie dem anderer – daran ist er mit 37 Jahren gestorben.

Die zweite Neuigkeit. N. A. Lejkin war bei mir. Er ist ein feiner Kerl, wenn auch geizig. Er blieb fünf Tage in Moskau und hat mich alle diese Tage angefleht, dich zu bitten, nicht den Schwanengesang anzustimmen, von dem du ihm geschrieben hast. Er glaubt, du seist ihm böse. Deine Erzählungen gefallen ihm, sie werden nur wegen eines »Mißverständnisses« und wegen deiner Unkenntnis der »Oskolki« nicht gedruckt.

Hier Lejkins Worte:

»Wie leicht hätte er es, dem Zoll den Kopf zu waschen, und wieviel Material er hat, aber nein! – er schreibt chinesisch, von einem Tso-lla-mt, als hätte er vor irgend etwas Angst... Wenn er geradeheraus ›Zollamt‹ geschrieben hätte, die Sache beim Namen genannt... Die Zensur verbietet das nicht.«

Und wo es kein Chinesisch ist, da ist es nervtötende Lyrik. Schreib, du wirst den richtigen Weg schon finden. Die Annehmlichkeit eines zusätzlichen Verdienstes wird die ersten Mißerfolge aufwiegen. Und die Mißerfolge sind läppisch: wenn deine Erzählungen erst einmal in den »Oskolki« gestanden haben.

Mit Lejkin kam auch mein Lieblingsschriftsteller, der berühmte N. S. Leskov. Letzterer hat uns mehrmals besucht, er ist mit mir in den Salon gegangen, in die Spelunken des Sobolev... Er hat mir seine Werke mit Faksimile geschenkt. Einmal fahre ich nachts mit ihm. Er wendet sich halbbetrunken mir zu und fragt: – »Weißt du, wer ich bin?« – »Ich weiß.« – »Nein, weißt du nicht... Ich bin ein Mystiker...« – »Auch das weiß ich...« Er starrt mich mit seinen Greisenaugen an und prophezeit mir: – »Du wirst früher sterben als dein Bruder.« – »Schon möglich.« – »Ich salbe dich mit dem Öl, mit dem Samuel David gesalbt... Du sollst schreiben.« Dieser Mensch erinnert an einen eleganten Franzosen und gleichzeitig an einen exkommunizierten Popen. Ein Mensch, der Aufmerksamkeit verdient. Wenn ich in Petersburg bin, werde ich sein Gast sein. Wir schieden als Freunde.

Was Fisch und Santuriner betrifft, wirst du es mit Vater zu tun bekommen, der Spezialist ist in juristischen Fragen. Ich habe offen gestanden kein Geld und auch nicht die Zeit, welches zu verdienen. Dir eine Stelle suche ich aus purem Egoismus nicht: ich will den Sommer im Süden bei dir verbringen. Ein Sommerhaus such nicht, du könntest das falsche aussuchen. Wir werden es gemeinsam suchen.

Man leckt sich dermaßen die Finger, wenn du deine Roten und Blauen beschreibst, daß man den Lyriker in dir kaum wiedererkennt. Iß diesen Dreck nicht, Bruder! Das ist doch unrein, unsauber! Die Blauen sind doch nur schön, weil sie zwischen den Zähnen krachen, mariniert stinken sie (wahrscheinlich furchtbar) säuerlich nach Essig. Iß Fleisch, Bruder! Du wirst noch vom Fleische fallen in diesem niederträchtigen Taganrog, wenn du all diesen Dreck vom Markt frißt. Du bist doch maßlos im Essen, und im Suff ißt du das Zeug auch roh. Deine Frau hat von Haushaltsführung genausoviel Ahnung wie ich von der Herstellung von Gänsedaunen – schon allein deshalb solltest du vorsichtig sein mit dem Essen und Vernünftiges essen. Fleisch und Brot. Gib wenigstens Mosevna nicht zu essen, was gerade anfällt, wenn sie einmal größer ist. Verschon sie mit Tantes Wurzeln, Vaters Spezialsauce, deinem »Probier mal« und Mamas besten Bissen. Bilde in ihr wenigstens die Ästhetik des Essens. A propos Ästhetik. Entschuldige, mein Lieber, aber sei ein Vater nicht nur den Worten nach. Gib ihr ein Beispiel. Saubere Wäsche, mit schmutziger vermischt, Essensreste auf dem Tisch, stinkende Wischlappen, eine schlampig gekleidete Gattin mit einem Halsband um den Hals, das vor Dreck starrt wie die Kontorskaja ulica... – all das verdirbt das Mädchen schon in seinen ersten Lebensjahren. Auf ein Kind wirkt vor allem anderen das Äußere, und von euch wird die arme äußere Form teuflisch vernachlässigt. Ich schwöre bei meiner Ehre, ich habe dich nicht wiedererkannt, als du vor 2 Monaten bei uns wohntest. Warst du das, der früher einmal in einem sauberen ordentlichen Zimmer gewohnt hast? Bring den Katjas Disziplin bei, Bruder! A propos eine andere Art von Reinlichkeit... Fluche nicht laut, du verdirbst Katja und befleckst auch Mosevnas Trommelfell mit deinen Worten. Wenn ich an Anna Ivanovnas Stelle wäre, ich würde dir jede Minute eine runterhauen. Ich grüße A. I. und meine Nichte. Das Mädchen ist sehr beliebt bei uns. Im »Budilnik« sind deine Sachen noch nicht erschienen. Wenn sie damit anfangen, schreibe ich dir. *Čechov.*

18) AN N. A. LEJKIN MOSKAU, 10. 12. 1883

$\frac{10}{XII}$

Verehrter

Nikolaj Aleksandrovič!

Ich schicke Ihnen die Notizen. Diesmal sind sie, ehrlich gesagt, erbärmlich und bettelhaft mager ausgefallen. Das Material ist so dürftig, daß einem beim Schreiben schier die Hände abfallen. Ich habe die Sonntagsfeuilletons des »Novoe vremja« (Samstagsausgabe) genommen, der »Russkie vedomosti«, überhaupt aller Moskauer Zeitungen, sie gelesen, aber nicht mehr Neuigkeiten darin gefunden als in einer Anzeige vom vergangenen Jahr. Keinerlei Gerüchte, keinerlei Gerede. Über Unsinn schreiben mag man nicht, soll man auch nicht.

Überhaupt will es nicht so recht werden mit meinem Feuilleton. Wollen Sie Ruver nicht sterben lassen? Die Ruverei nimmt mir sehr viel Zeit, mehr als alle Belletristik für die »Oskolki«, und ich sehe wenig Sinn darin. Laden Sie einen anderen Feuilletonisten ein. Suchen und entdecken Sie ihn. Wenn Sie keinen entdecken können, dann legen Sie die Notizen aus der Provinz mit den Moskauern zusammen – das wäre nicht schlecht. Ich bedauere ehrlich, daß ich meinen Dienst nicht versehe, so wie es sich gehört und wie Sie es möchten. Es tut mir auch um die 15 Rubel leid, die mir die Notizen monatlich einbrachten.

Ich bin äußerst erschöpft, ärgere mich und bin krank. Erschöpft haben mich meine Wissenschaften und das tägliche Brot, das ich im letzten Monat in doppelter Portion verdienen mußte, da mein malender Bruder erst gestern von den Soldaten zurückkam. Ich mußte arbeiten, weiß der Teufel wo überall – das ist der Grund, weshalb ich Ihnen für die vorige Nummer keine Erzählung geben konnte.

Ich bin so ausgeschrieben und erschöpft, daß ich die Frechheit nicht aufbrachte, für die »Oskolki« zu schreiben: ich wußte, daß ich Unsinn schreiben würde. Fügen Sie der Erschöpfung noch Hämorrhoiden hinzu (der Teufel hat sie mir geschickt). Drei Tage habe ich mit Fieber gelegen. Ich dachte, ich hätte mich bei den Typhuskranken angesteckt, aber der Kelch ging, Gott sei Dank, an mir vorüber.

Nikolaj ist wieder da, jetzt wird es leichter.

Die Erzählung »Unglück über Unglück« drucken Sie bitte nicht. Ich habe für sie eine Unterkunft in der ehemaligen Hauptstadt gefunden. Schicken Sie sie auch nicht zurück. Ich habe mein handschriftliches Manuskript weggegeben.

Sollte man die »Splitter d. Mosk. Lebens« nicht als Gruppe schreiben? Jeder, der will, kann Ihnen Details schicken, und Sie bauen daraus die Feuilletons. Ich werde Ihnen auch etwas schikken, sofern ich auf Material stoße.

Weshalb haben Sie aus den vergangenen Notizen das über Želtov herausgenommen. Želtov ist in Moskau bekannt, und zwar so sehr, daß es lohnt, ihn zu kratzen. Ihn kennt hier *jeder.* Und überhaupt habe ich über Leute geschrieben, die nur in Moskau bekannt sind (Ausnahme: Beljankin).

Auch dieses Mal schicke ich Ihnen keine Erzählung. Am 16. und 20. Dezember habe ich Examina. Ich habe Angst zu schreiben. Seien Sie nicht böse. Wenn ich wieder frei bin, werde ich der fleißigste Ihrer Mitarbeiter sein. Auch in meinem Kopf sieht es derzeit anders aus: ganz und gar nicht humoristisch.

Ich bitte um Entschuldigung und grüße Sie.

Ihr gehorsamer Diener *A. Čechov.*

1884

19) AN N. A. LEJKIN MOSKAU, 30. 1. 1884

Verehrter

Nikolaj Aleksandrovič!

Ich beeile mich mit dem Schreiben, denn meine Stunden und Minuten sind gezählt: in 2 Stunden geht der Zug zu Ihnen nach Piter. Ich fürchte, zu spät zu kommen! Das Feuilleton schicke ich mit dem Kurierzug. Die Erzählung, die ich eben schreibe, schicke ich mit dem Postzug, wenn sie fertig ist, selbstverständlich... Dem Droschkenkutscher gebe ich 40 Kop., dann komme ich wohl noch rechtzeitig zum Bahnhof...

Weiter... Heute gibt es im Theater Lentovskij den berüchtigten »Rauch des Lebens« von B. Markevič. Wenn ich eine Karte kriege, werde ich heute im Theater sein, und morgen (am Dienstag) früh haue ich eine Parodie hin oder etwas Ähnliches und schicke sie Ihnen mit dem morgigen Postzug – behalten Sie das im Auge und lassen Sie auf alle Fälle ein Plätzchen frei.

Der »Rauch des Lebens« wurde vergangenen Sommer in der Stadt Voskresensk geschrieben, fast vor meinen Augen. Ich kenne sowohl den Autor als auch seine Freunde, die er in seinen »Abgründen« und »Umbrüchen« schonungslos seinen Klatschgeschichten aussetzt... Ašanin (der ehemalige Theaterdirektor Begičëv), Vjačeslavcev (der ehemalige Sänger Vladislavlev) und viele andere sind mit meiner Familie bekannt... Da kann man Klatsch erzählen, unterm Schutz des Pseudonyms.

Aber es ist Zeit fürs Postamt... Adieu! *A. Čechov.*

PS. Ich wollte Ihnen über die »Volna« und L. I. Palmin schreiben. Die Geschichte ist tröstlich ausgegangen. Ich schreibe ein andermal.

20) AN N. A. LEJKIN MOSKAU, 20./21. 5. 1884

84 $\frac{20}{V}$

Sehr geehrter

Nikolaj Aleksandrovič!

Brief und Beilage habe ich bekommen. Den Brief habe ich gelesen und antworte darauf, die Beilage weitergeleitet mit dem Rat, etwas aus dem Zöllnerleben zu schreiben.

Eine Reise nach Petersburg – ist ein alter Traum von mir. Ich habe mir mein Wort gegeben, Anfang Juni in Ihre kaiserliche Stadt zu kommen, und jetzt gebe ich mir dieses Wort zurück. Wegen der Finanzen, der Teufel solls holen. Für die Reise brauche ich 100–150 Rubel, ich hatte aber vor einigen Tagen das Vergnügen, der Lebensumstände halber alle meine Aktien durchzubringen. Einen Fünfziger fürs Sommerhaus, einen Viertelhunderter habe ich hingegeben für das Hören von Vorlesungen, ebenso viel für die Kurse, die meine Schwester besucht, usw. usw. usw. Wenn Sie dem noch die Geringfügigkeit meiner letzten Honorare hinzuzählen, so kennen Sie meine Taschen. Zum ersten Juni rechne ich mit einem Fünfziger zur eignen Verfügung, aber mit diesem Geld kommt man nicht weit. Ich werde die Reise also auf unbestimmte Zeit verschieben müssen und mich begnügen mit der voyage zum Sommerhaus und zurück. Mit mir fahren wollte auch der wilde Palmin. Wir hatten uns verabredet, am 2.–3. Juni zu fahren, indessen ... erscheint er vor ein paar Tagen bei mir und erklärt unter Kopfschütteln, daß er nicht nach Petersburg fahren könne. Ihn plagt so ein Gefühl, das sich für den Beobachter in irgendwelchen überaus vagen Erinnerungen äußert: »Kindheit ... Jugend ... undsoweiter ...« Als hätte er in Petersburg einen Mord begangen ... Er hat mir lange die Gründe seiner Antipathie für seine Vaterstadt auseinandergesetzt, aber ich habe nichts verstanden. Entweder spielt er Theater, weil er die Ausgaben scheut (er ist, unter uns gesagt, ziemlich geizig), oder es gibt tatsächlich irgend etwas Besonderes in seiner Petersburger Vergangenheit. Am Freitag kommt er zu mir zum Essen ... Wir werden trinken, gegen Abend nach Petrovskoe-

Razumovskoe auf sein Sommerhaus fahren und uns, wahrscheinlich, einen lustigen Abend machen. Und in dem Augenblick, wo er seinen sehnigen Zeigefinger hebt und anfangen wird, von »Fleiheit, Gleichheit und Blüdelichkeit« zu sprechen, wenn seine Rührung ihr acme erreicht hat, werde ich ihm von den Reizen einer Reise nach Valaam erzählen und ihn überzeugen... Es wird mir schon gelingen. Wenn wir zu zweit führen, würden uns wahrscheinlich je hundert Rubel genügen – das ist auch ein Argument. Und er müßte sich wirklich einmal auslüften. Wenn das nicht sein gutes Talent von ihm verlangt, dann tut es das um so nachdrücklicher die Hygiene. Er trinkt furchtbar viel – das ist unheilbar, dafür ist aber sehr vieles andere heilbar. Er lebt weiß der Teufel wie... Ist furchtbar gekleidet, sieht keine Leute, hört auf niemanden. Ich habe nie gesehen, wie und was er ißt, könnte aber wetten, daß er sich von unsinnigen Kleinigkeiten ernährt. (Seine Gattin macht nicht den Eindruck einer klugen Hausfrau.) Und überhaupt scheint mir, daß er bald sterben wird. Sein Organismus ist dermaßen zerrüttet, daß man staunen muß, wie in einem so kranken Körper eine so dichterische Natur sitzt. Es ist unbedingt notwendig, daß sich dieser Mensch auslüftet. Er hat mir erzählt, er wolle eine Volgareise unternehmen, aber seinen Worten ist schwer zu glauben. Weiter als bis zu seiner Scheune von Sommerhaus fährt er nicht. Über die Ergebnisse der Unterhaltung, die am Freitag stattfinden wird, werde ich Ihnen schreiben. Wenn ich selbst nicht fahre, bringe ich wenigstens ihn auf die Reise.

Morgen habe ich das letzte Examen, und übermorgen wird meine Person das darstellen, was die Menge mit »Doktor« betitelt (natürlich nur, wenn ich das morgige Examen bestehe). Ich werde mir dann ein Türschild »Doktor« mit Zeigefinger bestellen, weniger der Arztpraxis wegen als vielmehr zum Schrecken der Hausknechte, Postboten und des Schneiders. Mich, der ich humoristischen Unsinn schreibe, betiteln die Bewohner des Hauses Eleckij mit Doktor, und mir tut es, weil es so ungewohnt ist, in den Ohren weh, meine Eltern dagegen hören es gern;

meine Eltern sind ehrbare Plebejer, die in den Äskulaps bisher etwas Arrogant-Strenges, Offizielles sahen, etwas, das ohne Voranmeldung nicht empfängt und dann einen Fünfrubelschein nimmt, sie trauen ihren Augen nicht: bin ich ein Usurpator, eine Fata morgana oder tatsächlich ein Arzt? Und sie erweisen mir die Ehre, als wäre ich Untersuchungsrichter. Sie meinen, ich würde im ersten Jahr schon Tausende scheffeln. Derselben Meinung ist auch mein geduldiger Schneider Fëdor Glebyč. Ich werde die Armen enttäuschen müssen.

Die Examina sind vorbei, und darum hindert mich jetzt nichts mehr, Sie zu ersuchen, mich in den Kreis der *Auserwählten* aufzunehmen. Irgend etwas werde ich ab jetzt zu jeder Nummer beisteuern. Heute bin ich noch nicht recht in Schwung, aber in drei, vier Tagen werde ich die Augen zum Himmel erheben und anfangen, mir Themen zu überlegen. Den Sommer über werde ich in Novyj Ierusalim wohnen und schreiben... Ich habe nur Angst vor der edlen Leidenschaft... Das ist für mich schlimmer als jedes Examen.

Diesmal schicke ich Ihnen die »Ferienhygiene«. Eine Saisonarbeit... Wenn sie Ihnen gefällt, stelle ich noch etwas in der Art dar: »Die Jagdordnung«, »Die Waldordnung« usw. Ich möchte für die »Oskolki« Statistiken schreiben: Volkszählung, Sterblichkeit, Gewerbe usw. Das wird ein bißchen lang, aber wenn es gelingt, dann wird das ein lustiges Feuilleton. (Ich habe neulich medizinische Statistiken gebüffelt, wobei ich darauf gekommen bin.) Ich würde jetzt gern eine humoristische Medizin in 2–3 Bänden schreiben! Als allererstes würde ich die Patienten durch den Kakao ziehen, aber dann würde ich auch anfangen sie zu behandeln. Das Wetter in Moskau ist regnerisch: im Sommermantel friert man, im Wintermantel ist es zu heiß. Meine Gesundheit ist nicht die beste: mal bin ich gesund, mal leidend. Ich trinke und trinke nicht... Etwas Bestimmtes läßt sich vorläufig nicht sagen.

Ich setze mich an meine Lektüre. Leben Sie wohl.

Ihr Mitarbeiter, hochachtungsvoll *A. Čechov.*

Stimmt es, daß das »Delo« das Zeitliche segnet? Wenn das stimmt, dann gute Reise! Ich mochte diese Zeitschrift nicht, ich Sünder. Sie hat mich wild gemacht. Übrigens, bei dem derzeitigen Elend mit den Zeitschriften ist auch ein »Delo« willkommen.

21) AN N. A. LEJKIN MOSKAU, 17. 6. 1884

17, 6, 4.

Sehr geehrter

Nikolaj Aleksandrovič!

Nach den schweren Examina bin ich, wie nicht anders zu erwarten, schrecklich faul geworden. Ich sitze herum, rauche und funktioniere, alles andere ist Schwerstarbeit. Schwer ist insbesondere das Schreiben der Feuilletons. Das Wetter ist, die täglichen Regengüsse nicht eingerechnet, großartig... Mir ist nicht nach Arbeit...

Vorgestern habe ich Ihnen mein neugeborenes Büchlein »Die Märchen der Melpomene« geschickt. Ich habe dieses Büchlein aus dem Stegreif herausgegeben, weil ich nichts Besseres zu tun hatte, so nebenbei...

Ich habe Ihnen auch ein Exemplar für die »Peterburgskaja gazeta« geschickt, an die ich Sie es weiterzuleiten bitte... Ich würde gern auch eine Anzeige in die »P. gazeta« setzen, aber oweh, ich habe kein freies Geld... Ich habe Freunde in Piter, für die eine solche Anzeige nicht überflüssig wäre: sie würden sie lesen und 75 Kopeken schicken; können Sie sich nicht für eine Anzeige auf Kredit verwenden? Auf Kredit und, nach Möglichkeit, mit Rabatt. Sie können es sogar von meinem Honorar bezahlen. Ich bin vollkommen ruiniert und rufe um Hilfe... Wenn Sie keine Zeit haben, sich um meine Anzeigen zu kümmern, und es Ihnen lästig ist, dann machen Sie um Christi willen keine Umstände und »pfeif drauf«. Das ist nicht weiß Gott wie wichtig...

Morgen fahre ich für den ganzen Sommer nach Voskresensk, wohin ich Sie bitten würde im gegebenen Falle zu adressieren:

»Voskresensk (Gouv. Moskau), A. P. Č.« Das ist die ganze Adresse... Schicken Sie auch das Honorar hierher.

Noch eine ergebene Bitte. In Voskresensk lebt meine Familie »auf Buch«, die Abrechnung mit den Krämern erfolgt am Ersten des Monats. Ein Termin, der für beide Seiten unbequem ist... Veranlassen Sie, mein Lieber, daß mir das Honorar so früh wie möglich geschickt wird. Die Geldpost kommt nach Voskresensk nur montags und freitags... Der erste Montag im Juli ist der 2. Wenn Sie mir das Honorar also am 30. Juni schicken würden, dann träfen Sie mitten ins Schwarze.

Palmin hat es rundheraus abgelehnt, nach Piter zu fahren. Er will eine Volgareise machen, fährt aber wohl kaum... Worte, Worte, Worte...

Die Anzeige für die »Peterb. gazeta« lege ich bei. Sie soll 5mal erscheinen, auf der 4. Seite, in der Größe der beiliegenden Anzeige, mit Kasten...

In den »Oskolki« bringen Sie bitte keine Anzeige... Sie haben ohnehin zu wenig Platz, und mein Büchlein ist auch nicht im Sinne der »Oskolki«. Warten wir eine Sammlung humorist. Erzählungen ab, wenn es dazu einmal kommen sollte...

Können Sie mir nicht schreiben, wo und wie man Bücher verkauft? Ich bin im Buchhandel ein absoluter Laie. Sollte man nicht jemandem in Piter ein, zwei Dutzend Exemplare schicken? Im ganzen habe ich 1200. Mit dem Verkauf hat es keine Eile... Werden sie verkauft – schön, werden sie nicht verkauft – dann soll es wohl so sein... Der Druck hat 200 Rub. gekostet. Wenn dieses Geld verloren ist – ich pfeife drauf... Für Alkohol und Amouren haben wir mehr verschwendet, warum nicht auch mal etwas für ein literarisches Vergnügen?

Dann haben Sie im Brief Akim Danilyčs (in der »Gärung der Gemüter«) den Satz eingefügt: »Und alles ist wegen eines Schwarms von Staren passiert«... Damit ist das Salz aus dem Ganzen raus... Der Polizeivorsteher weiß absolut nicht, weshalb es zu dem Aufruhr kam, und er hat auch keinerlei Anlaß, seine administrativen Heldentaten zu schmälern durch so nichtige Ursachen, wie Stare... Er würde den Aufruhr niemals mit den Staren begründen... Er braucht »Agitation«... Übrigens, das sind Lappalien... Es fiel mir nur gerade ein...

Die Glückwünsche zum Abschluß des Studiums, die Feiern und das Leben im heißen Moskau haben meine körperliche Harmonie völlig zerrüttet... Ich fühle mich schwach.

Am 1. Juli muß ich in Moskau sein, am 2. wieder hier... Im Juli kommen Sie nach Moskau... Wie können wir uns sehen?

Bis dahin leben Sie wohl... Bleiben Sie gesund, zusammen mit Ihrem Pflegesohn...

Hochachtungsvoll *A. Čechov.*

22) AN N. A. LEJKIN VOSKRESENSK, 25. 6. 1884

25, VI, 4. Voskresensk

Brief Nr. 1

Sehr geehrter

Nikolaj Aleksandrovič!

Nicht jeder Sommeranfang glückt, anscheinend. Erstens ist die Erzählung mißlungen. »Die Beamtenprüfung« ist ein hübsches Thema, als Thema aus dem Alltag mir auch wohlbekannt, aber seine Ausführung verlangt nicht nur eine Stunde Arbeit und nicht nur 70–80 Zeilen, sondern mehr... Ich habe geschrieben und dabei gleich gestrichen, aus Angst vor Längen. Gestrichen habe ich die Fragen der behördlichen Examinatoren und die Antworten des Postbeamten – das eigentlich Wesentliche des Examens. Zweitens mußte die Erzählung sämtliche Tartarusqualen durchlaufen, angefangen von meinem Schreibtisch bis hin zur Tasche einer Pilgersfrau. Als ich nämlich meine Erzählung zum hiesigen Postamt brachte, wurde ich verblüfft durch die Mitteilung, daß sonntags keine Post gehe und daß mein Brief erst am Mittwoch nach Piter gelangen könne. Das versetzte mir einen Stich. Mir blieb nur das eine von beidem: entweder auf meinen Lorbeeren auszuruhen, oder auf die Bahnstation zu jagen (21 Verst) zum Postzug. Ich tat weder das eine noch das andere, sondern beschloß, meine Korrespondenz jemandem anzuvertrauen, der zur Station ging. Kutscher fand ich keine. So mußte ich eine dicke Pilgersfrau bitten... Wenn die Pilgersfrau die Station rechtzeitig zum Postzug erreicht und es ihr gelingt, den Brief an der entsprechenden Stelle einzuwerfen, dann triumphiere ich, wenn Gott es ihr aber nicht beschieden hat, der Literatur zu dienen, so bekommen Sie die Erzählung mit diesem Brief.

Jetzt zu den Themen für Zeichnungen. Hier muß ich vor allem zugeben, daß ich sehr stumpf bin im Ausdenken scharfsinniger Bildunterschriften. Und wenn Sie mich totschlagen, es wird mir nichts Vernünftiges für Sie einfallen. All die Bildunterschriften, die ich Ihnen früher geschickt habe, waren nicht Ergebnis einer Minute, sondern all der von mir durchlebten Jahre. Ich habe alles gegeben, was ich hatte – das Gute wie das zu Streichende – es ist nicht mehr da. Ein Thema ergibt sich durch Zufall, und wenn es in meinem Leben auch nicht wenige Zufälle gegeben hat, so besitze ich doch nicht die Fähigkeit, die Zufälle in ein Werk umzumünzen. Aber wie dem auch sei, ich habe mir folgenden Operationsplan ausgedacht. Ich werde Ihnen alles schicken, was mir nur in den Sinn kommt. Verfasser von Bildunterschriften und Tote kennen keine Scham. Und Sie werden mich nicht in Verlegenheit stürzen, wenn ich Ihnen Unpassendes schicke...

Ich kann Bildunterschriften verfassen, nur – wie? In Gesellschaft... Man liegt auf dem Diwan mit einem wohligen kleinen Rausch, schwatzt und schwatzt mit Freunden Unsinn, und da! kommt einem etwas in den Sinn... Ich bin auch in der Lage, Themen anderer weiterzuentwickeln, wenn es welche gibt...

Ich lebe zur Zeit in Novyj Ierusalim... Ich lebe mit Aplomb, denn ich fühle das Ärztediplom in meiner Tasche. Die Natur ringsumher ist herrlich. Freier weiter Raum und absolut keine Sommergäste. Pilze, Angeln und das Zemstvo-Krankenhaus. Das Kloster ist poetisch. Wenn ich beim Abendgottesdienst im Halbdunkel der Galerien und Gewölbe stehe, überlege ich mir Themen für die »süßen Klänge«. Themen habe ich viele, aber zu schreiben bin ich nicht in der Lage... Sagen Sie bitte, wo hätte ich so »große« Erzählungen drucken können, wie Sie sie in den »Märchen der Melpomene« gesehen haben? Im »Mirskoj tolk«? Außerdem bin ich zu faul... Verzeihen Sie, um Gottes willen... Diesen Brief schreibe ich... im Liegen... Was sagen Sie nun? Ich habe mir ein Buch auf den Bauch praktiziert und schreibe. Zu faul zum Sitzen... Jeden Sonntag findet im Kloster ein Ostergottesdienst statt mit allen Schikanen... Leskov kennt sicherlich diese Besonderheit unseres Klosters. Allabendlich gehe ich in der Umgebung spazieren im bunten Durcheinander der modes et robes von Männern, Frauen und Kindern. Abends gehe ich zur Post zu Andrej Egoryč, die Zeitungen und Briefe abholen, wobei ich in der Korrespondenz herumwühle und die Adressen lese mit dem Eifer eines neugierigen Müßiggängers. Andrej Egoryč hat mir das Thema für die »Beamtenprüfung« geliefert. Morgens holt mich ein hiesiger Alteingesessener ab, Großvater Prokudin, ein leidenschaftlicher Angler. Ich ziehe die Schaftstiefel an und gehe irgendwohin nach Ramenskoe oder Rubcovskoe, um den Barschen, Großköpfen und Schleien nach dem Leben zu trachten. Der Alte sitzt ganze Tage da, ich begnüge mich mit 5-6 Stunden. Ich esse bis zum Platzen und trinke mit Maßen Beerenschnaps. Meine Familie ist auch hier, sie kocht, bäckt und brät von den Mitteln, die meine Schreiberei einbringt. Es läßt sich leben... Nur eines ist schlimm: ich bin faul und verdiene wenig. Wenn Sie nach Moskau kommen, warum wollen Sie dann nicht einen Abstecher nach Novyj Ierusalim machen? Das ist so nahe... Von der Station Krjukovo mit dem Kutscher für zwei Rubel 21 Verst – 2 Stunden Fahrt. Mein Bruder Nikolaj wird Ihnen alles zeigen. Sie könnten auch Palmin mitbringen... Sie könnten sich den Ostergottesdienst anhören... Hm? Wenn Sie schreiben, könnte ich Sie auch in Moskau abholen...

Ich zittere. In dieser Woche muß ich das Feuilleton für die »Oskolki« kritzeln, und ich habe kein einziges Ereignis. Ich werde die Post jetzt immer samstags aufgeben... Sie bekommen sie dann am Montag.

Ich bin oft bei Verhandlungen des Friedensrichters Golochvastov – des bekannten Mitarbeiters der »Rus«. Sehe oft Markevič, der von Katkov jährlich 5000 bekommt für seine Umbrüche und Abgründe.

Das Studium habe ich abgeschlossen... Ich habe Ihnen, glaube ich, bereits darüber geschrieben. Vielleicht habe ich es Ihnen aber auch noch nicht geschrieben... Man hat mir eine Stelle als Zemstvo-Arzt in Zvenigorod angeboten – ich habe abgelehnt. (Wenn Sie kommen, können Sie einen Abstecher zu Savva von Zvenigorod machen – das nur à propos.) Damit... scheint mir, gibt es nichts mehr, worüber zu schreiben wäre. Ich grüße Sie und vertraue mich Ihren heiligen Gebeten an.

Stets zu Diensten und hochachtungsvoll

der Doktor und Kreisarzt A. Čechov.

Ach ja! Das Buch habe ich auf Kredit drucken lassen, mit Rückzahlung innerhalb von 4 Monaten nach Erscheinen. Was derzeit mit meinem Buch in Moskau geschieht, weiß ich nicht.

Ich will jetzt angeln gehen... Es ist ein Jammer! Ich habe vom »Budilnik« einen Auftrag bekommen und werde ihn, scheint es, aus Mangel an Energie nicht erfüllen.

Vgl. den folgenden Brief. Dieser ist aus von der Redaktion unabhängigen Gründen irgendwo verschwunden und liegengeblieben.

23) AN N. A. LEJKIN VOSKRESENSK, 27. 6. 1884

4, VI, 27.

Brief Nr. 2

Gestern abend, sehr geehrter Nikolaj Aleksandrovič, habe ich Ihren Brief bekommen und ihn mit Vergnügen gelesen. Briefe in den Sommerferien sind ein großes Vergnügen. Gestern bekam ich von Andrej Egoryč zusammen mit den Zeitungen und den »Oskolki« gleich sechs Stück und habe mich bis Mitternacht daran delektiert. Ich habe alles gelesen, sogar die Anzeigen in den Zeitungen und sogar die Witze des frischgebackenen Humoristen E-ni... Gestern habe ich Ihren Brief gelesen, heute beantworte ich ihn... Eben bin ich von einer gerichtsmedizinischen Obduktion zurückgekommen, die 10 Verst vor V. stattgefunden hat. Ich fuhr dorthin, in verwegener Trojka, mit dem altersschwachen, schweratmenden und in seiner Hinfälligkeit zu nichts mehr tauglichen Untersuchungsrichter, einem kleinen, weißhaarigen und gütigen Wesen, das schon 25 Jahre lang davon träumt, eine Stelle als Mitglied des Gerichts zu bekommen. Die Obduktion nahm ich zusammen mit dem Kreisarzt unter freiem Himmel vor, unter dem Grün einer jungen Eiche, auf der Straße... Der Tote war »nicht hiesig«, und die Bauern, auf deren Grund der Körper gefunden worden war, baten uns, bei Gott dem Allmächtigen, unter Tränen, die Obduktion nicht im Dorf vorzunehmen... »Die Weiber und Kinder werden vor Angst nicht schlafen...« Der Untersuchungsrichter wand sich zunächst, aus Angst vor den Regenwolken, dann aber, als er einsah, daß man ein Protokoll auch ins Unreine, auch mit Bleistift aufnehmen kann, und sah, daß wir einverstanden waren, auch unter freiem Himmel zu arbeiten, gab er den Bitten der Bauern nach. Ein aufgeregtes junges Mädchen, offizielle Zeugen, der Dorfschulze mit Blechschildchen, die Witwe des Toten, die 200 Schritt vom Ort der Obduktion wehklagte, und zwei Bauern als Leichenwache... Neben den schweigsamen Leichenwächtern flackert ein kleines Lagerfeuer... Die Leiche muß tags und nachts bewacht werden, bis zum Eintreffen der Behörden – eine Pflicht der Bauern, die von niemandem bezahlt wird... Die Leiche in einem roten Hemd, neuen Kleidern, mit Lumpen bedeckt... Auf den Lumpen ein Handtuch mit einem kleinen Heiligenbild. Wir verlangen vom Dorfschulzen Wasser... Wasser ist da – ein Teich ganz in der Nähe, aber niemand gibt einen Eimer heraus: wir könnten ihn verunreinigen. Die Bauern verfallen auf eine List: sie, die Bauern von Manechino, stehlen den Bauern von Tuchino den Eimer... um einen fremden Eimer tuts einem nicht leid... Wann sie ihn gestohlen haben und wie und wo – wir begreifen es nicht... Sie sind ungeheuer stolz auf ihre Heldentat und feixen... Die Obduktion ergibt 20 Rippenbrüche, eine

Schwellung der Lunge und Alkoholgeruch aus dem Magen. Ein gewaltsamer Tod, eingetreten durch Ersticken. Dem Betrunkenen ist mit etwas Schwerem der Brustkorb eingedrückt worden, wahrscheinlich mit einem kräftigen Bauernknie. Am Körper eine Vielzahl von Hautabschürfungen, hervorgerufen durch Hin- und Herwälzen. Die Bauern von Manechino haben den Körper gefunden und 2 Stunden lang so heftig geschüttelt und hin und hergewälzt, daß der Verteidiger des Mörders mit Recht die Frage an den Sachverständigen richten dürfte: sind die Rippenbrüche nicht Folge dieser Wiederbelebungsversuche? Aber diese Frage wird, glaube ich, nicht gestellt werden ... Einen Verteidiger wird es nicht geben, ebensowenig einen Beschuldigten ... Der Untersuchungsrichter ist so altersschwach, daß seinem trüben Auge nicht nur der Mörder, sondern sogar eine kranke Wanze entgeht ... Es geht Ihnen schon auf die Nerven, hiervon zu lesen, aber ich hatte auf einmal solche Lust zu schreiben ... Ich füge noch einen charakteristischen Zug hinzu und werde dann schweigen. Der Erschlagene ist Fabrikarbeiter. Er hatte die Kneipe von Tuchino mit einem Fäßchen Vodka verlassen. Der Zeuge Polikarpov, der die Leiche am Wege als erster gesehen hatte, erklärte, er habe neben dem Körper ein Fäßchen liegen sehen. Als er eine Stunde später wieder an dem Körper vorbeiging, sah er das Fäßchen nicht mehr. E r g o: der Kneipenwirt, der kein Recht auf Straßenverkauf besitzt, hat, um Beweisstücke verschwinden zu lassen, dem Toten das Fäßchen gestohlen. Aber genug davon. Sie empört ja bereits, wenn jemand eine Amme prüft ... Und wenn jemand eine Prostituierte mustert? Mediziner (studierte, natürlich), die mit der Frage der »Verletzung des sittlichen Gefühls« der Untersuchten konfrontiert wurden, haben hin und herüberlegt und sind zu diesem Ergebnis gekommen: »ihre Ware, unser Geld ... Wenn es der Nahrungsmittelinspektion erlaubt ist, ohne die Person des Handeltreibenden zu verletzen, Äpfel und Schinken zu begutachten, warum sollte man dann nicht auch Ammen und Prostituierte begutachten dürfen? Wer sie zu verletzen fürchtet, braucht ja nicht zu kaufen ...«

Wenn Sie befürchten, durch Betasten eine Amme zu verletzen, und Sie nehmen sie, ohne sie angefaßt zu haben, wird sie Ihnen eine Ware vorsetzen, angesichts derer faulige Apfelsinen, trichinöser Schinken und vergiftete Würste vor Neid erblassen.

Sie haben 600 Georginen... Was soll Ihnen diese kalte, uninspirierte Blume? Diese Blume hat das Äußere eines Aristokraten, eines Barons, aber Inhalt – keinen... Man möchte ihr den arroganten, aber langweiligen Kopf mit einem Stock abschlagen. Übrigens, de gustibus non disputantur. Ich habe in den »Oskolki« keine Anzeige meines Buches veröffentlichen wollen, nicht weil ich das für nutzlos hielte, wie Sie es mir unterstellen, sondern einfach deshalb, weil ich Ihnen keine Umstände machen wollte: Sie haben wenig Platz, und Geld von mir zu nehmen, wie Sie es von anderen nehmen, würden Sie sich genieren... Setzen Sie eine Anzeige hinein, so sage ich danke. Wenn Sie den Satz hinzufügen »erhältlich über die Redaktion der ›Oskolki‹«, sage ich ein doppeltes Danke. Viele Käufer werden es nicht sein, so daß Ihnen dieser Satz keine Umstände machen wird. Sollte sich wider Erwarten jemand finden, der das Buch über die Redaktion kaufen möchte, so brauchen Sie mir nur im nächsten Brief die Adresse des Glücklichen zu schreiben und – nichts weiter, wie mir scheint. Übrigens, vom Geschäft des Verlegers habe ich nicht die geringste Ahnung... Verfahren Sie, wie Sie es für das beste halten... Für die Hinweise Verbeugung und Dank. Ich werde alles so ausführen, wie Sie es geschrieben haben. Schrecklich, was für einen langen Brief ich Ihnen geschrieben habe! Jeden zweiten Tag gehe ich ins Zemstvokrankenhaus, wo ich die Kranken empfange. Ich müßte jeden Tag hingehn, bin aber zu faul. Mit dem Zemstvoarzt bin ich seit langem befreundet.

Votre A. Čechonte.

24) AN N. A. LEJKIN ZVENIGOROD, 14. 7. 1884

Verehrter

Nikolaj Aleksandrovič!

Ich befinde mich gegenwärtig in der Stadt Zvenigorod, wo ich nach Wunsch des Schicksals den Dienst des Zemstvoarztes versehe, der mich bat, ihn für 2 Wochen zu vertreten. Den halben Tag lang bin ich beschäftigt mit dem Empfang der Patienten (30–40 Mann am Tag), die restliche Zeit ruhe ich mich aus oder langweile mich schrecklich, indem ich am Fenster sitze und in den düsteren Himmel schaue, der schon den 3. Tag einen häßlichen, nicht aufhörenden Regen vergießt... Vor meinem Fenster ein Berg voller Kiefern, rechts davon das Haus des Kreisrichters, noch weiter rechts ein räudiges Städtchen, das einmal Residenzstadt war... Links ein verfallener Festungswall, weiter links ein Wäldchen, hinter dem der geheiligte Savva hervorschaut. Die hintere Treppe, oder genauer die Hintertür, an der es nach Abtritt riecht und an der ein Ferkel grunzt, schaut auf den Fluß. Heute ist Samstag. Um die Post nicht zu verfehlen, beeile ich mich, die Terminarbeit zu schicken. Die Erzählung schreibe ich heute nacht und schicke sie morgen. Ihre Briefe schicken Sie bitte nach Voskresensk. Von dort wird mir alles ordnungsgemäß nachgeschickt. Ich war in Moskau und hörte, daß L.I. Palmin mit seiner Alten getraut worden sei. Ich habe ihn gesehen, aber er hat mir nichts davon gesagt. Sagen Sie ihm nicht, daß ich Ihnen diese prosaische Neuigkeit über den poetischen Menschen mitgeteilt habe... Vielleicht ist diese Neuigkeit für Sie ja gar keine Neuigkeit mehr! Leben Sie wohl! *Ihr A. Čechov.*

25) AN N. A. LEJKIN VOSKRESENSK, 23. 8. 1884

23, VIII, Voskresensk.

Sehr geehrter

Nikolaj Aleksandrovič!

Ich werde am 1. September aus Voskresensk abhauen nach Moskau, ins Winterquartier. Der Erste ist das Alleräußerste. Und darum bitte ich Sie inständig, veranlassen Sie, daß mir das Honorar noch vor dem 31. August geschickt wird – dem Freitag, an dem die Geldpost nach Voskr. kommt. Verzeihen Sie, um Allahs willen, daß ich dieses Mal die Ordnung verletze, aber wenn Sie wüßten, welch widerliches Wetter hier ist, wieviel Gepäck und Hausbewohner ich nach Moskau transportieren muß und wie gern ich mich an meinen Moskauer Schreibtisch setzen möchte, dann könnten Sie sich meinen Anschlag auf Ihre Buchhaltung erklären. Damit die Augustabrechnung nicht mit der für September durcheinanderkommt, schicken Sie mir einfach 60 Rubel – das ist schneller und leichter für Sie –, und die Abrechnung für August und September schickt mir Ihr Sekretär dann im Oktober, für die 2 Monate zusammen.

Ich müßte nach Moskau fahren, um Geld zu holen, und habe das Fahrgeld nicht... Ein Problem! Ich hatte zwar irgendwie Geld, aber der Satan hat mich geritten, es einem mir befreundeten Leutnant zu borgen. Der Leutnant wird es mir zurückgeben, aber wahrscheinlich erst, wenn ich selber die Taschen voll habe, vor meiner Abreise. Übrigens, genug vom Geld. Ach... neulich habe ich ein Fräulein am Zahn behandelt, sie nicht geheilt und 5 Rub. bekommen; einen Mönch vom Rotlauf geheilt und 1 R. bekommen; eine Moskauer Schauspielerin, die hier Urlaub macht, vom Darmkatarrh geheilt und 3 Rub. bekommen. Ein solcher Erfolg auf meinem neuen Betätigungsfeld versetzte mich derart in Entzücken, daß ich alle diese Rubel einsammelte und in die Kneipe von Bannikovo schickte, von dort beziehe ich meinen Vodka, das Bier und die sonstigen Medikamente.

Ich danke Ihnen für die Anzeige meines Büchleins. Im September werde ich es persönlich tun. Wenn Sie meinen, daß Anzeigen im Sommer überflüssig sind, dann setzen Sie sie aus oder bringen Sie sie nur in jeder zweiten Nummer... Ich höre, man hat es im »Nov. vremja« gelobt, im »Teatr. mirok«... Ich lese nichts außer Moskauer Zeitungen, kümmere mich um nichts... Es ist so ärgerlich! Wenn Sie eine Anzeige in die »Peterb. gazeta« gesetzt haben, so zahlen Sie sie von meinem Honorar. Zahlen

Sie, was zu zahlen ist, auch Ihrem Kontor für die Anzeigen in den »Oskolki«. Ich habe im »Nabljudatel« eine Kritik der »Christusbraut« gelesen... Wer hätte denken können, daß Ihr Buch diese gnadenlosen Kritiker an den deutschen Militarismus, an die Bismarckherrschaft erinnern würde...

Ich setze mich an die Spl. d. Mosk. Lebens. Absoluter Materialmangel! Kurepin vom »Novoe vremja« und Lukin aus den »Novosti« werden aus der Haut fahren, aber ihre Feuilletons sind noch leerer als meine Splitter.

Das Wetter ist furchtbar diphtheritisch. Ich habe schon so lange keine Sonne mehr gesehen. Habe Palmins »Meereswogen« gelesen... Ist er nicht ans Meer gefahren? Schaukelt er jetzt nicht, das wär doch was, auf einem Dampfer dahin in der »Kajüte der Jungverheirateten«?

B. Markevič hat mir einen Sammelband mit seinen Kurzgeschichten zu lesen gegeben. Als er mir diesen Band gab, hatte er den guten Zweck im Auge: möge der junge Mensch daran lernen. Er fragte nach Ihnen, kritisierte herablassend Leskov, bedauerte, daß die derzeitige Humoristik im Niedergang begriffen sei... Dieser Kammerjunker hat Angina pectoris und wird, wahrscheinlich, demnächst Material für einen Nekrolog abgeben...

Leben Sie wohl. Ich werde meine Schwester zur Post schicken, um diesen Brief wegzubringen. Wider Erwarten ist sie bereit und geht sich anziehen. *Ihr A. Čechov.*

26) AN N. A. LEJKIN MOSKAU, 7. 10. 1884

Sonntag, der 7.

Verehrter

Nikolaj Aleksandrovič!

In Erfüllung Ihres Redakteurswillens schicke ich Ihnen meine literarischen Exkremente am Sonntag... Sie bekommen 2 Posten: in einem das Feuilleton, im anderen diesen Brief mit einer Erzählung. Zehnmal bin ich bei Nikolaj gewesen, zehnmal hat er mich versichert, er habe Ihnen die Zeichnungen *schon längst* geschickt... Ich möchte nicht glauben, daß er gelogen hat, und gleichzeitig möchte ich nicht an so nachlässige Zustellung eingeschriebener Streifbandsendungen glauben... Nikolaj versichert es hoch und heilig... Um herauszubekommen, wer lügt, die Post oder er, bliebe mir nur, eine plötzliche Hausdurchsuchung bei ihm vorzunehmen.

Panem et circenses gibt es keine... Ich überlege und überlege, und es kommt nichts! Aber Gott ist nicht ohne Gnade... Ich werde mir schon etwas einfallen lassen und Ihnen schicken... Für das gute Wort über die »Peterburg. gazeta« großen Dank: ich werde sie zur Mittagszeit bekommen und nach dem Essen lesen, hingeflezt, rauchend...

Vergessen Sie nicht, daß wir für den Fall von termingebundenem Material verabredet hatten, das Moskauer Feuilleton wöchentlich zu bringen, damit es nicht zu schreienden Verspätungen kommt. Ich werde es Ihnen stückchenweise schicken, in Fragmenten, und Sie verfahren damit, wie Sie es für richtig halten: was einen Termin hat, das gleich, was warten kann, das später... Erzählungen backe ich... Warum vergleichen Sie mich in puncto Schnell- und Vielschreiberei mit sich selbst? Die Literatur ist Ihr Fach... Auf Ihrer Seite sind Erfahrung, Selbstbewußtsein, Inhalt von ministeriellem Gewicht... Ich dagegen, der ich von jetzt auf gleich schreibe, ein anderes Fach habe, kein Bewußtsein habe von der Qualität meiner Hervorbringungen, aufgewühlt werde von Leidenschaften... kann ich mit Ihnen Schritt halten? Wenn ich nur den zwanzigsten Teil dessen schreibe, was Sie schreiben, kann ich Gott danken...

An die Ärzteferien denke ich... Lichačëv habe ich eingetragen für eine Seelenmesse... Bei Palmin bin ich gewesen... Ich behandelte die unter ihm (Wortspiel??!) lebende Jungfer und lief dann rasch zu ihm. Er schlief, wachte aber, als er meine Stimme hörte, auf und baute sich in der ganzen Größe des Poeten vor mir auf, mit heruntergelassenen Hosen und zerzauster Coiffure... Ich saß nicht lange bei ihm, das Fehlen eines Klosetts in seiner Wohnung trieb mich in die Flucht. Bei uns schneit es... Die Einladung der »Nov« habe ich erhalten... Als ich den Brief las und erfuhr, daß man dort über ein Grundkapital von 500 000 verfügt, war ich so verwirrt, daß ich jede Hoffnung aufgab, dort je etwas zu veröffentlichen... *Ihr A. Čechov.*

Der Schneider hat mir einen neuen Mantel gebracht. Ich gratuliere: nicht alle Ihrer Mitarbeiter gehen in alten Mänteln...

27) AN N. A. LEJKIN MOSKAU, 17. 11. 1884

84, XI, 16.

Sehr geehrter

Nikolaj Aleksandrovič!

Ach! Aber ein einziges »Ach« reicht da gar nicht...

Ich wundere mich, wieso ich Sie in bezug auf Chudekov mißverstanden habe? Sie schrieben, er brauche keine Feuilletons, sondern kurze Berichte aus dem Gerichtssaal bis zu 100 Zeilen... Ich hatte mir aus irgendeinem Grunde eingebildet, unter Bericht seien Erzählungen zu verstehen... (Wenn diese Berichte keine Feuilletons sind – was denn dann?) Danke, daß Sie mir geschrieben und den rechten Weg gewiesen haben... Sie staunen über meine Schnelligkeit: wie kann man denn einen Tag vor der Verhandlung eine Erzählung schreiben? Eine Erzählung ist nicht die Feuerwehr: die kann auch noch eine halbe Stunde vor Ausbruch des Feuers zusammengeschustert werden. Aber nicht darum geht es, sondern darum, daß ich in meiner ersten Sendung die Neueinführungen am Kreisgericht beschreiben wollte, die eigens für Rykov zusammengeschustert worden sind und die ich am Montag besichtigen fahre... Sie sind einer Beschreibung wert, aber das geht nicht am Tag der Verhandlung, wenn ohnehin zu viel Material da sein wird.

Das zweite »Ach« in bezug auf »Reden und Riemen«. Diese Erzählung ist nirgends gedruckt worden. An das Wesentliche erinnere ich mich, die Ausführung habe ich vergessen... Ich werde sie mit Vergnügen lesen, wie etwas, das nicht von mir ist...

Ich hätte nicht gedacht, daß meine Erzählung, die in »Razvlečenie« gedruckt ist, der »Oskolki« würdig sei. Ich habe sie Ihnen nicht geschickt, weil sie zu lang war und schlecht – so kam es mir wenigstens vor. Seien Sie mir nicht böse, wenn Sie mich von den »Oskolki« desertieren sehen... Ich habe Familie, bin mittellos... brauche Geld, und »Razvlečenie« zahlt mir 10 Kop. für die Zeile. Ich darf nicht unter 150–180 Rub. im Monat verdienen, sonst bin ich bankrott.

Medvedev macht mir Kummer. Er hungert und friert. Ein Student...

Über Nikolaj von mir kein Wort. Er hat eine gute Zeichnung für Sie gezeichnet... Wenn ich ihn frage, ob er sie Ihnen geschickt hat oder nicht, wird er bestimmt lügen...

Wenn Sie im November kommen, dann – merci. Bei uns ist es lustig im Winter. Dann können wir ins Strelna fahren...

Ich war neulich in einer vorsintflutlichen Redaktion (»Rossija«) und lauschte dort einem hochinteressanten Gespräch. An die 10–15 Mann saßen beim Tee und sprachen über die »Oskolki«. Sie verglichen sie mit der »Iskra«, sagten, sie seien besser als die »Iskra«, sie hätten eine Richtung, Witz... die Presse handle gemein, daß sie ihnen so wenig Aufmerksamkeit schenke usw... Sie lobten sogar das Mosk. Feuilleton, nachdem sie mich gefragt hatten, wer Ulysses sei... Das ist nicht das erstemal, daß ich eine solche Meinung über die »O.« höre, und jedesmal »hüpfte mit Freuden das Kind in meinem Leibe...« Halten Sie sich! Heben Sie die künstlerische Abteilung wenigstens auf das Niveau der »Strekoza« und – alles wird gut...

Ich werde mich anstrengen und Ihnen kleine Sachen schreiben, und vergessen Sie bis dahin nicht Ihren stets zu Diensten bereiten

A. Čechonte.

Á propos! Die Sache mit Rykov wird sich, wie es heißt, 2–3 Wochen hinziehen... Will mir Hr. Chudekov nicht für alle Fälle irgendein Papier von der »Pet. gaz.« schicken, eine Karte oder so... Die kleinen Sachen schicke ich morgen... Ich bin unglücklich: jeden Tag Gäste...

28) AN N. A. LEJKIN MOSKAU, 10. 12. 1884

84, XII, 10.

Sehr geehrter

Nikolaj Aleksandrovič!

Heute ist bereits der dritte Tag, daß mir – es paßt wie die Faust aufs Auge – Blut aus der Kehle fließt. Dieser Blutfluß hindert mich am Schreiben, hindert mich daran, nach Piter zu fahren... Überhaupt – ergebensten Dank, das hatte ich nicht erwartet! Drei Tage habe ich keine weiße Spucke mehr gesehen, und wann mir die Medikamente, mit denen meine Kollegen mich vollstopfen, helfen werden, kann ich nicht sagen. Der Allgemeinzustand ist befriedigend... Die Ursache ist wahrscheinlich ein geplatztes Gefäß...

Heute war m-me Politkovskaja bei mir... Entsetzlich! Sie hat sich über Sie beklagt... »Er könnte meine Erzählungen im Feuilleton bringen, wenn sie ihm zu lang erscheinen!«

Warum ist Rykov bei Ihnen auf der Titelseite blond? So sieht er überhaupt nicht aus...

Die Rykov-Berichte für die »Pet. gazeta« sind vorbei... Jetzt ist die Pinunze an der Reihe... Wenn Sie in der Redaktion sind, beeilen Sie sich mit der Übersendung des Honorars. Für Kranke und Nichtstuer ist ein frühes Honorar gesünder als ein spätes... Palmin habe ich lange nicht gesehen. Nikolaj auch nicht. Meine Nächsten haben mich verlassen.

Danke, wenn ich wenigstens in den Apotheken Rabatt auf Arzneien bekomme. Dann kann ich mich wenigstens damit trösten...

Ich hoffe, die Subskription hat bei Ihnen bereits begonnen und läuft gut... Ich wünsche Ihnen 20 Tsd. Subskribenten...

Wie zum Hohn habe ich jetzt Patienten... Ich müßte zu ihnen hinfahren, aber es geht nicht... Ich weiß nicht, was ich mit ihnen machen soll... Sie einem anderen Arzt zu geben, wäre schade – es ist doch immerhin eine Einnahme!

Leben Sie wohl... *Ihr A. Čechov.*

Wahren Sie die Maske des Ulysses... Palmin hat sich anscheinend in der »Rossija« verschwatzt... Schreiben Sie ihm, daß nicht ich es sei, der das schreibt, und bedauern Sie, daß ich es vergangenes Jahr abgelehnt habe... Bei uns ist so tiefe Provinz!

Ich nehme ein nutzloses Infusum aus Mutterkorn...

Was nächste Woche betrifft, informiere ich Sie noch beizeiten.

1885

29) AN N. A. LEJKIN MOSKAU, 22. 3. 1885

85, III, 22.

Verehrter

Nikolaj Aleksandrovič!

Ich wünsche Ihnen zu Ostern alles Gute und Erfolg. Um keinen Wermuth in Ihre Feiertagsstimmung zu gießen, schicke ich den Transport lange vor dem Termin. Das Feuilleton noch nicht, denn das Material dafür ist buchstäblich gleich *null.* Außer Selbstmorden, schlechtem Pflaster und Spazierritten in der Reitschule gibt Moskau nichts her. Ich gehe heute zum Alleswisser von Moskau, Giljarovskij, der in letzter Zeit zum Zaren aller Moskauer Reporter geworden ist, und werde ihn um Rohmaterial bitten. Wenn er welches hat, wird er es mir geben, und ich werde Ihnen die Übersicht wie gewöhnlich für Dienstag abend schicken. Wenn er nichts hat und die Lektüre der morgigen Zeitungen ebenso ergebnislos verläuft wie die der gestrigen, dann müssen Sie diesmal ohne auskommen. Ich kann natürlich über die Duma schreiben, das Straßenpflaster, Egorovs Kneipe... aber was hat das mit den »Oskolki« zu tun, wen interessiert das? Ich hoffe, Ihre Mitarbeiter haben Ihnen für die Feiertage allerlei Feiertägliches jeder Art geschickt, so daß das Fehlen der Übersicht Sie nicht dazu zwingen wird, am Feiertag an einer weiteren Erzählung zu arbeiten. Und ich schicke ja auch drei Sachen... Von denen sich nur eine als untauglich erweisen könnte, die anderen beiden taugen, wie mir scheint. Ich schicke auch einige Bildunterschriften. Ich diene Ihnen gern nach besten Kräften, aber ich kann nichts machen: wenn ich anfange an einer Bildunterschrift herumzuüberlegen, kommt entweder eine Erzählung heraus, oder es kommt gar nichts heraus... Wohnte ich in Petersburg und nähme teil an Ihren und Bilibins Unterhaltungen, dann wäre ich sicher von Nutzen, denn gemeinsam denkt es sich leichter... Aber o weh! Petersburger werde ich nicht werden... Ich sitze schon so tief im Moskauer Sumpf, daß mich keine zehn Pferde mehr herausziehen... Familie und Gewohnheit... Ohne das eine und das andere würde ich Ihnen keine ruhige Minute lassen, würde Sie auffressen mit meinem Bitten um mehr Platz...

Die »Apothekertaxe« ist ein modisches Thema... Man kann sich seiner bedienen, finde ich... Dasselbe würde ich Ihnen raten im Fall der himmelschreienden Pleiten unserer Zeit... In Moskau gehen die Firmen eine nach der anderen pleite... Die eine geht pleite, fällt in die Grube und zieht die andere nach... In Piter desgleichen, in Charkov desgleichen... Für Kirill und Metod gut wäre eine Parallele zwischen dem IX. und dem XIX. Jahrhundert... Zeichnen Sie eine reinliche Hütte mit dem Aushängeschild »Schule«... Ringsherum Bauern, gut gekleidet und satt... Das ist das IX. Jahrhundert... Daneben das XIX. Jahrhundert: dieselbe Hütte, aber schon verfallen und vom Unkraut überwuchert...

Im IX. Jahrhundert hat es Schulen gegeben, Krankenhäuser. Im XIX. gibt es Schulen, Branntweinschenken... Mir spukt da etwas im Kopf herum, aber ich bin zu faul, eine Orientierung dafür zu finden... Das ist die gemeinste Faulheit: die des Denkens... Ein nicht abgeschlossenes Projekt abzuschicken gehört sich nicht, aber Sie müssen entschuldigen... Wenn in meinem Hause das Aufräumen vorbei ist und mein Schwesterlein keine Tonleitern mehr spielt, führe ich es zu Ende, aber jetzt möge Gott mir verzeihen... Palmin ist umgezogen... Er ist der Ewige Jude! Seine Natur kann, wie man sieht, nirgends Ruhe finden... Wenn die Natur nichts damit zu tun hat, dann ist natürlich die Frau daran schuld... Ein schönes Wort: das Weib »tut Teufelsarbeit«!

Sie sollten das Niveau der künstlerischen Abteilung heben. Alles ist gut an den »Oskolki«, aber die künstl. Abteilung wird sogar in Kleinbürgerschulen kritisiert. Zum Beispiel, was sind das für Dampfmaschinen, gezeichnet von Porf.? Phantasie – kein bißchen... Eleganz desgleichen... Dann wird eben die »Strekoza« gehen und Erfolg haben... Eine Maschine, um sich selbst zu verprügeln z. B., ist keine schlechte Idee, aber man muß sie darstellen, wie es sich gehört, und nicht als Bauernholzschnitt, dann ist sie läppisch, klein... Alle Zeichnungen machen den Eindruck, als seien sie nur gezeichnet worden, um sie loszusein, mit der linken Hand... Uns Prosaautoren wird Gott unsere Sünden vergeben, aber die Maler müssen arbeiten wie die Götter... Der Reiz einer guten Zeichnung macht auch die schlechte Qualität einer Bildunterschrift vergessen... nach den Zeichnungen ist das Publikum gewöhnt, die ganze Zeitschrift zu beurteilen, und gibt es in den »Oskolki« Zeichnungen? Es gibt Farben und Figuren, aber Typen, Bewegungen und Zeichnung – nein...

Überhaupt ist die künstlerische Abteilung bei Ihnen irgendwie vernachlässigt... Sie bringen keine karikierten Porträts, wie das die anderen tun, Sie bringen keine Karikaturen... Die Nummer der »Pčelka«, in der Valjano erschien, wurde im Süden in eintausend Exemplaren vertrieben... die »Strekoza« wahrscheinlich ebenso... Die Nummer der »Pčelka« mit dem Porträt von Pastuchov war in Moskau im Handumdrehen ausverkauft... Pastuchov selbst hat 200 Expl. gekauft.

Heben Sie das Niveau der Zeichner und Maler! Leider gibt es ihrer so wenige, und sie sind dermaßen verwöhnt, daß mit ihnen kein Geschäft zu machen ist...

Leben Sie wohl. Zum Jubiläum von Kir. und Metod werde ich irgend etwas schreiben. Ist es wahr, daß in Kronštadt ein Cholerafall aufgetreten ist? Ich freue mich, daß Aleksandr Ihnen zusagt... Er ist ein guter Arbeiter und hat Gespür... Wenn er auf den rechten Weg findet und die Lyrik bleiben läßt, wird er großen Erfolg haben... *Ihr A. Čechov.*

30) AN N. A. LEJKIN MOSKAU, 28. 4. 1885

85, IV, 28.

Sehr geehrter

Nikolaj Aleksandrovič!

Haben Sie wirklich nur eine Erzählung von mir? Am Sonntag, dem 21. April, habe ich Ihnen mit eingeschriebener Post eine große Erzählung geschickt, »Abgeschafft!«. Haben Sie sie nicht bekommen? Wenn nicht, dann lassen Sie es mich in 2–3 Zeilen wissen... Entweder habe ich sie in meiner Zerstreutheit falsch adressiert, oder die Post hat sie verloren... Ich wiederhole, ich habe sie eingeschrieben geschickt... Insgesamt haben Sie zwei Erzählungen von mir: »Allerlei Gemüse« und »Abgeschafft!«

Was die »Peterb. gazeta« betrifft, so antworte ich mit meinem Einverständnis und einem Dankgebet an Ihre Adresse. Ich werde Erzählungen schicken, pünktlicher als pünktlich... Im »Budilnik« nicht zu schreiben, kann ich mir nicht leisten... Ich habe mir dort einen Vorschuß von 100 Rubel geholt, der Ausgaben fürs Sommerhaus wegen... Vier Sommermonate lang werde ich ihn abarbeiten müssen... Nun, ich veröffentliche dort ja nicht das, was für die »Oskolki« taugt. Gott, was Gottes ist, und dem Kaiser, was des Kaisers ist... Für »Razvlečenie« habe ich seit Jahresanfang nicht mehr gearbeitet...

Sie sind erstaunt über meine frühe Abreise aufs Sommerhaus? Die Fröste, mit denen Sie mich schrecken, fürchte ich nicht. In Moskau sind, erstens, 15° im Schatten... Warme Regen, der Donner grummelt, es grünt das Feld... Zweitens werde ich auf einem Gutshof wohnen, der auch im Winter bewohnbar ist. Mein Sommerhaus befindet sich 3 Verst von Voskresensk (Novyj Ierusalim) entfernt auf dem Gut von Kiselëv, dem Bruder Ihres Petersburger Kiselëv, des Hofmeisters und was er sonst noch ist... Ich werde die Räume bewohnen, in denen vergangenen Sommer B. Markevič gelebt hat. Sein Schatten wird mir des Nachts erscheinen! Ich habe das Haus mit allem gemietet, Mobiliar, Obst, Milch, usw... Das Gut, das sehr schön ist, liegt an einem Steilufer... Unten der Fluß, reich an Fischen, am anderen

Ufer Wald, Wald auch am hiesigen Ufer... Um das Haus herum Orangerien, Blumenbeete et caetera... Ich liebe den Anfang Mai auf dem Lande... Es ist lustig zu beobachten, wie es anfängt zu grünen, die Nachtigallen anfangen zu schlagen... Rund um das Gut lebt niemand, wir werden einsam sein... Kiselëv und Frau, Begičëv, der Tenor a. D. Vladislavlev, der Schatten des B. Markevič und meine Familie – das sind schon alle Sommergäste... Im Mai ist gut angeln, besonders Karauschen und Schleien, d. h. Fische, die stehende Gewässer bevorzugen, und außerdem gibt es auf dem Gut auch Teiche...

Übrigens fahre ich nicht, wie geplant, am 1., sondern erst am 6., aber der Sinn und Zweck meines voraufgegangenen Briefes bleibt der gleiche. Schicken Sie alles nach Voskresensk, außer dem Brief über das Schicksal meiner Erzählung »Abgeschafft!«...

Die »Peterb. gazeta« mag, soviel ich bemerkt habe, keine Erzählungen mit Stich... Aus den Berichten über die Gerichtsverhandlung ist mir alles Verdächtige gestrichen worden... Das mag man nicht, nicht wahr? Wenn meine Mitarbeit bereits beschlossen ist, will die »Peterb. gazeta« mir dann nicht regelmäßig ein Exemplar schicken nach Voskresensk (Gouv. Mosk.)? Je mehr Zeitungen ich bekomme, desto lustiger wird es...

Wie mich mein Maler reingelegt hat! Und mir hat er vorgelogen, er habe Ihnen »Zeichnungen« geschickt! Ich nehme ihn mit aufs Sommerhaus, ziehe ihm dort die Stiefel aus und schließe ihn ein... Dann wird er wohl arbeiten! Das Honorar für die Zeichnung schicken Sie nach Voskresensk, sonst geht es in Moskau in die Eremitage... Schicken Sie ihm für Voskresensk ein-zwei Themen... Unter Bewachung wird er den Auftrag rasch ausführen... Ich verbürge mich dafür.

Wie viele Zeilen werden in der »Pet. gaz.« gebraucht?

Der Teufel hat gesehen, wie ich mich in Briefen verbreite! Wie eine Frau, die ihrem Mann von ihren Einkäufen berichtet: Krieg, Knöpfe, Zwirn, wieder Knöpfe...

Für die »Lazurblauen Blumen« habe ich Ihnen bereits gedankt

und danke noch einmal. Ich habe sie gelesen ... Besonders gefiel mir der »Namenstag des Hausknechts«.

Um den Leutnant und die Hebamme tut es mir leid. Ich bin bekümmert – ich habe kein Geld. Ich heule wie ein Wolf. Mein Glück, daß ich noch keine Schulden habe ... Im Sommerhaus ist das Leben billiger, aber die Reisen nach Moskau – der reine Tod!

Also sagen Sie mir Bescheid bezüglich »Abgeschafft!« Und leben Sie wohl bis dahin und bleiben Sie gesund.

Ihr A. Čechov.

31) AN M. P. ČECHOV BABKINO, 10. 5. 1885

85, V, 10.

Miša-Terentiša!

Endlich sind die schweren Stiefel ausgezogen, die Hände stinken nicht mehr nach Fisch, und ich kann den Brief schreiben. Es ist gerade 6 Uhr morgens. Unsere Lieben schlafen ... Ungewöhnliche Stille ... Es zwitschern nur die Vögel, und man hört es kratzen hinter den Tapeten. Ich schreibe diese Zeilen, vor dem quadratischen Fenster in meinem Zimmer sitzend. Ich schreibe und schaue dabei zum Fenster hinaus. Vor meinen Augen zerfließt eine ungewöhnlich warme, liebliche Landschaft: der Fluß, in der Ferne Wald, Safontjevo, ein Stück des Kiselëvschen Hauses ... Ich schreibe der Bequemlichkeit halber nach Punkten:

a) Wir kamen unter zumindest miserablen Umständen an. An der Bahnstation nahmen wir zwei Mähren von Andrej und Panochtej (?) für 3 Rubel pro Nase. (Die auf der Post wollten 6 R. für die Trojka.) Die Mähren zogen uns die ganze Strecke in empörender Gangart. Als wir an der Kirche vorbeikamen, ließen sie Speichel. In Eremeevo bekamen sie Futter. Von Erem. bis zur Stadt brauchten wir 4 Stunden – so schlecht war die Straße. Ich torkelte mehr als die Hälfte des Wegs voran auf Schusters Rappen. Über den Fluß setzten wir bei Nikulino, in der Nähe von Čikino. Ich, der ich vorausgefahren war (das Ganze war bereits nachts), wäre beinahe ertrunken und habe ein Bad genommen.

Mutter und Marja mußten im Kahn übergesetzt werden. Du kannst dir vorstellen, was für Geschrei, Kreischen der Eisenbahn und andere Ausdrücke weiblichen Entsetzens das gab. Im Kiselëvschen Wald brach den Kutschern das Gestänge... Großes Warten... Und so weiter, mit einem Wort, als wir uns bis nach Babkino geschleppt hatten, war es bereits eine Stunde nach Mitternacht... Sic!!

b) Die Türen zum Haus waren nicht verschlossen... Um niemanden zu belästigen, gingen wir hinein, zündeten eine Lampe an und erblickten etwas, was alle unsere Erwartungen übertraf. Riesige Zimmer, Möbel mehr als nötig... Alles wirklich hübsch, komfortabel und gemütlich. Streichhölzer, Aschenbecher, Zigarettenkästchen, zwei Waschbecken und... weiß der Teufel, was uns unsere liebenswürdigen Wirtsleute nicht noch alles hingestellt hatten. Solch ein Sommerhaus kostet in der Umgebung von Moskau mindestens 500. Wenn du kommst, wirst du ja sehen. Nachdem wir uns eingerichtet hatten, schaffte ich die Koffer fort und setzte mich zum Essen. Ich trank, Vodka, Wein und... weißt du, es war so schön, aus dem Fenster zu schauen auf die dunklen Bäume, auf den Fluß... Ich hörte die Nachtigall schlagen und traute meinen Ohren nicht... Mir war immer noch, als wär ich in Moskau... Ich schlief großartig... Gegen Morgen kam Begičëv ans Fenster und stieß ins Horn, aber ich hörte ihn nicht, ich schlief wie ein betrunkener Schuster.

c) Am Morgen setze ich eine Reuse aus und höre eine Stimme: »Krokodile!« Ich schaue hin und sehe am andern Ufer Levitan... Sie setzten ihn mit dem Pferd über... Nach dem Kaffee ging ich mit ihm und dem Jäger (einem sehr typischen) Ivan Gavrilov auf die Jagd. Wir waren 3½ Stunden unterwegs, 15 Verst, und haben einen Hasen erlegt. Die Hunde waren schlecht...

d) Jetzt zum Fisch. Die Angel beißen sie schlecht. Kaulbarsche und Gründlinge sind gut zu fangen. Ich habe übrigens einen Großkopf gefangen, aber so klein, daß man ihn nicht in die Pfanne schicken mochte, sondern aufs Gymnasium zum Lernen.

e) An die Hechtangel gehen sie. Vanja hat eine riesige Aalraupe gefangen. Hechtangeln haben jetzt keinen Wert, weil es keinen Köder gibt. Gestern abend war Wind, da war nichts zu machen. Bring Haken für die Hechtangel mit, mittlere Größe. Ich habe keinen einzigen mehr.

f) Oh meine Reusen! Es hat sich gezeigt, daß man sie sehr bequem transportieren kann. Im Gepäck sind sie nicht zerknautscht, und auf dem Fuhrwerk waren sie hinten angebunden... Eine Reuse ist im Fluß ausgesetzt. In ihr hat sich schon eine Plötze und ein Riesenbarsch gefangen. Der Barsch war so groß, daß Kiselëv heute bei uns essen wird. Die andere Reuse war zuerst im Teich ausgesetzt, in ihr hat sich aber nichts gefangen. Jetzt haben wir sie hinter dem Teich in einer Flußbiegung (einem sonst geraden Stück); gestern hat sie einen Barsch gefangen, und eben habe ich mit den Babkinern *neunundzwanzig* Karauschen herausgeholt. Was sagst du dazu? Heute gibt es bei uns Fischsuppe, Fisch gebraten und Gallerte... Und deshalb bring 2-3 Reusen mit. Man bekommt sie am Moskvoreckij most in den Fischereigeschäften. Ich habe 30 Kop. bezahlt, gib du 20-25. Nach Hause schaffst du sie natürlich in der Droschke.

g) Marja Vlad. geht es gut. Sie hat Mutter ein Glas Varenje geschenkt und ist überhaupt ungeheuer liebenswürdig. Sie liefert mir aus franz. Zeitschriften (alte) Witze... Den Gewinn halbehalbe. Kiselëv sitzt den ganzen Tag bei uns. Gestern hat er zur Pirogge 3 Riesengläser getrunken. Begičëv hat mitgegessen, aber nichts getrunken... Er begnügte sich damit, der Vodka-Karaffe flehentliche Blicke zuzuwerfen.

h) Ich trinke nicht, aber der Wein ist trotzdem schon alle. Der Wein ist so gut, daß Nikolaj und Ivan unbedingt je eine Flasche mitbringen müssen (im Koffer, wie ich). Wein ist hier ein Fund. Was kann angenehmer sein, als nach dem Abendessen draußen auf der Terrasse ein Gläschen Wein zu trinken! Erklär ihnen das. Der Wein ist großartig... Ich habe ihn in der Mjasnickaja gekauft, rechter Hand, wenn man vom Postamt in Richtung Stadt geht, in der georgischen Weinhandlung. Giljaj kennt das Geschäft. Der Wein heißt »Achmet«, oder »Machmet«, weißer...

i) Levitan lebt in Maksimovka. Er ist fast wieder ganz gesund. Er nennt alle Fische Krokodile und hat sich mit Begičëv angefreundet, der ihn Leviathan nennt. »Mir ist langweilig ohne Leviathan!« – seufzt B., wenn kein Krokodil da ist.

k) Die Straße ist wiederhergestellt, und die Furt so gut, daß gestern sogar Tyško gekommen ist. Sag Lila, sie soll für eine Woche kommen. Platz ist mehr als genug, die Verpflegung vorzüglich. Lad sie ein und erklär ihr den Weg, wieviel sie den Kutschern zahlen soll usw. Die Rückfahrt ist ganz billig. Eine Woche, nicht weniger...

l) Was macht Nikolaj?

m) Bringt Olgas Paß mit, Kochwurst mit Knoblauch für Kiselëv (3–4 Würste), Lorbeerblatt, Pfeffer, Briefpapier großformatig.

n) Schreib mir aus dem Enzykl. Wörterbuch die Monate Juni, Juli und August heraus. Das ist leichter, als sie nach Babkino mitzubringen. Heute bin ich um 3½ Uhr aufgestanden. Jetzt trinke ich Tee und lege mich schlafen. Ich schlafe bis zum Kaffee, und nach dem Kaffee gehe ich mit Kiselëv die Reusen ab. Gestern habe ich sehr viel geschrieben, und jetzt schicke ich es weg. Es arbeitet sich.

Dein A. Čechov.

Am Sonntag auf die Jagd. In ein paar Tagen kommt Vladislavlev und bringt ein Schleppnetz mit. Das gibt ein Fischefangen! Ich grüße alle.

32) AN N. A. LEJKIN VOSKRESENSK, 14. 9. 1885

85, IX, 14. Voskresensk.

Verehrter

Nikolaj Aleksandrovič!

Ihren Brief habe ich bekommen und schicke ein Danke im Quadrat. Ich eile mit der Antwort. Sie beginnen damit, daß ich Ihre Anweisungen nicht erfülle. Allah möge mich beschützen! Ich werde mich nach Punkten reinwaschen:

1) Ein Erzählungsvorrat will bei mir einfach nicht zustandekommen. Ob ich kein Talent habe, keine Zeit oder Energie – Gott weiß es. Aber soweit ich mich entsinne, hatten Sie in jeder Nr. Sachen von mir. Wenn ich manchmal eine Woche nichts schickte, so nur, weil ich wußte, daß Sie in Ihrem Vorrat eine Zensurgeschichte von mir hatten. Übrigens, in diesem Punkt bekenne ich mich schuldig und verspreche, nach meiner Rückkehr nach Moskau Ihnen ganze Transporte zu schicken.

2) Die Übersicht habe ich auf Zeit eingestellt, kraft Ihres redaktionellen Beschlusses. Ihr Beschluß kann sie auch wieder zum Leben erwecken. Heute schicke ich keine Übersicht, denn in den Zeitungen und Briefen aus Moskau herrscht die pure Leere.

3) Bildunterschriften schicke ich nach Kräften.

Und so weiter. Ich bin immer noch in den Ferien!! Das Wetter ist jetzt herrlich – Altweibersommer. Die Kraniche ziehen... Aber trotzdem wird es Zeit, sich zu den häuslichen Penaten zu begeben. Heute ist der fatale Samstag – das Eintreffen der Geldpost. Die Post ist da, aber das Geld von der »Pet. gaz.« – nicht und wieder nicht! Ohne dieses Geld kann ich nicht abreisen, weil ich, in der Hoffnung auf das Geld, lukullisch gelebt und Schulden gemacht habe... Am Dienstag abend oder, was auf dasselbe herauskommt, Mittwoch morgen kommt die Geldpost wieder. Wenn ich es auch dann nicht bekomme, bleibe ich den ganzen Winter im Sommerhaus, was originell ist und neu... An die »Gazeta« habe ich mindestens 3mal geschrieben. Ich schäme mich lästig zu fallen, darum schreibe ich nicht ein 4. Mal. Hätte ich gewußt, daß sie mit solcher Verspätung zahlt, hätte ich nicht 150, sondern 200 (bereits verdiente) verlangt, und die kämen mir sehr gelegen, da ich in Erwartung des Geldes immer tiefer sinke, sinke... bis an den Hals... Aber ich falle Ihnen mit meinen Rechnereien lästig und fahre deshalb fort.

Über den September schicke ich für nächste Woche, wenn nichts dabei herauskommt, schicke ich September und Oktober zusammen, da sie sich wenig voneinander unterscheiden – sep-tem, octo... Von Agafopod habe ich keine Briefe, wo Nikolaj

АРХИВЪ „СТРЕКОЗЫ".

Письмо донскаго помѣщика Степана Владиміровича N къ ученому сосѣду д-ру Фридриху.

Дорогой Сосѣдушко!

Фрiедрихъ (забылъ какъ по батюшкѣ, извените великодушно!) Извените и простите меня стараго старикашку и нелѣпую душу человѣческую за то, что осмѣливаюсь Васъ безпокоить своимъ жалкимъ письменнымъ лѣпетомъ. Вотъ ужъ цѣлый годъ прошелъ, т. е. погрузился въ волны вѣчности, какъ Вы изволили поселиться въ нашей части свѣта по сосѣдству со мной мелкимъ человѣчкомъ, а я все еще не знаю Васъ, а Вы меня тоже не знаете. Позвольте-жъ драгоцѣнный сосѣдушко хотя посредствомъ сихъ старческихъ гiероглифовъ познакомиться съ Вами, пожать мысленно Вашу ученую руку и поздравить Васъ съ прiѣздомъ изъ Санктъ-Петербурга въ нашъ недостойный материкъ, населенный мужиками и крестьянскимъ народомъ т. е. плебейскимъ элементомъ. Давно искалъ я случая познакомиться съ Вами, жаждалъ, потому что наука въ нѣкоторомъ родѣ мать наша родная, все одно какъ и цивилизацыя и потому что сердечно уважаю тѣхъ людей, знаменитое имя и званiя которыхъ увѣнчанное ореоломъ популярной славы лаврами, кимвалами, орденами, лентами и аттестатами съ дипломомъ гремитъ какъ громъ и молнiя по всѣмъ частямъ вселеннаго мiра сего видимаго и невидимаго т. е. подлуннаго. Я пламенно люблю астрономовъ, поэтовъ, метафизиковъ, приватъ-доцентовъ, химиковъ и другихъ жрецовъ науки, къ которымъ Вы себя причисляете чрезъ свои умные факты и отрасли наукъ т. е. продукты и плоды. Говорятъ, что вы много книгъ напечатали во время умственнаго сидѣнiя съ трубами, градусниками и кучей заграничныхъ книгъ съ заманчивыми рисунками. Недавно заѣзжалъ въ мои жалкiя владѣнiя, въ мои руины и развалины мѣстный максимусъ понтифексъ отецъ Герасимъ и со свойственнымъ ему фанатизмомъ бранилъ и порицалъ Ваши мысли и идеи касательно человѣческаго происхожденiя и другихъ явленiй мiра видимаго и возставалъ и горячился противъ Вашей умственной сферы и мыслительнаго горизонта покрытаго свѣтилами и аэроглитами. Я не согласенъ съ о. Герасимомъ касательно Вашихъ умственныхъ идей, потому что живу и питаюсь одной только наукой, которую Провиденiе дало роду человѣческому для вырытiя изъ недръ мiра видимаго и невидимаго драгоцѣнныхъ металовъ, металоидовъ и брилiантовъ, но все таки простите меня, батюшка, насекомого еле видимаго, если я осмѣлюсь опровергнуть постариковски нѣкоторыя Ваши идеи касательно естества природы. О. Герасимъ сообщилъ мнѣ, что будто Вы сочинили сочиненiе, въ которомъ изволили изложить не весьма существенныя идеи на щотъ людей и ихъ первороднаго состоянiя и допотопнаго бытiя. Вы изволили сочинить что человѣкъ произошелъ отъ обезьянскихъ племенъ мартышекъ орангуташекъ и т. п. Простите меня старичка, но я съ Вами касательно этого важнаго пункта не согласенъ и могу Вамъ запятую поставить. Ибо, если-бы человѣкъ, властитель мiра,

»Brief des Gutsbesitzers Stepan Vladimirovič N. an seinen gelehrten Nachbarn Dr. Fridrich«, Čechovs erste Veröffentlichung in der Petersburger Zeitschrift »Strekoza« vom 9. März 1880.

ist, weiß ich nicht... Wahrscheinlich ist letzterer in Moskau... Seinen oft im »Budilnik« erscheinenden Zeichnungen nach zu schließen, leidet er keinen Hunger und treibt sich in Moskau herum... Ich muß diesen Kerl zur Vernunft bringen und weiß nicht wie... Alle Mittel habe ich schon versucht, aber keines hat geholfen. Das liegt nicht am Trinken, sondern an der femme. Die Frau! Der Geschlechtsinstinkt hindert mehr am Arbeiten als der Vodka... Wenn ein schwacher Mensch zum Weib kommt, legt er sich zu ihr in die Pfühle und schläft mit ihr, bis die Nähte krachen... Nikolajs Weib ist ein fettes Stück Fleisch, das gern trinkt und ißt... Vor dem coitus trinkt und ißt sie immer, und der Liebhaber hat es schwer, an sich zu halten, daß er nicht selbst anfängt zu trinken und Pickles zu essen (sie haben immer Pickles!).

Agafopod wird auch verrückt gemacht von seinem Weib... Wann diese beiden Weiber endlich damit aufhören, weiß der Teufel! Übrigens, wie geht es L. I. Palmin? Ich habe ihn schon 1/2 Jahr nicht mehr gesehen. Wenn Sie ihm schreiben, grüßen Sie ihn von mir.

Die Kranken kommen zu mir gelaufen und fallen mir auf die Nerven. Den ganzen Sommer über hatte ich ihrer einige Hundert, und verdient habe ich insgesamt 1 Rubel.

Das Honorar von den »Oskolki« habe ich bekommen. Oh, wenn ich es nur bald auch von der »P. g.« bekäme! Mein Gott, das ist doch eine unfaßliche Säumigkeit... Wenn sie mir geschrieben hätten, daß sie es nicht bald schicken, dann hätte ich mir vielleicht Mittel und Wege ausgedacht, mich herauszuwinden. Ich habe eine Rechnung an die »Gazeta« geschickt.

Die Aalraupen beißen herrlich... Damit, und in der Hoffnung auf obenerwähnten Mittwoch, verbleibe ich

A. Čechov.

33) AN N. A. LEJKIN MOSKAU, 24./25. 9. 1885

Verehrter

Nikolaj Aleksandrovič!

Verzeihen Sie, daß ich auf einem abgerissenen Stück schreibe; anderes Papier habe ich nicht, und auch niemanden, den ich ins Papiergeschäft schicken könnte. Ich bin bereits in Moskau. Danke für Ihre Ratschläge. Ich habe sie immer befolgt und werde es auch weiterhin tun. Danke auch für die Scherereien, die Sie sich meiner Nerven wegen gemacht haben. Meine Tölpel haben immer noch keine neue Wohnung gefunden, ich wohne also weiter in der alten.

Wahrscheinlich ziehe ich auf die andere Seite der Moskva, wo bereits eine Wohnung an der Angel zappelt. Ich weiß nicht, wie ich mit der Zeitschrift verfahren soll... Die Nummern, die jetzt nach Voskr. gehen, bekomme ich hierher in die Sretenka, denn ich habe beim dortigen Postamt eine Erklärung abgegeben.

An Chudekov habe ich die Rechnung geschickt. Bei meiner Ankunft habe ich einen Brief von Palmin auf dem Tisch vorgefunden. Ewig drückt er sich auf dem Smolenskij rynok herum – einer der langweiligsten Gegenden Moskaus...

Morgen setze ich mich an die Arbeit. Giljaj war bei mir und beklagte sich, daß Sie ihn nicht drucken. Aus diesem Mann wird einmal ein hervorragender Reporter.

In Moskau nichts Neues.

Leben Sie wohl und bleiben Sie gesund. A propos Gesundheit: es gibt schrecklich viele Kranke in Moskau! Alle sind abgemagert blaß, irgendwie eingefallen, als ahnten sie das jüngste Gericht voraus. Ich war nur 4½ Monate weg, und zurück, finde ich viele nicht mehr unter den Lebenden... Weiß der Teufel, was das ist!

Sie haben Angst vor der Cholera und sehen nicht, daß von tausend 40 sterben – das ist schlimmer als jede Epidemie... Sie wollen auch die niederschmetternde Kindersterblichkeit nicht sehen, die den Menschen mehr schwächt als alle Kriege, Kaninchen, Überschwemmungen, Syphilis... Übrigens, und so weiter, sonst falle ich Ihnen auf die Nerven... *Ihr A. Čechov.*

34) AN N. A. LEJKIN MOSKAU, 12./13. 10. 1885

Verehrter

Nikolaj Aleksandrovič!

Ihren Brief habe ich bereits in der neuen Wohnung bekommen. Meine Wohnung liegt jenseits der Moskva, und hier ist echte Provinz: alles sauber, still, billig und ... ein bißchen dumm. Das Pogrom gegen die »Oskolki« hat auf mich gewirkt wie ein Hieb mit dem Beil ... Einerseits tut es mir leid um meine Arbeiten, andererseits ist mir so stickig, unheimlich zumute ... Natürlich haben Sie recht: besser man steckt zurück und beißt auf Lindenbast, als daß man die Zeitschrift gefährdet und mit Reisig auf das Beil einschlägt ... Wir müssen abwarten und uns gedulden ... Aber ich meine, wir müssen endlos zurückstecken. Was heute erlaubt ist, dafür wird man morgen schon vors Komitee zitiert, und die Zeit ist nahe, wo selbst der Rang »Kaufmann« zum verbotenen Obst gehört. Ja, ein sicheres Stück Brot kann die Literatur nicht garantieren, und Sie haben klug daran getan, früher geboren zu werden als ich, als es sich leichter atmete und schrieb ...

Ihnen diese Woche etwas zu schicken, hatte ich nicht die Absicht. Sie hatten noch 3 Sachen von mir, und eine Pause hielt ich für legitim, um so mehr als mich der Umzug ereilte. Nun, da ich Ihren Brief bekommen und vom Schicksal meiner 3 Sachen erfahren habe, schicke ich Ihnen eine Erzählung, die ich nicht für die »Oskolki« geschrieben habe, sondern »allgemein«, für eine sich bietende Gelegenheit. Die Erzählung ist ein bißchen lang, aber sie handelt von Schauspielern, was angesichts der Eröffnung der Saison ganz gelegen kommen kann, und sie ist, wie mir scheint, humoristisch. Morgen setze ich mich hin und schreibe den »Sept. und Oktober und November« – natürlich wenn mich nicht etwas wie die Arztpraxis oder ähnliches davon abhält.

Sie raten mir, nach Petersburg zu kommen, um mit Chudekov zu verhandeln, und sagen, Pet.burg sei nicht China ... Ich weiß ja, daß es nicht China ist, und bin mir, wie Ihnen bekannt ist, der Notwendigkeit dieser Reise seit langem bewußt, aber was soll ich tun? Dank der Tatsache, daß ich in einer großen Familie lebe, habe ich nie einen freien Zehnrubelschein in Händen, und für die unbequemste und bettelärmste Reise braucht man minimum 50 Rub. Wo soll ich dieses Geld hernehmen? Aus meiner Familie herauspressen kann ich es nicht und halte es für unmöglich... Wenn ich die 2 Gänge auf einen reduziere, würde ich vor Gewissensbissen die Schwindsucht kriegen. Früher hatte ich gehofft, ich könnte von dem Honorar der »Pet. gaz.« auf Reisen gehen, aber jetzt stellt sich heraus, daß ich, seit ich für die »P. g.« arbeite, durchaus nicht mehr verdiene als früher, weil ich dieser Zeitung all das gebe, was ich früher an »Razvlečenie«, »Bud.« usw. gegeben habe. Allah allein weiß, wie schwer mir das Balancieren fällt und wie leicht ich abstürzen und das Gleichgewicht verlieren kann. Verdiene ich im kommenden Mon. 20–30 Rubel weniger, dann geht, glaube ich, alle Balance zum Teufel und ich gerate in Schwierigkeiten... In Geldangelegenheiten bin ich furchtbar ängstlich, und wahrscheinlich gehe ich wegen dieser in Geldangelegenheiten ganz unkommerziellen Feigheit allen Borgereien und Vorschüssen aus dem Wege... Für Unternehmungen bin ich nicht zu schwerfällig. Hätte ich Geld, ich flöge durch die Städte und Dörfer ohne Ende.

Das Honorar der »Pet. gazeta« bekam ich 2 Wochen, nachdem ich die Rechnung geschickt hatte.

Wenn Sie im Oktober nach Moskau kommen, dann raffe ich mich irgendwie auf und fahre mit Ihnen. Für die Reise nach Pet.-burg wird sich Geld finden, und die Rückfahrt hole ich mir von Chudekov (sie ist bereits verdient).

Mehr schreiben, als ich jetzt schreibe, kann ich unmöglich, denn die Medizin ist keine Advokatur: wer nicht arbeitet – erstarrt. Das bedeutet, mein literarischer Verdienst ist eine feste Größe. Verringern läßt er sich wohl, erhöhen – nicht.

Am Dienstag erwarte ich die »Oskolki« an die neue Adresse. Ich habe sie schon lange nicht mehr pünktlich bekommen.

Zu Ihrem Kauf gratuliere ich. Ich habe alles schrecklich gern, was in Rußland Landgut genannt wird. Dieses Wort hat seinen poetischen Beigeschmack noch nicht verloren. Sie werden also den Sommer über faulenzen.

Bei uns ist Frost, aber kein Schnee.

Palmin war bei mir und wird am Dienstag wiederkommen. Dienstags haben wir jour mit Mädchen, Musik, Gesang und Literatur. Ich will den Dichter unter die Leute bringen, sonst versauert er. *Ihr A. Čechov.*

35) AN N. A. LEJKIN MOSKAU, 28. 12. 1885

28/XII.

Nun, gütiger und gastfreundlicher Nikolaj Aleksandrovič, habe ich mich doch endlich an den Tisch gesetzt und schreibe Ihnen. Die Reise nach Piter und der feiertägliche Galimathias haben mich völlig aus dem Gleis gebracht. Zu tun habe ich bis an den Hals, aber setzt man sich hin, um zu schreiben – hat man keine Lust zum Schreiben: man streicht den Anfang gleich wieder durch; man müßte zu einem Patienten fahren – man verschläft oder setzt sich hin, um zu schreiben... Um nicht ganz aus dem Konzept zu geraten, werde ich nach Punkten schreiben:

1) Alle Aufträge sind mit der gebotenen Genauigkeit, Pünktlichkeit und Pedanterie ausgeführt:

a) Stupin sind die Bücher noch auf der Rückfahrt vom Bahnhof übergeben worden. Die Quittung ist Ihnen am 26. Dez. geschickt worden.

b) Levitan ist der Auftrag nebst Unterweisung übermittelt worden. Ich habe ihm zu verstehen gegeben, daß er keine Ahnung hat von einem Feldscher beim Militär, mit der Empfehlung, sich vor Lösung der Fragen in Sachen Genre und Milieu an mich zu wenden, womit er volkommen einverstanden war. Er war zweimal bei mir. Unter anderem bat er mich dringend, Ihnen zu schreiben, daß er unbedingt 40 Rub. brauche. Ihnen selbst zu schreiben geniert er sich aus Furcht vor den Juden. Wenn es möglich ist, sie ihm zu schicken, schicken Sie sie ihm. Vorschüsse sind eine widerwärtige Materie, aber vierzig Rubel sind kein großes Geld...

c) Amfiteatrov habe ich gesehen und ihm in Ihrem Namen angetragen, den »Oskolki« nicht das zu schicken, was im »Budilnik« zusammengestrichen worden ist. Er sagte: »Schön.«

d) Die Pečkovskaja hat bereits ein gerahmtes Aushängeschild. Das Weib staunte, als ihr ein Aushängeschild angeboten wurde, und sagte, Sie hätten ihr schon eins gegeben. Davon, daß sie in Ihnen sündige Lüste erweckt habe, habe ich ihr nichts gesagt: es war mir peinlich vor den Leuten...

e) Giljarovskij habe ich noch nicht gesehen. Wenn ich ihn sehe, übermittle ich ihm Ihren Auftrag bezüglich des Buchhändlers, der 50% Rabatt genommen hat.

f) Bezüglich des dramatischen Honorars und des Wechsels von Gudvilovič warte ich auf weitere Anweisungen.

2) Heute habe ich Ihnen eine nicht ganz gelungene Neujahrsgeschichte geschickt. Ich wollte sie so kurz wie möglich machen und hab sie dabei verdorben.

3) Ihre Beobachtungen in Sachen Moskauer Journalistik werde ich überprüfen...

4) Die Zustände, die ich in den Petersburger Redaktionen kennengelernt habe, besinge ich, wo immer das nur möglich ist. Überhaupt besinge ich ganz Petersburg. Eine liebenswerte Stadt, auch wenn man in Moskau über sie schimpft. Sie hat in mir eine Menge liebenswerter Eindrücke hinterlassen. Es ist sehr gut möglich, daß im gegebenen Falle, in meiner Beurteilung von Piter, mein Denken bestochen ist. Ich habe bei Ihnen doch gelebt wie in Abrahams Schoß. Mein ganzer Aufenthalt in Piter bestand doch aus lauter Annehmlichkeiten, wen wundert es da, daß ich alles in rosigem Licht gesehen habe... Sogar die Peter-Pauls-Festung hat mir gefallen. Ein unvorstellbares Durcheinander herrscht in meinem Kopf: der Nevskij, die Altgläubigenkirche, der Divan, auf dem ich schlief, Ihr Schreibtisch, Bilibin, Fedja, der alte metteur en pages, die Handtücher an den Wänden, Timofejs Bart, Borel, Palkin, die Artischocken, Felchen, die Kissen für Rogulka und Apel, der Heumarkt, Lejfert... Ein scharf umrissenes Bild ist das nicht, sondern irgendwie lauter Bruch-

stücke. Woran ich mich deutlich erinnere, ist die Schnauze von Apel Apeljič und das tagelange schweigsam-beobachtende Auf- und Abgehen von Fedja in den Zimmern, das Übrige liegt im Nebel, wie im Traum... Diesen Nebel verdanke ich Ihnen, weil Sie in diesen drei Tagen meinen Nerven derart viele Eindrücke aufgebürdet haben, daß mir der Kopf platzt. Und gegessen und getrunken habe ich bei Ihnen! Als wäre ich nicht in Piter gewesen, sondern auf einem altrussischen Landsitz... A propos, frische Felchen gibt es in Moskau nicht.

Natürlich wissen Sie, auch ohne daß ich es Ihnen sage, wie dankbar ich Ihnen bin für Ihre Gastfreundschaft und die Scherereien mit meiner schwerfälligen Person, aber dennoch halte ich es für notwendig, diese Dankbarkeit noch einmal zu konstatieren. 10000mal Dank.

Zum Schluß wünsche ich Ihnen und Ihren Angehörigen Glück zum Neuen Jahr. Herzlichen Gruß und Glückwunsch an Praskovja Nikiforovna und Fedja.

Grüßen Sie Bilibin und sagen Sie ihm, daß ich ihm schreiben werde.

P.I. Kičeev hat sich erschießen wollen, aber... hat nicht getroffen. Palmin habe ich noch nicht gesehen.

Bleiben Sie gesund. Noch einmal danke im Quadrat.

Ihr A. Čechov.

Nach dem Heiligen Synod und dem Senat fragt mein Vater. Er ist böse, daß ich nicht drin war.

P. S. Ich werde Ihnen noch weiter schreiben. Ich habe solche Lust, weiter über Piter zu reden.

1886

36) AN AL. P. ČECHOV MOSKAU, 4. 1. 1886

86, I, 4.

Quarantäne-Zöllner Saša!

Ich wünsche dir und deinem ganzen Judol* ein gutes Neues Jahr, wünsche dir Glück, wünsche dir weitere Säuglinge... Gott schenke dir alles Gute. Du bist wahrscheinlich böse, weil ich nicht schreibe... Ich bin ebenfalls böse, aus demselben Grunde... Schwein! Hose! Kinderzeugender Beamter! Warum schreibst du nicht? Haben deine Briefe etwa ihren früheren Reiz und Glanz verloren? Hast du etwa aufgehört, mich als deinen Bruder anzusehen? Bist du nach alledem etwa kein Schwein? Schreib, schreib 1000mal! Meinetwegen schrei, aber schreib... Bei uns steht alles zum besten, außer vielleicht, daß Vater weitere Lampen gekauft hat. Er hat eine Lampenmanie. A propos, wenn ich sie im Schreibtisch finde, lege ich eine Seltenheit bei, die ich dich bitte nach Lektüre zurückzuschicken.

Ich war in Piter und habe, bei Lejkin wohnend, alle die Qualen durchlitten, von denen in der Schrift gesagt wird: »wer aber beharret bis an das Ende...« Er hat mir großartig zu essen gegeben, hat mich aber fast erstickt mit seinen Lügen, das Schwein... Er hat mich mit der Redaktion der »P. gazeta« bekanntgemacht, wo ich empfangen wurde wie der Schah von Persien. Wahrscheinlich wirst du bei dieser Zeitung arbeiten können, aber nicht vor Sommer. Auf Lejkin hoffe nicht. Er stellt mir auf jede erdenkliche Weise ein Bein in der »P.g.« Und dir wird er es auch. Im Januar wird Chudekov, Red. der »P.g.«, bei mir sein. Ich werde mit ihm reden.

Aber Allah behüte! Laß endlich, tu mir den Gefallen, deine unterdrückten Kollegienregistratoren! Spürst du nicht selbst, daß dieses Thema abgelebt hat und einen nur gähnen macht? Und woher nimmst du bei dir in Asien all die Qualen, die in deinen Erzählungen die Beamten durchmachen? Ich sage dir offen: da wird einem schon beim Lesen schlecht! Die Erzählung »Nagelneu« ist großartig angelegt, aber... die Beamten! Setz an die Stelle des Beamten einen gutmütigen Kleinbürger, ohne daß du auf seinen Vorgesetzten und seinem Beamtentum herumreitest, und dein »Nagelneu« wird zu dem Haufen schmackhafter Krebse, die Erakita damals geknackt hat. Und laß nicht zu, daß andere deine Erzählungen kürzen und überarbeiten... Es ist doch ekelhaft, wenn man in jeder Zeile Lejkins Hand wiedererkennt... Es ihm zu verbieten ist schwer; leichter ist das Mittel zu benutzen, das auf der Hand liegt: selber kürzen bis zum nec plus ultra, und selber überarbeiten. Je mehr du kürzt, desto öfter drucken sie dich... Aber die Hauptsache: achte möglichst darauf, wache darüber und schnaube vor Wut, wenn du zum fünftenmal abschreibst, kürzt usw., eingedenk der Tatsache, daß ganz Piter die Arbeit der Gebr. Čechov verfolgt. Ich war betroffen von dem Empfang, den mir die Piterianer bereitet haben. Suvorin, Grigorovič, Burenin... Alles hat mich eingeladen, mich gefeiert... und mir wurde unheimlich zumute, daß ich so nachlässig geschrieben habe, so mit der linken Hand. Hätte ich gewußt, daß ich so viel gelesen werde, hätte ich nicht so auf Bestellung geschrieben... Merke dir: du wirst gelesen. Weiter: verwende in deinen Erzählungen nicht die Namen und Familiennamen deiner Bekannten. Das ist unschön: familiär, und so... die Bekannten verlieren den Respekt vor dem gedruckten Wort... Ich habe Bilibin kennengelernt. Das ist ein sehr anständiger Kerl, dem man, im Bedarfsfalle, *voll* vertrauen kann. In 2–3 Jahren wird er im Zeitungswesen von Piter eine wichtige Rolle spielen. Enden wird er als Redakteur einer Zeitung wie den »Novosti« oder »Novoe vremja«. Also ein Mann, den man braucht...

Und nochmals Allah behüte! Wann hast du dir so viel Kälte in den Arsch fahren lassen? Und wen willst du mit deinem Kleinmut in Erstaunen setzen? Was für einen anderen gefährlich ist, kann für einen Mann mit akademischer Bildung nur Gegenstand des Gelächters sein, herablassenden Gelächters, und du – kneifst! Weshalb diese Angst vor Couverts mit Redaktionsstempel? Und was können sie dir tun, wenn sie erfahren, daß du schreibst? Du wolltest auf alle pfeifen, sollen sie es doch erfahren! Sie werden dich doch nicht totschlagen, nicht aufhängen, nicht wegjagen... Übrigens: Lejkin hat, als er dem Direktor eures Departements in der Kreditgesellschaft begegnete, ihn mit Vorwürfen überhäuft wegen der Schikanen, die du wegen deiner Schriftstellerei auszustehen hast... Der wurde verlegen und fing an zu schwören... Bilibin schreibt – und versieht dabei peinlich genau seinen Dienst beim D. für Post und Telegraphen. Levinskij gibt eine humorist. Zeitschrift heraus und versieht dabei 16 verschiedene Ämter. Und so streng man bei den Offizieren sein mag, aber auch da geniert man sich nicht, öffentlich zu schreiben. Verbergen muß man, aber sich verbergen – kein bißchen! Nein, Saša, mit den unterdrückten Beamten solltest du auch die verfolgten Journalisten ins Archiv stecken... Reeller ist heutzutage, Kollegienregistratoren darzustellen, die ihren Exz. das Leben sauer machen, und Korrespondenten, die fremde Existenzen vergiften... Und so weiter. Sei nicht böse über die Moral. Ich schreibe dir, weil es mir leid tut, mich ärgert... Du bist ein guter Schreiber, du könntest doppelt soviel verdienen, und ernährst dich von wildem Honig und Heuschrecken... dank irgendwelchen Zweifeln, die dir im Schädel sitzen...

Ich habe noch nicht geheiratet und auch noch keine Kinder. Das Leben ist nicht leicht. Im Sommer werde ich wahrscheinlich Geld haben. Oh, wenn es doch so wäre!

Schreib, schreib! Ich denke oft an dich und freue mich, wenn ich mir bewußtmache, daß es dich gibt... Sei also keine Hose und vergiß nicht *Deinen A. Čechov.*

Nikolaj bummelt. Ivan ist nach wie vor ein echter Ivan. Unsere Schwester ist wie im Rausch: Verehrer, Symphoniekonzerte, die große Wohnung...

* Miška, der ein Dichter ist, hat unter Judol etwas verstanden.

37) AN V.V. BILIBIN MOSKAU, 18. 1. 1886

86, 1, 18, Moskau.

Es ist schrecklich, Viktor Viktorovič! Seit Sie beim Post- und Telegraphenamt arbeiten, kommen meine Briefe nicht mehr an.

Am 2. Januar dieses Jahres habe ich Ihnen einen Riesenbrief geschickt, und jetzt stellt sich heraus, daß er nicht angekommen ist... Ich hatte ihn als Antwort auf Ihren ersten Brief geschrieben... Er ist so lang geworden, daß kein Droschkenkutscher bereit war, mich damit zum Briefkasten zu fahren. Ich schrieb darin etwa Folgendes:

1) Ihren Tadel in bezug auf die »platonische Liebe« und »Varvara« habe ich beim besten Willen nicht verstanden. Weshalb sollte ich Lejkin nichts davon sagen? Ein totales Rätsel! Offenbar hat Lejkin Ihnen irgendeinen Blödsinn erzählt, wie er meinem Bruder Agafopod über mich Blödsinn erzählt hat... Erklären Sie sich!

2) In den »Novosti« haben Sie kein Glück, weil Sie nicht liberal genug sind. Man muß die Ader treffen.

3) Ihre Entschuldigung in bezug auf Borel nehme ich gern an... Die Reue aus reinem Herzen gereicht Ihnen zur Ehre. Ich entschuldige, aber wird Ihnen Ihr Gewissen verzeihen, daß Sie das Restaurant in Mantel und Galoschen betreten haben? Ihretwegen haben die Lakaien uns für Rüpel gehalten... Dabei sind wir doch Schriftsteller!! Zweitens sollte Lejkins Sekretär als Jurist und Beamter wissen, daß im Restaurant derjenige zahlt, der eingeladen hat, und nicht der, der eingeladen worden ist... Soviel ich mich entsinne, wurden Sie mit der Einladung beehrt, nicht ich... Lejkin hatte recht, als er sagte, daß Sie keine Ahnung vom Leben hätten... Sie sollten öfter ins Restaurant gehen...

Drittens wollte ich mit dem Essen bei Borel Sie für mich einzunehmen versuchen, Sie als rechte Hand Lejkins und als künftigen Wirklichen Staatsrat. Es ist Ihnen nicht aufgefallen, also habe ich mein Geld zum Fenster hinausgeworfen... Hätte ich das gewußt, hätte ich Sie nicht eingeladen...

4) Das »Buffet Katharina II« ist nicht weiter schlimm...

Schlimm wird es erst, wenn in den »Oskolki« Katharinas Adler schreiben, die Arakčeev u. a.! Ich wette um 10 Kop., daß L. sich schon damit brüstet, wie er sich mir gegenüber gebrüstet hat, daß Tošečkin und viele andere Mitarbeiter der »Osk.« Rang IV und Kl. V haben.

Und vieles andere hätten Sie in meinem Brief gefunden. Ich habe meinen Kostümball beschrieben, der am 1. Jan. bei mir war (die Maler haben ihn veranstaltet), geschrieben, wie ein junges Mädchen mir ein Photoalbum überreichte »zur Erinnerung an ihre Errettung vom Typhus« durch mich... Letzteres habe ich nicht geschrieben, um mich zu brüsten, oh nein! (Sie erraten ohnehin, daß ich ein großer Medikus bin), sondern zur Anerinnerung (gibt es dieses Wort?) an die Photographie, die Sie mir versprochen hatten... In den Ferien haben Sie nichts zu tun, also schicken Sie sie mir... Das Album ist typhusverseucht, aber ich gebe Ihnen mein Wort, Sie werden sich nicht anstecken – ein Scherz, den ich Ihnen umsonst schicke. Sie können ihn drukken... Ich schrieb Ihnen, daß in meinem Aquarium alle meine Fische krepiert sind an einer Zigarre, die jemand hineingeworfen hat...

Ich schrieb, welch erhabene Gefühle meine Seele erfüllten, das ganze Weihnachtsfest über, infolge der systematisch-methodischen Selbstvergiftung durch Alkohol...

A propos: die Feiertage haben mich rund dreihundert gekostet... Bin ich nicht wahnsinnig? Nein, nein, es ist schlimm, Familie zu haben! Übrigens habe ich gestern einer jungen Dame, während ich sie nach Hause begleitete, einen Heiratsantrag gemacht... Ich renne vom Regen in die Traufe... Segnen Sie mein Heiratsbegehren.

Schließlich schrieb ich Ihnen eine Bitte... Damit meine Bitte nicht zur Belästigung würde, hatte ich ihr ein Vorwort vorausgeschickt. Mein Buch, schrieb ich, muß ein leuchtend heller Fleck in der Geschichte der russischen Literatur werden usw. usw. Es ist jedermanns Pflicht, daran mitzuwirken usw. Und darum geruhen Sie, bester V.V., den Kommerz zu unterstützen und mir die Nr.Nr. der »Oskolki« zu schicken, die ich nicht habe. Aus diesen Nummern muß ich die Erzählungen ausschneiden, aufkleben, korrigieren usw. Ich habe die »Osk.« aller Jahrgänge, aber nicht die Unverfrorenheit, die gebundenen Exemplare zu zerschneiden...

Das fehlt mir:

Jahrgang 83 Nr.46. Erz. Verleumdung.
,, 84 Nr.22. Die Sommerfrischlerin.
,, ,, Nr.24. Gärung der Gemüter.
,, ,, Nr.28. Die Beamtenprüfung.
,, ,, Nr.30. Russische Kohle.
,, ,, Nr.32. Chirurgie.
,, ,, Nr.34. Unsichtbare Tränen.[1])
,, ,, Nr.36. Ein Chamäleon.
,, ,, Nr.38. Kleine Neuigkeit.

Ein bißchen wenig, aber, verzeihen Sie, die anderen Nr.Nr. brauche ich nicht. Wenn es für Sie bequemer ist, mir nur die Ausschnitte zu schicken, schicken Sie die Ausschnitte. Für die Übersendung und die Nr.Nr. können Sie den Rechtsweg einschlagen über den Gerichtsaufseher. Lejkin hat mir pro Nr. 15 K. abgezogen – denken Sie daran. Zum Schluß meines Bittgesuchs: verzeihen Sie die Belästigung... Wenn ich mich um Hilfe nicht an Sie wenden kann, an wen dann?

Die Erzählungen sind bereits aufgeklebt, gebündelt, verpackt und gehen morgen nach Piter ab. Einen Empfang brauchen Sie ihnen nicht zu bereiten...

Drängen Sie L. Wenn er bei Golike drucken läßt, sagen Sie Golike Bescheid usw. Ich hätte auch ihn mit einem Essen bei Borel bestechen sollen... Ach, daß mir das nicht eingefallen ist! Eine kleine Erzählung, die nicht im Transport ist, lege ich diesem Briefe bei... Legen Sie sie zur Masse der übrigen... Lesen Sie sie, wenn Sie wollen: in dieser Erzählung habe ich mich als medicus versucht.

Ich freue mich, daß Ihnen meine Sachen in der »Pet. gaz.« gefallen, aber Allah behüte! mit Ihren Lobpreisungen haben Sie mir die ganze Mechanik ruiniert. Früher, als ich nicht wußte, daß man mich liest und über mich spricht, habe ich sorglos geschrieben, als äße ich Bliny; jetzt dagegen schreibe ich und habe Angst...

Ich bedaure, Golike nicht näher kennengelernt zu haben. Grüßen Sie ihn.

Wann kommen Sie nach Moskau! Am besten machen Sie es so: heiraten Sie und kommen Sie dann mit Frau zu mir aufs Sommerhaus, ein bis zwei Wochen. Ich biete Ihnen Komfort, Natur, Land, einen Schreibtisch... was Sie wollen! Kaufen Sie sich Schaftstiefel... Lejkin wird Sie nicht fahrenlassen, aber pfeifen Sie drauf... Nehmen Sie Urlaub. Ich verspreche Ihnen, Sie werden sich erfrischen und herrlich verblöden. Es ist langweilig, sein Leben lang klug zu sein... Sagen Sie Ihrer Frau, daß es nicht langweilig wird: ein Klavier ist da usw.

Am 12. war Tatjana. Am selben Tag war ich Hochzeitsmarschall bei einem Arzt. Am 17. hatte ich die Ehre, Namenstag zu feiern... Endlich sind all meine Feste vorüber: hätten sie noch eine Woche länger gedauert, ich hätte lassen müssen von der Welt. Jetzt habe ich keinen Groschen mehr in der Tasche. Beten Sie für mich.

Sagen Sie Lejkin einstweilen noch nichts: man hat mich eingeladen, für das »Novoe vremja« zu schreiben. Wann ich dort damit anfange, weiß ich noch nicht. Schreiben Sie mir... Ich werde Ihnen nichts schuldig bleiben. Zum Schluß grüße ich Sie und Ihre Braut.

Petersburg ist eine schöne Stadt. Ich werde wiederkommen.

Ihr A. Čechonte.

Habe ich in der Dunkelheit auf meinen Brief nicht statt einer 7-Kop.-Marke eine für 2 Kop. geklebt? Sie haben dieselbe Farbe. So etwas passiert mir manchmal.

Schicken Sie Ihre Briefe nicht eingeschrieben, sondern einfach.

---

[1]) Daneben von Hand Čechovs: Unfug.

38) AN N. A. LEJKIN MOSKAU, 28. 1. 1886

1886, 1, 28.

Ihren Brief, verehrter Nikolaj Aleksandrovič, habe ich bekommen und beeile mich, ihn zu beantworten. Es war sehr nett von Ihnen, mir zu schreiben, denn ich habe die ganze Woche auf einen Brief von Ihnen gewartet.

Vor allem zu dem Buch. Die Feinheiten, die Sie mir über Chudekov mitteilen, waren mir, bevor Ihr Brief kam, nicht als sonderlich grob erschienen... Ihre Bedeutung war mir dunkel oder nichtig... Überhaupt bin ich kein praktischer Mensch, bin vertrauensselig und ein Jammerlappen, was Sie wahrscheinlich bereits bemerkt haben... Danke für Ihre Offenheit, aber... ich kann trotz allem nicht begreifen: wozu hatte Chudekov all diese Feinheiten nötig? Womit habe ich sie verdient?

Mit allen Bedingungen, die Sie mir in Ihrem letzten Brief vorschlagen, bin ich einverstanden, da ich sie für vollauf begründet halte. Das Verlegen überlasse ich ganz Ihrem Ermessen, da ich mich in puncto Bücherverlegen für impotent halte. Ich übernehme nur die Auswahl der Artikel, die Gestalt des Umschlags und diejenigen Funktionen, die Sie für nötig befinden, mir zu übertragen, wie die Besuche bei Stupin usw. Auch ich stehe Ihnen voll zur Verfügung. Verlegen Sie das Buch und seien Sie sich dabei dessen bewußt, daß ich die Herausgabe meines Buches für eine große Liebenswürdigkeit der »Oskolki« und für eine Auszeichnung ansehe, wie etwa den Stanislaus 3. Klasse.

Heute schicke ich Ihnen die übrigen Originale. Wenn das Material nicht reicht, dann sagen Sie mir möglichst bald Bescheid. Ich schicke noch mehr. Wenn Sie zuviel Material haben, sagen Sie mir auch dann Bescheid: ich schreibe Ihnen, welche Erzählungen man rausnehmen sollte. Den Buchumschlag nehme ich deshalb auf mich, weil der Moskauer Vignettenzeichner, mein Freund und Patient Šechtel, der zur Zeit in Piter ist, mich mit einer Vignette beglücken möchte. Šechtel wird zu Ihnen in die Redaktion kommen. Ich teile auch Ihre Hoffnung, daß sich das Buch schnell verkaufen werde. Wieso? Ich weiß es selbst nicht.

Eine Vorahnung... Warum wollen Sie nicht 2500 Expl. drukken? Wenn das Buch sich verkauft, stören weitere 500 Expl. nicht... Wir werden es »auf Biegen und Brechen« verkaufen...

Und welchen Titel geben wir dem Buch? Ich habe die gesamte Botanik, Zoologie, sämtliche Elemente und Leidenschaften durchforscht, aber nichts Passendes gefunden. Zwei Titel sind mir eingefallen: »Erzählungen von A. Čechonte« und »Kleinkram«.

Ich werde an I. Grek schreiben, soll er sich etwas einfallen lassen.

Was den Preis des Buches usw. betrifft, fragen Sie mich nicht. Ich wiederhole, ich bin mit allem einverstanden... Übrigens, ist es nicht möglich, mir die letzte Korrektur zu schicken?

Damit grüße ich Sie und sage Ihnen Dank. Grüßen Sie Praskovja Nikiforovna und Fedja.

Zum Schluß eine Frechheit. Wenn es möglich wäre, aus einer Distanz von 600 Verst auf Sie zu schießen, Ehrenwort, ich würde es tun, nachdem ich in der letzten Nr. die Walnüsse entdeckte, die Sie der Redakteurin des »Bud.« dargebracht haben. Warum haben Sie das arme Weib gekränkt? Ich weiß nicht, welche Auswirkungen Ihre Walnüsse im »Bud.« gehabt haben... Wahrscheinlich wird man mich beschimpfen, denn wie kann ich beweisen, daß nicht ich es war, der das geschrieben hat? Nein, Ehrenwort, das ist nicht schön... Sie haben mich schrecklich wütend gemacht mit diesen Nüssen. Wenn die Nüsse Folgen haben, dann bei Gott, schreibe ich Ihnen einen Schmähbrief.

A. Levitan habe ich vor ein paar Tagen behandelt. Er hat eine leichte Psychose, worauf ich teilweise auch seine Verstimmung gegenüber den »Oskolki« zurückführe.

Leben Sie wohl. *Ihr A. Čechov.*

39) AN V. V. BILIBIN MOSKAU, 1. 2. 1886

86, II, 1.

Bester aller Humoristen und Rechtsanwaltsgehilfen, uneigennützigster aller Sekretäre*, Viktor Viktorovič! Fünfmal hatte ich angefangen, Ihnen zu schreiben, und fünfmal hat man mich vom Schreiben weggeholt. Jetzt habe ich mich auf den Stuhl genagelt und schreibe. [...][1]) der mich sehr beleidigt und Sie wütend gemacht hat, erkläre ich mit Ihrer Erlaubnis für beendet, obwohl er in Moskau noch nicht angefangen hat. Ich habe Lejkin darüber geschrieben und eine Erklärung bekommen... Soeben bin ich von dem bekannten Dichter Palmin zurückgekehrt. Als ich ihm die betreffenden Zeilen aus Ihrem Brief vorlas, sagte er:

– Ich verehre diesen Menschen. Er hat großes Talent!

Dann erhoben Seine Inspiration den längsten seiner Finger und geruhten (voller Tiefsinn, natürlich) hinzuzufügen:

– Aber die »Oskolki« werden ihn ruinieren!! Möchten Sie nicht einen Likör?

Wir sprachen lange und über vieles. Palmin ist der Typ des Dichters, wenn Sie die Existenz eines solchen Typus gelten lassen... Eine poetische Persönlichkeit, ewig begeistert, bis unter den Hut voller Themen und Ideen... Das Gespräch mit ihm ermüdet nie. Zwar muß man, im Gespräch mit ihm, sehr viel trinken, aber dafür können Sie überzeugt sein, daß Sie in den 3–4 Stunden des Gesprächs kein einziges Wort der Lüge hören, keine einzige abgeschmackte Phrase, und das ist die Nüchternheit wert...

Unter anderem haben wir über einen Titel für mein Buch nachgedacht. Wir haben uns lange den Kopf zerbrochen, aber außer »Katzen und Karauschen« und »Blumen und Hunde« ist uns nichts eingefallen. Ich wollte bei dem Titel bleiben »Kaufen Sie, oder Sie kriegen eins auf die Schnauze!« oder »Bitte, was kaufen Sie da?«, aber der Dichter fand das, nach einigem Über-

---

[1]) Im Manuskript einige Worte durchgestrichen, bis zur Unleserlichkeit getilgt.

legen, abgedroschen und klischeehaft... Fällt Ihnen nicht ein Titel ein? Was mich betrifft, so riechen, meiner Meinung nach, alle Titel, die (grammatisch) Sammelsinn haben, sehr nach Wirtshaus... Ich würde dem, was auch Lejkin möchte, den Vorzug geben, nämlich: »A. Čechonte. Erzählungen und Skizzen« – nichts weiter... obwohl solche Titel nur den Berühmtheiten zustehen, nicht Leuten wie mir... Es ginge auch »Bunte Erzählungen«... Da haben Sie zwei Titel... Wählen Sie einen aus und sagen Sie ihn Lejkin. Ich verlasse mich auf Ihren Geschmack, obwohl ich weiß, daß, wenn ich Ihren Geschmack in Verlegenheit bringe, ich auch Sie in Verlegenheit bringe... Aber seien Sie nicht böse... Wenn, so Gott will, bei Ihnen eine Feuersbrunst ausbricht, ich schicke Ihnen mein Buch.

Für Ihre Bemühungen um die Ausschnitte und die Übersendung der Originale großen Dank. Um nicht in Ihrer Schuld zu bleiben (finanziell), schicke ich Ihnen die 35-Kopeken-Marke, die Sie mir einmal mit dem Honorar geschickt hatten und die ich einfach nicht habe loswerden können. Schlagen Sie sich jetzt mit ihr herum.

Jetzt zu Braut und Hymenäus... Mit Ihrer Erlaubnis verschiebe ich diese beiden Dinge auf das nächste Mal, wenn ich frei bin von der Inspiration, in die mich das Gespräch mit Palmin versetzt hat. Ich fürchte, Überflüssiges zu sagen, d. h. Unsinn. Wenn ich über Frauen spreche, die mir gefallen, dann ziehe ich gewöhnlich meine Rede in die Länge bis zum n e c p l u s u l t r a, bis zu den Säulen des Herakles – ein Zug, der mir aus meiner Gymnasialzeit geblieben ist... Ihrer Braut danke ich für die Aufmerksamkeit, sagen Sie ihr, daß meine Hochzeit, wahrscheinlich – o weh und ach! Sie wird nicht durch die Zensur gehen... Meine *sie* ist Jüdin. Hat die reiche Jüdin den Mut, den orthodoxen Glauben anzunehmen mit all seinen Folgen – in Ordnung, hat sie ihn nicht – dann nicht... Außerdem haben wir uns bereits gestritten... Morgen werden wir uns versöhnen und in einer Woche wieder streiten... Vor Ärger, daß ihr die Religion im Wege steht, zerbricht sie mir auf dem Schreibtisch die Bleistifte und Bilderrahmen – das ist ihr Charakter ... Ein schrecklich boshaftes Frauenzimmer ... Daß ich mich 1–2 Jahre nach der Hochzeit von ihr scheiden lassen werde, steht fest ... Aber ... finis.

Ihre Schadenfreude wegen der von der Zensur verbotenen »Attacke auf die Ehemänner« gereicht Ihnen zur Ehre. Ich drücke Ihnen die Hand. Aber trotzdem hätte ich es angenehmer gefunden, statt 55 R. 65 zu bekommen ... Aus Rache an der Zensur und allen Schadenfrohen habe ich mir mit Freunden den »Verein zum Aufsetzen von Hörnern« ausgedacht. Die Statuten sind schon zur Genehmigung eingereicht. Zum Vorsitzenden wurde mit einer Mehrheit von 14 gegen 3 Stimmen ich gewählt.

In Nr. 1 der »Kolosja« ist ein Artikel über »Humoristische Zeitschriften«. Worum geht es da? Übrigens ... Einmal, als ich mit Ihnen und Ihrer Braut über junge Schriftsteller sprach, nannte ich Ihnen den Namen Korolenko. Erinnern Sie sich? Wenn Sie ihn kennenlernen wollen, nehmen Sie den »Severnyj vestnik« und lesen Sie in Buch IV oder V seinen Aufsatz »Die Landstreicher«. Den empfehle ich Ihnen.

Grüßen Sie Roman Romanyč. Vor ein paar Tagen war bei ihm mein Gesandter, eine Moskauer Berühmtheit, der Maler Šechtel, der ihm mehr erzählt hat, als der längste Brief es könnte.

Ich muß schreiben, habe aber keine Themen ... Worüber soll ich schreiben?

Aber es ist Schlafenszeit. Ich grüße Sie und drücke Ihnen die Hand. Ich fahre jeden Tag zur Stadt hinaus, der Praxis halber. Was für Schluchten, was für Ausblicke! *Ihr A. Čechov.*

Warum schweigen Sie in Sachen Sommerhaus? Sie klagen über Ihre Gesundheit – und denken nicht an den Sommer ... Nein, man muß ein sehr trockenes, sehniges und unbewegliches Krokodil sein, um den Sommer über in der Stadt zu hocken! Für 2–3 schön, sorglos verbrachte Monate kann man wirklich pfeifen auf den Dienst und auf was Sie wollen ...

Fünfundfünfzig Rubel und zweiundsiebzig Kopeken in Gänze

erhalten, was ich mit Unterschrift und Stempel bestätige.

Der freipraktiz. Arzt A. Čechov.

* Der Gedanke: Konsistorialsekretäre werden Red.-sekretäre wohl kaum beneiden.

40) AN AL. P. ČECHOV MOSKAU, 3. 2. 1886

86, II, 3.

Langaufgeschossener kleiner Nutzen, bestechlicher Beamter, Erpresser und alles, was mein Hirn sich an Unflätigem nur auszudenken vermag!

Ich schnupfe Tabak, um dir 3mal aufs Haupt zu niesen, und antworte auf alle deine Briefe, die ich »gelesen und getadelt wegen deines Nichtstuns«.

1) Dem lahmen Teufel glaube nichts. Wenn der Böse in der Hl. Schrift der Vater der Lüge genannt wird, so ist unser Redaktör zumindest ihr Onkel. In dem Lejkin-Brief, den du geschickt hast, ist nämlich kein Wort wahr. Nicht er hat mich nach Piter mitgeschleppt; ich bin aus freien Stücken gefahren, gegen den Wunsch Lejkins, für den mein Aufenthalt in Piter in vieler Hinsicht unvorteilhaft war. Weiter, eine Zulage hat er dir vom 1. Januar (und nicht vom 1. März) an versprochen, vor Zeugen. Er hat mir eine versprochen, und ich habe ihn dieser Tage an dieses Versprechen erinnert. Weiter, Pseudonyme wahrt er, auch wenn er, wenn es um eine Zulage geht, den Anschein erweckt, als würde er drauf pfeifen. Überhaupt ist er ein Lügner, ein Lügner und nochmals ein Lügner. Pfeif auf ihn und schreibe weiter, denk daran, daß du nicht für die Lahmen schreibst, sondern für die Aufrechtgehenden.

2) Ich verstehe nicht, warum du mir rätst, mich vor Bilibin in acht zu nehmen. Er ist eine Seele von einem Menschen, und ich wundere mich, wie er bei all seiner Melancholie und Neigung zum Aufschrei der Seele nicht mit dir in Piter zusammengetroffen ist. Meine Bekanntschaft mit ihm und die Briefe, die ich jetzt

von ihm bekomme, trügen mich wohl kaum... Hast du dich nicht geirrt? Deine Erzählung »Nagelneu« hat *vor meinen Augen* Lejkin überarbeitet, nicht Bilibin, der nie im Leben deine Erzählungen auch nur angerührt hat und sich immer empört, wenn er sie durch die Behandlung des Tölpels verunstaltet sieht. Golike ist ebenfalls ein großartiger Bursche... Wenn du mit ihm bekannt warst, hast du dann mit ihm nicht einmal richtig getrunken? Das ist erstaunlich... Übrigens, ich zitiere aus einem Brief Bilibins: »Ich habe Lejkin um eine Gehaltszulage von 10 Rubel monatlich gebeten, aber eine Absage erhalten. Man mußte sich schämen!« Also nicht nur du schimpfst... Ein Glück hat dieser Lejkin! Durch ein glückliches Spiel des Zufalls sind *alle* seine Mitarbeiter kraft ihrer Erziehung Waschlappen, Sauertöpfe, die vom Honorar wie von etwas Heiklem reden, während L. selber die Zähne in Kaviar schlägt.

3) Chudekov habe ich noch nicht gesehen, werde ihn aber sehen und mit ihm über deine Mitarbeit an der »Pet. gaz.« sprechen.

4) An den »Bud.« habe ich abgeschickt. Daß dir die Zeitschrift geschickt wird, habe ich gesagt.

5) Für die Taufe deines Sohnes auf den Namen Anton sende ich dir ein verächtliches Lächeln. Welch eine Kühnheit! Du hättest ihn auch gleich Shakespeare nennen können! Es gibt schließlich auf dieser Welt nur zwei Antons: mich und Rubinštejn. Andere erkenne ich nicht an... Übrigens, was, wenn dein Anton Čechov später einmal, nach einer Wirtshausschlägerei, in den Zeitungen steht? Wird darunter nicht mein Renommee leiden?... Übrigens bin ich gerührt, erteile meinem Patenkind meinen erzbischöflichen Segen und schenke ihm einen Silberrubel, den ich Maša gebe, damit sie ihn versteckt, bis er die Volljährigkeit erreicht hat. Ich verspreche ihm auch Protektion (an der Zimmerdecke und in höheren Kreisen), ein Buch mit Werken von mir und freie ärztliche Behandlung. Im Falle meines Reichtums kann er auch auf ein Stipendium für eine Lehranstalt rechnen... Erkläre du ihm, welchen Berufes ich bin...

6) Dein Glückwunschbrief ist teuflisch, satanisch, götzengleich gut geschrieben. Begreife: wenn deine Erzählungen so geschrieben wären wie deine Briefe, wärst du schon lange ein ungemein großer Mann.

Meine Adresse: Jakimanka, Haus Klimenkov. Ich habe noch nicht geheiratet. Ich habe jetzt ein großes Arbeitszimmer für mich allein, und in dem Arbeitszimmer einen Kamin, an dem oft Maša und ihre Ėfros sitzen – Reve-chave, Nelly und die Baronesse, die jungen Damen Janova usw.

Unser Haus ist voll von Konservatoren – die musizieren, mit Ziegenstimme singen und Marja den Hof machen. Ich lege einen Brief des Dichters bei, eines sehr sympathischen Mannes... Er liebt dich geradezu unanständig und ist bereit, sich für dich die Augen auszukratzen. Nikolaj trinkt wie früher, führt ein Lotterleben und wetzt sich in Ermangelung einer anderen Arbeit die Hosen ab...

Sei keine Hose! Schreib und sei meiner Ergebenheit versichert. Gruß an Haus und Kinder dein. Frage: wieso bin ich bis heute noch nicht bankrott? Morgen bringe ich 105 R. zum Laden – das haben die in einem Monat verdient. Leb wohl... Ich versichere dich, wir werden uns früher sehen, als du erwartest. Ich, wie ein Dieb in der Nacht... Halt dir ein Brett vor! *Dein A. Čechov.*

41) AN V. V. BILIBIN MOSKAU, 14. 2. 1886

14(26). Februar 1886.

Sire! Ich flehe Sie an, restaurieren Sie Ihre furchtbare Handschrift! Glauben Sie, sie ist sogar schlechter als meine... Ihr k und z sind derart gotteslästerlich, daß man sie am liebsten aufhängen möchte. Ich wundere mich über die Regierung: wie man Sie mit so einer Handschrift im Departement duldet!

Ihr letzter Brief ist so nett, daß er unbedingt eine bessere Handschrift verdient.

Ich bin gesund und munter, was Palmin damit erklärt, daß ich mich nicht selbst behandle. Habe sehr viel Arbeit. Nicht mal Zeit zum Essen... Soeben habe ich die Monologszene »Über die Schädlichkeit des Tabaks« beendet, die ich im Geheimfach meiner Seele dem Komiker Gradov-Sokolov zugedacht habe. Da ich nur 2½ Stunden zur Verfügung hatte, habe ich diesen Monolog verdorben und... ihn nicht zum Teufel geschickt, sondern an die »Pet. gaz.« Die Absichten waren gut, die Ausführung ist schlechtissime.

Haben Sie nicht irgend etwas über mein Buch gehört?

Sie rieten mir, es bei der hl. Taufe nicht auf das Pseudonym zu taufen, sondern auf meinen Familiennamen... Warum sind Sie nun von der Begründung Ihres Ratschlags abgewichen?... Wahrscheinlich haben Sie recht, aber ich habe, nach einigem Überlegen, doch das Pseudonym vorgezogen, und nicht ohne Grund... Meinen Familiennamen und mein Familienwappen habe ich der Medizin geweiht, von der ich bis ans Grab nicht lassen werde. Mit der Literatur werde ich das früher oder später tun müssen. Zweitens müssen die Medizin, die ernsthaft zu sein wähnt, und das Literatur-Spiel verschiedene Spitznamen haben...

Übrigens, Suvorin hat mich telegraphisch um Erlaubnis gebeten, die Erzählung mit meinem Familiennamen zu unterschreiben. Ich habe es ihm gnädig gestattet, und so sind alle meine Überlegungen de facto beim Teufel.

Ich verstehe Sie nicht: warum findet das Publikum An. Čechov angenehmer als A. Čechonte? Ist ihm das nicht ganz egal?

Dem Publikum, von dem Sie schreiben, es warte voller Ungeduld auf das Erscheinen einer Erzählung von mir im »Novoe vremja«, sagen Sie, daß ich eine Erzählung zum Thema »Alte Jungfer« bereits dorthin geschickt habe.

Grigorovič schmeichelt mir. Er ist der einzige Mensch, der mich richtig einschätzt!! Sagen Sie allen berühmten Schriftstellern, darunter natürlich auch Lejkin, sie sollten sich an ihm ein Beispiel nehmen.

Palmin hat sich Ihre Adresse notiert, um Ihnen ein Photo von sich und die Bärenfellmütze zu schicken. Das Gedicht auf den Tod Aksakovs ist wirklich gut, nur schade, daß unser Poet zu viele Punkte verschwendet... Alle seine Gedichte bestehen irgendwie aus Fragmenten, aus unvollendeten Melodien...

Übrigens, weiter in der Kritik...

Sie fahren nach Finnland! Wenn Ihr Honigmond in Finnland zum Eismond wird, denken Sie an meine Einladung und schimpfen Sie auf Ihren Kleinmut... Wieviel wird Sie die Reise in dieses wilde Finnland kosten? 100 Rubel? Für dieses Geld könnten Sie herrlich in den Süden reisen oder mindestens zu mir nach Moscovia...

Über mir spielt gerade Hochzeitsmusik... Irgendwelche Esel heiraten und trampeln wie die Pferde... Sie lassen mich nicht schlafen...

Über meine Heirat ist noch nichts bekannt...

Habe einen Brief von Golike bekommen. Grüßen Sie ihn.

Grüßen Sie Ihre Braut. Engagieren Sie mich als Brautführer. Waren Sie schon mal Brautführer? Ich ja...

Unter welchem Pseudonym schreiben Sie in den »Novosti«? Sagen Sie Albov und Barancevič, zu zweit könnten sie etwas sehr viel Längeres und weniger Schlechtes schreiben...

Lassen Sie uns gemeinsam ein Vaudeville in 2 Akten schreiben!... Sie schreiben den 1. Akt, ich den 2.... Das Honorar halbe-halbe...

Schreiben Sie, ich beschwöre Sie bei der Asche Caesars...

Ci devant A. Čechov.*

* Vor ein paar Tagen habe ich eine sehr attraktive Französin kennengelernt, die Tochter armer, aber edelmütiger Bourgeois... Sie heißt nicht ganz anständig: *M-lle Sirout.*

42) AN A.S. SUVORIN MOSKAU, 21. 2. 1886

86, II, 21.

Gnädiger Herr

Aleksej Sergeevič!

Ihren Brief habe ich bekommen. Ich danke Ihnen für das schmeichelhafte Urteil über meine Arbeiten und die rasche Veröffentlichung der Erzählung. Wie erfrischend, ja sogar begeisternd die liebenswürdige Aufmerksamkeit eines so erfahrenen und talentierten Mannes, wie Sie es sind, auf mich als Autor gewirkt hat, werden Sie sich denken können...

Ihre Meinung über den weggefallenen Schluß meiner Erzählung teile ich und danke für den nützlichen Hinweis. Ich arbeite bereits seit sechs Jahren, aber Sie sind der erste, der sich nicht gescheut hat, Hinweise und Begründung zu geben.

Das Pseudonym A.Čechonte ist wahrscheinlich sowohl merkwürdig als auch gesucht. Aber aufgekommen ist es noch im Morgengraun der nebelichten Jugend, ich bin es gewöhnt und bemerke deshalb gar nicht mehr, wie merkwürdig es ist...

Ich schreibe vergleichsweise wenig: nicht mehr als 2–3 kleine Erzählungen pro Woche. Zeit für die Mitarbeit am »Novoe vremja« wird sich finden, aber ich bin doch froh, daß Sie feste Termine nicht zur Bedingung meiner Mitarbeit gemacht haben.

Wo Termine sind, sind Eile und das Gefühl einer Last am Halse, und das eine wie das andere behindert die Arbeit... Mir persönlich ist Terminarbeit schon deswegen unangenehm, weil ich Arzt bin und praktiziere... Ich kann nicht dafür garantieren, daß man mich morgen nicht für den ganzen Tag vom Schreibtisch wegholt... Darin liegt die Gefahr, daß man nicht termingerecht fertig wird und sich ständig verspätet...

Das von Ihnen festgesetzte Honorar ist vorläufig vollkommen ausreichend: wenn Sie noch veranlassen würden, daß mir die Zeitung geschickt wird, die ich nur selten zu Gesicht bekomme, so wäre ich Ihnen sehr dankbar.

Diesmal schicke ich Ihnen eine Erzählung, die genau doppelt

so lang ist wie die vorige und... wie ich fürchte, doppelt so schlecht...

Mit Hochachtung habe ich die Ehre zu verbleiben

A. Čechov.

Jakimanka, Hs.Klimenkov.

43) AN V. V. BILIBIN MOSKAU, 11. 3. 1886
83, III, 11.

Es besteht die Hoffnung, daß ich in den kommenden Tagen bis über beide Ohren zu tun haben werde, und darum beantworte ich Ihren Brief jetzt, denn ich bin im Augenblick freier, verehrter Viktor Viktorovič! (Glauben Sie ja nicht, daß sich das Wort »freier« auf Sie bezöge: vor ihm steht kein Komma.)

Primo... Ihre Wallfahrten zur dramatischen Zensur haben auf mich gewirkt wie Mayne Reid auf die Gymnasiasten: heute habe ich das Stück in 1 Akt *dahin* geschickt.

Sie hätten sich nicht darum kümmern sollen, daß mein Honorar bei den »Oskolki« erhöht wird. Wenn Lejkin wegen der 10 R., die er Ihnen mehr gibt, jetzt in jeder zweiten Nr. eine kleine Szene schreibt (zum Ausgleich des Budgets), wieviel müßte er schreiben, wenn er auch mir mehr gäbe? Ich bitte Sie! Haben Sie Erbarmen mit dem Mann!

Palmin habe ich nicht gesehen.

Mit meiner Braut bin ich auseinander bis zum nec plus ultra. Gestern habe ich mich mit ihr getroffen, über die kleinen Teufel gesprochen (die kleinen Teufel aus Seide sind bei uns in Moskau ein modernes Möbelstück), mich bei ihr über meine Geldnot beklagt, und sie hat erzählt, ihr Bruder, ein kleiner Jude, habe einen Dreirubelschein so verblüffend ähnlich nachgemacht, daß die Illusion perfekt gewesen sei: das Dienstmädchen hat ihn aufgehoben und in die Tasche gesteckt. Das ist alles. Mehr werde ich Ihnen nicht von ihr schreiben.

Vielleicht haben Sie recht, wenn Sie sagen, daß es für mich noch zu früh sei zu heiraten... Ich bin ein leichtsinniger

Mensch, ungeachtet sogar der Tatsache, daß ich nur ein (1) Jahr jünger bin als Sie... Ich träume manchmal immer noch vom Gymnasium: von der nichtgelernten Lektion und der Angst, der Lehrer könnte mich aufrufen... Ich bin also wohl noch zu jung.

Wie genau die »Kolosja« getroffen haben! Sie und grob! Es ist genau umgekehrt... Ihr einziger Fehler ist, daß Sie so weich und wattig sind... (von dem Wort »Watte«, verzeihen Sie den Vergleich). Wenn Sie keine Angst vor Vergleichen haben, so haben Sie als Feuilletonist Ähnlichkeit mit einem Liebhaber, zu dem die Frau immer sagt: »Du nimmst mich so zart... mach fester!« (A propos: Frauen sind genau wie die Hennen – sie lieben es, wenn man sie im bewußten Moment schlägt.) Und Sie fassen sie zu zart an...

Für das Thema – merci. Ich werde mich seiner bedienen.

Die »Hexe« in »Novoe vremja« hat mir runde 75 R. eingebracht – das ist mehr als die monatliche Rente von den »Oskolki«.

Ich lese Darwin. Ist das herrlich! Ich liebe ihn schrecklich. Stullis »Heirat« habe ich nicht gelesen... Dieser Stulli war Lehrer für Geschichte und Geographie an meinem Gymnasium und hat bei uns in der Wohnung gewohnt... Wenn Sie ihn sehen, erinnern Sie ihn an die Frau des Französ.-Lehrers Turnefor, die (d. h. die Frau), wenn sie spürte, daß die Wehen kamen, sich immer mit Kerzen umstellte.

Ihr Familienname erinnert mich an einen Steppenbrand. Zu der Zeit, als ich noch Schüler der V. Klasse war, kam ich einmal auf das Gut des Grafen Platov im Dongebiet... Der dortige Gutsverwalter Bilibin, ein großgewachsener Mann mit braunem Haar, empfing mich und gab mir zu essen. (Ich erinnere mich noch an die Suppe, in der Gurken schwammen, die mit Krebsfarce gewürzt war.) Nach dem Essen hüpfte ich, satt und rund, mit der allen Gymnasiasten eigenen Dummheit, hinter dem Rükken Bilibins herum und zeigte ihm die Zunge, ohne mir bewußt zu sein, daß er vor einem Spiegel stand und meine Faxen sah...

Eine Stunde später kamen Leute gelaufen, um zu sagen, daß die Steppe brenne... B. ließ eine Kalesche anspannen, und wir fuhren los... Ist er nicht mit Ihnen verwandt? Wenn ja, dann merci für das Essen...

Ich habe absolut keine Themen. Ich weiß nicht, was ich machen soll.

In Moskau grassiert der Typhus (Unterleibstyphus), der binnen kürzester Zeit *sechs* Mann aus meinem Studienjahr dahingerafft hat. Ich habe Angst! Ich habe vor nichts Angst, aber vor diesem Typhus habe ich welche... Das ist wie etwas Mystisches...

Ich weiß, die »Hexe« ist nicht nach Ihrem Geschmack, und sie hat auch vielen anderen nicht gefallen... Aber was tun! Ich habe keine Themen, und mich reitet der Teufel, daß ich solche Sachen schreibe...

Aber es ist Schlafenszeit. *Ihr A. Čechov.*

Warum schreiben Sie Palmin nicht als erster? Er ist doch sterbensfaul.

44) AN D.V. GRIGOROVIČ MOSKAU, 28. 3. 1886

Ihr Brief, mein guter, heißgeliebter Freudenkünder, hat mich getroffen wie der Blitz. Ich hätte beinahe angefangen zu weinen, wurde ganz aufgeregt und spüre jetzt, daß er eine tiefe Spur in meiner Seele hinterlassen hat. So wie Sie meiner Jugend geschmeichelt haben, so möge Gott Ihnen ein ruhiges Alter schenken, ich aber finde keine Worte und Taten, um Ihnen zu danken. Sie wissen, mit welchen Augen normale Menschen auf die Auserwählten sehen, wie Sie es sind; daran können Sie ermessen, was Ihr Brief für mein Selbstgefühl bedeutet. Er ist mehr als jedes Diplom, für einen angehenden Schriftsteller ist er ein Honorar auf die Gegenwart und die Zukunft. Ich bin wie berauscht. Ich habe nicht die Kraft zu beurteilen, ob ich diese hohe Belohnung verdient habe oder nicht... Ich kann nur wiederholen, sie hat mich betroffen gemacht.

Wenn ich eine Begabung besitze, die ich achten sollte, so bereue ich vor der Reinheit Ihres Herzens, daß ich sie bisher nicht geachtet habe. Ich habe gespürt, daß ich sie hätte, war aber gewohnt, sie geringzuachten. Um sich selbst gegenüber ungerecht, argwöhnisch und mißtrauisch zu sein, dazu reichen dem Organismus Gründe rein äußerlicher Natur... Und solche Gründe habe ich, wie ich mich jetzt entsinne, in ausreichendem Maße. Alle meine Freunde haben sich meinem Schreiben gegenüber immer sehr herablassend verhalten und haben nicht aufgehört, mir den freundschaftlichen Rat zu geben, ich solle eine echte Arbeit nicht dadurch ersetzen, daß ich Papier vollschmierte. Ich habe in Moskau Hunderte von Bekannten, darunter auch ein, zwei Dutzend Schreibende, und ich kann mich keines einzigen entsinnen, der mich gelesen oder in mir einen Künstler gesehen hätte. In Moskau gibt es einen sogenannten »literarischen Zirkel«: Talente und Mittelmäßigkeiten aller Altersgruppen und Farben versammeln sich einmal in der Woche im Hinterzimmer eines Restaurants und lassen dort ihren Zungen freien Lauf. Wenn ich dort hinginge und auch nur ein kleines Stück aus Ihrem Brief vorläse, würde man mir ins Gesicht lachen. In den fünf Jahren meiner Irrfahrten durch die Zeitungen habe ich mir die allgemeine Ansicht über meine literarische Bedeutungslosigkeit zu eigen gemacht, habe mir angewöhnt, auf meine eigene Arbeit herabzusehen, und – weiter ging's mit dem Schreiben! Das ist die erste Ursache... Die zweite – ich bin Arzt und stecke bis über beide Ohren in meiner Medizin, so daß das Sprichwort von den zwei Hasen niemanden schlechter schlafen läßt als mich.

Ich schreibe das alles nur, um mich ein wenig vor Ihnen zu rechtfertigen wegen meiner schweren Sünde. Bisher habe ich mich gegenüber meiner literarischen Arbeit überaus leichtsinnig, sorglos, unbesonnen verhalten. Ich erinnere mich *keiner einzigen* Erzählung, an der ich länger als vierundzwanzig Stunden gearbeitet hätte, und den »Jäger«, der Ihnen gefiel, habe ich im Bad geschrieben! Wie Reporter ihre Berichte über Feuersbrünste schreiben, so schrieb ich meine Erzählungen: mechanisch, halb unbewußt, ohne an den Leser zu denken oder an mich selbst... Ich schrieb und versuchte auf jede erdenkliche Weise, auf Erzählungen keine Gestalten und Bilder zu verschwenden, die mir teuer sind und die ich, Gott weiß warum, gehütet und sorgsam verborgen habe.

Das erste, was mir einen Anstoß zur Selbstkritik gegeben hat, war ein sehr liebenswürdiger und, soweit ich sehe, aufrichtiger Brief von Suvorin. Ich begann mich darauf vorzubereiten, etwas Brauchbares zu schreiben, und doch war es der Glaube an die eigene literarische Brauchbarkeit, den ich nicht hatte.

Aber da kam unerwartet-unverhofft Ihr Brief. Verzeihen Sie den Vergleich, aber er wirkte auf mich wie der Befehl des Gouverneurs, »binnen 24 Stunden die Stadt zu verlassen!«, d.h. ich spürte plötzlich das dringende Bedürfnis, eilig, schnellstens wegzukommen von dort, wo ich steckengeblieben war...

Ich teile in allem Ihre Meinung. Den zynischen Zug, auf den Sie hinweisen, habe ich selbst gespürt, als ich die »Hexe« gedruckt sah. Hätte ich diese Erzählung nicht an einem, sondern an 3–4 Tagen geschrieben, so wäre mir das nicht unterlaufen...

Von Terminarbeiten werde ich mich freimachen, aber nicht so bald... Das Gleis verlassen, auf das ich einmal geraten bin, kann ich nicht. Ich hätte nichts dagegen zu hungern, wie ich bereits gehungert habe, aber es geht nicht um mich... Dem Schreiben widme ich meine Muße, 2–3 Stunden am Tag und ein Stückchen der Nacht, d. h. die Zeit, die nur für kleine Arbeiten taugt. Im Sommer, wenn ich mehr Muße und weniger Ausgaben habe, werde ich mich an eine ernste Arbeit begeben.

Meinen richtigen Namen auf das Buch setzen kann ich nicht, denn es ist bereits zu spät: die Vignette ist fertig und das Buch gedruckt. Viele Petersburger haben mir schon vor Ihnen geraten, das Buch nicht durch ein Pseudonym zu verderben, aber ich habe nicht darauf gehört, wahrscheinlich aus Eigenliebe. Mein Buch gefällt mir gar nicht. Es ist ein Mischmasch, ein ungeordneter Haufen von Studentenarbeiten, gerupft von der Zensur und den Redakteuren der humoristischen Zeitschriften. Ich glaube, nach

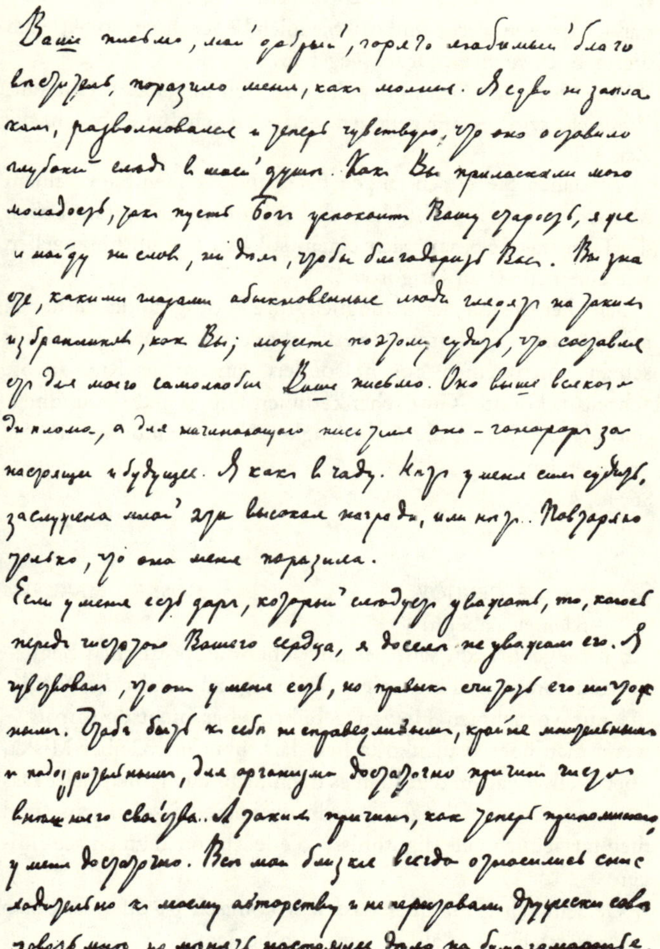

Ваше письмо, мой добрый, горячо любимый благовеститель, поразило меня, как молния. Я едва не заплакал, разволновался и теперь чувствую, что оно оставило глубокий след в моей душе. Как Вы приласкали мою молодость, так пусть бог успокоит Вашу старость, я же не найду ни слов, ни дел, чтобы благодарить Вас. Вы знаете, какими глазами обыкновенные люди глядят на таких избранников, как Вы; можете поэтому судить, что составляет для моего самолюбия Ваше письмо. Оно выше всякого диплома, а для начинающего писателя оно – гонорар за настоящее и будущее. Я как в чаду. Нет у меня сил судить, заслужена мной эта высокая награда, или нет.. Повторяю только, что она меня поразила.

Если у меня есть дар, который следует уважать, то, каюсь перед чистотою Вашего сердца, я доселе не уважал его. Я чувствовал, что он у меня есть, но привык считать его ничтожным. Чтобы быть к себе несправедливым, крайне мнительным и подозрительным, для организма достаточно причин чисто внешнего свойства.. А таких причин, как теперь припоминаю, у меня достаточно. Все мои близкие всегда относились снисходительно к моему авторству и не переставали дружески советовать мне не менять настоящее дело на бумагомаранье.

Brief an D.V. Grigorovič vom 28. März 1886 (vgl. Brief Nr. 44 dieser Ausgabe).

seiner Lektüre werden viele enttäuscht sein. Hätte ich gewußt, daß ich gelesen werde und daß Sie mich beobachten, so hätte ich dieses Buch nicht in Druck gegeben.

Alle Hoffnung liegt in der Zukunft. Ich bin erst 26 Jahre alt. Vielleicht wird es mir gelingen, etwas zu schaffen, obwohl die Zeit eilt.

Verzeihen Sie diesen langen Brief und rechnen Sie es einem Menschen nicht als Schuld an, daß er zum ersten Mal im Leben die Dreistigkeit besaß, sich einem solchen Genuß hinzugeben wie einem Brief an Grigorovič.

Schicken Sie mir, wenn möglich, Ihre Photographie. Sie haben mich derart verwöhnt und in Aufruhr versetzt, daß ich, wie mir scheint, nicht einen Bogen, sondern ein ganzes Ries an Sie schreiben könnte. Gott schenke Ihnen Glück und Gesundheit, und glauben Sie an die Aufrichtigkeit Ihres dankbaren und Sie verehrenden *A. Čechov.*

86, III, 28.

45) AN N. P. ČECHOV MOSKAU, MÄRZ 1886

Kleiner Zabelin!

Ich habe gehört, du seist beleidigt über die spöttischen Bemerkungen von Šechtel und mir... Beleidigt zu sein ist die Würde, die nur vornehmen Herzen gebührt, aber nichtsdestotrotz – wenn man über Ivanenko lachen darf, über mich, über Miška, über Nelly, warum darf man es dann nicht auch über dich? Das ist ungerecht... Übrigens, wenn du keinen Spaß machst und dich tatsächlich beleidigt fühlst, so eile ich, mich zu entschuldigen.

Gelacht wird nur über das, was komisch ist oder was man nicht versteht... Wähl dir eins von beidem.

Das zweite ist natürlich schmeichelhafter, aber o weh! – für mich persönlich stellst du keinerlei Rätsel dar. Es ist nicht schwer, einen Menschen zu verstehen, mit dem man die Freuden der Tatarenmützen, Vučinas, des Lateinunterrichts und, schließlich, des Moskauer Lebens geteilt hat. Und außerdem ist dein Leben etwas psychologisch derart Unkompliziertes, daß es auch Leute, die kein Seminar besucht haben, verstehen können. Aus Achtung vor dir will ich offen sein. Du bist böse, beleidigt... aber es geht dabei nicht um spöttische Bemerkungen und nicht um den gutmütig daherschwatzenden Dolgov... Es geht darum, daß du selbst dich, als anständigen Menschen, an der falschen Stelle fühlst, und wer sich schuldig wähnt, der sucht seine Rechtfertigung immer außerhalb: der Trinker beruft sich auf seinen Kummer, Putjata auf die Zensur, und wer eines Weibs wegen aus der Jakimanka wegläuft, der beruft sich auf die Kälte im Saal, auf spöttische Bemerkungen undsoweiter... Überließe ich jetzt die Familie dem Schicksal, so würde ich versuchen, mich mit dem Charakter von Mutter zu entschuldigen, mit dem Bluthusten usw. Das ist natürlich und entschuldbar. So ist nun mal die menschliche Natur. Und daß du dich am falschen Platz fühlst, ist auch wahr, sonst würde ich dich keinen anständigen Menschen nennen. Wenn der Anstand zum Teufel gegangen ist, liegen die Dinge anders: du söhnst dich mit dir aus und hörst auf, die Lüge wahrzunehmen...

Daß du für mich kein Rätsel darstellst, daß du manchmal barbarisch komisch bist, ist ebenfalls wahr. Du bist doch ein gewöhnlicher Sterblicher, und wir alle, wir Sterblichen, sind rätselhaft nur, wenn wir dumm sind, und komisch sind wir 48 Wochen im Jahr... Oder nicht?

Du hast dich oft bei mir beklagt, daß man dich »nicht versteht!!« Aber darüber haben sich nicht einmal Goethe und Newton beklagt... Beklagt hat sich nur Christus, aber der sprach nicht von seinem »ich«, sondern von seiner Lehre... Dich versteht man sehr wohl... Und wenn du dich selbst nicht verstehst, dann ist das wohl kaum die Schuld anderer...

Ich versichere dich, daß ich als dein Bruder und dir nahestehender Mensch dich verstehe und von ganzem Herzen mit dir fühle. Alle deine guten Eigenschaften kenne ich wie meine fünf Finger, ich schätze sie und verhalte mich ihnen gegenüber mit der größten Hochachtung. Ich kann, wenn du willst, als Beweis dafür, daß ich dich verstehe, diese Eigenschaften sogar aufzählen. Du bist, meiner Meinung nach, gutherzig bis zur Waschlappigkeit, bist großzügig, altruistisch, du teilst mit dem anderen die letzte Kopeke, du bist aufrichtig; Neid und Haß sind dir fremd, du bist schlicht, du hast Mitleid mit Mensch und Tier, bist nicht boshaft, nicht nachtragend, bist vertrauensselig... Du bist mit etwas begabt, was andere nicht haben: du hast Talent. Dieses Talent stellt dich über Millionen von Menschen, denn ein Künstler kommt auf Erden auf 2 000 000... Das Talent versetzt dich in eine besondere Situation: auch wenn du eine Kröte oder Tarantel wärst, es würden dich alle respektieren, denn einem Talent wird alles verziehen.

Du hast nur einen Fehler. Und er ist die Ursache für den falschen Standpunkt, auf dem du dich befindest, die Ursache für deinen Kummer und deinen Darmkatarrh. Das ist deine äußerst mangelhafte Erziehung. Entschuldige bitte, aber veritas magis amicitiae... Es geht darum, daß das Leben seine Bedingungen hat... Um sich in einer intellektuellen Gesellschaft zu Hause zu fühlen, um in ihr nicht fremd zu sein und sich nicht selber lästig zu fallen, muß man auf gewisse Art erzogen sein... Das Talent hat dich in diese Gesellschaft verschlagen, du gehörst zu ihr, aber dich zieht es von ihr fort, und jetzt hast du zu balancieren zwischen einem kultivierten Publikum und den Mietern vis-à-vis. Da zeigt sich das Blut des Kleinbürgers, aufgewachsen unter Rutenhieben, neben dem Weinkeller, als Almosenempfänger. Das zu besiegen ist schwer, ist schrecklich schwer!

Menschen mit Erziehung müssen, meiner Meinung nach, folgenden Bedingungen genügen:

1) Sie achten die menschliche Persönlichkeit, sind darum stets nachsichtig, weichherzig, höflich, nachgiebig... Sie machen keinen Aufstand wegen eines Hammers oder eines verlorenen Radiergummis. Und wenn sie mit jemandem zusammenleben, so tun sie das nicht aus Gefälligkeit und sagen nicht, wenn sie gehen: mit euch kann man nicht leben! Sie verzeihen Lärm und Kälte

und angebrannten Braten und Witze und die Anwesenheit Fremder in ihrer Behausung...

2) Sie haben Mitleid nicht nur mit Bettlern und Katzen. Ihnen tut auch das in der Seele weh, was man mit bloßem Auge nicht sehen kann. So z. B. wenn Pëtr weiß, daß Vater und Mutter vor Sehnsucht graue Haare bekommen und nächtelang nicht schlafen können, weil sie Pëtr so selten sehen (und wenn, dann betrunken), dann eilt er zu ihnen und pfeift auf den Vodka. Sie schlafen nächtelang nicht, um den Polevaevs zu helfen, um zahlen zu können, damit ihre Brüder studieren können, um ihre Mutter zu kleiden...

3) Sie achten fremdes Eigentum und zahlen deshalb auch ihre Schulden zurück.

4) Sie sind reinen Herzens und fürchten die Lüge wie das Feuer. Sie lügen selbst in Kleinigkeiten nicht. Die Lüge beleidigt den Zuhörer und setzt ihn in seinen Augen herab. Sie zieren sich nicht, benehmen sich auf der Straße so wie zu Hause, streuen den geringeren Brüdern keinen Sand in die Augen... Sie sind nicht schwatzhaft und halten mit Offenheiten zurück, wenn sie nicht gefragt sind... Aus Achtung vor fremden Ohren schweigen sie meistens.

5) Sie erniedrigen sich nicht, um beim anderen Mitleid zu erwecken. Sie spielen nicht auf den Saiten fremder Seelen, um als Antwort darauf Seufzer zu hören und von anderen bemuttert zu werden. Sie sagen nicht: »Die anderen verstehen mich nicht!« oder: »Ich habe auf kleines Geld gesetzt! Ich bin am Arsch!!« weil das auf billige Effekte zielt, platt ist, alt und verlogen...

6) Sie sind uneitel. Sie sind nicht interessiert an falschen Brillanten wie etwa Bekanntschaften mit Berühmtheiten, Händedrucken des betrunkenen Plevako, Entzückensbezeugungen eines Wildfremden im Salon, an Bekanntheit in Bierhallen... Sie lachen über den Satz: »Ich bin ein Vertreter der Presse!!«, der nur zu Leuten wie Rodzevič und Levenberg paßt. Wenn sie etwas tun, was einen Groschen wert ist, geben sie damit nicht an, als hätten sie etwas für hundert Rubel getan, und brüsten sich nicht

damit, daß man sie dort eingelassen habe, wo andere nicht eingelassen werden... Die wirklichen Talente sitzen immer im dunkeln, in der Menge, fernab der Ausstellung... Selbst Krylov hat einmal gesagt, ein leeres Faß sei besser zu hören als ein volles...

7) Wenn sie Talent besitzen, so haben sie Achtung davor. Sie opfern ihm die Ruhe, Frauen, Wein, Eitelkeit... Sie sind stolz auf ihr Talent. Sie betrinken sich also nicht mit den Aufsehern einer Kleinbürgerschule und mit den Gästen Skvorcovs, weil sie wissen, daß sie nicht dazu berufen sind, mit ihnen zu leben, sondern erzieherisch auf sie einzuwirken. Außerdem empfinden sie leicht Ekel...

8) Sie erziehen sich zur Ästhetik. Sie können nicht in Tageskleidern schlafen, in den Tapetenritzen Wanzen sehen, schlechte Luft atmen, über bespuckten Fußboden gehen, sich von einem Petroleumkocher ernähren. Sie versuchen nach Möglichkeit den Geschlechtsinstinkt zu bändigen und zu veredeln... Mit einem Weib schlafen, ihr [...] in den Mund atmen, ihre Logik ertragen, keinen Schritt von ihrer Seite weichen – und all das weshalb! Menschen, die in dieser Hinsicht erzogen sind, fühlen sich nicht so zur Küche hingezogen. Sie brauchen von der Frau nicht das Bett, nicht den Pferdeschweiß, nicht [...], nicht den Verstand, der sich in der Fähigkeit äußert, eine Schwangerschaft vorzutäuschen und unermüdlich zu lügen... Sie, besonders die Künstler, brauchen Frische, Eleganz, Menschlichkeit, die Fähigkeit der Frau, nicht Hure, sondern Mutter zu sein... Sie kippen nicht im Vorbeigehen einen Vodka, schnüffeln nicht in Schränken herum, weil sie wissen, daß sie keine Schweine sind. Sie trinken nur in freien Stunden, bei Gelegenheit... Was sie brauchen, ist mens sana in corpore sano.

Usw. So sind Menschen mit Erziehung... Um sich zu erziehen und nicht unter das Niveau der Umwelt, in die man geraten ist, zu sinken, reicht es nicht, die Pickwickier zu lesen und den Monolog aus dem »Faust« auswendig zu lernen. Es reicht nicht, sich in eine Droschke zu setzen und in die Jakimanka zu kommen, um eine Woche später wieder abzuhauen...

Hier ist ununterbrochene Arbeit nötig, tags und nachts, ewiges Lesen, Studium, Wille... Hier ist jede Stunde teuer...

Deine Fahrten in die Jakimanka und zurück helfen da gar nichts. Du mußt den Mut haben, darauf zu pfeifen und dich loszureißen. Komm zu uns, schmeiß die Vodkakaraffe kaputt, leg dich hin und lies... und sei es Turgenev, den du nicht gelesen hast...

Du mußt deine [...] Eigenliebe sein lassen, denn du bist kein Kind mehr... Du bist bald 30! Es ist Zeit!

Ich warte... Wir alle warten... *Dein A. Čechov.*

46) AN N. A. LEJKIN MOSKAU, 6. 4. 1886

86, IV, 6.

Bester Nikolaj Aleksandrovič!

Ich beeile mich, Ihnen die Originale für das Buch zu schicken. Ich habe etwas ausgewählt und aufgeklebt, wobei ich allem übrigen noch den Monolog »Über die Schädlichkeit des Tabaks« hinzugefügt habe, veröffentlicht in der »Pet. gazeta«.

»Geplatzt« und den »Dummen Franzosen« werfen sie raus. »Anjuta« – ja.* Den »Alpdruck« nehmen Sie ebenfalls nicht in das Buch, denn der Ton des »Alpdrucks«, sein Umfang usw. passen nicht: sie verderben den Gesamteindruck. Von den im »Nov. vremja« veröffentlichten Erzählungen kann keine einzige ins Buch aufgenommen werden. Wenn es zuwenig Material sein sollte, dann geben Sie mir rasch Bescheid, ich schicke noch welches... In jedem Fall schicke ich noch welches mit meinen Briefen...

Jetzt zur Vignette... Ist sie wirklich so schlecht? Ich glaube, Buchstaben hineinzusetzen, wäre nicht sehr geschickt, und außerdem wäre der Künstler beleidigt... Wäre es nicht besser, damit die Wölfe satt und die Schafe am Leben bleiben, 1000 Expl. mit Vignette und 1000 ohne zu drucken? Alles, was an die Bahnhöfe und Anlegestellen geht, ohne Vignette, und die Subskribenten bekommen es mit Vignette... Man könnte mit Vignette auch keine 1000, sondern nur 500 drucken. Die Buchstaben sind in jedem Fall von Übel.

Ich bin krank. Ich huste Blut und fühle mich schwach... Ich schreibe nichts... Wenn ich mich morgen nicht ans Schreiben setze, verzeihen Sie: dann schicke ich Ihnen für die Osternummer nichts... Ich müßte in den Süden fahren, habe aber kein Geld.

Über eine Reise nach Piter will ich nachdenken. Wahrscheinlich werde ich kommen, wenn Geldmangel oder Krankheit mich nicht davon abhalten...

Das Wetter in Moskau ist großartig. Besser braucht es gar nicht zu sein.

Nikolaj habe ich einen Auszug aus Ihrem Brief geschickt.

Und jetzt lassen Sie mich Ihnen danken für Ihre Photographie. Ich hätte Ihnen auf dieselbe Weise geantwortet, aber ich habe im Augenblick kein Photo. Wenn ich mich photographieren lasse, dann schicke ich es unbedingt.

Ich habe Angst, mich einer Untersuchung durch meine Kollegen zu unterziehen... Plötzlich entdecken die etwas wie ein verlängertes Aushauchen oder eine Dämpfung!... Mir scheint, daß bei mir weniger die Lungen schuld sind als vielmehr der Hals... Fieber habe ich keins.

Sagen Sie Bilibin, er sei ein Feigling. Er hat Angst vor Arsen! Vor Fröschen hat er keine Angst?

Morgen fahre ich, um Giljaj zu behandeln. Der Kerl hat sich bei einem Großfeuer Verbrennungen zugezogen, ist rundum verletzt und hat sich ein Bein gebrochen... So schreibt er zumindest. Dem Ton seines Briefes nach zu schließen, lügt er nicht. Ich hätte heute zu ihm fahren sollen, aber ich kann nicht, möge er mir verzeihen. Grüßen Sie Praskovja Nikiforovna und Fedja. Ist Chudekov wieder da? *Ihr A. Čechov.*

Über meine Pläne für den Sommer schreibe ich gesondert.

Habe von Agafopod einen Brief bekommen. Es geht ihm schlecht.

Ich hatte geträumt, zum 13. April eine Ostererzählung für »Nov. vremja« zu schreiben. Ein gutes Thema, aber schreiben werde ich die Erzählung wohl kaum.

Das »Schwedische Zündholz«, das ich schicke, war im »Almanach der Strekoza« veröffentlicht. Lassen Sie es ganz ans Ende des Buches setzen.

*D. h. setzen Sie sie ins Buch.

47) AN AL. P. ČECHOV MOSKAU, 6. 4. 1886

86, IV, 6.

Nun aber genug, Zöllnermensch, wozu solch starke Ausdrücke? Woher auf einmal der »Schatten eines gewesenen Menschen«, und wieso erkennst du dich im Spiegel nicht wieder?

1) Davydov schickt das Geld, und wenn er es bis heute noch nicht geschickt hat, so liegt das daran, daß er selbst ohne Hosen geht.

2) Vom »Sverčok« hast du was zu bekommen, vom »Budilnik« desgleichen. Morgen sammelt Miška deine Krümel ein und schickt sie übermorgen. Überhaupt: in Honorardingen wende dich an Miška. Ein guter Advokat. »Sverčok« zahlt sehr gut, dir geben sie 8 Kop. für die Zeile.

3) Du bist Naturwissenschaftler, und dennoch begreifst du nicht die Natürlichkeit deiner Lage. Du schreibst, man würde dich »sengen, stechen, rädern und pfählen«. D. h. die Leute treiben ihre Schulden ein? Mein Lieber, Schulden muß man aber doch zurückzahlen! Man *muß* es, koste es was es wolle, und sei es den Armeniern, und sei es um den Preis, daß man selber hungert... Wenn Akademiker und Schreibende Schulden Leiden nennen, was sollen dann die anderen sagen? Ich weiß es nicht, aber das ist alles eine Sache des Prinzips... Wozu auch Schulden machen? Verzeih diese satte Frage, aber mein Gott, sie ist ja kein Verweis. Man kann leicht ohne Schulden auskommen. Ich spreche aus Erfahrung, und ich habe eine Familie am Hals, die sehr

viel größer ist als deine, und der Lebensunterhalt in Moskau ist 10mal teurer als bei euch. Für die Wohnung zahlst du so viel wie ich für das Klavier, und ich bin nicht besser gekleidet als du... Das ganze Elend liegt in den Einkäufen und Ausgaben, die du nicht das Recht hattest zu tätigen und von denen du dich schon längst hättest freimachen müssen: das Nestlé-Mehl (?!?), die überflüssigen Dienstboten usw. Wenn Mann und Frau kein Geld haben, halten sie keine Dienstboten – das ist die Regel...

4) Aber die Schulden sind gemacht, und über ihr Zustandekommen zu reden ist nutzlos... Bleibt, über ihre Rückzahlung zu sprechen... Schlimm wären für dich Schulden von 1000–2000 Rub., aber die 300–500, die du wahrscheinlich schuldest, sind keine »moralischen Leiden« wert. Früher oder später wirst du sie zurückzahlen, um so mehr, als es die wohltätige Einrichtung gibt – den Abzug vom Gehalt. Während du selbst dich sammelst, befreit dich die Staatskasse von deinen Schulden. Der Gehaltsabzug zieht natürlich Unannehmlichkeiten nach sich, aber was tun! Die Unannehmlichkeiten sind nicht von Dauer, für einen Menschen zumal, der außer seinem Gehalt noch eine andere Einnahmequelle besitzt...

Der Friedensrichter hat mich zur Zahlung der 105 R. verurteilt, die du und Nikolaj beim Kaufmann Semënov schuldiggeblieben seid. Dem Schneider schulde ich für eigene Kleider und für andere, für die ich gebürgt habe, über einhundert... Aber die Frage »Wie wird das weitergehen?« stelle ich nicht... Ich bin überzeugt, daß alles bezahlt wird, feingemahlen und beizeiten den Lethe hinabsinkt. Mit dem Sommerhaus werde ich es irgendwie schon schaffen, dort mit der Familie für 50 R. im Monat leben, und Schulden wird es keine geben...

5) Warum schreibst du so wenig? Was soll die Unverschämtheit? »Sverčok« und »Bud.« haben nichts zu drucken, und du sitzt da, die Hände in den Schoß gelegt, und jaulst wie Gerška, wenn ihn im Schlaf die Flöhe beißen. Warum bist du so faul in deinen Arbeiten für die »Oskolki«? Alle die Erzählungen, die du mir geschickt hast zur Weitergabe an Lejkin, riechen sehr nach

Faulheit. Hast du sie an einem Tag geschrieben? Aus der ganzen Masse habe ich eine hervorragende Erzählung auswählen können, alles übrige ist der Feder eines Živčik von Taganrog würdig. Die Sujets sind unmöglich ... Nur Faulheit kann doch in einer Zeitschrift, die der Zensur unterliegt, über einen Popen schreiben, der ein Kind im Taufbecken tauft! ... Faulheit, die nicht überlegt, die überhastet arbeitet, vergeblich ... Wo hast du die Ehegatten gesehen, die in deiner Erzählung beim Essen über Referate reden ... Und wo unter der Sonne gibt es solche Referate? Achte dich selbst, um Christi willen, und laß deinen Händen nicht freien Lauf, wenn das Hirn faul ist! Schreib nicht mehr als 2–3 Erzählungen in der Woche, kürze sie, überarbeite sie, damit die Arbeit auch eine Arbeit wird. Denk dir keine Leiden aus, die du nicht erfahren hast, und zeichne keine Bilder, die du nicht gesehen hast, – denn Lüge in Erzählungen ist langweiliger als in Gesprächen ...

Denke jede Minute daran, daß du deine Feder, dein Talent in Zukunft nötiger brauchen wirst als jetzt, profaniere sie also nicht ... Schreib und wache über jeder Zeile, damit du nicht pfuschst.

Hast du auch nur an einer Sache länger geschrieben als einen Abend? Nur an der »Somnambulen« ... Hast du das, frage ich dich, Narr Ivanyč? Natürlich nein! Nein und nochmals nein! Die Literatur war für dich nie eine Arbeit, und sie ist Arbeit! Wärst du ein ordentlicher Mensch, würdest du an einer Erzählung (von 150–200 Zeilen) 5–7 Tage sitzen, was da herauskommen würde! Du würdest dich in deinen Zeilen nicht wiedererkennen, so wie du dich jetzt im Spiegel nicht wiedererkennst ... Vergiß nicht, daß du nicht in Terminarbeiten steckst und dich deshalb mit einer Sache gut und gern ein paar Abende lang herumschlagen kannst ... Ob das vorteilhaft ist? Rechne selbst ... Bei maximaler Anstrengung schreibst du 5–7 Erzählungen im Monat, was einhundert einbringen würde, jetzt dagegen hast du nicht einmal 50 ... Ich beendige die Moralpredigt mit einem Auszug aus einem Brief, den ich dieser Tage von Grigorovič bekam: »dazu ist notwendig: Achtung vor dem Talent, das so selten gegeben wird... Bewahren Sie sich Ihre Eindrücke für eine durchdachte, ausgearbeitete Sache, die nicht auf einen Sitz geschrieben ist... Sie werden sofort den Preis dafür bekommen und Ansehen erlangen bei Menschen mit Gespür, und dann auch beim ganzen lesenden Publikum...«

Die zweite große Autorität, Suvorin mit Namen, schreibt mir: »Wenn man viel schreibt, wird bei weitem nicht alles gleichermaßen gut.«

Der dritte große Mann, unser I. Grek (Bilibin), flucht in seinen Briefen, was das Zeug hält, daß ich so viel schreibe. Da siehst du, Saša!

Ich arbeite jetzt fürs »Novoe vremja«, wo ich 12 Kop. pro Zeile bekomme. Ich werde es schaffen und Giljaj in die Petersburger Presse schleusen, der noch nicht gereift ist, aber Talent hat. Kann man das nicht auch mit dir machen, um so mehr, als du gereift bist und 1000mal mehr Talent hast als die Tröpfe, die im »Delo« oder »Nabljudatel« schreiben? Arbeite, mein Lieber! Sei wach, fleißig und verschwende dich nicht an Nichtigkeiten! Mach aus dir und deiner Arbeit kein Nestlé-Mehl... Für den Anfang wäre es gut für dich, an der »Pet. gazeta« zu arbeiten, von wo du unverzüglich zum »Novoe vremja« überwechseln kannst. Für dich sind beide Zeitungen ein dunkler Wald. Was sie brauchen, weißt du nicht... Kannst du nicht bei dir in Novorossijsk diese Zeitungen auftreiben und dich mit ihnen bekanntmachen? »Novoe vremja« wird in N. sicher zu bekommen sein. Sieh dir die Samstagsbeilagen an... Lejkin ist aus der Mode geraten. Seinen Platz habe ich eingenommen. Ich bin derzeit in Petersburg groß in Mode und wünschte mir, du bliebest nicht zurück...

Willst du wirklich aus N. weggehen? Kannst du damit nicht bis zum Herbst warten? Wenn du bleibst, dann gebe ich dir mein *Ehrenwort,* daß ich im Sommer zu dir komme. Scheiß auf die Schulden. Tote und Talente kennen kein Schamgefühl. Kolka hat 3000 Schulden und – nichts weiter! Und würden wir uns ein Leben machen! Dein Umzug geht mir schon deshalb wider den

Strich, weil ich überzeugt bin, daß Piter dir nichts einbringen wird außer neuen Schulden ... Warte bis zum Herbst! Ich werde in Piter sein und Grigorovič und andere mit deiner Person bekanntmachen und – wer weiß? – Grigorovič ist Wirkl. Staatsrat und ein Kavalier ... Er findet eher etwas für dich als du ... Ihn kennen alle Minister ... Also denk dran: sei fleißig an deinen Erzählungen. Ich spreche aus Erfahrung. Schreib. Schreib an Mutter. Erkläre mir die Route, wie man zu dir fahren muß. Ich grüße dich.

Dein A. Čechov.

48) AN M. P. ČECHOV PETERSBURG, 25. 4. 1886

Freitag, fünf Stunden nach der Ankunft.

Der Friede sei mit euch und mit eurem Geiste. Freuet euch und frohlocket, denn euer ist der Lohn im Himmelreich ... Gelobt sei der Vater und der Sohn und der heilige Geist in Ewigkeit Amen. Hallelujah, hallelujah, hallelujah, Lob sei dir, o Herr ...

Nachdem ich angekommen war und mir ein möbliertes Zimmer gemietet hatte beim Kaufmann Olejničikov (Ecke Nevskij und Puškinskaja), wusch ich mich, zog den neuen Mantel, die neuen Hosen und die harten Schuhe an und fuhr für 15 Kopeken zum Troickij per. in die Redaktion der »Oskolki«. Hier freute sich die Kontoristin über mich wie über den künftigen Bräutigam und begann mir ihr Herz auszuschütten, wobei sie Lejkin einen schwierigen Menschen, mich dagegen den besten aller Mitarbeiter nannte ... Von der Redaktion in die Druckerei, um Golike die Hand zu schütteln. Aber Golike traf ich nicht an und fuhr deshalb zu Hrn. Bilibin. Die Tür öffnete mir seine Braut, mit Lehrbüchern in der Hand (Miša, sie studiert an zwei Fakultäten!) und freuete sich sehr, da sie mich sah. Ich machte mit den neuen Stiefeletten einen Kratzfuß und fragte: wie ist Ihr wertes Befinden? Aber weiter ... Nachdem ich bei I. Grěk ein Glas Tee getrunken hatte, schwarz wie Teer, ging ich mit ihm an die Neva hinunter, d. h. nicht mit dem Tee, nicht mit dem Teer, sondern mit Bilibin. Auf der Neva fuhren wir Kahn, was Eindruck auf mich gemacht hat. Vom Kahn gingen wir zu Dominique, wo wir für 60 Kop. Rasstegaj aßen, ein Glas tranken und ein Täßchen Kaffee... Aber das ist nicht alles! Ihr werdet staunen!

Von Dominique ging ich zur »Peterb. gazeta«.

Von der »Pet. gaz.« zum »Novoe vremja«, wo ich von Suvorin empfangen wurde. Er empfing mich sehr liebenswürdig und hat mir sogar die Hand gegeben.

– Geben Sie sich Mühe, junger Mensch! – sagte er. – Ich bin mit Ihnen zufrieden, aber gehen Sie nur recht oft in die Kirche und trinken Sie keinen Vodka. Hauchen Sie mich an!

Ich hauchte ihn an. Suvorin, der nichts roch, drehte sich um und rief: »Junge!« Es erschien ein Junge, dem aufgetragen wurde, Tee mit Zucker und ohne Untertasse zu bringen. Danach gab mir der verehrte Hr. Suvorin Geld und sagte:

– Aufs Geld muß man aufpassen... Ziehen Sie die Hosen stramm!

Von Suvorin ging ich ins Kontor des »Nov. vremja«. Die Kontoristin Leontjeva, die mir immer das Geld schickt, ist nicht übel. Ich habe ihr, Miša, die Hand gedrückt, und morgen gehe ich zu ihr, um meine Adresse zu wechseln... Vom Kontor ging ich ins Kontor Volkov und schickte euch *einhundert* (100) Rubel, die Miša abholen kann, wenn er zu Volkov auf dem Kuzneckij geht mit beiliegendem Wechsel. Von Volkov ging ich den Nevskij entlang zu mir in die Puškinskaja, um mich schlafenzulegen... Oh, Wunder über Wunder! In fünf Stunden habe ich so viele Dinge erledigt! Wer hätte glauben können, daß aus einem Lokus solch ein Genie würde?

Meine Adresse: Redaktion »Oskolki«.

Bei uns in Petersburg ist es warm. Ihr bekommt noch einen Brief. An Dunečka, die Sirusička und alle meine anderen schwächenden Schwächen einen Gruß.

Ich will jetzt schlafen! Habe die ganze Nacht nicht geschlafen! Die Nacht war so gestopft voll von Kuriositäten, daß ich es erzähle, wenn ich komme.

Euer euch liebender, aber wegen eures Nichtstuns tadelnder

A. Čechov.

Und die Leontjeva, Miša, ist doch hübsch.

Eßt nicht so viel!

49) AN AL. P. ČECHOV MOSKAU, 10. 5. 1886

10. Maij, 1886.

Liebster Aleksandr Pavlovič, mein Hr. Čechov!

Wenn du es dir inzwischen anders überlegt hast und mir doch schreiben willst, dann schreib jetzt an die Adresse: »*g. Voskresensk (Gouv. Mosk.), Hrn. Doktor Ant. P.*«

Ich bin eben erst aus Piter zurück, wo ich 2 Wochen verbracht habe. Die Zeit dort war großartig. Ich habe mich, wie es enger nicht geht, mit Suvorin und Grigorovič befreundet. Einzelheiten gibt es so viele, daß man sie in einem Brief gar nicht mitteilen kann, darum erzähle ich sie dir, wenn wir uns sehen. Liest du das »Novoe vremja«?

Die »Stadt der Zukunft« ist ein großartiges Thema, von seiner Neuigkeit her wie von seinem Interesse. Ich glaube, wenn du nicht faul bist, wirst du nicht übel darüber schreiben, aber du bist doch weiß der Teufel was für ein Faulpelz! »Die Stadt der Zukunft« wird zu einem Kunstwerk nur unter folg. Bedingungen: 1) Abwesenheit langgezogener Wortergüsse politisch-sozial-ökonomischen Charakters; 2) absolute Objektivität; 3) Wahrhaftigkeit in der Beschreibung der handelnden Personen und Gegenstände; 4) äußerste Kürze; 5) Kühnheit und Originalität; meide das Klischee; 6) Herzlichkeit.

Naturbeschreibungen müssen meiner Meinung nach sehr kurz sein und den Charakter des à propos besitzen. Gemeinplätze der Art: »Die untergehende Sonne, die sich in den Wellen des dunkelnden Meeres badete, verströmte purpurnes Gold« usw. »Die Schwalben, die über die Oberfläche dahinflogen, zwitscherten fröhlich« – solche Gemeinplätze muß man bleibenlassen. In Naturbeschreibungen muß man sich an kleine Einzelheiten halten, die man so gruppiert, daß sie beim Lesen, wenn man die Augen schließt, ein Bild ergeben. Du hast zum Beispiel die Mondnacht, wenn du schreibst, daß auf dem Mühlenwehr der Hals einer zerbrochenen Flasche blitzt wie ein heller Stern und wie eine Kugel der schwarze Schatten eines Hundes oder Wolfs vorbeirollt usw. Die Natur erscheint belebt, wenn du dich nicht scheust, Vergleiche ihrer Erscheinungen mit menschl. Handlungen zu benützen usw.

In der Sphäre der Psychik ebenfalls Einzelheiten. Bewahre dich Gott vor Gemeinplätzen. Am besten meidet man die Beschreibung des Seelenzustands der Helden; man muß sich bemühen, daß er aus den Handlungen der Helden verständlich wird... Unnötig ist, einer Überfülle von hand. Personen nachzujagen. Schwerpunkt müssen zwei sein: er und sie...

Ich schreibe dir das als Leser, der einen bestimmten Geschmack hat. Ich schreibe es dir auch, damit du dich beim Schreiben nicht einsam fühlst. Die Einsamkeit beim Schaffen ist eine schwierige Geschichte. Besser eine schlechte Kritik als gar nichts... Ist es nicht so?

Schick mir den Anfang deiner Novelle... Ich lese ihn am Tag, an dem ich ihn bekomme, und schicke ihn dir am andern Tag mit meiner Meinung zurück. Mit dem Schluß brauchst du dich nicht zu beeilen, denn vor Mitte September wird niemand in Piter dein Manuskript lesen, – die einen sind im Ausland, die andern in ihrem Sommerhaus...

Ich freue mich, daß du jetzt eine ernsthafte Arbeit anfängst. Ein Mensch mit 30 Jahren muß entschlossen sein und charakterfest. Ich bin noch ein junger Mensch, mir ist daher zu verzeihen, daß ich mich mit Kleinkram herumschlage. Übrigens, mit den fünf Erzählungen, die im »Novoe vremja« erschienen sind, habe ich in Piter einen Aufruhr verursacht, von dem ich wie verrückt bin.

Das Honorar von »Sverčok« und »Bud.« hat Miška dir in 2 Raten geschickt.

Sei hiermit gegrüßt und vergiß nicht deinen *A. Čechov.*

Das Wetter ist schlecht: windig.

50) AN N. A. LEJKIN BABKINO, 30. 7. 1886

Ich danke Ihnen für den Brief, bester Nikolaj Aleksandrovič! Danke auch dafür, daß es kein Schmähbrief ist, wie ich erwartet hatte...

Vorgestern, nach einem dreiwöchigen Entr'act, habe ich Ihnen eine Erzählung geschickt. Ich glaube, mein Entr'act ist vorüber, da von dem Elend, das über mein Haupt hereingebrochen war, nurmehr Spuren zurückgeblieben sind. Und dieses Elend ist folgendes:

1) Ich hatte schreckliche Zahnschmerzen... Drei Tage und drei Nächte... Es endete damit, daß ich in einer der Nächte nach Moskau eilte, wo man mir auf einen Schlag zwei Zähne zog. Von den schweren, andauernden Zahnschmerzen, die mich teuflisch gequält haben, fing mir auch die Birne an wehzutun, und tat es zwei Tage. 2) Aus Moskau zurück, bemerkte ich zu meinem Entsetzen, daß ich weder sitzen noch gehen konnte: ich hatte Hämorrhoiden. Mein Hintern [...] ist erblüht und blüht noch immer. Ich wollte im Liegen schreiben, aber dieses Kunststück ist mir nicht gelungen, um so weniger, als außer den Knollen der Allgemeinzustand miserabel war.

Vor fünf Tagen fuhr ich nach Zvenigorod, um meinen Kollegen, den Zemstvoarzt, zu vertreten, und dort hatte ich bis an den Hals zu tun und war krank. Das ist alles... Jetzt: weshalb ich Ihnen nicht geschrieben habe, weshalb keine Erzählungen? Ich habe deshalb nicht geschrieben, weil ich mit jeder Stunde die Hoffnung verlor, mich hinsetzen und eine Erzählung schreiben zu können... Einen Telegraphen gibt es in Voskresensk nicht...

Ich bin immer noch krank. Meine Stimmung ist mies, weil ich kein Geld habe (im Juli habe ich nirgends gearbeitet), und weil die häuslichen Umstände wenig erfreulich sind ... Das Wetter ist säuisch.

Von Ihnen habe ich nur den einen Brief bekommen, wo Sie von Timofej und meinem Buch schreiben. Den Brief, in dem Sie nach der Reiseroute nach Babkino fragen, habe ich nicht bekommen, sonst wüßten Sie den Weg zu mir längst. Für alle Fälle hier den Weg zu mir: Nikolaev. Eisenbahn, Station Krjukovo; von hier aus mit dem Mietwagen nach Voskresensk (Nov. Ierusalim) oder direkt zu mir nach Babkino. In Voskresensk erfährt man meine Adresse in den Läden, auf der Post, beim Popen, beim Stanovoj, beim Friedensrichter. Meine Familie würde sich sehr freuen, Sie zu sehen, und ich würde mit Vergnügen ein bißchen zahlen, um Sie gastlich aufzunehmen.

Jetzt zu meinem Buch. Als ich in Moskau war, habe ich es in keiner einzigen Buchhandlung gesehen. Bei Vasiljev nicht (»hatten wir vor langer Zeit, jetzt ist es nicht mehr da«), am Nik. Bahnhof hatte man das Buch ebenfalls und jetzt nicht mehr usw. Wenn das Buch, Ihrer Meinung nach, im Herbst gehen wird, dann warte ich mit einer Anzeige in den »Russk. ved.«

Über mein Buch haben die dicken Zeitschriften angefangen zu sprechen. »Nov« hat mich beschimpft und meine Erzählungen das Hirngespinst eines Verrückten genannt, die »Russkaja mysl« hat mich gelobt, der »Sev. vestnik« hat auf 2 Seiten mein klägliches künftiges Schicksal entworfen, mich im übrigen gelobt ...

Gestern habe ich eine Einladung der »Russkaja mysl« bekommen. Im Herbst werde ich für sie etwas schreiben. Sie fragen umsonst, wann ich in Moskau sein werde. Ich weiß es selbst nicht, wann. Schicken Sie mir eine Vollmacht an die hiesige Adresse; wenn Sie sie früher geschickt hätten, wäre Ihr Auftrag längst erledigt.

Anfang August fährt meine Schwester nach Moskau, um eine Wohnung zu suchen. Ich ziehe im September um.

Das Wetter ist widerlich. Den ganzen Sommer gießt es in Strömen, und es wird weiter gießen bis in alle Ewigkeit. Unser Fluß ist wie im Frühjahr über die Ufer getreten, à la Schneeschmelze, so daß wir heute Fische mit dem Netz gefangen haben. Das Getreide fault und die Ernte ist vernichtet. Der Sommer ist auch vernichtet.

Agafopod ist in Moskau, Nikolaj bei mir.

Wie geht es Praskovja Nikiforovna, und sind die Senatsschere-reien mit Fedja vorbei? Meine Verehrung für beide, und alles Gute...

Gibt es nicht irgendwas Neues? Ich gehe gleich schlafen... Leben Sie wohl und bleiben Sie gesund.

Apel Apeljič unseren besten Gruß. [...] *Ihr A. Čechov.*

51) AN F. O. ŠECHTEL MOSKAU, 12. ODER 16. 9. 1886

Betrogener Mensch!

Verzeihen Sie mir den Betrug. Es geht darum, daß ich gerechnet hatte, daß Sie, nach dem Zusammenstoß mit den Stieren, nicht rechtzeitig zurückkommen würden, und zweitens war ich bei Korš eingeladen, *geschäftlich*.

Die Adresse von Giljaj weiß ich nicht. Man kann sie bei den »Russkie vedomosti« herausbekommen.

Kommen Sie heute zu Korš. Gespielt wird der »Hagestolz« von Turgenev, wo, nach Worten von Korš, Davydov über aller Kritik ist. Ich werde dort sein. *Ihr A. Čechov.*

52) AN M. V. KISELËVA MOSKAU, 21. 9. 1886

86, IX, 21.

Um berechtigt zu sein, in meinem Zimmer zu sitzen und nicht bei den Gästen, setze ich mich eiligst ans Schreiben. An der Reihe ist ein Brief an Sie, sehr verehrte und gute Marija Vladimirovna. Stellen Sie sich vor: Jašenka und Jadenka sind gekommen! Wenn Sie in diesem Brief Krakel finden, so wissen Sie, daß Jašenka mich gestört hat, Merliton soll ihr im Traum erscheinen!

Zuallererst vielen Dank für die Auszüge aus der »Russkaja mysl«. Ich las sie und dachte: »Dank sei dir, o Herr, daß in Rußland die großen Schriftsteller noch nicht ausgestorben sind!« Ja, unser Vaterland ist noch nicht verloren... Ihrem Brief an meine Schwester entnehme ich, daß auch Sie beginnen, sich auf dem Felde der Berühmtheit der Konkurrenz zu stellen... (Ich meine Piter und die Mustererzählungen aus der Mythologie.) Ja nun, Gott steh Ihnen bei! Die Literatur ist keine Portion Kaulbarsch, und darum beneide ich Sie nicht...

Übrigens ist es keine große Wonne, ein großer Schriftsteller zu sein. Erstens ist es ein trübsinniges Leben... Arbeit vom Morgen bis in die Nacht, und Nutzen – wenig... Geld – soviel die Katze auf dem Schwanz davonträgt... Ich weiß nicht, wie es bei Zola und Ščedrin ist, aber bei mir ist es verraucht und kalt... Zigaretten gibt man mir nach wie vor nur an Feiertagen. Unmögliche Zigaretten! Fest gestopft, feucht, wurstförmig. Bevor ich sie mir anstecke, zünde ich die Lampe an, trockne über ihr die Zigarette, dann rauche ich sie, wobei die Lampe qualmt und rußt, die Zigarette knistert und schwarz wird, ich mir die Finger verbrenne... man könnte sich einfach erschießen!

Geld, ich wiederhole es, weniger als Talent zum Gedichteschreiben. Einnahmen werde ich erst vom 1. Oktober an haben, bis dahin stelle ich mich vor die Kirche und bitte um milde Gaben... Ich arbeite, um mich in der Sprache von Sergej auszudrücken, entsssetzlich viel, Eeehrenwort! Ich schreibe ein Stück für Korš (hm!), eine Novelle für die »Russkaja mysl«, Erzählungen für »Nov. vr.«, »Peterb. gaz.«, »Oskolki«, »Budilnik« und andere Organe. Ich schreibe viel und lang, aber hetze mich ab wie ein Besessener: ich beginne etwas Neues, ohne das Alte abgeschlossen zu haben... Das Arztschild habe ich bis heute noch nicht wieder anbringen lassen, muß aber trotzdem Kranke behandeln! Brrr... Ich habe Angst vor dem Typhus!

Ich bin ein wenig krank und verwandle mich langsam in das Skelett einer Grille. Wenn ich früher sterben sollte als Sie, dann haben Sie die Güte und händigen Sie den Schrank meinen direkten Erben aus, die in seinen Fächern ihre Zähne ablegen werden.

Ich bin angezogen, als hätte ich Namenstag, aber den kritischen Blicken nach zu schließen, die die Kontoristin des »Budilnik« auf mich richtet, bin ich nicht nach der letzten Mode gekleidet und nicht eben nagelneu. Ich fahre nicht Droschke, sondern Pferdebahn.

Übrigens hat die Schriftstellerei auch ihre guten Seiten. Erstens geht mein Buch, jüngsten Nachrichten zufolge, nicht übel; zweitens werde ich im Oktober Geld haben; drittens beginne ich bereits, ein wenig Lorbeeren zu ernten: an den Buffets der Theater zeigt man mit Fingern auf mich, man hofiert mich ein wenig und bewirtet mich mit Butterbroten. Korš hat mich in seinem Theater abgefangen und mir als erstes ein Jahresabonnement geschenkt... Der Schneider Belousov hat mein Buch gekauft, liest es zu Hause vor und prophezeit mir eine glänzende Zukunft. Meine Arztkollegen seufzen, wenn sie mir begegnen, bringen die Rede auf die Literatur und versichern, die Medizin hinge ihnen zum Halse raus. Usw.

Auf Ihre Frage an meine Schwester, ob ich geheiratet habe, antworte ich: nein, worauf ich stolz bin. Ich stehe über dem Heiraten! Die Witwe Chludova (die durch die Finger spuckt) ist nach Moskau gekommen. Rettet mich, Himmel der Seraphime!

Jetzt zu unseren gemeinsamen Bekannten... Mutter und Vater sind gesund und munter. Aleksandr lebt in Moskau. Kokoša dort, wo er vor der Reise nach Babkino war. Ivan führt ein glückliches Leben in seiner Schule. Ma-Pa trifft sich oft mit der langnasigen Ėfros, gibt in der Milchschule Unterricht für 7 Kop. und nimmt bei Bogemskij Stunden in Geographie, die er die Frechheit hat zu geben. Mein Gott, warum unterrichte ich nicht Chinesisch? Tante will sie mit einem gewissen Perešivkin verheiraten, wofür sie 125 R. bekäme. Die Dumme, sie will nicht... Bogemskij, er ist ein ziemliches Früchtchen, zeichnet Vignetten zu 3 Rb. das Stück, macht Jadenka ein wenig den Hof, ist oft bei Ljudmiločka zu Gast, fällt aller Welt mit seiner Philosophie auf die Nerven und beeilt sich, eine zweite Erzählung für »Detskij otdych« zusammenzuschreiben. A propos: in welch schlechter Gesellschaft Sie sich befinden: Politkovskaja, Bogemskij...

Ich würde mich erschießen. Levitan dreht sich der Kopf, Olga bedauert, Matvej nicht geheiratet zu haben, usw. Nelly ist angekommen und hungert. Die Baronesse hat ein Kind bekommen. Ich freue mich für den Vater... Von m-me Sacharova ist zu hören, sie sei unendlich glücklich... Oh, die Unglückliche!

Vor ein paar Tagen habe ich in der »Eremitage« zum ersten Mal im Leben Austern gegessen... Wenig schmackhaft. Wenn man den Chablis und die Zitrone wegläßt, ist es ganz widerwärtig. Das Ende des Briefes naht, leben Sie wohl und grüßen Sie Aleksej Sergeevič, Vasilisa, Sergej und Eliz. Aleksandrovna. Noch 6–7 Monate, und es ist Frühling! Wir müssen langsam die Angeln und Reusen vorbereiten. Leben Sie wohl und glauben Sie dem Heuchler *A. Čechov,*

wenn er sagt, daß er Ihrer Familie von ganzem Herzen ergeben ist.

Eben habe ich den Brief beendet, als die Klingel ertönt und... ich den genialen Levitan erblicke. Ganovenmütze, Geckenkostüm, erschöpftes Aussehen... Er war 2mal in »Aida«, einmal in der »Rusalka«, hat Rahmen bestellt, die Skizzen fast verkauft... Er sagt, ihm sei langweilig, langweilig und nochmals langweilig...

– Gott weiß, was gäbe ich für 1–2 Tage in Babkino! – ruft er, wahrscheinlich hat er vergessen, wie er die letzten Tage gejammert hat.

53) AN M.V. KISELËVA MOSKAU, 29. 9. 1886

86, IX, 29.

Gestern bekam ich von A.S. Ihre »Galoschen«, verehrte Marija Vladimirovna, ich bekam sie und begann sofort, schadenfroh lächelnd, mit den Augen zwinkernd, mir boshaft die Hände reibend, zu lesen...

Eine Antwort auf die »Galoschen« bekommen Sie demnächst. Ich sage einstweilen nur, die Erzählung ist mit literarischem Gespür geschrieben, lebhaft, kurz, beziehungsweise und annäherungsweise. Ich glaube, die Antwort wird angenehm ausfallen.

Das Pseudonym Pince-nez ist gut.

Natürlich besteht keinerlei Notwendigkeit, Ihnen zu versichern, daß ich mich sehr freue, Ihr literarischer Hofmakler und Cicerone auf Honorarbasis zu sein. Diese Pflicht schmeichelt meiner Eitelkeit, und sie zu erfüllen ist ebenso leicht, wie Ihnen den Eimer hinterherzutragen, wenn Sie vom Angeln kommen. Wenn Sie unbedingt meine Bedingungen wissen wollen, bitte sehr:

1) Schreiben Sie soviel wie möglich!! Schreiben Sie, schreiben Sie, schreiben Sie... bis Ihnen die Finger abfallen. (Die Hauptsache im menschlichen Leben ist die Schönschrift!) Schreiben Sie so viel wie möglich, eingedenk weniger der geistigen Entwicklung der Masse, als vielmehr des Umstands, daß in der ersten Zeit gut die Hälfte Ihrer Arbeiten, da Sie die »kleine Presse« nicht gewöhnt sind, der Rücksendung unterliegt. Sie darüber täuschen, heucheln und Sie in irgendeiner Weise beeinflussen werde ich nicht – ich gebe Ihnen mein Wort. Und daß Ihnen Sachen zurückgeschickt werden, soll Sie nicht verwirren. Selbst wenn Ihnen die Hälfte zurückgeschickt werden sollte, so wäre die Arbeit auch dann noch vorteilhafter als die am »Detskij-Bogemskij Otdych«. Und der Ehrgeiz... Ich weiß nicht, wie es Ihnen geht, aber ich bin längst daran gewöhnt...

2) Schreiben Sie über verschiedene Themen, komische und traurige, gute und schlechte. Schreiben Sie Erzählungen, Kleinigkeiten, Anekdoten, Witze, Wortspiele, usw. usf.

3) Das Umarbeiten ausländischer Vorlagen ist eine völlig legitime Sache, aber nur in den Fällen, wo die Sünde wider das 7. Gebot nicht ins Auge sticht... (Für die »Galoschen« müßten Sie nach dem 22. Januar in der Hölle schmoren!) Meiden Sie populäre Sujets. So stumpfköpfig unsere Hrrn. Redakteure immer sein mögen, der Unkenntnis der Pariser Literatur, insbesondere der Maupassantmode, wird man sie schwerlich überführen können.

4) Schreiben Sie auf einen Sitz, voll Vertrauen auf Ihre Feder. Ich sage ehrlich, ungeheuchelt: acht Zehntel der Autoren der »kleinen Presse« sind im Vergleich zu Ihnen Schuster und Erbsen.

5) Kürze wird in der kleinen Presse als erste Tugend anerkannt. Als bestes Maß kann ein Briefbogen dienen (so einer, auf dem ich gerade schreibe). Sowie Sie bei 8–10 Seiten angelangt sind – stop! Außerdem ist Briefpapier leichter zu schicken... Das sind alle meine Bedingungen.

Nachdem Sie diese Belehrung eines solch genialen und klugen Menschen wie mir angehört haben, geruhen Sie nun, die Versicherung meiner aufrichtigsten Ergebenheit entgegenzunehmen. Dieselbe Versicherung dürfen, wenn sie mögen, auch Aleksej Sergeevič, Vasilisa und Sergej entgegennehmen.

Der Witwe Chludova bin ich noch nicht begegnet. Bin oft im Theater. Kein einziges gutes... Alles nur Tralalas, Tandaradeis und Mordämonien. Es kann einem geradezu schlecht werden...

Leben Sie wohl und grüßen Sie alle.

Ihr Sie verehrender *A. Čechov.*

Das Leben wird langsam selbst zur puren Mordämonie. Alles grau, glückliche Menschen nirgends zu sehen...

Nikolaj ist bei mir. Er ist ernstlich krank (Magenblutungen, die ihn teuflisch ausgezehrt haben). Gestern war sein Zustand furchterregend, heute geht es ihm besser, so daß ich ihm erlaube, jede 1/2 Stunde einen Löffel Milch zu sich zu nehmen. Er liegt da, nüchtern, sanft, blaß...

Allen geht es mies. Wenn ich es mir im Ernst überlege, so scheint mir, daß Menschen, die Abneigung gegen den Tod hegen, unlogisch sind. Soweit ich die Ordnung der Dinge verstehe, besteht das Leben nur aus Entsetzen, Kehricht und Banalitäten, die sich vermischen und aufeinander folgen... Aber ich habe mich in die schöngeistige Abteilung des »Novoe vremja« verirrt. Pardon.

Ma-Pa geht es gut. Geld keins.

54) AN F. O. ŠECHTEL MOSKAU, 19. 10. 1886

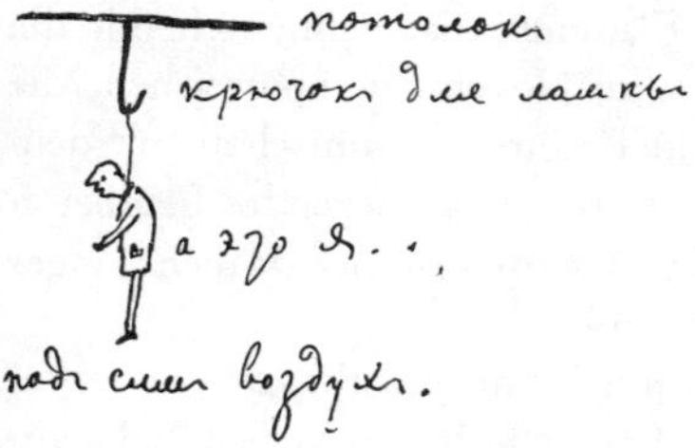

Wenn diese künstlerische Darstellung meines Schicksals Sie nicht rührt, Franc Osipovič, so haben Sie kein Herz! Es handelt sich darum, daß die Firma »Doktor A. P. Čechov & Co.« zur Zeit eine Finanzkrise durchsteht... Wenn Sie mir bis zum Ersten nicht 25–50 R. leihen, sind Sie ein mitleidloses Krokodil... Daß ich ein ehrlicher Mensch bin, kann Ihnen die Rudneva bestätigen, bei der ich immer pünktlich zahle. Übrigens, wenn Sie mir nicht vertrauen, gebe ich Ihnen einen Wechsel, den Sie bei Nikolaj diskontieren können. Wenn Sie nach Petersburg fahren, so besteht auch dann Hoffnung, die Schulden zurückzubekommen. Sie bekommen Sie per Telephon... Wenn bis dahin noch kein Telephon installiert worden sein sollte, gebe ich Ihnen einen Scheck, den Sie zu jeder Tages- und Nachtzeit einlösen können... Im Falle meines Ablebens wird Nikolaj meine Schulden zurückzahlen, der, wie Sie wissen, ein großer Meister dieses Faches ist. Morgen (den 20.) gegen 11–12 Uhr erscheint bei Ihnen mein jüngerer Kompagnon Miša. Er ist kein Quartalssäufer, weshalb Sie ihm voll vertrauen können.

Überhaupt – entschuldigen Sie, daß ich Sie belästige. Wenn, was Gott gebe, Sie einmal kein Geld haben sollten, dann leihe ich Ihnen... die Adresse eines reichen Juden.

Ich bin am Ende. Kommen Sie uns besuchen.

Ihr A. Čechov.

Text zur Zeichnung: Zimmerdecke, Haken für die Lampe, und das bin ich... unter mir die Luft.

55) AN M. V. KISELËVA MOSKAU, 13. 12. 1886

86 $\frac{13}{XII}$

Als erstes, verehrte Marija Vladimirovna, nehme ich mir die Kühnheit, Ihnen eine gedruckte Novelle zu überreichen, die zeigt, wie berühmte Schriftsteller ihre Bekanntschaft mit dem »Knoblauch« zu utilisieren verstehen. Beiliegendes Feuilleton hat mir 115 Rubel eingebracht. Wie soll man sich da nicht hingezogen fühlen zum jüdischen Volk?

Sie beleidigen mich sehr, wenn Sie mir Jašenka, m-me Sacharova und andere zum Vorwurf machen. Ist Ihnen nicht bekannt, daß ich der Eitelkeit der Welt, den irdischen Genüssen seit langem entsagt und mich ganz der Medizin und der Literatur hingegeben habe? Einen besonneneren und gesetzteren Menschen als mich werden Sie auf der ganzen Welt nicht finden. Ich nehme an, daß sogar der Archimandrit Veniamin sündiger ist als ich. Nicht einmal die Erinnerungen an Ekaterina Vasiljevna kitzeln diese meine Vorstellung.

»Böse Rache« war mein Fehler. Es ist geblieben bei »Böser Scherz«.

Ich hoffe, daß Anna Pavlovna mir wenigstens beim jüngsten Gericht verzeihen wird. Mein Gott, ich bin unschuldig!

Mit Ihrer Erlaubnis werde ich aus Ihren beiden letzten Briefen an meine Schwester für Erzählungen zwei Beschreibungen des Wetters stehlen. Es ist bemerkenswert, Sie haben eine ganz und gar männliche Art zu schreiben. In jeder Zeile (außer wenn es um Kinder geht) sind Sie – ein Mann. Das muß Ihrem Ehrgeiz natürlich sehr schmeicheln, da, allgemein gesprochen, die Männer 1000mal höher stehen und besser sind als die Frauen.

In Piter habe ich mich erholt, d.h. mich ganze Tage in der Stadt herumgetrieben, Besuche gemacht und Komplimente gehört, die meine Seele nicht ertragen kann. Oh, weh und ach! In Piter bin ich zur Mode geworden, wie Nana. Während Korolenko, den ernsthaften, kaum die Redakteure kennen, liest ganz Piter meinen Krimskrams ... Das schmeichelt mir, beleidigt aber mein Gefühl für Literatur ... Es ist mir für das Publikum peinlich, das literarische Bologneserhündchen hofiert, nur weil es die Elefanten nicht sehen kann, und ich bin überzeugt, daß mich kein Hund mehr kennen wird, wenn ich einmal anfange, ernsthaft zu arbeiten...

Nadežda Vladimirovna, bei der ich einen Abend eingeladen war, ist dünngeworden. Vladimir Petrovič ebenfalls. Offenbar ist Piter dem Dickwerden nicht förderlich.

Ma-Pa ist von der Reise ganz begeistert. Kunststück! In der Eisenbahn im Coupé haben ihr die Leutnants den Hof gemacht, und in Piter hat man sie behandelt wie die Königin Pomare. Sie hat auf jeder Station gegessen...

In ihrem Zimmer ist immer noch keine Ventilation!

Zweimal war Ihr Bruder bei uns. Er beklagte sich, daß er Kondratjev nie zu Hause antreffe. Für den Fall, daß Kondratjev es nicht macht, könnte man nicht Šechtel einspringen lassen, einen großen Freund Lentovskijs?

Einen Gruß an Aleksej Sergeevič, Istra, Daraganovs Wald, Sergej und Vasilisa.

Was macht der Falschmünzer?

Schließlich und endlich verbleibe ich mit den besten Wünschen für Ihre ganze Familie *Ihr ergebener A. Čechov.*

56) AN V.P. BURENIN MOSKAU, 15. 12. 1886

86, XII, 15.

Sehr geehrter Viktor Petrovič!

Frau Popyrnikova, Herausgeberin des Gedichtbands »Denken und Fühlen« (der »hysterische« Band, über den zu sprechen wir Gelegenheit hatten), kam zu mir und bat mich als Mitarbeiter des »Nov. vremja«, ihr Protektion zu erweisen, d.h. mich einzusetzen für eine bibliographische Notiz, welche Bitte ich hiermit erfülle.

Ich wende mich an Sie, weil, wie die Dame sagte, das Buch auf Ihren Namen geschickt worden sei.

Nach Zählung der Dame gibt es in Rußland gegenwärtig 174*

Dichter. Da nicht alle in das eine Buch aufgenommen werden konnten, wird ein 2. Band geplant.

Ich wünsche Ihnen alles Gute und verbleibe hochachtungsvoll

A. Čechov.

*Vom medizinischen Gesichtspunkt ist eine solche Überfülle in höchstem Maße unheilverkündend: wenn gegen irgendeine Krankheit *viele* Mittel verschrieben werden, so dient dies als sicherstes Anzeichen dafür, daß die Krankheit unheilbar ist und die Medizin im Kampf gegen die Krankheit kein *einziges* wirkliches Mittel besitzt.

1887

57) AN AL. P. ČECHOV MOSKAU, 8. 1. 1887

Mein Herrz!

Ich danke dir für deinen Brief, den ich bekommen habe. Wannenbäder sind für Kinder immer von Nutzen.

Ich bin ohne Geld, bis aufs Mark. Wenn du etwas Menschliches im Bauch hast, so lasse dich herab zu meiner kniefälligen Bitte: setz unverzüglich, mit der Geschwindigkeit einer Schnepfe, der man einen Giftpfeil in den Hinterausgang geschossen hat, die Mütze auf und lauf:

a) ins Kontor des »Novoe vremja« (Nevskij 38) und hole dort das Honorar ab für die Erzählung »Unterwegs«,

b) in die »Pet. gazeta« (Simeonovskij per.) und nimm 107 R. in Empfang laut Rechnung, die diesem Kontor bereits geschickt worden ist.

Das in Empfang genommene Geld verlier nicht und schenke nicht den Armen, sondern schicke mir per Post oder einfache Anweisung, und benachrichtige mich durch ein kurzes Telegramm: »Moskau, Kudrino, Hs. Korneev, Čechov. Warte. Čechov.« D.h. schick das Telegramm erst, wenn das Geld bereits abgeschickt ist.

Ich lege die Vollmachten bei. Nimm dir als Provision 1/40 pro Rubel.

Das Kontor des »Nov. vremja« ist bis 5 U. geöffnet. Bei der »Pet. gazeta« zahlt Bujlov die Honorare samstags. Beide Honorare kannst du zusammen schicken oder getrennt.

Die dir bereitete Belästigung verzeihe ich dir gern, aber daß das kein zweites Mal vorkompt!

Lejkin habe ich nur das eine geschrieben: dich bei der Begegnung mit dir zu bitten, mir zu schreiben. Überhaupt, Lejkin ist eine Zwecke.

Diesen Brief bekommst du am Freitag.

Dein Telegramm erwarte ich am Samstag.

Gruß an Anna Ivanovna und die lieben Küken. Will Gerška nicht seine Reisenotizen veröffentlichen? *Euer A. Čechov.*

Bei uns ist alles wohlauf. Wenn nötig, kannst du in meinem Namen auch den Redaktions-Pavel von den Oskolki auf die Post schicken. Aber bequemer ist die Anweisung (einfach). Den Wechsel schicke, um die Drähte nicht zu überlasten, per Eilboten: so geht er nicht verlohren.

58) AN M. V. KISELËVA MOSKAU, 14. 1. 1887

14. Jan.

Ihr »Larka« ist sehr hübsch, verehrte Marija Vladimirovna; es sind Unebenheiten darin, doch die Kürze und die männliche Art der Erzählung wiegen das alles auf. Da ich nicht als der einzige Richter Ihres Kindes auftreten möchte, schicke ich es zum Lesen an Suvorin, einen Mann, der sehr viel von Literatur versteht. Seine Meinung teile ich Ihnen beizeiten mit... Jetzt aber erlauben Sie mir, auf Ihre Kritik zurückzubeißen... Nicht einmal Ihr Lob für »Unterwegs« hat meinen Zorn als Autor gemildert, und ich eile mich zu rächen für den »Sumpf«. Nehmen Sie sich in acht und halten Sie sich, um nicht in Ohnmacht zu fallen, an der Stuhllehne fest. Also, ich beginne...

Jedem kritischen Aufsatz, auch einem schimpfend-ungerechten, begegnet man gewöhnlich mit einer schweigsamen Verbeugung – so will es die literarische Etikette... Zu antworten ist unüblich, und allen, die antworten, wirft man zu Recht ein Übermaß an Eitelkeit vor.

Aber da Ihre Kritik den Charakter eines »abendlichen Gesprächs auf der Treppe des Seitenflügels von Babkino oder auf der Terrasse des Herrenhauses, im Beisein von Ma-Pa, dem Falschmünzer und Levitan« trägt, und da sie, in Umgehung der literarischen Seite der Erzählung, die Frage auf eine allgemeine Grundlage stellt, sündige ich nicht wider die Etikette, wenn ich mir erlaube, unser Gespräch fortzuführen.

Vorweg, ich liebe die Literatur jener Richtung, von der bei uns beiden die Rede ist, ebenso wenig wie Sie. Als Leser und als Bürger gehe ich ihr gern aus dem Wege, aber wenn Sie mich nach meiner ehrlichen und aufrichtigen Meinung fragen, dann muß ich Ihnen sagen, daß die Frage nach der Existenzberechtigung dieser Literatur noch offen und von niemandem gelöst worden ist, auch wenn Olga Andreevna glaubt, sie gelöst zu haben. Weder ich, noch Sie, noch die Kritiker der ganzen Welt haben irgendwelche unumstößliche Beweise, die ihnen das Recht gäben, diese Literatur zu negieren. Ich weiß nicht, wer recht hat: Homer, Shakespeare, Lope de Vega, überhaupt die Alten, die sich nicht scheuten, im »Misthaufen« zu wühlen, dabei aber in moralischer Beziehung viel fester waren als wir, oder die modernen Schriftsteller, die auf dem Papier pedantisch genau sind, aber kalt-zynisch im Herzen und im Leben. Ich weiß nicht, wer den schlechten Geschmack hat: die Griechen, die sich nicht schämten, die Liebe so zu besingen, wie sie in Wirklichkeit ist, in der schönen Natur, oder die Leser von Gaboriau, Marlitt und Pierre Bobo? Wie die Fragen des »Widerstehe nicht dem Übel«, der Freiheit des Willens usw. kann auch diese Frage erst in der Zukunft gelöst werden. Wir können sie nur erwähnen, sie zu lösen würde die Grenzen unserer Kompetenz übersteigen. Der Verweis auf Turgenev und Tolstoj, die den »Misthaufen« gemieden haben, klärt diese Frage nicht weiter. Daß beide Ekel empfanden, beweist gar nichts; vor ihnen hat es doch eine Generation von Schriftstellern gegeben, für die zum Schmutz nicht nur die »Lumpen beiderlei Geschlechts« zählten, sondern sogar die Beschreibung von Bauern und von Beamten unter dem Titularrat. Und auch eine ganze Periode, sie mag noch so blühend gewesen sein, gibt uns nicht das Recht, Schlüsse zu ziehen zugunsten der einen oder anderen der Richtung. Der Verweis auf den moralisch verderblichen Einfluß der genannten Richtung löst die Frage ebensowenig. Alles auf dieser Welt ist relativ, ist Annäherungswert. Es gibt Menschen, die bereits durch Kinderliteratur verdorben werden können, die mit besonderem Vergnügen in den Psalmen und den Sprüchen Salomos die pikanten Stellen lesen, und es gibt solche, die, je näher sie den Schmutz des Lebens kennenlernen, nur um so reiner werden. Publizisten, Juristen und Ärzte, die in alle Geheimnisse der menschlichen Sünde eingeweiht sind, gelten nicht als unmoralische Leute; realistische Schriftsteller führen meistens ein moralischeres Leben als Archimandriten. Und schließlich und endlich kann keine Literatur in puncto Zynismus das wirkliche Leben übertrumpfen; mit einem Glas macht man den nicht betrunken, der bereits ein ganzes Faß ausgetrunken hat.

2) Daß die Welt wimmelt von »Lumpen beiderlei Geschlechts«, das ist wahr. Die menschliche Natur ist unvollkommen, und darum wäre es merkwürdig, würde man auf der Erde einzig und allein Gerechte sehen. Jedoch zu meinen, Pflicht der Literatur sei es, aus dem Haufen Lumpen die »Perle« herauszufischen, bedeutet, die Literatur selbst zu negieren. Künstlerische Literatur wird deshalb künstlerisch genannt, weil sie das Leben so zeichnet, wie es in Wirklichkeit ist. Ihre Funktion auf solch eine Spezialität wie die Gewinnung von »Perlen« zu reduzieren, ist für sie ebenso tödlich, wie wenn Sie Levitan einen Baum zeichnen ließen mit der Auflage, die schmutzige Rinde und die gelbgewordenen Blätter wegzulassen. Einverstanden, eine »Perle« ist eine schöne Sache, aber ein Schriftsteller ist doch kein Konditor, kein Kosmetiker, kein Alleinunterhalter; er ist ein Mensch mit Pflichten, vertraglich gebunden durch sein Pflichtgefühl und sein Gewissen; wer A gesagt hat, muß auch B sagen, und so schlecht ihm dabei auch werden mag, er ist verpflichtet, seinen Ekel davor niederzukämpfen, daß seine Vorstellung mit dem Schmutz des Lebens besudelt werden könnte... Er ist dasselbe wie jeder einfache Korrespondent.

Was würden Sie sagen, wenn ein Korrespondent aus dem Gefühl des Ekels oder aus dem Wunsch, dem Leser ein Vergnügen zu bereiten, nur noch ehrliche Stadtoberhäupter, erhabene Adelsfräulein und tugendhafte Eisenbahner beschriebe?

Für Chemiker gibt es auf der Erde nichts Unreines. Der Schriftsteller muß genauso objektiv sein wie ein Chemiker; er muß sich freimachen von der Subjektivität seines Alltags und wissen, daß die Misthaufen in der Landschaft eine sehr beachtliche Rolle spielen, und böse Leidenschaften dem Leben ebenso eigen sind wie gute.

3) Schriftsteller sind Kinder ihrer Zeit, und darum müssen sie sich, wie das übrige Publikum auch, den äußeren Bedingungen des allgemeinen Zusammenlebens unterordnen. So müssen sie unbedingt anständig sein. Das ist das einzige, was wir mit Recht von den Realisten verlangen können. Übrigens, gegen die Ausführung und Form des »Sumpfs« sagen Sie nichts ... Ich war also anständig.

4) Ich gestehe, ich unterhalte mich selten mit meinem Gewissen, während ich schreibe. Das erklärt sich aus der Gewohnheit und der Geringfügigkeit meiner Arbeiten. Und darum stelle ich mich, wenn ich die eine oder andere Meinung über die Literatur darlege, selbst nicht in Rechnung.

5) Sie schreiben: »Wäre ich Redakteur, ich hätte Ihnen dieses Feuilleton zu Ihrem eigenen Besten zurückgegeben.« Warum gehen Sie nicht weiter? Warum nehmen Sie nicht auch die Redakteure beim Schlafittchen, die solche Erzählungen drucken. Warum erteilen Sie nicht auch der Hauptverwaltung für Pressewesen einen strengen Verweis, daß sie die unmoralischen Zeitungen nicht verbietet?

Kläglich wäre das Schicksal der Literatur (der großen und kleinen), wenn man sie der Willkür persönlicher Ansichten preisgäbe. Das zum ersten. Zweitens, es gibt die Polizei nicht, die sich in Sachen Literatur für kompetent hielte. Einverstanden, ohne Zügelung und Stock geht es nicht, weil auch in die Literatur Falschspieler eindringen, aber was Sie auch davon halten mögen, Sie werden für die Literatur keine bessere Polizei finden als die Kritik und das eigene Gewissen der Autoren. Man macht doch

Erfindungen seit Erschaffung der Welt, aber etwas Besseres ist noch nicht erfunden worden...

Sie hätten also gewünscht, daß ich einen Verlust von 115 Rubel erlitten und der Redakteur mich in Verlegenheit gebracht hätte. Andere, unter ihnen auch Ihr Vater, sind von der Erzählung begeistert. Wieder andere schicken Suvorin Schmähbriefe, in denen sie auf jede erdenkliche Weise herziehen über die Zeitung, über mich usw. Wer hat nun recht? Wer ist der wahrhaftige Richter?

6) Weiter schreiben Sie: »Überlassen Sie, Ähnliches zu schreiben, den verschiednen Armen im Geiste und vom Schicksal ins Elend gestürzten Schriftstellern wie: Okrejc, Pince-nez, Aloë...« Allah möge Ihnen vergeben, wenn Sie diese Zeilen ernst gemeint haben! Der herablassend-verächtliche Ton in bezug auf kleine Leute, nur weil sie klein sind, gereicht dem menschlichen Herzen nicht zur Ehre. In der Literatur sind die niederen Ränge genauso notwendig wie in der Armee, – das sagt einem der Kopf, das Herz aber muß einem noch mehr sagen...

Uff! Ich habe Sie ermüdet mit meinem Wortschwall... Wenn ich gewußt hätte, daß meine Kritik so lang wird, hätte ich gar nicht damit angefangen. Verzeihen Sie bitte!

Wir kommen. Wir wollten am 5. fahren, aber... der Ärztekongreß hat es verhindert, dann verhinderte es der Tatjanentag, und am 17. gibt es bei uns einen Abend: »er« hat Namenstag!! Einen glänzenden Ball mit Jüdinnen, Truthähnen und Jašenkas. Nach dem 17. legen wir den Tag der Abreise nach Babkino fest.

Sie haben mein »Unterwegs« gelesen... Wie gefällt Ihnen meine Kühnheit? Ich schreibe über »kluge« Dinge und habe keine Angst. In Piter hat sie Furore gemacht. Davor habe ich das »Widerstehe nicht dem Übel« behandelt und das Publikum damit ebenfalls in Erstaunen versetzt. In den Neujahrsnummern haben mir alle Zeitungen Komplimente gemacht, und im Dezemberheft des »Russkoe bogatstvo«, wo Lev Tolstoj publiziert, ist ein Aufsatz von Obolenskij (zwei Druckbogen) mit dem Titel »Čechov und Korolenko«. Der Junge ist begeistert von mir und weist nach, daß ich als Künstler größer sei als Korolenko...

Wahrscheinlich redet er Unsinn, aber dennoch beginne ich ein Verdienst zu spüren: ich bin der einzige, der, ohne in den dicken Zeitschriften publiziert zu haben, nur durch Zeitungskleinkram die Aufmerksamkeit der schlappohrigen Kritiker errungen hat – so einen Fall hat es noch nicht gegeben ... Der »Nabljudatel« hat mich beschimpft – und dafür das Seine bekommen! Ende 86 kam ich mir vor wie der Knochen, den Hunden zum Fraß vorgeworfen ...

Das Stück von Vlad. Petrovič wird in der »Theat. bibliothek« gedruckt. Von wo es an alle großen Städte verschickt wird.

Ich habe ein Stück auf 4 Viertelchen geschrieben. Zu spielen in 15–20 Minuten. Das kleinste Drama der Welt. Spielen wird es der berühmte Davydov, der zur Zeit bei Korš ist. Gedruckt wird es in der »Sezon«, so daß es überall hin gelangt. Überhaupt ist es besser, kleine Sachen zu schreiben als große: Der Anspruch ist klein, und der Erfolg doch da ... Was braucht man mehr? Mein Stück habe ich in 1 Stunde und 5 Minuten geschrieben. Ich habe ein zweites begonnen, aber nicht abgeschlossen, weil ich keine Zeit hatte.

An Aleksej Sergeevič werde ich schreiben, wenn er aus Volokolamsk zurück ist ... Allen einen herzlichen Gruß. Sie werden verzeihen, daß ich so einen langen Brief schreibe. Mir ist die Hand davongelaufen ...

Ich wünsche Saša und Sergej Glück zum Neuen Jahr.

Bekommt Serëža »Vokrug sveta«?

Ihr ergebener und Sie verehrender *A. Čechov.*

59) AN AL. P. ČECHOV MOSKAU, 17. 1. 1887

17. Jan.

Euer Keuschheit!

Um dir für deine Mühen mit der Geldanweisung zu danken, müßte ich den Stil von Onkel Mitr. Egor. beherrschen. Danke! Wenn du es nicht gewesen wärst, hätte man das Geld auch eine Woche später schicken können. Ich verzeihe dir die Belästigung und werde mich freuen, wenn du dich mit einer Provision von 1/100% einverstanden erklärst...

Meinem Neffen und seinen Eltern gratuliere ich: ersterem tsum Gebutstag, letzteren zum Namenstag. Alles, alles Gute!!

Bedrückten Herzens erwarte ich Lejkin. Er wird mich wieder ermüden. Mit diesem Quasimodo habe ich Differenzen. Ich habe Zusatzarbeiten und regelmäßig pünktliches Schreiben abgelehnt, und er schickt mir weinerliche Generalsbriefe, in denen er mir die Schuld gibt an der schlechten Subskription, mich des Verrats bezichtigt, der Doppelzüngigkeit usw. Er keift, daß er von Subskribenten Briefe bekäme mit der Frage: warum schreibt Čechonte nicht mehr? Auf dich ist er böse, weil du nicht arbeitest... Ich werde 12 Kop. für die Zeile verlangen.

Ich wäre froh, wenn ich überhaupt nicht mehr für die »Osk.« schreiben müßte, denn ich habe den Kleinkram satt. Ich möchte an größeren Sachen arbeiten, oder überhaupt nicht arbeiten. Den Tatjanentag haben wir gebührend begangen. Heute abend haben wir ein Fest. Komm doch vorbei.

Triffst du Suvorin oft? Schreibst du? Was schreibst du? Hast du den Suvorinleuten nicht vorgeschlagen, daß sie dein Schreiben utilisieren? Überhaupt, du müßtest dich kümmern Tag und Nacht, ohne den Bauch zu schonen. Golike ist ein reizender Deutscher. Bilibin ist auch gut, aber auf einen unvorbereiteten Menschen wirkt er wie ein graues Rad, das sich dreht: träge, blaß, langweilig. Aber wenn du dich an ihn gewöhnt hast, wirst du es nicht bereuen.

Tante hat die drei Rubel bekommen.

Da ich Ende Januar wieder ohne Geld sein werde, muß ich dich, zur Vermeidung von Wehklagen im Hause und Schulden, die mich immer ganz krank machen, erneut belästigen mit der Geldanweisung. Hilf mir, ich schicke dir dafür ein Rezept.

So eine dumme Situation! Ich habe per Anweisung 200 Rub. bekommen, und vom »Bud.« am selben Tage 20, so daß jetzt nur noch 30 R. bleiben, und die gehen zum 22. Jan. ab. Sag mir bitte, mein Herrz, wann endlich werde ich leben wie ein Mensch, d. h.

arbeiten und keine Not leiden? Derzeit arbeite ich, leide Not und verderbe mir mein Renommee durch die Notwendigkeit, Mist zu schreiben.

Hast du die Suvorina gesehen? An den Feiertagen war der Mann ihrer Schwester bei mir zu Besuch. Ungewollt mußten wir den Besuch erwidern und ihre Mama und Schwester kennenlernen.

Worin besteht deine Arbeit am »Novoe vremja«? Trägt sie schöpferischen Charakter?

Schreib mir unbedingt. Angesichts deiner dürftigen finanziellen Lage und um das Proletariat nicht zu vermehren, mach keine Kinder mehr. Dies wollen Maltus und Pavel Čechov.

Bleib gesund und grüße alle. Kokoša und Totoša meinen Segen; sie sollen arbeiten: Papaša und Mamaša missen schließlich essen... Petersburg libet das Geld.

Nun ich um Euern Segen gebeten, verbleibe ich liebende Schwester und Bruder *Antonij und die Medizin Čechov.*

Außer meiner Ehefrau – der Medizin – habe ich die Literatur – meine Geliebte, aber sie erwähne ich nie, denn: wer die Ehe des Reiches nicht achtet, soll ohne die Ehe des Reiches sterben.

60) AN N. A. LEJKIN MOSKAU, 26. 1. 1887

26. Jan.

Bester

Nikolaj Aleksandrovič!

Heute habe ich Ihren Brief bekommen und antworte unverzüglich. Vorweg konstatiere ich das Faktum (wie die studierten Juden sagen), daß ich krank bin. Schon eine ganze Woche fühle ich mich am ganzen Körper wie zerschlagen und schwach; eben habe ich eine Vorlesung Zacharjins (über die Syphilis des Herzens) gehört, habe über 1½ Stunden gestanden und bin erschöpft, als wäre ich zu Fuß nach Kiev gegangen. Ich muß arbeiten, aber es geht nicht, und alles, was ich schreibe, wird schlecht. Das ist der

Grund, weshalb ich Ihnen die Erzählung nicht geschickt habe. Am Montag hat Bilibin einen Brief von mir bekommen, in dem ich, um die Kosten für ein Telegramm zu sparen, ihn gebeten hatte, Ihnen unverzüglich Bescheid zu sagen, daß die Erzählung nicht kommen würde.

Was den Literaturfonds betrifft – mit Vergnügen. Wenn man mich hineinwählen sollte, so zahlen Sie es nicht von meinem Januarhonorar, sondern vom zu erwartenden Februarhonorar, weil ich gerade keinen Groschen besitze. Buchstäblich: kei-nen Gro-schen! Geld zu leihen habe ich noch nicht gelernt – eine große Kalamität!

Wegen der Reise nach Piter in der 2. Fastenwoche weiß ich nicht, was ich Ihnen sagen soll. Ich würde mich freuen, nützlich zu sein, aber stellen Sie sich vor, meine Hausgenossen versichern mich, daß ich furchtbar schlecht lese, und ich spüre auch selbst jedesmal, daß mir nach 40–50 Zeilen die Stimmbänder anfangen trocken zu werden und zu krächzen. Ich möchte nicht umsonst spazierenfahren, und schon gar nicht, wenn das Ganze zu einem Skandal führt! Überlegen Sie...

Aleks. Pav. schrieb mir, daß er nicht mehr beim »Sudochodstvo« arbeite. Seinen Briefen nach zu schließen, geht es ihm nicht übel, und er ist zufrieden.

Auch bei uns ist das Wetter miserabel. Gestern Tauwetter, heute Frost, morgen wird es regnen. Offenbar hat die Natur angefangen, für die kleine Presse zu arbeiten. Sonst wäre ein solches Benehmen unverständlich.

Sie schreiben, Viktor Viktorovič habe eigene Anforderungen in bezug auf Erzählungen und Novellen. Mir gefällt jede eigene Vorstellung, besonders wenn sie sich bei einem Menschen lange hält. Viktor Viktorovič hat auf seine Weise recht.

Warum hat die schreibende Zunft von Petersburg für Nadson keine Seelenmesse lesen lassen? Nadson ist ein weit größerer Dichter als alle modernen Dichter, eingeschlossen auch den von den Göttern eingeschläferten Liodor Ivanyč. Von der ganzen Jugend, die vor meinen Augen angefangen hat zu schreiben, kann man überhaupt nur die drei erwähnen: Garšin, Korolenko und Nadson. Hiermit einen Gruß an die Ihren. *Ihr A. Čechov.*

Für die elf Kopeken – merci!

61) AN A. S. SUVORIN MOSKAU, 10. 2. 1887

10. Febr.
Verehrter
Aleksej Sergeevič!

Zusammen mit meiner eigenen Erzählung schicke ich Ihnen die Erzählung »Larka – Herkules« von Frau Kiselëva. Die Autorin (eine Gutsbesitzerin) hat sie mir mit der Post geschickt und mich gebeten, sie in einer humorist. Zeitschrift unterzubringen, ich aber entschloß mich nach ihrer Lektüre, Sie zu fragen: taugt sie nicht für eine Samstagsbeilage? Ich finde, daß die Unebenheiten und die Weiblichkeit der Erzählung aufgewogen werden durch ihr sympathisches Thema und ihre Kürze.

Verzeihen Sie, daß ich so wenig fleißig für Sie arbeite. Den ganzen Januar über war ich krank, faul und habe nur Lappalien geschrieben. Die täglichen angespannten Sorgen um die »häuslichen Umstände« haben mir alle Energie genommen; um nicht ganz auszutrocknen, fahre ich Ende März in den Süden, ins Dongebiet, ins Gouv. Voronež usw., wo ich den Frühling begehen und das im Gedächtnis auffrischen will, was bereits zu dunkeln beginnt. Dann, glaube ich, wird es mit der Arbeit flotter gehen.

Bekannte und Unbekannte, vornehmlich Ärzte und Frauen, wenden sich, nachdem sie erfahren haben, daß ich für Sie arbeite, an mich mit der Bitte um Protektion beim Kauf Ihres Puškin. Personen, die mich mit Briefen und Karten überwältigten, habe ich genau *vierzig* notiert. Ich habe gehört, daß man bei Ihnen keine Subskription annimmt, ich weiß, daß Protektion ein Übel ist, da ich aber nicht Manns genug war abzulehnen, hielt ich es für das beste, Ihnen von diesen Bitten Mitteilung zu machen. Als

Muster schicke ich ein Subskriptionsblatt, das mir der Ordinator Zacharjins aus der Klinik geschickt hat. Mit ähnlichen Bitten um Subskription und Protektion fällt Ihnen das Publikum auch ohne mich schon lange auf die Nerven, aber ich entschließe mich, Sie dennoch zu belästigen: 1. braucht man sich nicht zu schämen, für andere zu bitten, 2. scheint mir, daß für Krankenhausärzte, Pädagogen, überhaupt Personen, die von früh bis spät beschäftigt, immer müde sind und nicht die Zeit haben, in der Buchhandlung anzustehen, Vermittlung und Protektion eine Notwendigkeit darstellen.

Hiermit und mit guten Wünschen für Sie und Dank für meinen Bruder, dem es, den Briefen nach zu urteilen, nicht übel geht, verbleibe ich *Ihr aufrichtig ergebener A. Čechov.*

62) AN D. V. GRIGOROVIČ MOSKAU, 12. 2. 1887

12. Febr.

Verehrter

Dmitrij Vasiljevič!

Eben habe ich »Karelins Traum« gelesen, und nun beschäftigt mich die Frage: inwieweit ist der von Ihnen dargestellte Traum ein Traum? Und mir scheint, daß Sie die Gehirntätigkeit und das gesamte Fühlen eines schlafenden Menschen bemerkenswert künstlerisch und physiologisch genau vermitteln. Natürlich ist der Traum eine subjektive Erscheinung und kann man seine innere Seite nur an sich selbst beobachten, aber da der Prozeß des Träumens bei allen Menschen gleich ist, scheint mir, daß jeder Leser Karelin mit eigener Elle messen kann und jeder Kritiker unwillkürlich subjektiv sein muß. Ich urteile aufgrund meiner eigenen Träume, die ich oft sehe.

Vor allem haben Sie das Gefühl der Kälte bemerkenswert genau wiedergegeben. Wenn mir nachts die Bettdecke wegrutscht,

---

Rechte Seite: Entwurf des Briefes an D. V. Grigorovič vom 12. 2. 1887 (vgl. Brief Nr. 62 dieser Ausgabe).

Сейчас я прочитал С. К. и меня теперь ~~[illegible]~~ сильно занимает вопрос: насколько изображенный Вами сон есть сон? ~~[illegible]~~ Мне кажется, что мозговая работа и общее чувство спящего человека переданы Вами физиологически верно и замечательно художественно, ~~[illegible]~~ Я помню, читал 2–3 года тому назад какой-то французский рассказ (имени автора не помню, а заглавие, кажется, «Шерри» ~~[illegible]~~), где автор, описывая дочь министра, сам того не подозревая, дал верную клиническую картину истерии; ~~[illegible]~~ тогда же я подумал, что чутье художника стоит иногда мозгов ученого, что то и другое имеют одни цели и одну природу, и что, быть может, со временем при совершенстве методов им суждено слиться вместе в гигантскую чудовищную силу, которую трудно теперь и представить себе. С. К. навел меня на такие же мысли и сегодня я охотно верю Бокле, который в рассуждениях Гамлета о прахе Александра Македонского видел знакомство Шекспира с законом обмена веществ, ~~[illegible]~~ т. е. способность художников опережать людей науки. Сон — явление субъективное и внутреннюю сторону его можно наблюдать только на самом себе. Но так как ~~[illegible]~~ процесс сновидения у всех людей одинаков, то ~~[illegible]~~, мне кажется, ~~[illegible]~~ каждый читатель может мерить Карелина на свой собственный аршин и каждый критик поневоле должен быть субъективен. ~~[illegible]~~

Я лично, руководясь собственными ~~[illegible]~~ ~~[illegible]~~ формулировать мерки, могу ~~[illegible]~~ свои впечатлительные сны обыкновенны

sehe ich im Traum oft riesige glitschige Steine, kaltes herbstliches Wasser, kahle Ufer – all das undeutlich, im Nebel, ohne ein Stück blauen Himmels; mutlos und schwermütig, als habe ich mich verirrt oder sei alleingelassen worden, schaue ich auf die Steine und fühle aus irgendeinem Grunde die unentrinnbare Notwendigkeit, den tiefen Fluß zu durchqueren; zugleich sehe ich kleine Schleppdampfer, die riesige Barken ziehen, treibende Baumstämme, Flöße usw. Alles ist unendlich rauh, trostlos und feucht. Wenn ich von dem Fluß weglaufe, begegne ich unterwegs einem eingestürzten Friedhofstor, einem Begräbniszug, meinen Lehrern aus dem Gymnasium... Und währenddessen bin ich durchdrungen von jener eigenartigen alptraumhaften Kälte, die im Wachzustand undenkbar ist und nur von Schlafenden empfunden wird. Man fühlt sich sehr plastisch daran erinnert, wenn man die ersten Seiten Karelins liest, ganz besonders die obere Hälfte der 5. Seite, wo von der Kälte und Einsamkeit des Grabes die Rede ist...

Ich glaube, als gebürtiger Petersburger, der auch ständig dort lebt, würde ich unbedingt von den Ufern der Neva träumen, vom Senatsplatz, den massiven Fundamenten...

Jedesmal, wenn ich im Traum Kälte empfinde, sehe ich Menschen. Zufällig habe ich den Kritiker der »Peterb. vedomosti« gelesen, der bemängelt, daß Sie einen »Beinahe-Minister« eingeführt und damit den erhabenen Grundton der Erzählung zerstört hätten. Ich stimme nicht mit ihm überein. Den Ton stören nicht die Personen, sondern deren Charakteristiken, die an einigen Stellen das Bild des Traums unterbrechen. Die Personen werden geträumt und sind daher notwendig unsympathisch. Ich träume, wenn ich Kälte empfinde, immer von einem würdigen und gelehrten Oberpriester, der meine Mutter beleidigt hatte, als ich ein Kind war; ich träume von bösen, unerbittlich strengen, intriganten, schadenfroh lächelnden, gemeinen Menschen, die ich im Wachzustand fast nie sehe. Das Lachen in den Zugfenstern ist ein charakteristisches Symptom des Karelinschen Alptraums. Wenn man im Traum den erstickenden Druck des bösen Willens empfindet, den unentrinnbaren Untergang durch diesen Willen, dann sieht man immer etwas in der Art dieses Lachens. Ich träume auch von Menschen, die ich liebe, aber sie erscheinen mir meistens als solche, die mit mir leiden.

Wenn sich mein Körper jedoch an die Kälte gewöhnt oder jemand meiner Hausgenossen mich zudeckt, dann verschwindet die Empfindung der Kälte, der Einsamkeit und des drückenden bösen Willens allmählich. Mit der Wärme beginne ich bereits zu fühlen, als ginge ich über weiche Teppiche oder grünen Rasen, sehe die Sonne, Frauen, Kinder...

Die Bilder wechseln ständig, aber schärfer als im Wachzustand, so daß man, aufgewacht, die Übergänge von dem einen Bild zum andern nur schwer rekonstruieren kann. Die Schärfe des Wechsels spürt man bei Ihnen sehr gut, sie verstärkt den Eindruck des Traums.

Sehr ins Auge fällt auch eine von Ihnen hervorgehobene, ganz natürliche Erscheinung: Träumende verleihen ihren seelischen Regungen heftiger Ausdruck, in scharfer Form, kindlich... Das ist so wahr! Träumende weinen und schreien weit häufiger als Menschen, die wach sind.

Verzeihen Sie, Dmitrij Vasiljevič, mir hat Ihre Erzählung so gefallen, daß ich bereit wäre, ein Dutzend Seiten zu beschreiben, obwohl ich genau weiß, daß ich Ihnen nichts Neues, Schönes und Vernünftiges sagen kann. Aus Angst, Ihnen lästig zu fallen und Unangemessenes zu sagen, zügle ich mich und verstumme. Ich sage nur noch, daß ich Ihre Erzählung großartig finde. Das Publikum findet sie »nebulös«, aber für jemanden, der schreibt, der jede Zeile auf der Zunge zergehen läßt, sind solche Nebel durchsichtiger als Taufwasser. Trotz eifrigem Bemühen konnte ich in der Erzählung nur zwei unwesentliche Flecken finden, und auch die nur unter Anstrengung: 1) die Charakteristiken der Personen unterbrechen das Bild des Traums und erwecken den Eindruck der erklärenden Aufschriften, die in den Gärten von gelehrten Gärtnern an die Bäume genagelt werden und die Landschaft verhunzen; 2) zu Beginn der Erzählung wird das Gefühl der Kälte beim Leser ein wenig abgestumpft und wird Gewohnheit infolge der häufigen Wiederholung des Wortes »Kälte«.

Mehr habe ich nicht finden können, und ich gestehe, daß in meinem Schriftstellerdasein, in dem das ständige Bedürfnis nach erfrischenden Vorbildern besteht, »Karelins Traum« eine strahlende Erscheinung darstellt. Darum habe ich auch nicht an mich halten können und mich erkühnt, Ihnen einen kleinen Teil meiner Eindrücke und Gedanken zu schreiben.

Verzeihen Sie die Länge des Briefes und empfangen Sie die aufrichtigen guten Wünsche Ihres ergebenen *A. Čechov.*

63) AN AL. P. ČECHOV MOSKAU, 19./20. 2. 1887

Wirrkopf!

Der »Budilnik« hat dir in seinem Briefkasten geantwortet, und mir gesagt, ein Petersb. Feuilleton wäre willkommen, aber in lustigerer, lebendigerer Form. Da du kein Talent hast, wirst du wohl kaum dem Geschmack eines literarisch so gebildeten Menschen wie Levinskij genügen.

Wegen des Puškin habe ich an Suvorin persönlich geschrieben. Ich, Saša, habe vor Generälen keine Angst. Für dich ist Suvorin eine Respektsperson, für mich, für einen berühmten Schriftsteller und Mitarbeiter, ist er – ein Exploitateur oder, in der Sprache von Gavrilovs Aleksandr Nikolaič ausgedrückt, ein Plantator! Suvorin wird es wohl kaum für richtig halten, mir das abzuschlagen, auch nicht aus dem Prinzip, daß Protektion ein Übel sei. Ich habe ihm eine Subskriptionsliste aus den Kliniken geschickt, von den Ordinatoren, die absolut nicht die Zeit haben, in einer Buchhandlung zu warten und Schlange zu stehen.

A propos: Studentenschaft und Publikum sind furchtbar empört und unzufrieden. Die öffentliche Meinung ist beleidigt sowohl durch den Mord an Nadson als auch durch den Diebstahl an der Ausgabe des Literaturfonds und andere Missetaten Suvorins. Überall wird geschimpft und werden Suvorin die verlogensten Sachen nachgesagt. So wird zum Beispiel gesagt, er habe einen Verleger denunziert, der den Puškin angeblich 2 Tage früher herausgebracht habe. Mich überschüttet man geradezu mit Verachtung dafür, daß ich im »Novoe vremja« schreibe. Aber niemand geifert so wie die Pharmatscheuten, die ehrlischen kleinen Juden und anderesch Geschindel.

Auf der anderen Seite, habe ich gehört, daß viele Intellektuelle sich anschicken, Suvorin eine Dankadresse zu schicken für seine verlegerische Tätigkeit...

Weshalb beschreibst du deine Arbeit nicht? Womit beschäftigst du dich an den Abenden in der Redaktion?

Bilibin beginnt sich leerzuschreiben. Es ist langweilig, ihn zu lesen, besonders in der »Pet. gaz.« Der Mann will nicht begreifen, daß man spielerisch und leicht nicht nur über Fräuleins, Plinsen und Fortepianos schreiben kann, sondern sogar auch über Tränen und Nöte... Er begreift nicht, daß die Originalität eines Autors nicht nur in dessen Stil sitzt, sondern auch in der Art zu denken, in den Überzeugungen usw., in all dem nämlich, worin er klischeehaft ist wie ein altes Weib.

Sei keine Hose und grüß all die Deinen.

Ich habe eine Erzählung ans »N. vr.« geschickt.

Leb wohl. Heute bin ich krank. *Dein A. Čechov.*

64) AN AL. P. ČECHOV MOSKAU, 22./23. 2. 1887

Beschränkter Verstand!

Ich besaß soeben die Unvorsichtigkeit, zwei Postkarten von dir zu lesen. In ihrem Analphabetentum, ihrem Mangel an Inhalt und Stil haben sie mir alle meine gute Laune verdorben, die ich heute empfand, nachdem ich meine Erzählung »Veročka« gelesen hatte.

60 + 60 Rub. sind ein kleines Gehalt. Sag Suvorin, er solle dir mehr geben. Wenn er das nicht tut, verneige dich kniefällig vor ihm und sag ihm, du hättest uneheliche Kinder.

Du planst die Chronik, sortierst und korrigierst die Nummer... Meinetwegen, aber daß du deine schmutzigen Finger ja nicht an meine Werke legst! Begreif deine Nichtigkeit und vergiß nicht, daß du ein ausgedienter Zöllner bist. Deine Sache ist es, Bestechungsgelder einzustreichen, und nicht, die Nase in den Tempel des Ruhmes zu stecken. Übrigens, ich verzeihe dir.

Sag mir: an welche Adresse ist dir lieber, daß ich schreibe? An die Kavalergardskaja oder an die Redaktion?

Nikolaj wohnt bereits seit drei Tagen bei mir. Er beteuert, er habe sich von seiner Bergamotte getrennt, und spielt den in Nadenka Verliebten. Jeden Augenblick spricht er von Heirat und will zu Malyšëv gehen. So läppisch es sein mag, aber die Veränderung ist riesig. Er macht hervorragende Zeichnungen, trinkt vergleichsweise wenig und redet nicht mehr von Šostakovskij.

Zum »Budilnik« gehe ich morgen.

Warum gab es am Samstag das Kurepinsche Feuilleton nicht? Was hat dieser Traum zu bedeudten?

Auch wenn du sagst, ich hätte mich ausgeschrieben, schicke ich morgen dennoch eine Samstagsbeilage. Eine sehr »wumsinnige« Geschichte! Sie hat wenig Sinn, aber dafür »Wum«. Wegen des Puškin habe ich an Suvorin geschrieben. Habe ihm den Brief der Krankenhausärzte an mich geschickt. Eine Antwort habe ich bis heute nicht bekommen. Ich vermute Intrigen deinerseits.

Miška hat noch ein Talent an sich entdeckt: er bemalt Porzellan, sehr schön. Ich kaufe Teller und Farben, er bemalt sie, Bodri brennt sie. Herauskommt sehr schönes Geschirrmobiliar.

Sašička, wo bist du gewest?

Weshalb arbeitest du nicht für die »Oskolki«? Bist du schon so eingebildet und von dir eingenommen, daß du nicht mal mehr Geld brauchst? Alter Angeber!

Lipskerov ist zu einer 6monatigen Haftstrafe verurteilt. Zu wem soll Miška jetzt gehen, um die Schulden einzutreiben?

Sitzt Fëdorov? Schreib, schreib...

Die »Militärs im Krieg« von Maslov sind eine sehr schöne Sache. Hast du wenigstens Nezlobin-Žitel gesehen? Siehst du Atava? Schreib mir über alles, weil ich alles wissen muß. Gehorch Lejkin.

Hochachtungsvoll
i. V. Hugo-Vorlich
Johann Hoff.

65) AN DIE FAMILIE ČECHOV PETERSBURG, 10. 3. 1887

10, III, 87.

Liebe Leser!

Fëdor Timofeič genießt auf seinen Reisen über die Dächer weit größere Annehmlichkeiten als ich auf meiner Fahrt nach Piter. Erstens fuhr der Zug 56 Stunden am Tag; 2) hatte ich vergessen, ein Kopfkissen mitzunehmen; 3) war der Wagen gerammelt voll, und 4) habe ich Zigaretten geraucht, daß ich den Hustenreiz nicht nur im Hals spürte, sondern sogar in den Galoschen: bringt in Erfahrung, welche Tabaksorte Vasilisa kauft. Erstaunlich: das Wasser in der Karaffe stinkt nach Klosett, die Zigaretten widerlich...

Ich fuhr verständlicherweise in äußerst angespanntem Zustand. Träumte von Särgen und Fackelträgern, sah Typhuskranke, Ärzte usw.... Überhaupt war es eine widerliche Nacht... Mein einziger Trost war die liebe und teure Anna, mit der ich mich die ganze Strecke abgab.*

Die Kavalergardskaja ist vom Nevskij, wo ich abgestiegen bin, so weit entfernt wie die Žitnaja ul. von Kudrino. Aleksandrs Wohnung ist zwar geräumig, aber wenig elegant und dunkel.

Aleksandr ist absolut gesund. Er hatte den Mut verloren, war erschrocken, und weil er sich eingebildet hatte krank zu sein, hat er das Telegramm geschickt.

Anna Ivanovna hat wirklich Unterleibstyphus, aber keinen schweren. Ich habe mich mit dem Arzt beraten. Er behandelt sie auf meine Art. Der Doktor hat mich zu sich eingeladen. Ich gehe hin.

In Piter wütet der Unterleibstyphus, und zwar ganz bösartig.

Lejkins Portier, der lange, hagere Alte, Maša, Sie erinnern sich an ihn, ist gestern am Typhus gestorben.

Das Geld schicke ich morgen. Jetzt ist 11 Uhr Montag. Abend. Ich bin im Hotel. Wenn ich den Brief beendet habe, fahre ich zu Aleksandr.

Wann ich komme, weiß ich nicht. Hier ist Frühlingswetter.

Habe bei Lejkin gegessen. Anna Arkadjevna hatte Unterleibstyphus und ist dünn geworden. Die unehelichen Kinder sind gesund und fröhlich. Der Alte erschien mir heute sehr sympathisch und aufgeschlossen.

Ich habe Angst.

Gruß an alle: den Hund ohne Rücken, die Knute, Fëdor Timofeič, Korneev usw.

Eßt nicht so viel. *Euer A. Čechov.*

Briefe adressiert an die »Oskolki«.

Ich nehme Aleksandr die Koteletts mit, die ich noch von der Reise habe – das zur Information von Mamaša-Tarakaša. Gegessen habe ich, Mamaša, nur 1/2 Brot, so daß 1 1/2 Laib heilgeblieben sind (7 1/2 Kop. Gewinn). Aleks. hat Geld. Ich langweile mich ...

* Die Rede ist von »Anna Karenina«.

66) AN F. O. ŠECHTEL PETERSBURG, 11./12. 3. 1887

Petersburg, Hotelzimmer Nr. 78.

Talentiertester aller Architekten der Welt!

Sie wissen natürlich bereits, daß Umstände unflätigster und idiotischster Art mich unerwartet-unverhofft in den Norden verschlagen haben. Ich habe überhaupt Glück im Leben ...

Ich sitze soeben im langweiligsten Hotelzimmer und schicke mich an, eine abgeschlossene Erzählung ins Reine zu schreiben. Langweile mich. Die Langeweile wird verdoppelt durch das Bewußtsein der Geldlosigkeit und der Ungewißheit. Wann ich abreise, weiß ich nicht ... Meine Nerven sind furchtbar zerrüttet, so daß mein Puls manchmal aussetzt. Ich schreibe diesen Beschwerdebrief durchaus nicht, um Ihnen die sentimentale Maulhenkolie an den Hals zu jagen, auch nicht, um Sie anzupumpen, sondern damit Sie meiner Person nicht böse sind wegen der unregelmäßigen Besuche Darja Karlovnas.

Übrigens habe ich auch eine Bitte: vergessen Sie nicht, sich um die kostenlose Reise nach Taganrog und zurück zu kümmern. Lassen Sie auf der Karte für die Rückfahrt kein Datum einsetzen. Was auch geschehen mag, und sei es ein Erdbeben, ich fahre, weil meine Nerven es nicht länger aushalten. Ich will nicht später als zum 31. März fahren. Ich fahr mit nur einem Rubel in der Tasche, aber ich fahre.

Das Wetter in Piter ist großartig, aber Geldlosigkeit und das Fehlen des Übergangsmantels, den ich unbefristet als Dauerleihgabe einem unserer gemeinsamen Bekannten überlassen habe, verderben die Illusion...

[...][1]

Überall empfängt man mich mit Ehrungen, aber keinem fällt es ein, mir 1000–2000 Rubel zu geben...

Die Ausstellung in der Akademie ist schlecht, aber die der Peredvižniki hat mir gefallen in ihrem Reichtum...

Wenn Sie wollen, schreiben Sie mir 2–3 Zeilen. Adresse: Redaktion »Oskolki«.

Ganz Ihr – mit Stiefeln, Galoschen, Zähnen, Weste usw.

A. Čechov.

67) AN M. V. KISELËVA MOSKAU, 17. 3. 1887

Sehr verehrte

Marija Vladimirovna!

Ich hoffe, daß Sie mir jetzt glauben und mich nicht der Lüge zeihen werden: ich bin nicht nach Babkino gekommen, weil ich nach Piter gefahren bin, wohin ein Telegramm meines Bruders

[1]) Im Original ein Absatz von etwa fünf Zeilen herausgerissen.

mich rief. Die Einzelheiten wissen Sie von meiner Schwester. Dasselbe, wenn auch in Miniatur, verhinderte auch, daß ich in der Butterwoche nach Babkino kam: die Mutter der Familie war erkrankt, die ich nicht ohne Arzt zu lassen mich entschließen konnte. Übrigens – Eitelkeit der Eitelkeiten.

So traurig meine letzte Reise nach P. war, auch hier bewahrheitete sich das Sprichwort, daß das Schlechte auch seine guten Seiten hat. 1) hatte ich Gelegenheit, mit dem Direktor der »Petersburger Lehrmittelwerkstätten« über Ihr Buch zu sprechen; schicken Sie es ihm in Kommission mit meinem Brief. A propos: wann wird Ihr Buch gedruckt? Je früher, desto besser. Bücher verkaufen sich nicht sofort, sondern langsam, eßlöffelweise je Stunde, und darum: je eher Sie das Buch herausgeben, desto eher haben Sie es verkauft. 2) habe ich Suvorin ausgeplündert und mir einen Riesenvorschuß von ihm geholt; 3) gibt Suvorin meine Erzählungen aus dem »Nov. vremja« als eigenes Buch heraus. Alle meine Veročkas, Hexen, Agafjas usw. reisen morgen nach Piter, und in 2–3–4 Tagen sind sie schon im Satz. Die Vertragsbedingungen äußerst günstig. Der Erfolg steht natürlich außer Zweifel, da in Piter derzeit nur ein Schriftsteller anerkannt wird, und zwar – ich! Sehen Sie, ich schmeichle sogar mir selber.

Petersburg machte auf mich den Eindruck einer Stadt des Todes. Ich kam mit aufgeschreckten Vorstellungen an, sah unterwegs zwei Särge, und bei meinem Bruder begegnete ich dem Typhus. Vom Typhus fuhr ich zu Lejkin und hörte, daß »eben erst« Lejkins Portier an Unterleibstyphus gestorben sei. Von Lejkin

---

Rechte Seite: Brief an F.O. Šechtel vom 17. März 1887.

»Elegantissime! Ich bin, gleich Ihnen, nach Moskau zurückgekehrt und bin bereits wieder im Geleise. In Piter habe ich Ihr Telegramm bekommen und habe Ihnen die Antwort ins ›Francija‹ geschickt.

Finden Sie nicht die Möglichkeit, heute abend mich mit Ihrer Anwesenheit zu beehren?

Am 31. fahre ich. Ich fahre unbedingt! Wenn ich Typhus bekomme, ich fahre auch dann! Ihr A. Čechov

NB. Für die Reise habe ich mir von Suvorin etwas geborgt! Hura-a-a!«

А Ч

Elegantissime!

Я, подобно Вам, вернулся в Москву и уже вошел в свою колею. В Питере я получил Вашу же телеграмму и послал Вам ответ во „Францию".

Не найдете ли Вы возможным сегодня вечером почтить меня Вашим присутствием?

31-го я еду. Непременно еду! Если заболею тифом, то и тогда поеду!

Ваш А. Чехов

NB На дорогу я взял у Суворина аванс! Ура-а-а-!

fuhr ich zu Golike: sein ältester Sohn hat die Krupp und atmet nicht durch den Hals, sondern durch ein Röhrchen; Vater und Mutter weinen... Ich fahre in die Ausstellung, dort tragen, wie verabredet, alle Damen Trauer.*

Aber das sind alles Kleinigkeiten. Hören Sie weiter. Ich komme zu Grigorovič. Der Alte küßte mich auf die Stirn, umarmte mich, fing vor Rührung an zu weinen, und... bekam von der Aufregung einen äußerst schweren Anfall von Angina pectoris. Er litt unerträglich, wand sich, stöhnte, und ich saß 2½ Stunden bei ihm und fluchte aus Leibeskräften auf die Ohnmacht meiner Medizin. Zum Glück kam Bertenson, und ich konnte fliehen. Der alte Mann ist schwer krank und wird, wahrscheinlich, bald sterben. Für mich wird das ein unersetzlicher Verlust. Mitgenommen habe ich einen Brief, den er an mich begonnen hatte: er beschreibt ausführlich seine Krankheit usw.

Was sind das für Eindrücke? Wirklich, man könnte zu trinken anfangen. Übrigens, man sagt, für Schriftsteller sei das sehr nützlich.

Aber mein Brief ist widerwärtig und langweilig. Ich beendige die Ruhestörung und bleibe Ihr aufrichtig ergebener

A. Čechov.

Vasilisa und Serëža: meine Verehrung!

*Zwei Tage vor meiner Ankunft habe ich die Mutter der Kontoristin der »Oskolki« behandelt, die an Schwindsucht stirbt.

68) AN N. A. LEJKIN — TAGANROG, 7. 4. 1887

7. April. Taganrog.

Christ ist erstanden, liebster Nikolaj Aleksandrovič! Ihren Brief habe ich gestern bekommen. Ihn brachte ein Postbote im roten Mantel und mit gutmütiger Fratze; nachdem er den Brief ausgehändigt hatte, setzte er seine Tasche neben dem Waschbecken auf einer Bank ab und ging in die Küche, um Tee zu trinken, ohne sich auch nur im geringsten um die Briefempfänger zu kümmern. Das reine Asien! Solch ein Asien ringsum, daß ich meinen Augen nicht traue! 60 000 Einwohner beschäftigen sich damit, daß sie essen, trinken, sich paaren, andere Interessen – keine... Wohin man schaut, überall Osterbrote, Eier, Santuriner, Säuglinge, aber nirgends Zeitungen oder Bücher... Die Stadt ist in jeder Beziehung schön gelegen, das Klima herrlich, Früchte der Erde in Hülle und Fülle, aber die Bewohner sind träge, träge... Alle sind musikalisch, mit Phantasie begabt, mit Geist, sind nervös, sensibel, aber all das geht sinnlos zugrunde... Es gibt weder Patrioten, noch Sachkundige, noch Dichter, nicht einmal anständige Bäcker.

Am Samstag fahre ich nach Novočerkassk, wo ich als Brautführer einer reichen Kosakentochter auftrete. Des Donweins trunken, komme ich zurück nach Taganrog und fahre am 14. an den Donec. Schreiben Sie mir aber weiter nach Taganrog.

Eine kleine Bitte: könnten Sie sich möglichst bald bei Ihrem schwarzbärtigen Masseur erkundigen, welche *praktische* Methode der Massage man für die beste hält? Seine Antwort schikken Sie bitte auf einer Postkarte an die Adresse: g. Taganrog, Doktor Ivan Vasiljevič Eremeev. Dafür wäre ich Ihnen sehr verbunden, denn ich und mein collega werden im Mai einen Dickwanst massieren. Bitte, vergessen Sie es nicht.

Ach, gibt es hier Frauen!

Gestern bin ich ans Meer gefahren. Es ist schön! Nur eines ist schlimm: der Magendarmkatarrh infolge des anderen Wassers und Essens. Dauernd muß ich laufen. Und die Waterclosets befinden sich hier auf dem Hof, beim Teufel auf dem Osterbrot... Und ehe man dort ankommt, hat man mit allen möglichen unangenehmen Zufällen zu kämpfen.

Ich habe für die »Gazeta« eine Erzählung geschrieben und bringe sie mit diesem Brief zum Bahnhof.

Schreiben Sie. Einen Gruß an Praskovja Nikiforovna und an Fedja. Leben Sie wohl. *Ihr A. Čechov.*

69) AN M.P. ČECHOVA TAGANROG, 11. 4. 1887

11. April...

Liebste Marja Pavlovna!

Eben bekomme ich einen Brief von Papaša, der schreibt, daß ihr bis zum 7. Apr. noch kein Geld bekommen habt. Um Mißverständnisse auszuräumen, halte ich für notwendig, ein für alle Male Folgendes zu erklären:

daran, daß ihr kein Geld bekommt, sind nicht die Redaktion und nicht ich schuld, sondern Aleksandr, der über seinem Kummer, das ist natürlich, meinen Auftrag vergessen haben kann. Er hat die Rechnung geschickt bekommen, und ihm ist erklärt worden, wie er das Geld schicken soll.

Für die nächste Zukunft versucht, so vorzugehen: wenn Aleksandr 3–4 Tage, nachdem ihr ihm die Rechnung geschickt habt, das Geld nicht schickt, schickt ihm eine neue Rechnung mit der Bitte, nicht zu zögern. Unter uns: ich fürchte, er ist krank oder trinkt.

Mir geht es so lala. Es wäre langweilig, wenn alles ringsum nicht so komisch wäre. Die Fortsetzung des Tagebuchs schicke ich morgen oder übermorgen.

Ich bin nicht ganz gesund. Am Dienstag oder Mittwoch fahre ich weiter.

Grüße an: Nase, Nasenlos, Turnürlos, Jašenka, Jadenka unt antere.

Es ist leicht möglich, daß ich früher nach Moskau zurückkomme als geplant. Das Wetter ist großartig, aber diese Leute... brrrr!

Morgen fahre ich zu V. Oberpriester Pokrovskij zu Besuch. V. Vasilij war gestern krank, dem Tode nah, heute, heißt es, sei er wieder aufgelebt.

Leb wohl. Gruß an alle Unsrigen.

Ach, das hiesige Klima, das müßten unsre Moskauer haben! Die dumme Natur kann einfach nicht disponieren! *A. Čechov.*

Habe von Šechtel einen Brief bekommen. Er schreibt, er sei verliebt in m-lle Ėfros.

Schämen Sie sich, E.I.!

70) AN F. O. ŠECHTEL TAGANROG, 11. 4. 1887

Liebster Maestro!

Ich bin im Süden!!! Übrigens folgt daraus nicht, daß mir warm wäre. Schon den 6. Tag weht in Taganrog ein kalter Wind, der einen zwingt, sich in den warmen Mantel zu hüllen.

Mir ist langweilig und mies. Habe Durchfall. Wenig Geld. Unbestimmte Zukunft. Die Kleinbürger sind mir zuwider. Das Essen schlecht. Die Straßen schmutzig. Schlafe nicht zur rechten Zeit.

Wenn der Wind aufhört, fahre ich weiter. Meine Adresse: g. Taganrog, Hs. M. E. Čechov. Von hier werden mir alle Briefe nachgeschickt.

Wenn die Nazarovs nicht nur zu Vergewaltigungen fähig sind, sondern auch zu großen Heldentaten, so schicken Sie mir die Rückfahrkarte nicht anders als eingeschrieben. Sie können es auch bleibenlassen, weil es deshalb kein Erdbeben und keine Sintflut geben wird.

Taganrog ist eine sehr schöne Stadt. Wenn ich ein so talentierter Architekt wäre wie Sie, ich würde sie abreißen.

Ich bekomme von Ihnen »Prutzente«: ich spiele den Makler bei meinem Onkel, um Sie von den Engeln zu erlösen. Ihnen stehen die bösen Geister besser als die guten.

Ich fahre gleich zu einer Dame. Werde bei ihr »schreiben«.

Leben Sie wohl. Meiden Sie Weiber und Wein.

Ihr A. Čechov.

Text unter der Zeichnung: Ansichten südrussischer Insekten.

Wie geht es den tollen Hunden von Nikolaj?

71) AN AL. P. ČECHOV BABKINO, 26. 5./3. 6. 1887

Luka Ivanyč!

Die 103 R. habe ich bekommen, aber dafür, daß du mir 16 Kop. abgegaunert hast, wirst du in der Hölle schmoren.

Du bittest ergebenst um Erlaubnis, dem Buch noch einen 20. Bogen anzuhängen, damit es eine runde Zahl wird. Ich erkenne in dieser Bitte die böse Absicht, mein Buch teurer zu machen, und erlaube es darum nicht. Wenn das Buch keinen 20. Bogen hat, werden die Leser nicht verrecken.

Wenn, wie du schreibst, die Druckerei das Buch dir aushändigen will, nimm es nicht an, denn das Buch gehört nicht mir, nicht dir, nicht Papa, sondern Suvorin. Suvorin hat die Suppe eingebrockt, soll er sie auch auslöffeln.

Das Muster für die Titelblätter schicke ich.

Laß montags eine Annonce drucken, daß mein Buch im Druck ist. Sei keine Hose.

Am 8.–10. Juni werde ich in Petersburg sein. Wenn du mir die Reverenz zu erweisen wünschst, dann putz die Schuhe, kämm dich und komm an den Bahnhof – Tag und Stunde werde ich dir noch per Telegramm mitteilen. Für den Fall, daß du Lust hast, fahren wir nach Valaam, wenn du keine hast, dann nicht nötich.

Die blauen Flecken, Magerkeit und Gelenkschmerzen bei Anna Ivanovna deuten auf Blutarmut, die gewöhnlich nach Typhus auftritt. Milch und nochmals Milch. Nicht schlecht ist auch Eisen. T-rae ferri pomati für 15 Kop., 3mal 15 Tropfen am Tag, und Bittermittel wie Elix. visceral Hoffmani Tropfen für 15 Kop., 20 Tropfen vor den Hauptmahlzeiten. Die Beine kann man mit Salmiakgeist vermischt mit Olivenöl (aa) einreiben. Blutarmut kann dazu führen, daß die Beine anschwellen. Wenn Gesicht und Arme anschwellen, den Urin beobachten. Niedergeschlagenheit und Apathie sind natürlich.

Die Kinder verprügle.

Schreib für den »Budilnik«.

Wenn möglich, schick mir als eingeschriebenes Kreuzband 1–2 Bogen meines Buchs zum Anschauen. Bitte.

Finde heraus – wo ist derzeit Grigorovič?

Grüß Anna Ivanovna und die Bälger.

Sag mir die Adresse von Nikolaj und schreib ihm, daß ich ihn zu mir aufs Sommerhaus einlade.

Voskresensk. Gouv. Mosk. *Euer A. Čechov.*

Mein Kommen nach Piter ist nur möglich, wenn meine Beine nicht mehr wehtun. Überhaupt muß ich nicht unbedingt kommen.

Ich glaube, wenn das Buch *schon* im Druck ist, dann ist es, nach den Gesetzen dieses Gewerbes, nicht mehr möglich, den Titel zu ändern.

»In der Dämmerung« ist eine Allegorie: das Leben ist Dämmerung, und der Leser, der das Buch gekauft hat, soll es in der Dämmerung lesen, während er sich von der Tagesarbeit erholt.

Preis des Buches 1 Rubel.

Schick mir meinen »Untersuchungsrichter«.

72) AN AL. P. ČECHOV MOSKAU, 8./12. 7. 1887

Erdensohn! Was macht das Buch? Schreib mir wenigstens ein Wort darüber.

Heute habe ich ans »N. vr.« eine Erzählung geschickt. Wenn sie gedruckt ist, lauf ins Kontor und erkundige dich nach dem Stand meiner Finanzen. Wenn über der Schuld auch nur eine Kopeke bleibt, dann schick sie mir schleunigst, weil ich absolut ohne Geld bin.

Sitze gerade in Moskau. Es ist heiß. Ich muß schlafen, und darum leb wohl und sei gegrüßt mit Weib und Kind.

Hast du meine Sendung erhalten? *Dein A. Čechov.*

Schreib ausführlich.

73) AN AL. P. ČECHOV BABKINO, ENDE JULI 1887

Ganter!

Ich danke Ihnen für den Umschlag und schicke Ihnen die Rechnung für die »Peterb. gaz.«:

Nr. 196–393 Zeilen.

$$\begin{array}{r} 393 \\ \times\ 12 \\ \hline 786 \\ 393 \\ \hline 4716 \end{array}$$

Insgesamt 47 R. 16 K.

Das ist alles, was ich im Juli verdient habe. Das Geld hol und schick es schleunigst. Ich gehe schlafen.

Wir füttern einen jungen Hasen. Schreib.

Gruß an die Küken. *A. Čechov.*

74) AN AL. P. ČECHOV BABKINO, 12. 8. 1887

Ganter! Wenn man den Buchanzeigen vom Montag glauben darf, so ist mein Buch bereits vor 9 Tagen erschienen. Und ich höre kein Sterbenswörtchen darüber....... Leg die vielen Punkte nicht zu deinen Gunsten aus.

Wenn das Dämmerbuch tatsächlich erschienen ist, so erwarte ich 10 Expl. in allernächster Zeit. Ich erwarte auch Zeitungsannoncen, um deren Erscheinen du dich kümmern wirst.

Nikolaj ist gesund.

Schreib unverzüglich und hör endlich auf, mich mit der Erwähnung deiner Schulden* zu langweilen, denn diese Erwähnung ist unliebenswürdig und zwingt mich, wie du siehst, an sie zu denken, was ich nicht schätze. *Tuus frater.*

*Es ist, als ob du ein Verbrechen begangen hättest. Man muß die Dinge einfacher sehen.

75) AN AL. P. ČECHOV MOSKAU, 7./8. 9. 1887

Merci, Ganter, für den Brief. Nur für ein bokú kein mersi: aus welchem kühlen Grunde entschuldigst du dich bei mir und rechtfertigst dich dafür, daß mein Buch so spät erschienen sei? Du schreibst, als hätte ich dich für tausend Rubel in Silber angestellt und als seist du mir Rechenschaft schuldig... Nein, Trunkenbold, was das Buch betrifft, so habe ich mich zu entschuldigen, nicht du. Ich bin dir so dankbar für all die Scherereien und Laufereien, sogar für den Durchfall, den du dabei gekriegt hast, daß ich es einfach nicht wage, deiner Person würdig zu danken. Wenn ich mutig wäre, so würde ich verlangen, dir eine Bezahlung anbieten zu dürfen für deine Mühen, aber ich habe den Mut nicht und entschließe mich daher, die Zeit abzuwarten: vielleicht gibt sie mir einmal einen Wink, wie ich dir danken kann...

Ich komme allmählich wieder in die Norm. Geld habe ich vorläufig keins. An eine Reise nach Piter, um länger dort zu leben, ist nicht zu denken... Möglich ist nur das eine – monateweise in Piter zu leben, was ja auch geschieht.

Es tut mir leid, daß du den Kontakt zu den Leuten des »Novoe vremja« verloren hast. Das sind zwar Zulus, aber gescheite Zulus, von denen man vieles lernen kann. Aber hör mal, ist denn das Korrekturlesen so wichtig? Bist du nur dadurch zum Eintritt in den Ruhmestempel berechtigt? Entschuldige, aber mir scheint, du bist kleinmütig. Du bist ein Zweifler und machst aus einer Fliege immer gleich einen Protodiakon. Ich habe nie Korrektur gelesen, aber ich glaube, daß ich mir Stellung und Gesellschaft in der Redaktion verschaffen würde. Du hast doch Samstagsbeilagen geschrieben? Schreibst du kleine Sachen? Was brauchst du denn noch?

Bei meinem letzten Aufenthalt in Piter hatte ich Gelegenheit, dein Verhältnis zur Redaktion zu beobachten und, umgekehrt, der Redaktion zu dir. Soweit ich sah, bist du Burenin und Ėlpe sympathisch, Maslov und dem Obersten kaum bekannt, und Suvorin kennt dich gar nicht. Wenn du zu Leuten ein Verhältnis haben willst, dann mach es ihnen nicht so schwer, dich zu verstehen. Rede mit Suvorin über das Theater und die Literatur, mit Maslov über den schweren Dienst in der Armee – das ist keine große Mühe, und die Leute werden verstehen, daß du kein Birkhahn bist und nichts gegen sie hast. Und wenn du dich bemühst, auf gleicher Ebene mit ihnen zu verkehren und in ihrer Gesellschaft die Selbstachtung behältst, um so besser...

Du wirst im »Nov. vremja« gebraucht. Und du wirst noch mehr gebraucht werden, wenn du Suvorin gegenüber aufhörst zu verheimlichen, daß dir an seinem »Nov. vremja« vieles nicht gefällt. Gebraucht wird eine Partei als Gegengewicht, eine junge, frische und unabhängige Partei; die Gotbergs und Prokofjevs, die in Suvorin einen zweiten Gavrilov sehen und in Ehrfurcht erstarren um des lieben Lohnes willen, taugen nichts und sind unnütz. Ich finde, wenn in der Redaktion zwei, drei frische Leute wären, die es wagten, einen Unsinn Unsinn zu nennen, und zwar laut, dann würde Hr. Ėlpe nicht mehr die Frechheit haben, Darwin zu verreißen, und Burenin, auf Nadson herumzuhacken. Ich spreche bei jeder Begegnung offen mit Suvorin und glaube, diese Offenheit ist nicht nutzlos. »Gefällt mir nicht!« – das reicht schon, um seine Selbständigkeit zu erklären und, damit, seine Nützlichkeit. Setz dich in die Redaktion und sei dahinter her, daß die Herrschaften vom »Novoe vremja« höflicher mit der Wissenschaft umgehen, daß sie nicht grundlos die Kultur in den Schmutz ziehen; man kann doch die Kultur nicht nur deshalb negieren, weil die Damen Turnüren tragen und die Operette mögen. Wenn du täglich den Stein höhlst, dann wird das für die Suvorinschen Herrschaften allmählich zur Notwendigkeit und kommt ins Lot; Hauptsache, man erscheint nicht unpersönlich. Das ist die Hauptsache. Übrigens, wir reden noch darüber.

Du hast mir kein Wort über den offenen Brief über Suvorin und die »Mosk. ved.« geschrieben.

Vergiß nicht mir zu sagen, wie, dem Hörensagen nach, mein Buch geht. Ist ein Expl. an die »Novosti« geschickt worden?

Und Burenin erinnere daran, daß er versprochen hat, über mein Buch zu schreiben.

Grüß deinen häuslichen Wirrwarr mit Kindern, Kindeskindern, Küken. Und Hauptsache, trink nicht.

Leb wohl. *A. Čechov.*

76) AN M. V. KISELËVA MOSKAU, 13. 9. 1887

13. September. Die Unglückszahl.

Ich habe eine neue Lampe, sehr geehrte Marija Vladimirovna, alles übrige ist langweilig, grau und alt wie die Repliken von Ekaterina Vasiljevna. Gern würde ich Ihre Langeweile totschlagen, aber – oweh! – es fehlt das Pulver. Keine neuen Gedanken, und die alten haben sich in meinem Kopf verknäuelt wie die Würmer in der grünen Schachtel, wenn sie fünf Tage in der Sonne gestanden haben. Worüber soll ich schreiben? Darüber, daß ich kein Geld habe und stumpf bin? Das wissen Sie ja bereits...

Also schön, beschreibe ich Ihnen mein ekelhaftes Dasein. Das Leben geht wieder seinen gewohnten Gang. Ich esse um 7 Uhr zu Mittag, gehe 2 Uhr nachts schlafen. Das Wetter bemerke und spüre ich gar nicht. Ich schreibe und lese Rezensionen. Rezensionen hat es viele gegeben, unter anderem auch im »Severnyj vestnik«. Ich lese und kann einfach nicht begreifen, ob man mich lobt oder ob man meine verlorene Seele beweint. »Ein Talent! Ein Talent! aber dennoch, Gott schenke seiner Seele Frieden« – das ist der Tenor der Rezensionen. »In der Dämmerung« geht nicht übel.

Zweimal war ich im Theater Korš, und beide Male hat Korš mich nachdrücklich gebeten, ein Stück für ihn zu schreiben. Ich gab zur Antwort: mit Vergnügen. Die Schauspieler versichern, ich würde ein gutes Stück schreiben, denn ich verstünde es, auf den Nerven zu spielen. Ich gab zur Antwort: merci. Und natürlich werde ich kein Stück schreiben. Soll die Golochvastikova eins schreiben, ich habe nicht das geringste zu tun weder mit den Theatern, noch mit der Menschheit... Der Waldschrat soll sie alle holen!

Vor ein paar Tagen habe ich ein Stück meiner Seele dem Dämon verkauft, der Kommerz genannt wird. Auf einen Kadaver stürzen sich die Raben, auf die Genies die Verleger. Verner, ein Hundskragen, der Bücher in der Manier französischer Cafés-chantants verlegt, kam zu mir und bat mich, ihm etwa zehn möglichst komische Erzählungen abzutreten. Ich habe in meinem Ridikül gewühlt, ein Dutzend meiner Jugendsünden ausgewählt und ihm ausgehändigt. Er blätterte mir 150 Rubel hin und ging. Laut Vertrag bekommt er die Erzählungen nur für eine Auflage*, für eine zweite Auflage gesondertes Honorar... Hätte ich Geld, hätte der Hundskragen einen feuchten Schmutz bekommen, aber wehe! ich bin ärmer als Ihr Esel. Wollen Sie mir nicht ein paar Erzählungen abkaufen? Sie bekämen bei mir einen Rubel Rabatt aufs Hundert. Ich habe mehr davon als Insekten im Badehaus.

Gestern saß vom Mittagessen bis in die tiefe Nacht Tyšečka Mützenlos bei uns, und heute war, das erste Mal seit unserer Ankunft, die Ėfros Nase da, mit neuem Hut. Die Jašenkas sind noch nicht zurück. Zinočka Turnürlos weilt täglich bei uns. M-lle Syrout habe ich noch nicht wiedergesehen, aber ihr Bild verläßt mich keinen Augenblick.

> In der Ferne erhob sich ein voller Rücken, zärtlich umrahmt von rundlichen Linien, die verschmolzen mit den feinen weichen Konturen eines marmornen Halses, der, in wunderbares mattes Weiß gegossen, beschattet wurde von den verlockend sich ringelnden aschfarbenen seidigen Härchen.

Von meinen übrigen zerbrochenen Puppen erlauben Sie mir zu schweigen.

Das Hündchen ohne Rücken, das unser Korneev Hyäne nennt, ist wohlauf. Der Kater Fëdor Timofeič kommt nur gelegentlich nach Hause um zu fressen, die restliche Zeit ergeht er sich auf den Dächern und schaut verträumt in den Himmel. Offenbar ist er zu dem Bewußtsein gelangt, daß das Leben ohne Inhalt ist. Heute haben die liebreizende Ma-Pa und ich uns photo-

* 1200 Expl., die, laut Vertrag, innerhalb 1/2 Jahres verkauft sein müssen.

graphieren lassen: ich – um mein Photo den Verehrern meines Talents zu verkaufen, sie, um es an die Bräutigame zu verteilen. Mein Buch bekommen Sie *unbedddddingt* ... Den Rubel bitte ich Aleksej Serg. auszuhändigen, den ihm zu schulden ich das Unglück habe. Ihre Anekdoten schicke ich an Lejkin, wenn ich bei Lejkin keine Schulden mehr habe, sonst verrechnet er sie mit meinen Schulden.

Die grünen Bäume der Sadovaja erinnern mich an Babkino, wo ich als Einsiedler drei unbemerkt verstrichene Jahre verbrachte (wenn man jemanden Einsiedler nennen kann, der wenig schreibt, abends Vodka trinkt und an nervösem Gähnen leidet).

Grüße an alle: an Aleksej Sergeevič, Vasilisa und ihr Fünffrankenstück, Sergej und seine Puppen und an Elizaveta Aleksandrovna. Für den Kuß von Ekaterina Vasiljevna: merci. Ich werde ihn jemandem anstelle eines Schönheitspflasters aufdrükken. Den Unsern geht es gut. Bedrückende Langeweile. Ich sollte heiraten, wie?

Bleiben Sie gesund, und behüte Sie alle Allah!

Ihr sehr ergebener *A. Čechov.*

77) AN N. M. EŽOV MOSKAU, 5. 10. 1887

Bester Nikolaj Michajlovič!

Mein Stück ist fertig. Wenn Sie es sich nicht anders überlegt haben und mir helfen wollen, so kommen Sie bitte morgen, *Dienstag*, gegen zehn Uhr morgens. Frühstücken und essen werden Sie bei uns.

Seien sie gegrüßt. *Ihr A. Čechov.*

Wenn Sie nicht kommen, geben Sie mir Nachricht.

78) AN AL. P. ČECHOV MOSKAU, 6. / 7. 10. 1887

Liebster Ganter!

Brief und Geld sind gekommen.

Sag Burenin, daß ich dich ermächtigt habe, ihm meinen aufrichtigen Dank für seine Rezension auszurichten, die ich mir für meine Nachkommenschaft aufheben werde. Richte ihm aus, daß ich die Rezension gemeinsam mit Korolenko gelesen habe, der voll und ganz seiner Meinung sei. Die Rezension ist hervorragend, nur sollte Hr. Burenin nicht in einen Löffel Honig ein ganzes Faß Teer ausleeren, d.h. mich loben und gleichzeitig Spott mit dem toten Nadson treiben.

Allen Unsern geht es gut. Nikolaj kommt manchmal vorbei.

Bitte Fëdorov oder Bežeckij, folgende Notiz in die Theaterchronik zu setzen: »A. P. Čechov hat die Komödie ›Ivanov‹ in 4 Akten geschrieben. In einem der literarischen Zirkel Moskaus vorgetragen (oder etwas in der Art), hat sie einen sehr starken Eindruck hinterlassen. Das Sujet ist neu, die Charaktere sind plastisch undsow.«

Das ist eine kommerzielle Notiz. Das Stück ist federleicht geworden, ohne eine einzige Länge. Das Sujet – noch nicht dagewesen. Ich werde es wahrscheinlich bei Korš auf die Bühne bringen (wenn letzterer nicht zu geizig ist).

Das ist alles. Um die Notiz kümmere dich. Sie steigert den Preis. In der Notiz kein Lob, beschränke dich auf Gemeinplätze. Grüß die Deinen und schreib mir deine neue Adresse.

Erkälte dich nicht. *Tuus A. Čechov.*

Sag Burenin und Suvorin, Korolenko sei bei mir gewesen. Ich habe fast drei Stunden mit ihm geplaudert und finde, daß er ein talentierter und sehr guter Mensch ist. Sag, von ihm sei, meiner Meinung nach, noch sehr viel zu erwarten.

79) AN AL. P. ČECHOV MOSKAU, 10./12. 10. 1887

Ganterich!

Dein Brief ist gekommen; um nicht ins Bett zu gehen und nicht an die Zimmerdecke zu spucken, setze ich mich an den Tisch und antworte.

Unsere Schwester ist gesund und munter. Sie interessiert sich für Literatur und geht oft zur Ėfros. Neulich hat sie sich photographieren lassen. Wenn du ein Photo von ihr haben willst, schreib ihr.

Mutter ist damit einverstanden, nicht nur deine Hemden auszubessern, sondern sogar deine Leber. Schick sie her. Geld brauchst du keins beizulegen, wir haben viele Flicken hier. Mutter beschwert sich darüber, daß du ihr nicht schreibst.

Ich bin krank und blase Trübsal wie ein Hypochonder. Die Feder fällt mir aus der Hand, ich arbeite überhaupt nicht. Erwarte in allernächster Zukunft den Bankrott. Wenn das Stück mich nicht rettet, werde ich in der Blüte meiner Jahre zugrundegehen. Das Stück kann mir 600–1000 Rubel einbringen, aber nicht vor Mitte November, und was bis zu dieser Mitte sein wird, weiß ich nicht. Schreiben *kann ich nicht,* und alles, was ich schreibe, wird Mist. Die Energie ist futsch! wie alle Juden aus Paris – füit! Themen habe ich, aber alles andere kann die Katze auf dem Schwanz wegtragen.

Ich kritzle an einer Samstagsbeilage, aber nur mit Ach und Krach und über ein Thema, das mir unsympathisch ist. Sie wird schlecht, aber ich schicke sie trotzdem ab.

Die »Rus. ved.« zahlen 15 Kop. für die Zeile. Der »Sever« lädt mich ein und verspricht: »Sie bekommen, was Sie wollen.« »R. mysl« will etwas haben, auch der »Sev. vestnik«. Suvorin täte gut daran, mein Honorar zu erhöhen. Wenn Kočetov 300 im M. bekommt und Atava, außer seinem Gehalt, 20 Kop. Zeilenhonorar – wäre es keine Sünde, wenn ich, solange ich noch nicht krepiert bin, menschlich bezahlt würde, und nicht in Groschen. Ich bestehle mich selbst, wenn ich für Zeitungen arbeite. Für den »Flüchtling« habe ich 40 R. bekommen, in einer dicken Zeitschrift würde man mir dafür soviel wie für ½ Druckbogen geben... Übrigens sind das alles Lappalien.

Das Stück habe ich unverhofft geschrieben, nach einem Gespräch mit Korš. Ich habe mich schlafengelegt, mir ein Thema ausgedacht und geschrieben. 2 Wochen habe ich dafür gebraucht oder, genauer, 10 Tage, denn in diesen zwei Wochen gab es Tage, an denen ich nicht gearbeitet oder anderes geschrieben habe. Die Qualitäten des Stücks beurteilen kann ich nicht. Es ist verdächtig kurz geraten. Korš hat keinen einzigen Fehler und Verstoß gegen die Bühne gefunden, – ein Beweis, wie gut und feinfühlig meine Richter sind. Ich habe zum ersten Mal ein Stück geschrieben, ergo sind Fehler ganz selbstverständlich. Das Sujet ist kompliziert und nicht dumm. Jeden Akt beende ich wie eine Erzählung: die ganze Handlung führe ich friedlich und still, und zum Schluß bekommt der Zuschauer eins auf die Schnauze. Meine ganze Energie steckt in einigen wirklich starken und scharfen Stellen, die Brücken jedoch, die diese Stellen verbinden, sind nichts, sind schlaff und schablonenhaft. Aber trotzdem freue ich mich; so schlecht das Stück auch sein mag, ich habe einen Typ geschaffen, der literarische Bedeutung hat, ich habe eine Rolle geschrieben, die nur ein Talent wie Davydov spielen kann, eine Rolle, in der ein Schauspieler sich entwickeln und sein Talent zeigen kann... Schade, daß ich dir aus meinem Stück nicht vorlesen kann. Du bist ein leichtsinniger Mensch, der wenig gesehen hat, aber du hast ein weit frischeres und schärferes Ohr als alle, die mich in Moskau loben und schlechtfinden. Daß du nicht hier bist, ist für mich kein geringer Verlust.

In dem Stück gibt es 14 hand. Personen, davon 5 Frauen. Ich spüre, daß meine Damen, bis auf eine, ungenügend durchgearbeitet sind.

Nach dem 15. erkundige dich im Kontor über den Verkauf der »Dämmerungen«. Wer weiß, was der Teufel vorhat? Vielleicht fällt für mich ein Groschen ab...

Frag Suvorin oder Burenin: nehmen sie auch Sachen von 1500 Zeilen? Wenn ja, schicke ich eine, obwohl ich persönlich dagegen bin, in Zeitungen langes Gerede mit der Fortsetzung der Schleppe in der nächsten Nr. zu drucken. Ich habe einen Roman von 1500 Zeilen, nicht langweilig, aber für eine dicke Zeitschrift taugt er nicht, weil in ihm der Vorsitzende und die Mitglieder eines Bezirks-Militärgerichts figurieren, d.h. keine Liberalen. Frag und antworte so bald wie möglich. Je nach deiner Antwort schreibe ich ihn schnell ins Reine und schicke ihn ab.

Die Zankoveckaja ist ganz großartig! Suvorin hat recht. Nur ist sie am falschen Platz. Wenn Burenin deinetwegen hat schlukken müssen, ist das nicht schlimm: deine Zunge hat sich nicht mechanisch bewegt, sondern durch die Hand des Allerhöchsten... Es schadet nichts, manchmal die Wahrheit zu sagen.

Grüße. *A. Čechov.*

80) AN V.G. KOROLENKO MOSKAU, 17. 10. 1887

17. Okt.

Ich schicke Ihnen ein großes Danke, verehrter Vladimir Galaktionovič, für das Buch, das ich bekommen habe und jetzt wieder lese. Da Sie meine Bücher bereits haben, muß ich mich, ohne es zu wollen, auf ein Danke beschränken.

Übrigens, damit dieser Brief nicht ganz kurz wird, sage ich Ihnen, daß ich außerordentlich froh bin, Sie kennengelernt zu haben. Ich sage das aufrichtig und aus reinem Herzen. Erstens schätze und liebe ich Ihr Talent sehr; es ist mir aus vielen Gründen teuer. Zweitens scheint mir, daß wir beide, wenn wir noch 10–20 Jahre auf dieser Welt leben sollten, kaum ohne gemeinsame Berührungspunkte auskommen dürften. Von allen derzeit mit Erfolg schreibenden Reußen bin ich der leichtsinnigste und am wenigsten seriöse; in der Sprache der Dichter ausgedrückt: ich habe meine reine Muse geliebt, sie aber nicht geachtet, verraten und sie mehr als einmal an Orte geführt, die ihr nicht geziemen. Sie dagegen sind ernst, stark und treu. Der Unterschied zwischen uns ist, wie Sie sehen, groß, aber da ich Sie jetzt lese und Sie kennengelernt habe, glaube ich doch, daß wir einander nicht fremd sind. Ob ich recht habe oder nicht, weiß ich nicht, aber es ist mir angenehm, das zu glauben.

Übrigens schicke ich Ihnen einen Ausschnitt aus dem »Novoe vremja«. Diesen Thoreau, über den Sie daraus etwas erfahren, werde ich ausschneiden und für Sie aufheben. Das erste Kapitel ist vielversprechend; es hat Gedanken, hat Frische und Originalität, ist aber schwer zu lesen. Architektur und Konstruktion sind unmöglich. Schöne und unschöne, leichte und schwergewichtige Gedanken türmen sich übereinander, beengen einer den andern, nehmen sich gegenseitig den Saft weg, und eh man sichs versieht, fangen sie vor lauter Gedränge an zu fiepen.

Wenn Sie nach Moskau kommen, werde ich Ihnen diesen Thoreau aushändigen, und bis dahin leben Sie wohl und seien Sie gegrüßt.

Mein Stück wird, wahrscheinlich, bei Korš inszeniert. Wenn ja, dann sage ich Ihnen den genauen Tag der Aufführung. Vielleicht fällt dieser Tag mit den Tagen Ihrer Moskaureise zusammen. Dann herzlich willkommen. *Ihr A. Čechov.*

81) AN AL. P. ČECHOV MOSKAU, 24. 10. 1887

24. Ok.

Räuber der Feder und Pressegauner!

Deinen ekelerregenden Brief mit dem Wechsel habe ich bekommen, durchgelesen und gestaunt über deinen beschränkten Verstand. Du bist doch eine Hose, habe ich dir in meinem Brief etwa einen Vorwurf gemacht wegen des Wettbewerbs, dich beschimpft, schlechtgemacht? Ich habe dir lediglich meine Vorstellungen dargelegt, die du in Betracht ziehen kannst oder nicht, unabhängig davon, ob das Buch zu dem Wettbewerb eingereicht worden ist oder nicht. Für deine Scherereien und Plackereien kann ich dir nur danken und mich verneigen, aber was ist dann für dich beleidigend daran, wenn ich nochmals wiederhole, daß ich, im Falle, sie geben den Preis mir, viel Scherereien haben werde? Ich habe mich nur freundschaftlich beklagt, nichts weiter...

Aus dem Zeitungsausschnitt, den du mitgeschickt hast, geht hervor, daß du, ich und Suvorin beruhigt sein können: der Wettbewerb wird erst im Oktober nächsten Jahres entschieden! Das ist so weit weg, daß man daran überhaupt noch nicht denken kann... Bis dahin können noch viele Genies geboren werden.

Daß deine Annuška und Tanja Diebinnen sind, wußte ich schon lange. Sie haben unsere Dienstboten bestohlen.

Feuchtigkeit ist für Kinder genauso schädlich wie Hunger. Schreib dir das hinter die Ohren und such dir eine neue Wohnung. Heiz öfter und häng im Zimmer ein Thermometer auf, das ich unbedingt einführen werde, wenn ich einmal Kinder haben sollte.

Du lädtst mich in deine Wohnung ein... Auch das noch! Einem genialen Menschen gewährt jedermann gern Unterkunft. Gut, ich werde dir den Gefallen tun... Nur, eine Bedingung: koch mir die Suppe, die bei dir so besonders gut ist, und biete mir vor 11 Uhr abends keinen Vodka an. Vor Kindergesang habe ich keine Angst.

Von Suvorin habe ich einen Brief bekommen, den ich kaum entziffern konnte. Unfaßlich: wie können die Setzer das lesen? Er schreibt mir über sein Stück: »Ich habe geschwitzt, geschwitzt an meiner Komödie, und sie dann sein lassen, als ich in diesem Sommer einen Blick geworfen habe auf das wirkliche russische Leben.« Da soll einer nicht ins Schwitzen kommen! Die modernen Dramatiker stopfen ihre Stücke voll mit Engeln, Schurken und Narren – geh hin und find diese Elemente mal in ganz Rußland! Und wenn du sie wirklich finden solltest, dann nicht in solchen Extremen, wie die Dramatiker sie brauchen. Unwillkürlich kommt man ins Schwitzen und läßt es sein... Ich habe originell sein wollen: ich habe keinen einzigen Bösewicht, keinen einzigen Engel geschrieben (von den Narren habe ich allerdings nicht lassen können), ich habe niemanden angeklagt, niemanden gerechtfertigt... Ob mir das gelungen ist, weiß ich nicht... Das Stück wird ganz bestimmt mit Erfolg gespielt werden – davon sind Korš und die Schauspieler überzeugt. Ich bin nicht davon überzeugt. Die Schauspieler haben keine Ahnung, reden Unsinn, nehmen sich die falschen Rollen, und ich kämpfe, weil ich glaube, daß das Stück, wenn es nicht in der von mir gemachten Besetzung gespielt wird, durchfällt. Wenn sie es nicht so machen, wie ich es will, werde ich, um eine Blamage zu vermeiden, das Stück zurückziehen müssen. Überhaupt, eine unruhige und überaus unangenehme Sache. Hätte ich das gewußt, hätte ich mich nicht darauf eingelassen.

Zum Schluß noch ein Auftrag. Zieh die Galoschen an und geh zur »Pet. gazeta«.

Nr. 287–361 Zeilen.

Nr. 294–?

Morgen* kommt die ? raus. Bitte um die Nr. vom Montag, zähl die Zeilen aus, addiere usw. Schick das Geld per Anweisung. Obwohl ich es noch erleben werde, daß du meine Aufdringlichkeit satt kriegst und dir für mein Honorar einen Revolver kaufen und auf mich schießen wirst, verliere ich dennoch nicht den Mut. Mir schmeichelt, wenn ich dich mit Aufträgen überhäufe, der Gedanke, daß Bewegung dir guttut und du dich in gewisser Weise an der Fütterung meiner Raubtiere beteiligst.

*am 26. Okt.

Den Roman habe ich noch nicht abgeschrieben, aber die Samstagsbeilage schreibe und schicke ich zum Samstag. Ich würde mich gern ein bißchen auffrischen im Gespräch mit deiner Person. Bei mir in der Birne hat sich der verschiedenste Dreck angesammelt.

Interessant wäre zu wissen: a) wieviel kostet die »Dämmerung«, und b) wie hoch ist die Auflage? Ich hoffe, du machst nicht gemeinsame Sache mit den Buchhändlern und nützt meinen Namen zu deinem Profit.

Für deine Wäsche ist kein Geld nötig. Sie ist so zerfetzt, daß Mutter nicht weiß, wo sie mit dem Flicken anfangen soll. Marja hat den kleinen Küken Hosen, Strümpfe und allen möglichen

Mist genäht. Es ist ihr Geheimnis, aber ich habs gesehen. Mutter dankt A. I. für den Brief. Für Mutter ist ein Brief – ein Ereignis.

Dein Unwohltäter.

82) AN N. M. EŽOV MOSKAU, 27. 10. 1887

27. Okt.

Bester Nikolaj Michajlovič! Ihre Briefe habe ich bekommen. Da die Frage nach Ihrem linken Auge und dem Honorar als erledigt angesehen werden kann, lasse ich sie beiseite und gehe zu den aktuellen Dingen über.

Ihnen als dem Brautführer meines »Ivanov« halte ich für wichtig, Folgendes mitzuteilen. »Ivanov« wird ganz bestimmt Ende November oder Anfang Dezember gespielt werden. Der Vertrag mit Korš ist bereits unterschrieben. Den Ivanov wird Davydov spielen, der, zu meiner großen Freude, begeistert ist von dem Stück, sich mit Feuer an die Arbeit gemacht und meinen Ivanov ganz so verstanden hat, wie ich es will. Ich habe gestern bis 3 Uhr nachts bei ihm gesessen und mich davon überzeugt, daß er wirklich ein großer Künstler ist.

Wenn man solchen Richtern wie Davydov glauben kann, so kann ich Stücke schreiben... Wie sich herausstellt, habe ich instinktiv, aus dem Gefühl, ohne es zu merken, eine abgeschlossene Sache geschrieben und gegen die Bühne *keinen einzigen* Fehler begangen. Daraus folgt die Moral: »Junge Leute, nur nicht schüchtern!«

Natürlich tun Sie schlecht daran, daß Sie faulenzen und so wenig schreiben. Sie sind »Anfänger« im wahren Sinne dieses Wortes und dürfen bei Androhung der Todesstrafe nicht vergessen, daß jede Zeile in der Gegenwart Kapital für die Zukunft darstellt. Wenn Sie Ihre Hand und Ihr Gehirn nicht jetzt an Disziplin und forciertes Marschieren gewöhnen, wenn Sie sich nicht beeilen und nicht ranhalten, dann wird es in 3–4 Jahren schon zu spät sein. Ich meine, Sie und Gruzinskij sollten sich täglich und so straff wie möglich am Zügel nehmen. Sie arbeiten beide zu wenig. Sie müssen überallhin hauen, nach rechts und nach links. Ich kann Gruzinskij einfach nicht dazu bringen, eine Samstagsbeilage zu schreiben! Euer Gnaden sind ebensowenig davon zu überzeugen, regelmäßig unbedingt Erzählungen an die »Oskolki« zu schicken für jede Nr. Worauf warten Sie beide denn? Ich kann es nicht verstehen. Wenn Sie so sparsam, schüchtern und unentschlossen arbeiten, werden Sie einen feuchten Dreck bekommen, d.h. werden Sie sich ausschreiben, ohne je geschrieben zu haben...*

Mit einem Wort, man sollte Sie beide durchprügeln, aber das geht nicht: Sie sind beide Beamte...

Uns geht es allen gut, meine Familie läßt Sie grüßen. Kommen Sie zu Weihnachten, bleiben Sie bis dahin gesund und vergessen Sie nicht *Ihren A. Čechov.*

*Beispiel: mein Bruder Agafopod hat wenig geschrieben, aber spürt bereits, daß er sich ausgeschrieben hat... Sie wissen, wer wenig und träge kellerschabt, bei dem meldet sich früh die impotentia. Das sage ich Ihnen als Wissenschaftler.

83) AN AL.P. ČECHOV MOSKAU, 29. 10. 1887

29. Okt.

Ganter! Hier ein Auftrag für dich: geh unverzüglich zum Vas. ostrov 42, Wohnung 3 und... Übrigens, erschrick nicht. Ich mache nur Spaß...

Eine Neuigkeit. Vor gar nicht langer Zeit, als ich ohne einen Groschen dasaß, kamen die Gebr. Verner zu mir und haben mir, in Ausnützung meiner Armut, für 150 Rub. 15 Erzählungen abgekauft. Selbstverständlich habe ich für sie die allerübelsten ausgewählt. Jetzt lese ich, daß sie ein Buch daraus gemacht haben, »Unschuldige Worte von A.P. Čechov«. Eine Luxusausgabe, aber die Erzählungen sind so schlecht und abgeschmackt, daß du berechtigt bist, mir ins Gesicht zu schlagen, ungeachtet deiner Talentlosigkeit. Die Gebr. Verner werden das Buch natürlich auch ans »Nov. vremja« schicken in der Hoffnung, daß man mir dort als einem der Mitarbeiter eine Rezension bester Art schreiben wird; nun, und ich hoffe, das »Nov. vremja« wird mir verzeihen, daß ich einen Teil meiner Seele dem Satan verkauft habe, und nicht darüber berichten. Das Schweigen darüber würde ich als einen großen Gefallen ansehen. Versteht sich.

Glückwunsch zur neuen Wohnung.

Da sich Suvorin für das Schicksal meines Stückes interessiert, sag ihm, daß Davydov sich mit Feuer und Begeisterung daran begeben habe. Ich habe eine so gute Rolle geschrieben für ihn, daß er mich zu sich verschleppt hat, mich bis drei Uhr nachts festgehalten und mich, unter verliebten Blicken, versichert hat, daß er von klein auf nie gelogen habe und daß in meinem Stück alles, von A bis Ω (das ist kein A..., sondern ein Omega) feinfühlig, richtig, wohlanständig und edel sei. Er versichert, daß mein Stück *fünf* vorzügliche Rollen habe und daß es deshalb bei Korš durchrasseln werde, weil niemand da ist, der sie spielen könnte.

Da! Und du hast immer gefragt: was soll daraus nuhr werden und wo habe ich gelernt...

Der Vertrag mit Korš (dem Gauner!) ist bereits unterschrieben. Ich bekomme 8% von der Abendkasse, d.h. 2% pro Akt.

Über Nikolka sprechen wir, wenn wir uns sehen.

Wenn du den Leibmedikus Botkin siehst, sag ihm, ich wandelte auf seinen Spuren: ich praktiziere in Häusern von Aristokraten. Zum Beispiel gehe ich jetzt zur Gräfin Keller... um ihren Koch zu behandeln, und zur Voejkova – ihr Zimmermädchen ist krank.

Gruß an Anna Ivanovna. Sag ihr, daß ich ihr danke. Wofür? Das geht dich nichts an. Deine Wäsche wird geflickt.

Leb wohl. *A.*

84) AN N. A. LEJKIN MOSKAU, 4. 11. 1887

4. November.

Verzeihen Sie, bester Nikolaj Aleksandrovič, daß ich so lange nicht geantwortet habe auf Ihren Brief. Mein Stück hat mich wider Erwarten – der Teufel solls holen! – derart angestrengt und ermüdet, daß ich die Fähigkeit verloren habe, mich in der Zeit zurechtzufinden, aus dem Gleis geraten bin und wahrscheinlich bald zum Psychopathen werde. Es zu schreiben war nicht schwer, aber seine Inszenierung erfordert nicht nur Ausgaben für Droschken und Zeit, sondern auch eine Masse nervlicher Arbeit. Urteilen Sie selbst: 1) in Moskau gibt es keinen einzigen ehrlichen Menschen, der imstande wäre, die Wahrheit zu sagen; 2) die Schauspieler sind launisch, in sich selbst verliebt, halbgebildet, von sich eingenommen; sie können einander nicht ausstehen, und ein gewisser N ist bereit, seine Seele dem Teufel zu verkaufen, nur damit sein Kollege Z keine gute Rolle bekommt; 3) Korš ist Geschäftsmann, er braucht nicht den Erfolg der Künstler und des Stücks, sondern ein volles Haus; 4) Frauen hat er in seiner Truppe keine, und meine 2 sehr schönen Frauenrollen gehen zugrunde für nicht mal eine Prise Tabak.

5) Vom männlichen Personal sind nur Davydov und Kiselevskij richtig besetzt, die übrigen werden blaß und farblos.

6) Nachdem ich den Vertrag mit Korš geschlossen hatte, gab man mir zu verstehen, daß das Kleine Theater (ein Staatstheater) mein Stück gern genommen hätte.

7) Nach Meinung Davydovs, dem ich glaube, ist mein Stück besser als alle, die in dieser Spielzeit geschrieben worden sind, aber es wird unweigerlich durchfallen, dank der Armut der Korš-Truppe.

8) Gestern wollte ich mein Stück zurückziehen, aber Korš hat sich mit Händen und Füßen gewehrt.

Es würde noch für 20 Punkte reichen, aber auch acht sind genug.

Jetzt können Sie beurteilen, in welcher Lage sich der »angehende Dramatiker« befindet, der mir nichts dir nichts auf einen fremden Schlitten geraten ist und sich auf eine Sache eingelassen hat, die nicht die seine ist.

Ich tröste mich allein damit, daß Davydov und Kiselevskij glänzend sein werden. Davydov hat sich begeistert auf seine Rolle gestürzt.

Von Korš bekomme ich nicht 50 R. pro Vorstellung, wie Sie mir geraten hatten, sondern mehr: 8% von der Abendkasse, d.h. pro Akt 2%. So steht es im Vertrag.

Der »Oskolki«-Leser bekäme als Prämie sehr viel lieber ein Buch als eine billige Oleographie. Ich freue mich, daß Sie ein Buch aussetzen, so wie ich es Ihnen seinerzeit geraten hatte. Aber es geht darum, daß man sich mit einer Buchprämie leichter blamieren kann als mit einer Oleographie. Wenn das Papier billig ist, die typographische Aufmachung 20 Rubel wert, die Illustrationen schlecht und der Umschlag nicht elegant, dann wird es auf die »Oskolki« und Sie persönlich zurückfallen.

Machen Sie ein Buch, das so dünn, dafür aber so elegant wie möglich ausgestattet ist. Das moderne Publikum kommt auf den Geschmack und beginnt zu begreifen... Darum verkaufen die Gebrüder Verner, die ihre Bücher luxuriös à la französisch ausstatten, alle ihre Ausgaben in weniger als 2 Monaten. Ich übertreibe nicht...

Ich bin davon *überzeugt:* wenn ich einen Band Ihrer Erzählungen so edieren würde, wie ich es mir vorstelle, so würde diese Ausgabe noch schneller gehen als alle der Gebr. Verner...

Mein Stück wird erstmals zwischen dem 19. und dem 27. November gespielt. Folglich werde ich Anfang Dezember in Piter sein und dann ausführlich mit Ihnen reden.

Presnov geben Sie keine Bücher. Das ist einer der unpopulärsten und grauesten Buchhändler. Das Publikum kennt weder Stupin noch Presnov noch Salaev, der vor allem Lehrbücher verkauft. Es (ich spreche von der Intelligenz und der mittleren Leserschicht) kennt Suvorin, Glazunov, Volf, Vasiljev, Mamontov, Karabasnikov und, teilweise, Smirnov.

Was gibt es Neues in Piter? Ich habe einen Brief von Bilibin bekommen, dem ich entnahm, daß er jetzt wieder gesund ist. Er hatte, allen Anzeichen nach, Muskelrheuma (einseitiges lumbago). Er hatte sich erkältet. Wenn Sie ihn schlecht angezogen sehen (schlecht, d.h. nicht warm), dann waschen Sie ihm ungeniert den Kopf; wenn er hustet, empfehlen Sie ihm, zu Hause zu bleiben. Er hat einen instabilen habitus. Eine leichte Erkältung genügt, und er bricht zusammen.

Grüßen Sie Praskovja Nikiforovna und den hl. Fëdor den Schweiger. Leben Sie wohl. *Ihr A. Čechov.*

85) AN A.S. KISELËV MOSKAU, 10. 11. 1887

10. November.

Euer Hochwohlgeboren! Hiermit bringe ich Ihnen zur Kenntnis, daß mein Stück am *Donnerstag, dem 19. November* gespielt werden wird, welches Datum ich Sie bitte, Liliša auf die Stirn zu schreiben, auf daß Liliša Ihnen jeden Augenblick die Stirn bieten möge.

Wir erwarten Sie. Wenn Sie nicht kommen sollten, verabreiche ich Ihnen in der Zeitung solch eine Pille, mache Ihnen solche Schande, daß Sie nach Amerika auswandern. Als Gründe für Ihr Nichterscheinen können gelten: a) Dysenterie, b) Hochwasser, c) plötzlicher Bankrott, d) Volksaufstände, e) der Weltuntergang und f) die Ankunft des Schahs von Persien in Babkino. Andere Gründe erkenne ich nicht an. Hören Sie?

Aber manchmal wird auch das Unmögliche möglich. Wenn, was Gott verhindern möge, einer der genannten Gründe Sie zurückhalten sollte, so lassen Sie es mich unverzüglich wissen, sofort nach Gewahrwerden des Grundes: ich muß unbedingt wissen, ob Sie kommen oder nicht.

Da ich Ihre tierischen Gefühle und Ihren empörenden Charakter kenne, da ich Sie kenne als einen Feind der Wissenschaften und der Künste, bin ich bereit, zur Erweichung Ihrer Person zwei Jungfrauen à la Syrout zu mieten und sie nach Babkino zu schicken, um Sie gnädig zu stimmen. Wenn diese auf Ihre Sinnlichkeit Einfluß genommen haben, würden sie vielleicht auch Ihr grausames Herz in Rührung versetzen.

Ich habe eine Hoffnung – Marija Vladimirovna. Bitten Sie sie, daß sie Sie von der Unmöglichkeit überzeugt, nach Moskau zu kommen. Wenn Sie und Marija Vladimirovna kein Interesse haben sollten, den Reinfall meines unglückseligen Stückes zu erleben, dann kommen Sie beide, um den Hut abzuholen, der bis zum 19. November fertig sein dürfte.

Ich schwör beim ersten Tag der Schöpfung, daß ich, wenn Marija Vladimirovna nicht kommt, erstens ihre Erzählung nicht an den »Rodnik« geben und, zweitens, mein Leben lang gegen Kinderzeitschriften Krieg führen werde. Dixi.

Das Wetter bei uns in Moskau ist zum Ausspucken. In Babkino, glaube ich, wird es nicht besser sein.

Seit 5 Tagen schon wohnt bei uns V. Filaret, ein Mönch vom Athos.

Haben Sie meinen dicken Brief mit »Larka« bekommen? Ich habe ihn an Marija Vladimirovna geschickt. Er war schwer, und darum habe ich Angst, er könnte verlorengegangen sein.

Vasilisa und Serëža erteile ich einen strengen Verweis. An Marija Vladimirovna und Elizaveta Aleksandrovna Grüße. Tyšečka ist noch nicht gekommen. Bleiben Sie gesund, seien Sie gegrüßt.

Ihr A. Čechov.

86) AN A. S. LAZAREV-GRUZINSKIJ MOSKAU, 15. 11. 1887

15.

Bester

Aleksandr Semënovič!

Sie hinterhältiger Verräter sind gefahren, ohne sich zu verabschieden... Ich erteile Ihnen hierfür einen strengen Verweis mit Vermerk in den Personalakten. Wenn Sie gekommen wären, um sich zu verabschieden, wäre es mir vielleicht, hoffentlich gelungen, Ihre Person bis zum 19. November festzuhalten – dem Tag, an dem mein Stück gespielt wird.

Dies ist ein geschäftlicher Brief. Es geht darum, daß die Herren Schauspieler, als ich ihnen in Kürze den Inhalt des »Hamlet, Prinz von Dänemark« erzählt hatte, den brennenden Wunsch äußerten, ihn bis spätestens Januar zu spielen, d.h. so bald wie möglich. Schmiede das Eisen, solange es heiß ist. Haben Sie schon etwas Schriftliches? Kommt das Gewollte heraus? Haben Sie sich mit dem Sujet und den Bedingungen der Bühne zurechtgefunden? Wie dem auch sei, beeilen Sie sich, mir ausführlich zu schreiben, was Ihnen eingefallen ist, was Sie geschrieben haben und was als Plan bereitliegt. Schicken Sie mir gleichzeitig mein Manuskript (als Streifband), und behalten Sie die Kopie. Ich addiere das Meinige mit dem Ihrigen, denke darüber nach und werde nicht zögern, Ihnen meine Absichten und Pläne mitzuteilen. Bedingungen: ein undurchdringlicher Wirrwarr, 2) jede Fratze muß ein Charakter sein und eine eigene Sprache sprechen; 3) Abwesenheit von Längen, 4) ununterbrochene Bewegung, 5) die Rollen müssen geschrieben sein für: Gradov, Svetlov, Šmitgof, Kiselevskij, Solovcov, Vjazovskij, Valentinov, die Koševa und die Borozdina, 6) Kritik am Zustand der Theater; ohne Kritik wäre unser Vaudeville bedeutungslos.

In Erwartung Ihrer baldigen Antwort empfehle ich Ihnen, gnäd. Hr., sich aufs Bett zu legen, das Gehirn in die Hand zu nehmen und nachzudenken; nach langem Nachdenken setzen Sie sich an den Tisch und skizzieren den Plan.

Seien Sie gegrüßt. Auf den 19. November bereite ich mich vor wie auf eine Hochzeit. Ich verspüre ein leichtes Frösteln und bin überzeugt, daß mich während der Vorstellung das Fieber schütteln wird.

Die Proben sind im Gange. Ich bin beinahe zufrieden, wenn auch gereizt.

Seien Sie gegrüßt. *Ihr A. Čechov.*

87) AN N. A. LEJKIN MOSKAU, 15. 11. 1887

87, XI, 15.

Verzeihen Sie, bester Nikolaj Aleksandrovič, ich schicke auch dieses Mal keine Erzählung. Warten Sie, am Donnerstag läuft mein Stück, danach setze ich mich wieder an den Tisch und kritzle pünktlich meine Zeilen. Ihre Zeilen bezüglich der Inszenierung von Theaterstücken haben mich erstaunt. Sie schreiben: »Der Autor stört bei der Inszenierung nur, macht die Schauspieler befangen und gibt in den meisten Fällen nur dumme Hinweise.« Darauf antworte ich Ihnen dies: 1) der Autor ist der Herr des Stückes, nicht die Schauspieler; 2) überall gehört die Besetzung zur Verpflichtung des Autors, wenn eine solche nicht fehlt; 3) bis jetzt haben *alle* meine Hinweise zum Nutzen gereicht und sind befolgt worden; 4) die Schauspieler bitten von sich aus um Hinweise; 5) parallel zu meinem Stück wird im Kleinen Theater das neue Stück von Špažinskij geprobt, der *dreimal* das Mobiliar ausgewechselt und auf diese Weise den Staat gezwungen hat, dreimal Geld für das Bühnenbild auszugeben. Usw. Wenn man die Beteiligung des Autors auf Null reduziert, kommt der Teufel weiß was dabei heraus... Denken Sie daran, wie wütend Gogol war, als man sein Stück aufgeführt hatte! Hatte er nicht recht?

Sie schreiben, Suvorin sei Ihrer Meinung. Ich staune. Suvorin hat mir neulich geschrieben: »Setzen Sie den Schauspielern zu« und mir diesbezüglich Ratschläge erteilt. Jedenfalls danke für das Thema: ich werde Suvorin schreiben und in dem Brief die Frage nach den Grenzen der Kompetenz des Autors anschneiden.

Weiter schreiben Sie: »Schicken Sie Ihr Stück zum Teufel«... Auge um Auge: schicken Sie Ihre Kreditgesellschaft zum Teufel! Mein Stück zum Teufel schicken hieße, die Hoffnung aufs Geschäft fahren zu lassen.

Aber Sie haben mein Geknurre längst satt, gehen wir deshalb zu den anstehenden Fragen über.

Die »Unschuldigen Worte« sind *alle* auf demselben Papier gedruckt.

Nach Piter komme ich im Dezember.

Dann reden wir über vieles.

Ich weiß nicht, was ich Ihnen auf Ihre Bemerkung über Davydov antworten soll. Vielleicht haben Sie ja recht. Ich beurteile ihn nicht so sehr aufgrund persönlicher Eindrücke als vielmehr aufgrund der Empfehlung Suvorins, der mir schrieb: »Davydov müssen Sie glauben.«

Einen Gruß an Praskovja Nikiforovna und den hl. Fëdor. Meine Familie läßt Sie jedesmal grüßen, aber ich, verzeihen Sie, vergesse regelmäßig, das auch zu schreiben.

Wann werden wir bei Testov essen? Kommen Sie.

Ihr A. Čechov.

88) AN DIE GESELLSCHAFT DER RUSSISCHEN DRAMATISCHEN SCHRIFTSTELLER UND OPERNKOMPONISTEN — MOSKAU, 16. 11. 1887

18 $\frac{16}{XI}$ 87.

Mit meinem Eintritt in die Gesellschaft der russischen dramatischen Schriftsteller und Opernkomponisten verpflichte ich mich, mich dem Statut der Gesellschaft und allen Beschlüssen der Vollversammlung der Gesellschaft zu fügen. *A. Čechov.*

89) AN AL. P. ČECHOV — MOSKAU, 20. 11. 1887

20. N.

Also, mein Stück ist gelaufen... Ich beschreibe alles der Reihe nach. Vorweg: Korš hatte mir zehn Proben versprochen, gegeben hat er mir nur 4, wovon eigentlich nur zwei wirklich Proben zu nennen waren, denn die beiden übrigen waren Turniere, auf denen die Herren Schauspieler sich in Wortgefechten und Gezänk ergingen. Ihre Rollen konnten nur Davydov und die Glama, die übrigen spielten nach Souffleur und nach innerer Überzeugung.

Erster Akt. Ich hinter der Bühne in einer kleinen Loge, ähnlich einer Gefängniszelle. Die Familie in einer Loge im Parterre: sie zittert. Wider Erwarten bin ich kaltblütig und verspüre keinerlei Aufregung. Die Schauspieler sind aufgeregt, angespannt, bekreuzigen sich. Vorhang. Auftritt des Benefizianten. Unsicherheit, Unkenntnis der Rolle und der aufgesetzte Kranz erreichen, daß ich von den ersten Sätzen an mein Stück nicht wiedererkenne. Kiselevskij, in den ich große Hoffnungen gesetzt hatte, hat keinen einzigen Satz richtig gesprochen. Buchstäblich: *keinen einzigen.* Er hat seinen eigenen Text gesprochen. Trotzdem und trotz den Fehlleistungen des Regisseurs hatte der erste Akt großen Erfolg. Viele Vorhänge.

2. Akt. Auf der Bühne eine Menge Leute. Die Gäste. Sie können ihre Rollen nicht, bringen alles durcheinander, reden Unsinn. Jedes Wort schneidet mir wie ein Messer in den Rücken. Aber – o Muse! – auch dieser Akt hatte Erfolg. Vorhänge für alle, auch ich wurde zweimal vor den Vorhang gerufen. Gratulationen zum Erfolg.

3. Akt. Sie spielen nicht übel. Riesenerfolg. Ich werde dreimal vor den Vorhang gerufen, wobei mir Davydov, draußen vor dem Vorhang, die Hand schüttelt und die Glama sich im Stil Manilovs meine andere Hand aufs Herz preßt. Triumph des Talents und der Tugend.

Akt 4: I. Bild. Es läuft nicht übel. Vorhänge. Danach eine überlange, ermüdende Pause. Das Publikum, nicht gewöhnt, zwischen zwei Bildern aufzustehen und ans Buffet zu gehen, murrt. Der Vorhang geht auf. Schön: unter einem Mauerbogen sieht man den gedeckten Tisch (die Hochzeit). Die Musik spielt Tuschs. Die Brautführer treten auf; sie sind betrunken, und darum, weißt du, müssen sie den Hanswurst spielen und kalauern. Schaubude und Wirtshaus, die mich entsetzen. Dann der Auftritt Kiselevskijs: eine herzergreifend poetische Stelle, aber mein Kiselevskij kann seine Rolle nicht, ist betrunken wie ein Schuster, und aus dem poetischen, kurzen Dialog wird etwas Zähes, Widerliches. Das Publikum – unwillig. Am Schluß des Stückes stirbt der Held, weil er die gegen ihn erhobene Beleidigung nicht ertragen kann. Das abgekühlte und erschöpfte Publikum begreift diesen Tod nicht (auf dem die Schauspieler bestanden hatten; ich habe eine Variante). Man ruft die Schauspieler und mich vor den Vorhang. Und bei einem der Vorhänge hört man offenes Zischen, das in Applaus und Getrampel erstickt.

Im ganzen – Erschöpfung und ein Gefühl der Verärgerung. Widerwärtig ist mir, obwohl das Stück einen soliden Erfolg hatte (den Kičeev & Co. ignorieren). Die Theaterleute sagen, sie hätten noch nie im Theater solch eine Unruhe erlebt, so einen Applaus und so ein Zischen, und sie hätten noch nie zuvor so viele Streitereien zu hören bekommen wie nach meinem Stück. Und bei Korš hätte es das noch nie gegeben, daß der Autor schon nach dem 2. Akt vor den Vorhang gerufen worden wäre.

Zum zweiten Mal läuft mein Stück am 23., mit der Variante und mit Änderungen: die Brautführer schmeiße ich raus.

Einzelheiten, wenn wir uns sehen. *Dein A. Čechov.*

Sag Burenin, nach dem Stück geht alles wieder seinen gewohnten Gang, ich sitze schon an einer Geschichte für die Samstagsbeilage.

90) AN AL. P. ČECHOV MOSKAU, 24. 11. 1887

24. November.

Also, liebster Ganter, alles hat sich endlich gelegt, zerstreut, und ich sitze wie früher an meinem Tisch und verfasse ruhigen Gemüts Erzählungen. Du kannst dir nicht vorstellen, was los war! Ein so unbedeutender Scheiß wie mein Stück (ich habe Maslov eine Kopie geschickt), und daraus wird weiß der Teufel was. Ich schrieb dir bereits, daß es bei der Premiere eine solche Aufregung im Publikum und hinter der Bühne gegeben hat, wie sie der Souffleur noch nie erlebt hat, und der ist schon 32 Jahre beim Theater. Sie lärmten, johlten, klatschten, zischten; am Buffet hätten sie sich fast geprügelt, auf der Galerie wollten die Studenten jemanden rauswerfen, die Polizei hat zwei von ihnen abgeführt. Die Aufregung war allgemein. Unsere Schwester wäre beinahe in

Ohnmacht gefallen. Djukovskij, der Herzklopfen bekam, flüchtete, und Kiselëv griff sich plötzlich an den Kopf und rief sehr ehrlich: »Was soll ich jetzt nur tun?«

Die Schauspieler waren nervlich angespannt. Alles, was ich dir und Maslov über ihr Spiel und über ihre Einstellung zur Sache geschrieben habe, soll natürlich nicht über den Rahmen des Brieflichen hinausgehen. Man muß vieles entschuldigen und erklären ... Es stellte sich heraus, daß die Tochter der Schauspielerin, die bei mir die erste Rolle spielte, im Sterben liegt, – wem steht da der Sinn nach Theaterspielen? Kurepin hat gut daran getan, die Schauspieler zu loben.

Am Tage nach der Vorstellung erschien im »Mosk. listok« eine Besprechung von Pëtr Kičeev, der mein Stück ein frech-zynisches, amoralisches Gewäsch nennt. In den »Mosk. vedomosti« hat man es gelobt.

Die zweite Vorstellung verlief nicht übel, wenn auch mit Überraschungen. Statt der Schauspielerin, deren Tochter krank ist, spielte eine andere (ohne eine Probe).

Wieder wurden wir vor den Vorhang gerufen, nach dem III. Akt (zweimal) und nach dem IV. Akt, diesmal wurde nicht mehr gezischt.

Das ist alles. Am Mittwoch läuft mein »Ivanov« wieder. Inzwischen haben sich alle beruhigt, und es geht alles wieder seinen gewohnten Gang. Wir haben den 19. November notiert und werden ihn jedes Jahr mit einem Trinkgelage begehen, auf daß dieser Tag lange im Gedächtnis der Familie bleibe.

Mehr schreibe ich dir über das Stück nicht. Wenn du dir einen Begriff davon machen willst, so bitte Maslov um die Kopie und lies es. Die Lektüre des Stücks wird dir die beschriebene Aufregung nicht erklären; du wirst nichts Besonderes daran finden. Nikolaj, Šechtel und Levitan – d.h. die Maler – behaupten, es ginge auf der Bühne so originell zu, daß man merkwürdig berührt sei. Bei der Lektüre fällt das nicht auf.

NB. Wenn du merkst, daß jemand im »Nov. vremja« Lust verspürt, die Schauspieler zu beschimpfen, die an meinem Stück teilgenommen haben, bitte ihn, sich mit Schmähungen zurückzuhalten. In der zweiten Vorstellung waren sie großartig.

Nun denn, in den nächsten Tagen komme ich nach Piter. Ich werde mich bemühen, es bis zum 1. Dezember zu schaffen. Auf jeden Fall feiern wir den Namenstag deines Ältesten gemeinsam... Bereite ihn darauf vor, daß es keine Torte geben wird.

Ich gratuliere zu deiner Beförderung. Wenn du tatsächlich Sekretär bist, bring eine Notiz, daß am »23. November im Theater Korš zum 2. Mal der ›Ivanov‹ gespielt wurde. Die Schauspieler, besonders Davydov, Kiselevskij, Gradov-Sokolov und Koševa, bekamen viele Vorhänge. Der Autor wurde nach dem III. und dem IV. Akt vor den Vorhang gerufen.« Etwas in der Art... Dank dieser Notiz werden Sie mein Stück ein weiteres Mal spielen, was mir ein weiteres Mal 50–100 in Silber einbrächte. Wenn du die Notiz unangebracht findest, laß es...

Was hat Anna Ivanovna? Allah behüte! Sie verträgt das Pitersche Klima nicht.

Die 40 R. habe ich bekommen, danke.

Fall ich dir auf die Nerven? Ich glaube, ich war den ganzen November über ein Psychopath.

Giljaj fährt heute nach Piter.

Bleib gesund und verzeih die Psychopathie. Soll nicht wieder vorkommen. Heute bin ich wieder normal...

Ein Dankesbrief für das Telegramm ist an Maslov abgegangen.

Dein Schiller Shakespearovič Goethe.

91) AN A. S. KISELËV MOSKAU, 24. 11. 1887

Gnädiger Herr Aleksej Sergeevič!

Am Mittwoch, dem 25. November, läuft mein Stück »Ivanov« zum 3. Mal. Es wäre schön, wenn Sie kämen! Bitte kommen Sie doch!

Am Montag hat man mich wieder vor den Vorhang gerufen, aber (Sie waren ja nicht da) nicht ausgezischt.

Mein Stück ist frech-zynisch, amoralisch und widerwärtig.

Das ist die Meinung Pëtr Kičeevs, der seinerzeit vor Ihren Augen einen Menschen umgebracht hat.

Überhaupt habe ich, außer Ihnen, viele Feinde. Aber der schlimmste von allen sind – Sie!!!

Das ist.... »verbindlichsten Dank«.

Ich bin außerstande zu schreiben. In fünf Tagen schicke ich Ihnen einen Brief aus Piter.

92) AN A. S. LAZAREV-GRUZINSKIJ MOSKAU, 26. 11. 1887

Verzeihen Sie, liebster Hofrat, daß ich Ihnen so lange nicht geantwortet habe. Ich bin geistig derart umnachtet und habe so viele Briefe zu schreiben, daß ich vollkommen verrücktgeworden bin.

Mein Stück. Es hatte Erfolg. Einzelheiten so viele, daß ich deren Mitteilung verschieben muß, bis wir uns sehen... Die zweite Vorstellung lief besser als die erste, und wieder hat man mich vor den Vorhang gerufen nach den Akten III und IV.

Jetzt zum »Hamlet«...

1) Ihr »Hamlet« besteht ganz aus Dialogen, die keine organische Verbindung besitzen. Die Dialoge sind unvorstellbar. Die Personenzahl muß mit jeder Szene zunehmen nach der Progression:

I
I I
I I I
I I I I
I I I I I
. . . .

Wenn Sie Episoden und Personen anhäufen und miteinander verbinden, so erreichen Sie, daß die Bühne im Verlauf des gesamten Aktes voll und bunt ist.

2) Sie vergessen, daß die Tigrov & Co. die ganze Zeit über die Augen des Publikums auf sich gerichtet sehen. Daher ist das Verhör, das Sie zwischen Hamlet und Ophelia stattfinden lassen, unvorstellbar. Hamlet ist empört, zugleich aber kaschiert er sein Unglück.

3) Der Vertreter der Presse kann nur aus dem Orchester sprechen. Welcher Teufel bringt ihn auf die Bühne? Er spricht kurz und bündig. Typ Beljankin.

4) Im 2. Akt muß unbedingt die Szene aus dem »Hamlet« kommen. Im 1. Akt befindet sich die Bühne in bezug auf das Publikum in dieser Gestalt:

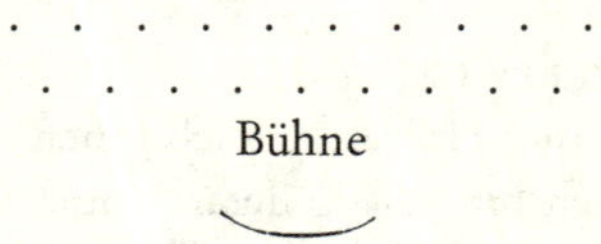

Und Sie wollen sie im 2. Akt so darstellen:

5) Das Ende des 1. Akts ist bei Ihnen geschraubt. So kann man nicht aufhören. Im Interesse des 2. Akts müssen Sie mit einer Versöhnung der Parteien enden. Im II. Akt spielt Tigrov doch den Schatten Hamlets.

6) A propos: Tigrovs Rolle ist für Gradov.

7) Ihrem weiteren Plan nach zu schließen, werden Sie alles andere als kurz. Vergessen Sie nicht, die Hälfte der Zeit brauchen die Schauspieler für Laufereien.

8) Ich fürchte, ich gehe Ihnen auf die Nerven, und Sie werden mich einen Schweinerüssel in der Suppenschüssel nennen... Aber trösten Sie sich mit dem Gedanken, daß Ihnen die Schererei mit dem Vaudeville von Nutzen sein wird: Sie bekommen Griff.

9) Nach meinem Stück bin ich so erschöpft, daß ich jede Fä-

higkeit verloren habe, vernünftig zu denken und über Geschäfte zu reden. Verlangen Sie das nicht von mir.

Mein Stück ist nach Piter gefahren. Seien Sie gegrüßt.

Ihr A. Čechov.

93) AN V. N. DAVYDOV PETERSBURG, 1. 12. 1887

1. Dezember. Petersburg.

Verehrter

Vladimir Nikolaevič!

Während ich Ihnen diesen Brief schreibe, geht mein Stück von Hand zu Hand und wird gelesen. Wider Erwarten (ich fuhr eingeschüchtert nach Piter und erwartete wenig Gutes) ruft es hier einen ziemlich guten Eindruck hervor. Suvorin, der an meinem Kindsbalg lebhaftesten, nervösesten Anteil genommen hatte, hält mich stundenlang bei sich fest und hält mir Vorträge über den »Ivanov«. Die anderen desgleichen. Gespräche etwas weniger als in Moskau, aber doch genug, um von meinem »Ivanov« die Nase voll zu haben. Ich schreibe Ihnen in kurzen Worten die Meinung meiner Richter, die sich in folgenden Punkten zusammenfassen läßt:

1) Das Stück sei nachlässig geschrieben. Seine äußere Seite wird dem feurigen Gehenna und Synedrium überantwortet. Die Sprache tadellos.

2) Gegen den Titel keine Einwände.

3) Die Frage des amoralischen und frech-zynischen Elements im Stück provoziert hier Gelächter und Verwunderung.

4) Die Charaktere seien plastisch genug, seien lebendige Menschen, aber das im Stück dargestellte Leben sei nicht gestaltet. Bemerkungen dazu und Einwände habe ich noch nicht zu hören bekommen, obwohl ich täglich Prüfungen in allen Einzelheiten ablege.

5) Ivanov sei *klar genug umrissen.* Da müsse nichts weggenommen, nichts hinzugefügt werden. Suvorin ist übrigens bei seiner besonderen Meinung geblieben: »Ich verstehe Ivanov sehr

wohl, weil ich, wir mir scheint, selbst ein Ivanov bin, aber die Masse, die jeder Autor im Auge haben muß, wird ihn nicht begreifen; es würde nicht schaden, ihm einen Monolog zu geben.«

6) Burenin mißfällt, daß im ersten Akt der Konflikt nicht geschürzt werde, – das sei wider die Regeln.

7) Als beste und für die Charakteristik Ivanovs unerläßliche Szene wird von den meisten die Stelle im IV. Akt angesehen, in der Ivanov vor der Hochzeit zu Saša gelaufen kommt. Suvorin ist ganz begeistert von dieser Stelle.

8) Man verspüre im Stück eine gewisse Enge infolge der Vielzahl handelnder Personen; die Vielzahl der Personen gehe auf Kosten von Sarrah und Saša, die zu wenig Raum hätten und darum stellenweise blaß blieben.

9) Der Schluß verstoße nicht gegen die Wahrheit, stelle aber nichtsdestotrotz eine »szenische Lüge« dar. Er könne den Zuschauer nur unter der einen Bedingung befriedigen: unter der ausschließlichen Bedingung, daß er gut gespielt werde. Mir wird gesagt:

– Wenn Sie garantieren, daß den Ivanov überall solche Schauspieler spielen wie Davydov, dann lassen Sie diesen Schluß stehen; im entgegengesetzten Fall werden wir Sie auszischen.

Es sind noch viele Punkte, aber es ist schwer, sie alle in einem Brief unterzubringen. Einzelheiten, wenn wir uns sehen.

Der langen Verteidigungsrede nach zu urteilen, die in der Montagsnummer der »Novosti dnja« zu lesen war, haben sich die Diskussionen über meinen »Ivanov« in Moskau noch nicht gelegt. In Piter wird ebenfalls über ihn gesprochen, und ich laufe auf diese Weise Gefahr, zum Phantom zu werden.

Was die Aufführung meines Stückes bei Korš betrifft, so äußert man sich darüber in den Redaktionen von Piter ruhig und mit Wärme: bis zu meiner Ankunft hatte man lange Lobeshymnen erhalten (parallel hatten meine Wohltäter »Korrespondenzen« geschickt, die weiß der Teufel was enthielten ...)

Resumée: ein Funken gebiert Feuer. Aus einer Lappalie wird ein merkwürdiges, kaum verständliches Weltgericht.

Was mich betrifft, so habe ich mich in Petersburger Gefilden einigermaßen beruhigt und fühle mich vollkommen zufrieden. Sie haben meinen Ivanov dargestellt – das hat all meinem Ehrgeiz genügt. Ich danke Ihnen, und allen Schauspielern. Seien Sie gegrüßt. *Ihr sehr ergebener A. Čechov.*

Einen Gruß an A. S. Janov. Ihre Grüße habe ich allen ausgerichtet. Grigorovič ist in Nizza. Morgen schreibe ich ihm über den »Ivanov« und über Sie.

94) AN DIE FAMILIE ČECHOV PETERSBURG, 3. 12. 1887

3. Dezember.

Sehr verehrte gnädige Herren und
sehr verehrte gnäd. Frauen!

Ich schreibe dieses in der Red. der »Oskolki« in Erwartung von Golike, zu dem ich essen gehen werde. Ich wohne bei Aleksandr. Schmutz, Gestank, Geheule, Lügen; eine Woche bei ihm wohnen genügt, um die Pest zu kriegen und schmutzig zu werden wie ein Küchenlappen.

Dafür ist Piter großartig. Ich fühle mich wie im siebenten Himmel. Die Straßen, Droschken, das Essen – das ist alles ausgezeichnet, und kluge und anständige Menschen so viele, daß man wählen kann. Jeden Tag neue Bekanntschaften. Gestern zum Beispiel saß ich von 10½ Uhr morgens bis drei bei Michajlovskij (der mich im »Severnyj vestnik« kritisiert hat) in Gesellschaft von Gleb Uspenskij und Korolenko: wir aßen, tranken und plauderten wie Freunde. Ich sehe täglich Suvorin, Burenin u. a. Alle laden mich unablässig ein und beweihräuchern mich. Von meinem Stück sind absolut alle begeistert, obwohl man mir Nachlässigkeit vorwirft. Mein einziges Exemplar wandert von Hand zu Hand, ich kann es einfach nicht erwischen, um es zur Zensur zu bringen.

Suvorin ist böse darüber, daß ich mein Stück Korš gegeben habe; seiner Meinung nach können weder die Korš-Truppe noch das Moskauer Publikum (?) »Ivanov« begreifen. Die Moskauer Rezensionen rufen hier Gelächter hervor. Alle warten darauf, wann ich das Stück in Piter aufführen lasse, und sind von seinem Erfolg überzeugt, aber seit Moskau ist mir mein Stück so zuwider, daß ich mich einfach nicht zwingen kann, daran zu denken: zu faul, und es ist mir zuwider. Wenn ich mich nur daran erinnere, wie die A[...] bei Korš den »Ivanov« verhunzt, wie sie ihn verzerrt und entstellt haben, wird mir so schlecht, und man bekommt Mitleid mit dem Publikum, das das Theater verläßt, ohne Salz geleckt zu haben. Mitleid mit sich selbst und mit Davydov.

Suvorin ist erregt über mein Stück. Bemerkenswert: nach dem Spiel der Korš-Truppe hat niemand aus dem Publikum Ivanov verstanden, mich hat man beschimpft und bemitleidet; hier versichern alle unisono, daß mein Ivanov genügend klar umrissen sei, daß keinerlei Notwendigkeit bestehe, etwas hinzuzufügen oder wegzunehmen.

Anna Arkadjevna ist hübscher geworden. Ich lege ihr Photo bei für Ivan: braucht er nicht eine Ehefrau? Sie wäre geeignet.

Aleksandr steht beim »Novoe vremja« gut im Brot. Er führt dort ein ziemlich gutes Leben. Seine Kinder sind gesund, sprechen aber kein Wort.

Gestern habe ich bei Lejkin gegessen und übernachtet. Da habe ich mich vollgefressen, ausgeschlafen und mich von dem Schmutz erholt!

Im Dezemberheft des »Vestnik Evropy« steht ein langer Aufsatz über meine Person.

Ich bin innerhalb von drei Tagen dicker geworden. Wie ich bedaure, daß ich nicht immer hier leben kann! Der Gedanke an die bevorstehende Rückkehr nach Moskau, das wimmelt von Gavrilovs und Kičeevs, vergiftet mir das Blut.

Ich habe auch Damenbekanntschaften. Von einigen habe ich Einladungen bekommen. Ich gehe hin, obwohl in jedem Satz ihrer Lobeshymnen das Wort »Psychopathie« vorkommt (von der Burenin geschrieben hatte).

Ich bringe viele Bücher mit.

Mein Stück wird bei Korš wohl kaum noch einmal gespielt werden. Ein Dummkopf vom »Novoe vremja«, der meine Unterhaltung mit Suvorin & Co. mitangehört und nicht verstanden hatte, hat über die Korš-Truppe ein solches Ding in die Zeitung gesetzt, daß ich Krach geschlagen habe, Suvorin den Dummkopf ein »gedankenloses Rindvieh« genannt hat und Korš, wahrscheinlich, in Ohnmacht gefallen ist. Der Dummkopf wollte mir einen Dienst erweisen, und draus geworden ist der Teufel weiß was. Wenn Korš mein Stück absetzt, um so besser. Wozu sich blamieren? Zum Teufel mit allen!

Ich schreibe. Hat Miša die Sendung bekommen? Golike ist da. Ich gehe jetzt essen.

Gruß an alle. Geld schicke ich wenig, aber nach Möglichkeit öfter.

M-me Bilibina verkehrt, wenn ich bei ihrem Gatten zu Besuch bin, nicht mit mir.

Ich wünsche allen Gesundheit und beste Laune. Alles, was bei Korneev über die Petersb. Universität (die Ohrfeige) gesagt worden ist, erweist sich als der reinste Blödsinn. Überhaupt gibt es viele Lügen auf der Welt. *A. Čechov.*

95) AN AL. P. ČECHOV MOSKAU, 25. 12. 1887

25. D.

Verehrter

Akakij Spiridonyč,

Herr Ganter!

Vor allem habe ich die Ehre, Ihnen und Ihrer ganzen Familie Glück zu wünschen zu den Feiertagen und zum Neuen Jahr, und wünsche Ihnen noch viele weitere in Erstaunen und Wohlverhalten gewärtigen zu wollen. Auch unsere Familie ist äußerst und in jeder Beziehung, was ich auch Ihnen wünsche.

Wenn am 3. Feiertag das Fensterchen von Polina Jakovlevna sich wieder öffnet, zieh die Hosen an und lauf, um mein Honorar abzuholen, das augenblicklich 33 schick mir über Hrn. Volkov.

An Feiertagen schließt das Kontor um 2 Uhr.

Hast du Vukov zu den Feiertagen gratuliert?

Bei uns ist Saša Selivanova zu Gast. Eine ärmliche, laute und knallige Jungfer. Singt und spielt unaufhörlich.

Geld – keins. Ich murre.

Geh zu Pleščeev. Das ist ein guter alter Mann. Ruhmreiche Vergangenheit, Altweibergegenwart und ungewisse Zukunft.

Suvorins Schwager Mamyšëv war bei mir und lobte dein »Auf dem Leuchtturm« sehr. Schreib und schone dich nicht.

Von Suvorin habe ich einen Brief bekommen.

Ich werde alles, was du schreibst, fleißig lesen und dir von Zeit zu Zeit mein Resumée schicken. Wenn du willst – lies es, wenn nicht – zerreiß es.

Das Lachen Ščeglovs erinnert an den Ruf eines Raubvogels, aber von welchem, weiß ich nicht mehr.

Bleib gesund.

In der Vladimirskaja gibt es eine »Warschauer Konditorei« (wenn du vom Nevskij kommst, auf der linken Seite). Geh da hin, kauf von meiner Pinunze Gebäck und bring es Anna Ivanovna. Denk dran. Das beste Teegebäck hat die Form eines Halbmonds ☾.

Wenn es die feminae der »Oskolki« noch nicht getan haben, kannst du Pleščeev (Spasskaja 1) meine »Bunten Erzählungen« bringen und die Gelegenheit nutzen, ihn zu besuchen. Ich wiederhole: er ist ein guter, alter Mann. Die Adresse von Barancevič: Peski, 3. ulica, 4. Besuch auch ihn. Das sind alles gute Leute. Da ich annehme, daß du bis ins Alter in Piter leben und dich mit Literatur befassen wirst, habe ich dir geraten, dich mit der schreibenden Zunft bekanntzumachen und dich nach Möglichkeit schnell und eng mit zweien, dreien anzufreunden. Es ist unnötig und schädlich, einsam zu sein. Leb wohl, bleib gesund und schick das Geld. Ich arbeite fleißig. *Dein A. Čechov.*

96) AN AL. P. ČECHOV MOSKAU, 27. 12. 1887

Nr. 308 – 386 Zeilen.
Nr. 336 – 333
Nr. 350 – 242
Nr. 354 – 296

Summa 1257 Zeilen.

1257 x 12 = 150 R. 84 Kop.

Davon abgezogen die bereits erhaltenen *einhundert*, bleiben

50 R. 84 K.

Welche bei der »Pet. gaz.« in Empfang nimm, dem »Novoe vremja«-Honorar hinzuzähle und mir schicke, damit meine Familie und ich zu essen haben. Die Familie und ich missen essen.

Kalaero.

97) AN V. N. DAVYDOV MOSKAU, ENDE DEZEMBER 1887

Verehrter
Vladimir Nikolaevič!

Als ich gestern nach Hause kam, habe ich meine Brüder zum Abschreiben hingesetzt, – »Kalchas« ist fertig und wird Ihnen in zwei Exemplaren geschickt. Wenn Sie ihn für geeignet halten und ihn, wie Sie gestern sagten, selbst zur Zensur schicken, dann seien Sie so gut und lassen es mich wissen, damit ich parallel zum Stück das Gesuch einreichen kann. Ohne das Gesuch, mit Marken verziert, lesen die Zerberusse das Stück nicht.

Ich drücke Ihnen die Hand und bleibe

Ihr aufrichtig ergebener A. Čechov.

Kudrinskaja-Sadovaja, Hs. Korneev.

1888

98) AN I. L. LEONTJEV-ŠČEGLOV MOSKAU, 1. 1. 1888

1. Jan.

Lieber Alba! Ich nenne Sie so, denn Ihre Handschrift ist das letzte Wort der Inquisition. Ich habe mir, während ich Ihren Brief las, die Augen an ihr verrenkt.

Ich wünsche Ihnen Glück zum Neuen Jahr. Bleiben Sie gesund, glücklich in der Liebe und in der Literatur, lachen Sie drei Oktaven tiefer, und Gott beschütze Sie vor einer Invasion der sibirischen Onkelchen!

Ich antworte auf Ihren Brief. Mit Ščeglov können Sie in den »Oskolki« nicht unterschreiben. Erfinden Sie für die kleinen Arbeiten ein echtes Pseudonym, wie den »Ehemann für die Sommerfrische«. Wenn Lejkin Ärger machen sollte, berufen Sie sich boshafterweise auf mich und fragen:

»Sir, wieso unterschreibt Čechov denn nicht mit seinem Namen?«

Lernen Sie Bilibin und Golike kennen. Beides sind liebe Menschen.

»Mignon« ist herrlich! Bravo! Da capo! Ščeglov, Sie haben wirklich Talent! Sie werden gelesen! Schreiben Sie!

Übrigens, hätten Sie bei Maksim Belinskij die Ohren gespitzt, so wären Sie noch mehr gewitzt.

Richten Sie dem besten A. N. Pleščeev aus, ich schriebe an einer kleinen Lappalie für den »Severnyj vestnik« (dieses literarische »Witwenhaus«). Wann ich sie beende, weiß ich nicht. Der Gedanke, daß ich für eine dicke Zeitschrift schreibe und daß man meine Lappalie ernster nehmen wird, als man sollte, stößt mich gegen den Ellbogen wie der Teufel den Mönch. Ich schreibe eine Steppengeschichte. Ich schreibe, und spüre dabei, daß es nicht nach Heu riecht.

Bibikov schickt mir seine Romane nicht. Ich kann sein Versprechen einfach nicht vergessen! Ich habe dem Mann einen Schrecken eingejagt für nichts und wieder nichts...

Meine Familie findet Ihre Bücher *außerordentlich* sympathisch. Die Leutchen haben Gespür.

Habe Davydov gesehen: er grüßt sich nicht mehr mit Kiselevskij und findet überhaupt, daß es so nicht geht. Leben Sie wohl und seien Sie gegrüßt. *Ihr A. Čechov.*

Schreiben Sie. Ihr Brief ist so nett, daß ich Ihnen sogar die Tragik Ihrer Handschrift verziehen habe. Was gibt es Neues?

Schreiben Sie ein Drama. »Mignon« nach zu urteilen, könnten Sie ein gutes Drama ausbraten.

Lesen Sie die Nr. Nr. der Neujahrs-Zeitungen, nach Möglichkeit alle Petersburger. Wenn Sie auf Zeilen stoßen, die mich oder Korolenko betreffen, schneiden Sie sie aus und schicken Sie sie.

Waren Sie in der Akademie?

99) AN V. G. KOROLENKO MOSKAU, 9. 1. 1888

9. Jan.

Ich habe Sie, ohne es zu wollen, angeführt, bester Vladimir Galaktionovič: es ist mir nicht gelungen, einen Abzug meines Stükkes zu bekommen; wenn es gedruckt ist, schicke ich es Ihnen oder gebe es Ihnen, wenn wir uns sehen, und bis dahin seien Sie mir nicht böse.

Ich hatte plötzlich Lust, einen Brief des alten Grigorovič, den ich gestern bekam, abschreiben zu lassen und Ihnen zu schicken. Ich kann ihn aus vielen Gründen nicht mit Gold aufwiegen und fürchte, ihn ein zweites Mal zu lesen, um den ersten Eindruck nicht zu verlieren. Sie werden aus ihm ersehen, daß literarische Berühmtheit und ein gutes Honorar durchaus nicht schützen können vor solch kleinbürgerlicher Prosa wie Krankheiten, Kälte und Einsamkeit: der Alte steht vor dem Ende seines Lebens. Aus dem Brief geht auch hervor, daß nicht Sie allein es waren, der mich aus reinem Herzen auf den wahren Weg gebracht hat, und Sie werden verstehen, wie ich mich schäme.

Als ich Grigorovičs Brief las, mußte ich an Sie denken, und ich bekam Gewissensbisse. Mir wurde klar, daß ich unrecht habe. Ich schreibe Ihnen, weil ich keine Menschen um mich habe, die meine Aufrichtigkeit bräuchten und ein Recht auf sie hätten, mit Ihnen dagegen habe ich, ohne Sie zu fragen, in meinem Herzen den Bund geschlossen.

Auf Ihren Freundesrat habe ich eine kleine Novelle für den »Sev. vestnik« begonnen. Für den Anfang habe ich mich daran gemacht, die Steppe zu beschreiben, die Menschen der Steppe und das, was ich in der Steppe erlebt habe. Das Thema ist gut, das Schreiben macht Spaß, aber unglücklicherweise verfalle ich, da ich nicht gewohnt bin, lange Dinge zu schreiben, aus Angst, Überflüssiges zu schreiben, ins Extrem: jede Seite wird kompakt wie eine kleine Erzählung, die Bilder häufen, bedrängen sich und verderben, indem sie sich gegenseitig verdecken, den Gesamteindruck. Als Resultat ergibt das kein Bild, in dem alle Einzelheiten wie die Sterne am Himmel zu einem allgemeinen Ganzen verfließen, sondern einen Konspekt, ein trockenes Verzeichnis von Eindrücken. Ein Schreibender, Sie zum Beispiel, wird mich verstehen, der Leser aber wird sich langweilen und drauf pfeifen.

In Piter habe ich 2½ Wochen verbracht und viele Leute gesehen. Im allgemeinen habe ich einen Eindruck mitgenommen, der sich in dem Text zusammenfassen läßt: »Verlasset euch nicht auf Fürsten; sie sind Menschen« ... Gute Leute habe ich viele gesehen, aber keine mit Urteil. Übrigens, vielleicht ist das auch das beste.

Ich warte auf den »Sev. vestnik« vom Februar, um Ihr »Unterwegs« zu lesen. Pleščeev sagte, die Zensur habe Sie sehr gerupft. Alles Gute zum Neuen Jahr! Bleiben Sie gesund und glücklich.

Ihr aufrichtig ergebener *A. Čechov.*

P. S. Ihr »Flüchtling von Sachalin« ist, wie mir scheint, das herausragendste Werk der letzten Zeit. Er ist geschrieben wie eine schöne musikalische Komposition, nach all den Regeln, die einem Künstler der Instinkt eingibt. Überhaupt sind Sie in Ihrem Buch ein solch prächtiger Künstler, von solch einer Kraft, daß selbst Ihre größten Mängel, die einen anderen Künstler umbrächten, bei Ihnen unbemerkt bleiben. Zum Beisp., in Ihrem Buch fehlt von Anfang bis Ende hartnäckigerweise eine Frau, das habe ich vor kurzem erst bemerkt.

100) AN D.V. GRIGOROVIČ MOSKAU, 12. 1. 1888

12. Jan. Tatjanentag. (Jahrestag der Universität.)

Ich will Ihnen gar nicht erst zu erklären versuchen, verehrter Dmitrij Vasiljevič, wie teuer und von welcher Bedeutung Ihr letzter herrlicher Brief für mich ist. Ich gestehe, ich habe den Eindruck nicht für mich behalten können und eine Kopie des Briefes an Korolenko geschickt – nebenbei gesagt, einem sehr guten Menschen. Beim Lesen des Briefes habe ich mich nicht allzu sehr geschämt, denn er erreichte mich während der Arbeit für eine dicke Zeitschrift. Das als Antwort auf den wesentlichen Teil Ihres Briefes: ich habe mich an eine größere Sache gemacht. Ich habe bereits etwas mehr als zwei Druckbogen geschrieben und werde wahrscheinlich noch drei schreiben. Fürs Debüt in einer dicken Zeitschrift habe ich die Steppe gewählt, die lange nicht mehr beschrieben worden ist. Ich schildere die Ebene, die violette Ferne, Schafzüchter, Juden, Popen, nächtliche Gewitter, Herbergen, Steppenvögel usw. Jedes einzelne Kapitel stellt eine Erzählung für sich dar, und alle Kapitel sind verbunden wie die fünf Figuren der Quadrille, durch ihre nahe Verwandtschaft. Ich bemühe mich, daß sie einen gemeinsamen Geruch und einen gemeinsamen Ton bekommen, was mir um so eher gelingen kann, als bei mir durch alle Kapitel eine Person läuft. Ich spüre, daß ich vieles bewältigt habe, daß es Stellen gibt, die nach Heu riechen, aber im Ganzen kommt etwas Merkwürdiges und nicht übermäßig Originelles heraus. Da ich nicht gewohnt bin, lange Dinge zu schreiben, aus der ständigen, gewohnten Angst, Überflüssiges zu schreiben, verfalle ich ins Extrem. Alle Seiten geraten mir kompakt, wie gepreßt; es drängen, häufen sich die Eindrücke, ersticken sich gegenseitig; die Bildchen oder, wie Sie es nennen, Glanzlichter drücken sich aneinander, bilden eine ununterbrochene Kette und ermüden. Im ganzen ergibt das kein Bild, sondern ein trockenes, genaues Verzeichnis von Eindrücken, eine Art Konspekt; statt einer künstlerisch runden Darstellung der Steppe biete ich dem Leser eine »Steppen-Enzyklopädie«. Nicht jeder Anfang glückt. Aber ich verzage nicht. Und die Enzyklopädie wird wohl brauchbar sein. Vielleicht wird sie meinen Altersgenossen die Augen öffnen und ihnen zeigen, welcher Reichtum, welch Brachland der Schönheit noch unberührt daliegt und welchen Platz der russische Künstler noch hat. Wenn meine kleine Novelle meinen Kollegen die Steppe, die sie vergessen haben, zu Bewußtsein bringt, wenn auch nur eines der von mir leichthin und trocken skizzierten Motive irgendeinen Dichter zum Nachdenken veranlaßt, dann ist das schon genug. Sie werden meine Steppe verstehen, das weiß ich, und verzeihen Sie mir deshalb meine unwillkürlichen Versündigungen. Und ich sündige unwillkürlich, weil ich, wie sich jetzt herausstellt, große Sachen noch nicht *schreiben kann.*

Den abgebrochenen Roman werde ich im Sommer fortsetzen. Dieser Roman umfaßt einen ganzen Landkreis (Adel und Zemstvo), das Alltagsleben einiger Familien. »Die Steppe« ist ein zum Teil exklusives und spezielles Thema; wenn man sie nicht unter anderem beschreibt, sondern um ihrer selbst willen, so langweilt sie bald durch ihre Eintönigkeit und ihren Landschaftscharakter; in dem Roman aber nehme ich gewöhnliche Menschen, Intellektuelle, Frauen, Liebe, Ehe, Kinder – da fühlt man sich wie zu Hause und ermüdet nicht.

Der Selbstmord eines 17jährigen Jungen ist ein sehr dankbares und verlockendes Thema, aber man hat doch Angst, es aufzugreifen! Auf eine Frage, die alle quält, gehört eine qualvoll-starke Antwort, aber hat unsereiner denn genügend inneren Gehalt?

Nein. Wenn Sie diesem Thema Erfolg versprechen, so gehen Sie von sich aus, aber Menschen Ihrer Generation haben doch außer Talent auch Erudition, Schule, Phosphor und Eisen, die modernen Talente aber haben doch nichts dergleichen, und man muß, offen gestanden, froh sein, daß sie keine ernsten Fragen anrühren. Geben Sie ihnen Ihren Jungen, und ich bin überzeugt, daß X, ohne sich dessen bewußt zu sein, aus reinem Herzen anfängt zu verleumden, zu lügen und zu lästern, Y eine kleine blasse Tendenzgeschichte losläßt, und Z den Selbstmord durch eine Psychose erklärt. Ihr Junge ist eine reine, liebenswerte, Gott suchende Natur, die liebt, ein empfindsames Herz hat und zutiefst gekränkt ist. Um einer solchen Person Herr zu werden, muß man selbst leiden können, die modernen Sänger können aber nur jammern und lamentieren. Was mich betrifft, so bin ich zu allem Übel noch träge und faul.

Vor ein paar Tagen war V. N. Davydov bei mir. Er hat in meinem »Ivanov« gespielt, und aus diesem Anlaß sind wir Freunde. Als er erfuhr, daß ich Ihnen schreiben wolle, fuhr er hoch, setzte sich an den Tisch und schrieb den Brief, den ich beilege.

Lesen Sie Korolenko und Ščeglov? Von letzterem wird viel gesprochen. Meiner Meinung nach hat er Talent und ist originell. Korolenko ist nach wie vor Liebling des Publikums und der Kritik; sein Buch geht hervorragend. Von den Lyrikern beginnt Fofanov sich auszuzeichnen. Er hat tatsächlich Talent, die übrigen sind als Künstler nichts wert. Prosaschriftsteller noch hin und wieder, aber die Dichter sind durch und durch schwach. Ein ungebildetes Volk, ohne Kenntnisse, ohne Weltanschauung. Der Viehhändler Kolcov, der nicht richtig schreiben konnte, war bei weitem klüger und gebildeter als alle modernen jungen Dichter zusammengenommen.

Meine »Steppe« wird im »Severnyj vestnik« gedruckt. Ich werde Pleščeev schreiben, damit er veranlaßt, daß Ihnen ein Sonderdruck aufgehoben wird.

Ich freue mich sehr, daß Ihre Schmerzen nachgelassen haben. Sie stellten das Wesentliche Ihrer Krankheit dar, alles übrige ist nicht so wichtig. Der Husten ist nichts Ernstes und hat nichts mit Ihrer Krankheit zu tun. Er kommt zweifellos von einer Erkältung und wird mit der Kälte vorübergehen. Heute werde ich viel trinken müssen auf die Gesundheit der Menschen, die mich gelehrt haben, Leichen zu sezieren, denn bei uns vergeht kein Jahrestag, ohne daß die Trinkenden nicht Turgenevs, Tolstojs und Ihrer gedächten. Die Schriftsteller trinken auf Černyševskij, Saltykov und Gl. Uspenskij, das Publikum (die Studiosi, Ärzte, Mathematiker usw.), zu dem als Äskulap ich gehöre, hält sich noch immer an die alte Zeit und will den vertrauten Namen nicht untreu werden. Ich bin zutiefst überzeugt, daß man, solange es in Rußland Wälder, Schluchten, Sommernächte gibt, solange die Schnepfen rufen und die Kiebitze klagen, weder Sie noch Turgenev noch Tolstoj vergessen wird, so wie man Gogol nicht vergißt. Aussterben werden und vergessen wird man die Menschen, die Sie dargestellt haben, aber Sie selbst werden heil und unversehrt bleiben. Das ist Ihre Kraft und das ist folglich auch Ihr Glück.

Verzeihen Sie, ich habe Sie mit einem langen Brief ermüdet, die Hand ist mir davongelaufen, und ich wollte so lang wie möglich mit Ihnen sprechen.

Ich hoffe, daß Sie dieser Brief im Warmen, gesund und munter erreicht. Kommen Sie im Sommer nach Rußland; auf der Krim ist es, wie man sagt, genauso schön wie in Nizza.

Ich danke Ihnen nochmals für den Brief, wünsche Ihnen alles Gute und verbleibe Ihr aufrichtig, von Herzen ergebener

A. Čechov.

101) AN JA. P. POLONSKIJ MOSKAU, 18. 1. 1888

18. Jan. 1888.

Einige Tage lang, sehr geehrter Jakov Petrovič, habe ich überlegt, wie ich am besten antworten könnte auf Ihren Brief, aber mir ist nichts Vernünftiges und Würdiges eingefallen, und ich kam zu dem Schluß, daß ich auf solch gute und teure Briefe wie den Ihren noch nicht antworten kann. Er war für mich ein unverhofftes Neujahrsgeschenk, und wenn Sie sich Ihre Vergangenheit ins Bewußtsein rufen, als Sie ein Anfänger waren, so werden Sie verstehen, welchen Wert er für mich besitzt.

Ich schäme mich, daß ich Ihnen nicht als erster geschrieben habe. Zugegeben, ich habe längst schreiben wollen, aber ich genierte mich und war feig. Mir schien, daß unser Gespräch, so nahe es mich Ihnen auch gebracht hat, mir noch lange nicht das Recht gäbe auf eine solche Ehre wie den Briefwechsel mit Ihnen. Verzeihen Sie mir Kleinmut und Kleinlichkeit.

Ihr Buch und Ihre Photographie habe ich bekommen. Ihr Porträt hängt bereits über meinem Tisch, die Prosa wird von der ganzen Familie gelesen. Warum sagen Sie, Ihre Prosa sei von Moos überwuchert und von Reif befallen? Wenn nur aus dem Grunde, weil das moderne Publikum nichts liest außer Zeitungen, so reicht dies noch lange nicht hin für ein solch wirklich kaltes, herbstliches Urteil. Ich ging an die Lektüre Ihrer Prosa mit der Überzeugung, oder mit einer vorgefaßten Meinung – das ist richtiger: es geht darum, daß mir, als ich noch Geschichte der Literatur lernte, eine Erscheinung bekannt war, die ich beinahe zum Gesetz erhoben hatte: alle russischen Versdichter kommen mit der Prosa sehr gut zurecht. Diese Meinung werden Sie mir auch mit einem Nagel nicht aus dem Kopf schlagen, und sie hat mich auch an den Abenden nicht verlassen, an denen ich Ihre Prosa las. Vielleicht habe ich ja unrecht, aber Lermontovs »Taman« und Puškins »Hauptmannstochter«, zu schweigen von der Prosa anderer Dichter, beweisen geradlinig die enge Verwandtschaft des saftigen russischen Verses mit der schöngeistigen Prosa.

Ihren Wunsch, mir ein Gedicht zu widmen, kann ich nur mit Dank und der Bitte beantworten – mir zu erlauben, Ihnen in der Zukunft die Novelle von mir zu widmen, an der ich mit besonderer Liebe schreibe. Ihre Freundlichkeit hat mich gerührt, und ich werde sie nie vergessen. Außer der Wärme und jener inneren Schönheit, die eine Widmung des Autors in sich trägt, hat Ihr »In der Tür« noch einen besonderen Wert: es ist so viel wert wie ein ganzer lobender kritischer Aufsatz einer Autorität, dank dem ich in den Augen des Publikums und meiner Kollegen um eine ganze Sažen wachse.

Die Mitarbeit an Zeitungen und Illustrierten betreffend, stimme ich ganz mit Ihnen überein. Ist es nicht ganz egal, ob die Nachtigall auf einem großen Baum singt oder in einem Strauch? Die Forderung, daß Leute mit Talent *nur* in den dicken Zeitschriften zu arbeiten hätten, ist kleinlich, riecht nach Beamtentum und ist so schädlich wie alle Vorurteile. Dieses Vorurteil ist dumm und lächerlich. Es hatte seinen Sinn, als sich an der Spitze der Verlage Leute befanden mit einer klar umrissenen Physiognomie, wie die Belinskijs, Herzens usw., die nicht nur Honorare zahlten, sondern auch Mitarbeiter herbeizogen, sie unterwiesen und erzogen, heute dagegen, wo anstelle literarischer Physiognomien an der Spitze der Verlage irgendwelche grauen Gestalten und Hundskragen stehen, entzieht sich die Vorliebe für dicke Zeitschriften der Kritik, und der Unterschied zwischen der dicken Zeitschrift und der billigsten Zeitung ist ein rein quantitativer, d.h. vom Standpunkt des Künstlers verdient er keinerlei Beachtung und Aufmerksamkeit. An einer dicken Zeitschrift mitzuarbeiten kann man nur der einen Annehmlichkeit wegen nicht ausschlagen: eine lange Sache wird nicht zerstückelt und als Ganzes gedruckt. Wenn ich eine große Sache schreibe, schicke ich sie an eine dicke Zeitschrift, und die kleinen werde ich dort veröffentlichen, wohin der Wind und mein freier Wille sie verschlagen.

Unter anderem schreibe ich an einer großen Sache, die wahrscheinlich im »Severnyj vestnik« gedruckt werden wird. In einer kleinen Novelle stelle ich die Steppe dar, die Menschen der Steppe, die Vögel, Nächte, Gewitter usw. Das Schreiben macht Spaß, aber ich fürchte, daß ich, da ich nicht gewohnt bin, lange Dinge zu schreiben, immerfort den Ton verfehle, müdewerde, nicht zu Ende spreche und nicht ernsthaft genug bin. Es gibt viele Stellen, die weder Kritik noch Publikum verstehen werden; beiden werden sie läppisch, nicht der Beachtung wert erscheinen, aber ich freue mich schon jetzt, daß gerade diese Stellen von zwei, drei literarischen Gourmands verstanden und geschätzt werden, und das reicht mir schon. Im ganzen befriedigt mich meine Novelle nicht. Sie kommt mir massig, langweilig und zu speziell vor. Für das moderne Lesepublikum ist ein Sujet wie die Steppe mit ihrer Natur und ihren Menschen zu speziell und unbedeutend.

Nach Petersburg komme ich wahrscheinlich Anfang März, um mich von meinen guten Bekannten zu verabschieden und an den Kuban zu fahren. April und Mai werde ich am Kuban und am Schwarzen Meer verbringen, den Sommer in Slavjansk oder an der Volga. Im Sommer kann ich nicht an einer Stelle sitzen.

Erlauben Sie mir, Ihnen nochmals für Ihren Brief und die Widmung zu danken. Ich habe weder das eine noch das andere verdient. Bleiben Sie gesund, glücklich und glauben Sie an die aufrichtige Verehrung und Liebe Ihres ergebenen

A. Čechov.

P. S. Vor ein paar Tagen bin ich vom Lande zurückgekommen. Auf dem Lande ist es auch im Winter schön. Wenn Sie das blendend weiße Feld und den Wald gesehen hätten, in denen die Sonne glitzert! Die Augen tun einem weh. Ich mußte eine verendete Kuh obduzieren. Obwohl ich kein Veterinär bin, sondern Arzt, muß man trotzdem, weil es an Spezialisten fehlt, manchmal eben auch Veterinärmedizin betreiben.

102) AN I. L. LEONTJEV-ŠČEGLOV MOSKAU, 22. 1. 1888

22. Jan.

Lieber Alba! Ihren Brief, Ihre Physiognomie und die »Nedelja« habe ich bekommen. Für alles, alles sei dir Dank gesagt! Der Artikel in der »Nedelja« ist tatsächlich nicht schlecht. Ein paar Gedanken über unsere Kraftlosigkeit, die der feinfühlige Autor Machtlosigkeit nennt, sind mir auch schon durch den Kopf gegangen. Unsere Talente haben viel Phosphor, aber kein Eisen.

Wir sind vielleicht schöne Vögel und singen schön, aber Adler sind wir nicht.

Übrigens ist das alles Quatsch. Wir werden darüber grübeln, wenn wir uns sehen und bei Palkin riquiquirieren, und wollen uns einstweilen beruhigen mit der Überzeugung des »Nedelja«-Artikels, daß wir Virtuosen seien... Ja, Virtuosen, aber solche, die ihre eignen Stücke spielen... Wir tun, was wir können, und wenn der Menschheit unser Dienst nicht gefällt, dann zum Teufel mit ihr!

Sie, oh Kleingläubiger, interessiert zu wissen, welche Fehler ich in Ihrer »Mignon« gefunden habe... Bevor ich auf sie hinweise, schicke ich vorweg, daß sie von eher »tragischem« Interesse sind als von kritisch-literarischem. Sie aufspüren kann nur jemand, der selbst schreibt, keinesfalls der Leser. Hier sind sie... Mir scheint, daß Sie als ein Zweifler und kleingläubiger Autor aus Angst, daß Personen und Charaktere nicht klar genug werden könnten, der sorgfältigen, detaillierten Beschreibung zu viel Raum gewidmet haben. Das ergibt eine überflüssige Buntheit, die den Gesamteindruck beeinträchtigt. Aus Furcht, der Leser könnte Ihnen nicht glauben, haben Sie sich, zum Beweis dafür, welch starken Einfluß die Musik ausübt, allzu fleißig mit der Psychik Ihres Fendrik beschäftigt; diese Psychik ist Ihnen gelungen, aber dafür ist der Abstand zwischen solchen Momenten wie dem »amare, morire« und dem Schuß sehr groß geworden, so daß sich der Leser, bevor er zu dem Selbstmord gelangt, erholen kann von dem Schmerz, den »amare, morire« ihm zugefügt hat. Man darf ihn sich aber nicht erholen lassen; man muß ihn in Spannung halten... Diese Hinweise wären fehl am Platz, wenn »Mignon« eine große Novelle wäre. Die großen, dicken Werke haben ihren eigenen Zweck, der sorgfältigste Ausführung verlangt, unabhängig vom Gesamteindruck. In kleinen Erzählungen dagegen ist es besser, etwas nicht zu Ende zu sagen, als zu viel zu sagen, weil... weil... ich weiß nicht, warum... Denken Sie auf jeden Fall daran, daß Ihre Fehler nur ich als Fehler ansehe (und zwar als sehr unwichtige, »tragische«) und daß ich mich oft irre. Vielleicht haben Sie recht, und nicht ich ... Ich muß dazu bemerken, daß ich mich sehr oft geirrt habe und nicht das gesagt, was ich jetzt denke. Folglich ist meine Kritik nichts wert.

Ach, welche Lust ich habe, nach Piter zu kommen!

Ich habe heute einen sehr lieben »großväterlichen« Brief von A. N. Pleščeev bekommen. Er beklagt sich darüber, daß er Sie so selten sieht. Ich schließe mein Manuskript für den »Severnyj vestnik« ab. Wie schwierig das ist!

Grüßen Sie Barancevič.

Im Frühling fahre ich an den Kuban, und den Sommer werde ich mit meiner Familie in Slavjansk verbringen. Wollen Sie nicht mitkommen? In Slavjansk ist das Leben 3 mal billiger als in Piter. Langweilig wird es nicht.

Meine Novelle erscheint im Märzheft des »Sev. vest.« Sie ist irgendwie merkwürdig, hat aber einzelne Stellen, mit denen ich zufrieden bin. Mich ärgert, daß keine Liebesgeschichte darin vorkommt. Ohne Frau ist eine Novelle wie eine Maschine ohne Dampf. Übrigens kommen Frauen vor, aber keine Ehefrauen und keine Geliebten. Und ich kann nicht ohne Frauen!!!

Schreiben Sie mir einen Brief, so lang wie möglich, und ich werde Ihnen mit einem ebensolchen antworten. Leben Sie wohl, Alba. Gott schenke Ihnen Gesundheit. *Ihr A. Čechov.*

103) AN A. N. PLEŠČEEV MOSKAU, 23. 1. 1888

23. Jan.

Lieber und teurer Aleksej Nikolaevič, vielen Dank für Ihren guten, freundlichen Brief. Wie schade, daß er mich nicht drei Stunden früher erreicht hat! Stellen Sie sich vor, er erreichte mich beim Kritzeln einer schlechten Erzählung für die »Pet. gazeta« ... Angesichts des bevorstehenden Monatsersten mit seinen Zahlungen habe ich den Mut verloren und mich an Terminarbeiten gesetzt. Aber das ist nicht schlimm. An der Erzählung habe ich nicht länger als einen Mittag gearbeitet, und jetzt kann ich meine »Steppe« fortsetzen. In Ihrem Brief haben Sie meiner kleinen Novelle einen so guten Empfang vorausgesagt, daß ich fürchte... Sie erwarten von mir etwas Besonderes, Gutes – welch weites Feld für Enttäuschungen! Ich verzage und fürchte, daß aus meiner »Steppe« etwas Bedeutungsloses wird. Ich schreibe sie ohne Eile, wie Gourmands Schnepfen essen: mit Gefühl, mit Verstand, in Abständen. Offen gesagt, ich presse sie aus mir heraus, strenge mich an und blase mich auf, aber als Ganzes befriedigt sie mich dennoch nicht, auch wenn stellenweise »Verse in Prosa« darin vorkommen. Ich bin noch nicht gewöhnt, lange Dinge zu schreiben, und bin auch faul. Die kleinen Arbeiten haben mich verwöhnt.

Abschließen werde ich die »Steppe« zum 1.–5. Februar, nicht früher und nicht später. Ich schicke sie unbedingt auf Ihren Namen, weil ich, als Debütant in den dicken Zeitschriften, Sie bitten möchte, mein Taufpate zu sein. Sie müssen nicht aufs Postamt fahren und den Empfang der Novelle bestätigen, weil ich sie Ihnen als Päckchen »mit Zustellung« schicken werde. Sie zahlen nur den Viertelrubel, den ich Ihnen schuldig bleibe. Verzeihen Sie um Gottes willen die Belästigung! Sie haben so viele Sorgen, und da behellige ich Sie auch noch mit meinen Lappalien, und verübe noch dazu einen Anschlag um einen Viertelrubel...

Ostrovskij hat mir sehr, sehr gut gefallen. Mit ihm ist es nicht nur nicht langweilig, sondern sogar lustig... Ja, er würde zum Kritiker taugen. Er hat ein gutes Gespür, eine Menge gelesen, liebt die Literatur offenbar sehr und ist originell. Ich habe einige von ihm aufgestellte Definitionen aufgeschnappt, die man ohne weiteres in ein Lehrbuch »Theorie der Literatur« aufnehmen könnte. Ich gehe ganz bestimmt öfter zu ihm, wenn ich die »Steppe« abgeschlossen habe. Nachdem ich mit ihm über meine Fehlgeburt »Ivanov« gesprochen habe, kenne ich den Wert, den solche Leute für unsereinen haben.

Leontjev? Er ist ein lieber Kerl, sympathisch, warmherzig und talentiert, aber verliert leicht den Mut und verfällt dann ins Grübeln. Man muß ihn ständig von außen anregen und aufziehen wie eine Uhr ... Wir stehen in Briefwechsel. Er nennt mich in seinen Briefen aus irgend einem Grunde Egmont, und ich, um ihm nichts schuldig zu bleiben, habe ihn Alba getauft.

Ich werde noch vor dem Frühling in Piter sein, und zum Frühling reiße ich irgendwohin aus ins Warme. Fahren wir!

In allen unseren dicken Zeitschriften herrscht die parteiliche Langeweile von Zirkeln. Zum Ersticken! Das ist der Grund, weshalb ich die dicken Zeitschriften nicht mag und mich auch die Arbeit dort nicht lockt. Parteilichkeit, besonders wenn sie unbegabt und trocken ist, liebt nicht die Freiheit, nicht den großen Schwung.

Leben Sie wohl, mein Lieber. Noch einmal Dank. Grüßen Sie Ihre Familie, die gemeinsamen Bekannten und kommen Sie zur Butterwoche. Dann essen wir Bliny ... Bringen Sie Ščeglov mit.

Bleiben Sie gesund und glücklich. *Ihr A. Čechov.*

104) AN A. S. LAZAREV-GRUZINSKIJ MOSKAU, 4. 2. 1888

4. Februar.

Danke für den Brief, bester Aleksandr Semënovič. Auch ich bin gesund und munter. Die »Steppe« habe ich gestern abgeschlossen und an den »Severn. vestnik« abgeschickt. Es sind, glaube ich, mehr als *fünf* Druckbogen geworden.

200 x 5 = 1000 Rub.

Man muß schon ein sehr großer Schriftsteller sein, um in einem (1) Monat eintausend Rubel zu verdienen. Nicht wahr?

An meine »Steppe« habe ich viel Saft verwendet, viel Energie und Phosphor, ich habe angespannt geschrieben, mich angestrengt, mich ausgepreßt und erschöpft bis zur Unverschämtheit. Ob sie gelungen ist oder nicht, weiß ich nicht, aber sie ist jedenfalls mein chef-d'œuvre, besser machen kann ichs nicht, und deshalb kann Ihr Trost, daß »die Sächelchen manchmal danebengehen« (im Falle eines Mißerfolgs), mich überhaupt nicht trösten. Ein Debüt, eine Masse Energie, Anstrengung, ein gutes Sujet usw. – Ihr »manchmal« trifft da doch wohl kaum. Wenn ich unter den gegebenen Bedingungen miserabel geschrieben habe, so heißt das, daß ich unter weniger günstigen Bedingungen noch schlechter schreibe...

Jawohl, Väterchen! Sie haben die Zukunft noch vor sich (2–3 Jahre), ich durchlebe eine Krise. Wenn ich mich jetzt nicht aufraffe, dann gleite ich allmählich die schiefe Ebene hinab ... Und da trösten Sie mich mit der Redensart »manchmal«! Wenn Sie einmal sterben, werde ich Ihnen schreiben: »Menschen sterben eben manchmal«, und wenn Sie sich mit allem, was Sie hatten, verausgabt haben und mit irgend einer Sache debütieren, werde ich schreiben: »Debütanten fallen eben manchmal durch.« Das wird Ihnen ein Trost sein.

Lejkin und Bilibin schweigen wie das Grab. Das Schweigen des ersteren besitzt unheilverkündenden Charakter. Dem Schrei der Eulen und Uhus messe ich weit weniger Bedeutung zu als dem Schweigen der feinfühligen Diplomaten. Mit Schrecken erwarte ich irgendeine große Dummheit oder Klatschgeschichte. Bleiben Sie gesund. *Ihr A. Čechov.*

105) AN D. V. GRIGOROVIČ MOSKAU, 5. 2. 1888

5. Februar.

Lieber Dmitrij Vasiljevič!

Vorgestern habe ich meine »Steppe«, von der ich Ihnen bereits schrieb, abgeschlossen und an den »Severnyj vestnik« geschickt. Es sind ungefähr fünf Druckbogen geworden, vielleicht auch mehr. Wenn sie nicht verworfen wird, so wird sie im Märzheft erscheinen; Ihnen schicke ich einen Abzug, weshalb ich bereits an die Redaktion geschrieben habe.

Ich weiß, Gogol wird mir im Jenseits zürnen. Er ist in unserer Literatur der Zar der Steppe. Ich bin in sein Reich mit guten Absichten eingedrungen, habe aber nicht wenig Unsinn angerichtet. Drei Viertel der Novelle sind mir mißlungen.

Um den 10. Januar habe ich Ihnen zwei Briefe geschickt: einen von mir und einen von V. N. Davydov. Haben Sie sie bekommen? Unter anderem schrieb ich in meinem Brief auch über Ihr Sujet – den Selbstmord des 17jährigen Jungen. Ich habe den schwachen Versuch unternommen, mich seiner zu bedienen. In meiner »Steppe« führe ich durch alle acht Kapitel einen neunjährigen Jungen, der, wenn er später einmal nach Piter oder Moskau kommt, bestimmt ein böses Ende nehmen wird. Wenn die »Steppe« auch nur einen kleinen Erfolg haben sollte, werde ich sie fortsetzen. Ich habe sie absichtlich so gehalten, daß sie den Eindruck einer nicht abgeschlossenen Arbeit erweckt. Sie gleicht, wie Sie sehen werden, dem ersten Teil eines großen Romans. Was den Kleinen betrifft, warum ich ihn so dargestellt habe und nicht anders, das erzähle ich Ihnen, wenn Sie die »Steppe« gelesen haben.

Ich weiß nicht, ob ich Sie richtig verstanden habe. Der Selbstmord Ihres russischen Jünglings ist, meiner Meinung nach, eine in Europa unbekannte, spezifische Erscheinung. Er ist das Resultat eines schrecklichen Kampfes, wie er nur in Rußland möglich ist. Die ganze Energie eines Künstlers muß sich auf zwei Kräfte richten: den Menschen und die Natur. Auf der einen Seite physische Schwäche, Nervosität, frühe Geschlechtsreife, leidenschaftlicher Durst nach Leben und Wahrheit, Träume von einem Schaffen so weit wie die Steppe, ruheloses Analysieren, Armut an Kenntnissen neben hohem Gedankenflug; auf der anderen – die unermeßliche Ebene, das rauhe Klima, das graue, rohe Volk mit seiner schweren, kalten Geschichte, Tatarenjoch, Beamtentum, Armut, Unbildung, die Feuchtigkeit der Hauptstädte, slavische Apathie usw.... Das russische Leben schlägt den russischen Menschen so, daß kein Auge trocken bleibt, schlägt ihn wie ein Stein von tausend Pud Gewicht. In W.-Europa gehen die Menschen zugrunde, weil es zu eng und zu stickig ist zum Leben, bei uns, weil zu viel Raum ist... Und Raum ist bei uns so viel, daß das kleine Menschenkind nicht Kraft genug hat, sich zu orientieren... Das ist, was ich über die russischen Selbstmorde denke... Habe ich Sie damit richtig verstanden? Übrigens ist es unmöglich, über so etwas in einem Brief zu sprechen, weil zuwenig Raum ist. Es ist ein gutes Thema für ein Gespräch. Wie schade, daß Sie nicht in Rußland sind!

Bei Ihnen ist es jetzt warm und trocken, und ich bin überzeugt, Sie husten bereits nicht mehr. Rauchen Sie leichten Tabak, und Hauptsache, kaufen Sie sich die besten Zigarettenhülsen. Oft ist in den Hülsen mehr Gift als im Tabak. Auf Wiedersehen! Bleiben Sie gesund, froh und glücklich.

Ihr aufrichtig ergebener *Ant. Čechov.*

106) AN A. N. PLEŠČEEV MOSKAU, 5. 2. 1888

5. Februar.

Vielen Dank, lieber Aleksej Nikolaevič! Gestern habe ich die 75 Rub. bekommen und sie Putjata gebracht. Dies Geld kam im rechten Augenblick, da Putjata, obwohl er zu Bett liegt, schnell und mit großen Schritten dem Grab entgegeneilt.

Haben Sie meine »Steppe« bekommen? Ist sie verworfen worden oder aufgenommen in den Schoß des »Severnyj vestnik«? Ich habe sie gestern nicht, wie ich es vorhatte, als Päckchen geschickt, sondern als eingeschriebenes Kreuzband – so geht es schneller. Bin ich nicht zu spät gekommen?

Ich bin begierig, Korolenkos Novelle zu lesen. Er ist mir der Liebste unter den modernen Schriftstellern. Seine Farben sind kräftig und dicht, seine Sprache ist tadellos, wenn auch stellenweise gesucht, die Bilder sind vornehm. Gut ist auch Leontjev... Er ist nicht so kühn und schön, aber wärmer als Korolenko, friedlicher und weiblicher... Nur – Allah bewahre! – weshalb spezialisieren sie sich beide so? Der eine kann sich nicht von seinen Häftlingen trennen, und der andere füttert seine Leser ausschließlich mit hohen Offizieren... Ich akzeptiere Spezialisierung in der Literatur als Genre, Landschaft, Geschichte, ich verstehe das Fach eines Schauspielers, die Schule eines Musikers, aber ich kann mich nicht abfinden mit solchen Spezialisierungen wie Häftlingen, Offizieren, Popen... Das ist keine Spezialisierung mehr, sondern Passion. Bei Ihnen in Piter mag man Korolenko nicht, bei uns liest man Ščeglov nicht, aber ich glaube fest an beider Zukunft. Ach, wenn wir nur eine vernünftige Kritik hätten!

Die Butterwoche steht vor der Tür. Sie hatten beinahe versprochen zu kommen, und ich erwarte Sie.

Heute ist Benefiz für Davydov. Er gibt den »Bürger als Edelmann«. Es wird heiß, eng und stürmisch werden. Nach der Vorstellung werde ich die ganze Nacht husten. Ich habe verlernt, ins Theater zu gehen.

Wenn meine »Steppe« nicht abgelehnt wird, dann sagen Sie bei Gelegenheit ein Wörtchen, daß mir der »Sev. vestnik« geschickt wird. Ich möchte »Unterwegs« von Korolenko lesen.

Ich falle Ihnen mit meinen Briefen auf die Nerven.

Auf Wiedersehen! Einen Gruß an Ihre ganze Familie.

Von Herzen ganz Ihr A. Čechov.

107) AN A. N. PLEŠČEEV MOSKAU, 9. 2. 1888

9. Februar.

Eben hat man mir vom Kontor Junker die 500 Rubel gebracht, lieber Aleksej Nikolaevič! Offensichtlich sind sie vom »Severnyj vestnik«, denn ich habe sonst von nirgendwo mehr etwas zu bekommen. Merci!

Ihr letzter Brief hat mich unendlich gefreut und ermutigt. Ich wäre bereit, mein Leben lang keinen Wein mehr zu trinken und nicht mehr zu rauchen, um nur solche Briefe zu bekommen. Der vorletzte, auf den ich Ihnen mit einem Telegramm geantwortet habe, hat mich decouragiert. Mir war es peinlich, und ich schämte mich, Sie gezwungen zu haben, vom Honorar zu sprechen. Das Geld brauche ich dringend, aber davon zu sprechen, und noch dazu mit guten Menschen, kann ich nicht ausstehen. Ach, zum Teufel damit! Ich bedauere, daß ich nicht deutlich genug war an der Stelle meines Briefes, wo ich davon sprach, daß ich mich in Geldangelegenheiten auf die Herausgeberin verlasse und daß ich träumte von 200 Rub. Von Forderungen oder unumgänglichen Bedingungen meinerseits war nicht die Rede, und schon gar nicht von einem Ultimatum. Wenn ich in Klammern etwas von 200 Rub. gemuckst habe, so nur, weil ich mich in den Preisen bei dicken Zeitschriften absolut nicht auskenne und ich die Zahl 200 für nicht allzu hoch hielt. Ich habe mit dem Maßstab des »Novoe vremja« gemessen, d. h. mich bei der Bewertung der »Steppe« bemüht, nicht mehr und nicht weniger zu bekommen, als mir Suvorin zahlt (15 Kop. die Zeile), aber ich habe nicht im mindesten daran gedacht, ein Ultimatum zu stellen. Ich nehme immer nur das, was man mir gibt. Gibt mir der »Sev. vestnik« 500 für den Bogen – nehme ich sie, gibt er mir 50 – nehme ich auch die.

Ihr Versprechen, die »Steppe« als Ganzes zu veröffentlichen und mir regelmäßig die Zeitschrift zu schicken, beantworte ich mit dem Versprechen, Sie mit dem besten Donwein zu bewirten, wenn wir im Sommer die Volga entlangfahren. Leider trinkt Korolenko nicht, und nicht trinken können unterwegs, wenn der Mond scheint und die Krokodile aus dem Wasser schauen, ist so unbequem wie nicht lesen können. Wein und Musik waren für mich immer der beste Korkenzieher. Wenn mir irgendwo unterwegs in Herz oder Kopf ein Korken saß, so reichte mir ein Gläschen Wein, um zu spüren, wie mir Flügel wuchsen und der Korken verschwand.

Morgen also wird Korolenko bei mir sein. Er ist ein guter Kerl. Schade, daß die Zensur »Unterwegs« so gerupft hat. Eine künstlerische, aber spürbar kahle Sache (nicht die Zensur, sondern »Unterwegs«). Warum hat er sie einer Zeitschrift gegeben, die der Zensur unterliegt? Zweitens, warum hat er sie eine »Weihnachtserzählung« genannt?

Ich eile, mich an kleine Arbeiten zu setzen, dabei kribbelt es mich nur so, mich wieder an etwas Großes zu begeben. Ach, wenn Sie wüßten, was für ein Romansujet mir im Schädel sitzt! Was für wunderbare Frauen! Was für Beerdigungen, was für Hochzeiten! Wenn ich Geld hätte, würde ich auf die Krim ausreißen, mich dort unter eine Zypresse setzen und in 1–2 Monaten den Roman schreiben. Drei Bogen habe ich schon fertig, stellen Sie sich vor! Übrigens, Unsinn: hätte ich Geld in Händen, würde ich so auf die Pauke hauen, daß alle Romane kopfunter zum Schornstein hinausflögen.

Wenn ich den ersten Teil des Romans geschrieben habe, werde ich ihn, wenn Sie erlauben, Ihnen zum Lesen schicken, aber nicht an den »Servernyj vestnik«, denn mein Roman ist nichts für eine Zeitschrift, die der Zensur unterliegt. Ich bin unersättlich, liebe in meinen Werken eine Vielzahl von Leuten, und darum wird mein Roman lang. Außerdem sind mir die Leute, die ich darstelle, lieb und sympathisch, und wer einem sympathisch ist, mit dem möchte man möglichst lange zu tun haben.

Was Egoruška betrifft, so werde ich ihn fortsetzen, aber nicht jetzt. Der dümmliche V. Christofor ist bereits gestorben. Die Gr. Dranickaja (Branickaja) führt ein sehr schlechtes Leben. Varlamov macht weiter. Sie schreiben, Dymov habe Ihnen gefallen, als Material... Solche Naturen wie den Raufbold Dymov schafft das Leben nicht für religiöse Ketzerei, nicht für die Landstreicherei, nicht fürs seßhafte Dasein, sondern direkt für die Revolution... Eine Revolution wird es in Rußland nie geben, und Dymov wird damit enden, daß er sich zu Tode säuft oder im Kittchen landet. Er ist ein überflüssiger Mensch.

Im Jahre 1877 bin ich einmal an Peritonitis (Bauchfellentzündung) erkrankt und habe in der Herberge von Moisej Mojseič eine qualvolle Nacht zugebracht. Der Jude hat mir die ganze Nacht ununterbrochen Senfpflaster und Kompressen verpaßt.

Haben Sie einmal die Große Straße gesehen? Dorthin müßten wir fahren! Die Kreuze sind bis auf den heutigen Tag heil, aber sie ist nicht mehr so breit wie früher; in der Nachbarschaft hat man eine Eisenbahn verlegt, und auf der Straße fährt heute kaum noch jemand: allmählich bewächst sie mit Gras, und in 10 Jahren wird sie ganz verschwunden sein oder wird sich aus einem Giganten in eine gewöhnliche Fahrstraße verwandelt haben.

Es wäre gut, auch Ščeglov mitzunehmen. Er ist durchgedreht und betrachtet sein literarisches Schicksal durch ein geschwärztes

Glas. Er muß unbedingt frische Luft schnappen und neue Leute sehen.

Morgen gehe ich mich auf der Hochzeit eines Schneiders amüsieren, der ganz gute Gedichte schreibt und mir aus Achtung vor dem Talent (honoris causa) den Rock geflickt hat.

Ich falle Ihnen mit meinen Lappalien auf die Nerven, und komme zum Schluß. Seien Sie gegrüßt. Ihren Gläubigern wünsche ich von Herzen, im Tartarus zu versinken... Ein aufdringliches Volk, schlimmer als Mücken.

Von Herzen Ihr A. Čechov.

Ist es beim »Sev. vestnik« nicht üblich, den Autoren die Korrekturfahnen zu schicken?

108) AN I. L. LEONTJEV-ŠČEGLOV MOSKAU, 22. 2. 1888

22. Febr.

Lieber Hauptmann! Ich habe alle Ihre Bücher gelesen, von denen ich bisher immer nur Auszüge gelesen hatte. Wenn Sie eine Kritik von mir wollen, hier ist sie. Vor allem glaube ich, daß man Sie weder mit Gogol, noch mit Tolstoj, noch mit Dostoevskij vergleichen kann, wie dies all Ihre Rezensenten tun. Sie sind ein Schreiber sui generis und sind selbständig wie der Adler unter dem Himmel. Wenn Vergleiche unumgänglich sind, so würde ich Sie am ehesten mit Pomjalovskij vergleichen insofern, als er wie Sie ein kleinbürgerlicher Schriftsteller ist. Ich nenne Sie Kleinbürger nicht, weil alle Ihre Bücher durchdrungen sind vom rein kleinbürgerlichen Haß auf Adjutanten und Leute, die zu jours fixes gehen, sondern weil Sie, wie Pomjalovskij, zur Idealisierung des grauen Kleinbürgermilieus und seines Glückes neigen. Die schmackhaften Melonenkürbisse von Cypočka, die Liebe Goričs zu Nastja, die Soldatenzeitung, die vorzüglich erfaßte Sprache des genannten Milieus, dann die spürbare Anstrengung und Subjektivität in der Beschreibung des jour fixe bei ma tante – all das, zusammengenommen, bestätigt meine Meinung von Ihrem Kleinbürgertum.

Wenn Sie wollen, so würde ich Sie meinetwegen auch noch mit Daudet vergleichen. Ihre lieben, guten »Pferdeliebhaber« sind nur mit leichter Hand gestreift, aber seit sie mir aufgefallen sind, hatte ich immer den Eindruck, ich läse Daudet.

Überhaupt sollte man mit Vergleichen vorsichtig sein, die immer, so unschuldig sie auch gemeint sein mögen, unwillkürlich den Verdacht und die Anschuldigung der Nachahmung und des Plagiats hervorrufen. Glauben Sie, um Himmels willen, Ihren Staatsanwälten nicht und fahren Sie fort zu arbeiten, wie Sie bisher gearbeitet haben. Sprache, Stil, die Charaktere, die langen Beschreibungen, die kleinen Bildchen – all das ist bei Ihnen etwas Eigenes, Originelles und Gutes.

Das beste Ihrer Kinder ist der »Gordische Knoten«. Das ist ein kapitales Werk. Welche Masse von Personen und welch ein Überfluß an Meinungen! Das Leben im Hotel, die Ščuraks, Gološčapov mit seiner vom Bier aufgedunsenen Fresse, der Regen, Lelka, ihr kleines Bordell, Goričs Sohn, besonders die Beschreibung des Maskenballs im Klub – all das ist großartig gemacht. In diesem Roman sind Sie kein Zimmermann, sondern ein Drechslermeister.

Dem »Knoten« folgt, der Qualität nach, »Pospelov«. Eine neue und originell durchdachte Person. In der ganzen Novelle spürt man den Stil Turgenevs, und ich weiß nicht, wieso die Kritiker das nicht gesehen und Sie nicht des Turgenevplagiats bezichtigt haben. Pospelov berührt einen; er ist ein Mensch mit Idealen und ein Held. Aber leider sind Sie subjektiv bis ins Extrem. Sie sollten nicht sich selbst beschreiben. Wirklich, es wäre besser gewesen, wenn Sie ihm unterwegs eine Frau untergeschoben und ihre Gefühle auf sie übertragen hätten...

Die »Idylle« setze ich ans Ende, obwohl ich weiß, daß Sie sie lieben. Anfang und Schluß sind sehr schön, sind streng und gekonnt durchgehalten, im Mittelteil dagegen verspürt man ein sehr starkes Nachlassen. Angefangen schon damit, daß Ihnen die Provinzialismen die ganze Musik verderben, mit denen der ganze Mittelteil übersät ist. Die Melonenkürbisse, sperr die Türe auf, eß usw. – über all das wird sich der Großrusse nicht freuen. Die Sprache ist freigebig verhunzt, Bombočka fällt oft ins Auge, Agišev ist blaß... Am besten ist die Beschreibung der Mazurka...

Im ganzen ergibt die Lektüre aller Ihrer Bücher einen sehr ausgeprägten Eindruck, der sehr zugunsten Ihrer Zukunft spricht. Wenn man nun zu den Büchern noch Ihre Theaterstücke, den »Ehemann für die Sommerfrische«, »Mignon«, die »Klapperschlange« hinzurechnet, wenn man außerdem Ihre »aristokratische Langsamkeit« in Betracht zieht und Ihre Neigung zu Kabinettstücken (»Der russische Denker«), so muß man zu dem Schluß kommen, daß Sie ein Großer sind. Sie sind, um vom Talent zu schweigen, vielfältig wie ein Schauspieler der alten Schule, der in der Tragödie, im Vaudeville, in der Operette wie im Melodram gleich gut spielt. Diese Vielfalt, die weder Albov noch Barancevič, noch Jasinskij, nicht einmal Korolenko hat, kann als Symptom nicht für Haltlosigkeit angesehen werden, wie manche Kritiker meinen, sondern für inneren Reichtum. Ich salutiere von Herzen.

Jetzt eine Bitte. Ein Moskauer Schriftsteller stirbt an Schwindsucht. Er hat keinen Groschen Geld. Er hat eine reiche Schwester, die in Piter lebt. Ihre Adresse ist unbekannt. Könnten nicht Sie, mein Lieber, ihre Adresse in Erfahrung bringen? Sie heißt so: Frau des Arztes Olga Apollonovna Mitrofanova. Ihr Mann heißt Dmitrij Vasiljevič. Ist sie am Leben? Bringen Sie das heraus, seien Sie ein treusorgender Vater.

Ich tue nichts. Aus lauter Langeweile habe ich das Vaudeville »Der Bär« geschrieben. Leben Sie wohl, bleiben Sie gesund. Verzeihen Sie die Kritik. *Ihr A. Čechov.*

109) AN JA.P. POLONSKIJ MOSKAU, 22. 2. 1888

22. Febr.

Ich danke Ihnen, verehrter Jakov Petrovič, für den Brief wie für das Gedicht »In der Tür«. Das eine wie das andere ist angekommen, gelesen und aufbewahrt worden im Familienarchiv für die

Nachkommen, die, wie ich hoffe, auch ich einmal haben werde. »In der Tür« kam zu einem Zeitpunkt, als der Ihnen bekannte Schauspieler V. N. Davydov bei mir saß. Und so geschah es, daß ich in den Genuß kam, ein gutes Gedicht in gutem Vortrag zu hören. Mir und allen meinen Hausgenossen hat das Gedicht sehr gefallen; übrigens, die Damen protestierten gegen den Vers »Und Gestank stand auf der Treppe«. Ich danke Ihnen noch einmal und bitte Sie, mir zu glauben, daß ich Ihre mir schmeichelhafte, ermutigende Aufmerksamkeit nie vergessen werde.

Sie fragen in Ihrem Brief, was ich schreibe. Nach der »Steppe« habe ich fast nichts getan. Ich hatte eine düstere Geschichte im Stil Albovs begonnen, ungefähr einen halben Bogen geschrieben (nicht sonderlich schlecht) und habe sie liegenlassen bis zum März. Aus lauter Langeweile habe ich ein leeres, französelndes kleines Vaudeville geschrieben unter dem Titel »Der Bär«, habe eine kleine Erzählung für das »Novoe vremja« angefangen und weiter nichts. Den ganzen Februar habe ich mich um mich selbst gedreht. Ich ging von einer Zimmerecke in die andere oder las in meiner Medizin. Für die »Steppe« habe ich so viel Saft und Energie gebraucht, daß ich noch lange nichts Ernsthaftes mehr beginnen werde.

Ach, wenn man im »Severnyj vestnik« erfährt, daß ich Vaudevilles schreibe, wird man mich mit dem Bannfluch belegen! Aber was tun, wenn einem die Hände jucken und man Lust hat, irgendein Tralala zu verbrechen! Sosehr ich mich auch bemühe, ernst zu sein, es wird einfach nichts daraus, und ewig wird sich bei mir das Ernste mit dem Banalen abwechseln. Das ist wohl mein Stern. Und im Ernst, möglicherweise ist dieser »Stern« auch ein Symptom dafür, daß aus mir nie ein ernsthafter gründlicher Arbeiter wird.

Ich werde unbedingt Anfang oder Mitte März in Petersburg sein und unbedingt Ihre liebenswürdige Einladung wahrnehmen und Sie besuchen. Erlauben Sie, daß ich Ihnen alles Gute wünsche, vor allem Gesundheit und Geld, und daß ich verbleibe als Ihr herzlich ergebener *A. Čechov.*

110) AN A. N. PLEŠČEEV MOSKAU, 6. 3. 1888

6. März

Heute, lieber Aleksej Nikolaevič, habe ich zwei Kritiken gelesen, meine »Steppe« betreffend: das Feuilleton Burenins und einen Brief von P. N. Ostrovskij. Letzterer ist in höchstem Maße sympathisch, wohlmeinend und klug. Außer der warmen Anteilnahme, die Wesen und Ziel des Briefes darstellen, hat er viele Qualitäten, sogar rein äußerliche: 1) er ist, wenn man ihn als einen kritischen Artikel ansieht, mit Gefühl geschrieben, mit Sinn und Verstand und mit Distanz, wie ein guter, vernünftiger Rapport; ich habe kein einziges erbärmliches Wort gefunden, worin er sich strikt unterscheidet von den üblichen kritischen Feuilletons, die immer überwuchert sind mit Vorworten und erbärmlichen Worten, wie ein verwahrloster Teich mit Wasserpflanzen; 2) er ist extrem verständlich; auf den ersten Blick ist erkennbar, was der Mann will; 3) er ist frei von Klügeleien über Atavismus, Leben im Jenseits usw. usf. – man kann gar nicht alles aufzählen... Ich habe den Brief von P. N. dreimal gelesen und bedaure jetzt, daß er dem Publikum vorenthalten bleibt. Unter den Zeitschriftenmitarbeitern wäre er dringend vonnöten. Wichtig ist nicht, daß er bestimmte Ansichten, Überzeugungen, eine Weltanschauung hat – all das hat im gegebenen Zeitpunkt jeder Mensch –, wichtig ist, daß er *Methode* hat; für einen Analytiker, sei er Wissenschaftler oder Kritiker, ist Methode schon die Hälfte des Talents.

Morgen fahre ich zu P. N. und werde ihm etwas vorschlagen. Ich werde ihm das Jahr Zwölf und den Partisanenkrieg ins Bewußtsein rufen, als den Franzosen jeder schlagen konnte, der wollte, ohne eine Militäruniform anzuziehen; vielleicht gefällt ihm mein Gedanke, daß in unserer Zeit, wo die Literatur in die Gefangenschaft von zwölftausend Irrlehren geraten ist, eine Partisanen-, eine irreguläre Kritik durchaus von Nutzen wäre. Ob er nicht Lust hat, unter Umgehung der Zeitschriften und Zeitungen, aus dem Hinterhalt vorzupreschen, wie die Kosaken im Sturmangriff? Das ist absolut durchführbar, wenn man an das

Verfahren der Broschüre denkt. Die Broschüre ist heutzutage in Mode; sie ist nicht teuer und leicht zu lesen. Die Popen haben das begriffen und bombardieren das Publikum täglich mit ihren pharisäerhaften Rülpsern. Und P. N.s Schaden wäre es nicht.

Jetzt – wie geht es Ihnen? Gehen Sie an die frische Luft? Wenn man nach der Bureninschen Merežkovskij-Kritik geht, so haben Sie derzeit 15–20° Frost... Eine verteufelte Kälte, und dabei ziehen doch schon die armen Vögel nach Rußland! Sie treibt die Sehnsucht und die Liebe zur Heimat; wenn die Dichter wüßten, wie viele Millionen von Vögeln Opfer der Sehnsucht und der Liebe zu den vertrauten Stätten werden, wie viele unterwegs erfrieren, wie viele Qualen sie im März und Anfang April erdulden, wenn sie in der Heimat angekommen sind, so hätten sie sie längst besungen... Versetzen Sie sich in eine Wasserralle, die den ganzen Weg nicht fliegt, sondern zu Fuß geht, oder eine Wildgans, die sich lebendig in Menschenhand begibt, nur um nicht zu erfrieren... Schwer ist das Leben auf dieser Welt!

Ich komme Anfang der Fasten nach Piter, 2–3 Tage nachdem ich vom »S. v.« das Honorar bekommen habe. Wenn Sie am Dienstag in der Redaktion sind, erinnern Sie, wenn Sie bei der Kontoristin vorbeigehen, an meine Existenz und meine Geldlosigkeit.

Den ganzen Februar habe ich keine einzige Zeile veröffentlicht, und ich spüre deshalb ein großes Durcheinander in meinem Budget.

Ich hoffe, Sie haben die Volgareise nicht vergessen.

Seien Sie gegrüßt; ich wünsche Ihnen guten Appetit, gesunden Schlaf und viel Geld.

Auf Wiedersehen. *Ihr A. Čechov.*

111) AN V. N. DAVYDOV MOSKAU, 7./10. 3. 1888

Ich wünsche Ihnen, lieber Vladimir Nikolaevič, Glück zum Beginn der Fasten, zum Ende der Saison und zur Abreise in die heimatlichen Gefilde. Unterzeichneter ist bevollmächtigt, Sie um meinen zensierten »Kalchas« zu bitten, den ich brauche. Wenn dieser Brief Sie nicht zu Hause erreicht, dann seien Sie so gut und geben Sie »Kalchas« jemandem zur Weiterleitung an mich, oder nehmen Sie ihn mit nach Piter, wohin ich am Samstag dieser Woche kommen werde. In Piter werde ich Sie besuchen und mir meinen »Kalchas« holen.

Seien Sie gegrüßt. Glückliche Reise! *Ihr A. Čechov.*

112) AN M.P. ČECHOV PETERSBURG, 14. 3. 1888

Ich schreibe dies in der Redaktion des »Nov. vremja«. Eben ist Leskov hereingekommen. Wenn er mich nicht stört, werde ich diesen Brief auch beenden.

Ich bin wohlbehalten angekommen, aber die Reise war schlimm, dank dem schwatzhaften Lejkin. Er störte mich beim Lesen, Essen, Schlafen... Unentwegt hat er geprahlt, das Aas, und mich mit zudringlichen Fragen eingedeckt. Ich bin gerade am Einschlafen, da stößt er mich mit dem Fuß an und fragt:

– Und wissen Sie, daß meine »Christusbraut« ins Italienische übersetzt worden ist?

Ich bin im »Moskva« abgestiegen, aber heute ziehe ich um in die Redaktion des »Nov. vremja«, wo m-me Suvorina mir 2 Zimmer mit Konzertflügel und Couchette überläßt. Ich ziehe zu Suvorin – das geniert mich nicht wenig.

Den Zwieback habe ich Aleksandr gegeben. Seine Familie ist gesund, satt, sauber gekleidet. Er trinkt keinen Tropfen, womit er mich nicht wenig in Erstaunen gesetzt hat.

Es schneit. Es ist kalt. Wohin ich auch komme, überall wird von meiner »Steppe« gesprochen. Ich war bei Pleščeev, bei Ščeglov u.a., und heute abend fahre ich zu Polonskij.

Ich bin im neuen Quartier. Flügel, Physharmonika, Couchette, der Lakai Vasilij, Bett, Kamin, ein schicker Schreibtisch – das sind meine Annehmlichkeiten. Was die Unannehmlichkeiten betrifft, sie sind nicht aufzuzählen. Angefangen damit, daß ich der

Möglichkeit beraubt bin, angetrunken und in Gesellschaft nach Hause zu kommen.

Vor dem Essen – ein langes Gespräch mit m-me Suvorina darüber, wie sehr sie das Menschengeschlecht hasse, und darüber, daß sie heute irgendein Jäckchen für 120 R. gekauft habe.

Nach dem Essen ein Gespräch über Migräne, wobei die Kinderlein kein Auge von mir lassen und darauf spitzen, daß ich etwas furchtbar Kluges sage. Ihrer Meinung nach bin ich ein Genie, weil ich eine Erzählung über Kaštanka geschrieben habe. Bei Suvorin heißt ein Hund Fëdor Timofeič, ein anderer Tëtka, ein dritter Ivan Ivanyč.

Zwischen Essen und Tee Wanderungen aus einer Ecke in die andere in Suvorins Arbeitszimmer und Philosophie; in das Gespräch mischt sich, ungebeten, die Gattin und spricht im Baß oder macht einen bellenden Hund nach.

Tee. Zum Tee ein Gespräch über die Medizin. Endlich bin ich frei, sitze in meinem Zimmer und höre keine Stimmen. Morgen fliehe ich für den ganzen Tag: ich bin bei Pleščeev, im Sabašnikovskij vestnik, bei Polonskij, bei Palkin und komme erst spät nachts ohne Hinterbeine zurück. A propos: ich habe eine eigene Toilette und einen separaten Eingang – ohne das könnte man sich nur noch hinlegen und sterben. Mein Vasilij ist besser gekleidet als ich, hat eine vornehme Physiognomie, und mir ist irgendwie merkwürdig, daß er in meiner Gegenwart ehrfürchtig auf Zehenspitzen geht und versucht, mir die Wünsche von den Augen abzulesen.

Überhaupt ist es unbequem, Schriftsteller zu sein.

Ich möchte schlafen, aber meine Wirtsleute gehen erst um 3 Uhr zu Bett. Abendessen gibt es hier nicht, und zu Palkin zu gehen bin ich zu faul.

Habe die Ehre, mich zu verabschieden. Gruß an alle.

Votre à tous, A. Čechov.

Zum Schreiben bin ich zu faul, man stört mich auch.

Es ist Nacht. Ich höre das Klicken der Billardkugeln: Gej und mein Vasilij spielen. Wenn ich zu meinem Bett gehe, finde ich dort ein Glas Milch und ein Stück Brot; habe Hunger. Ich lege mich hin und lese den Abreißkalender der »Strekoza«.

Das ist alles Kluge und Große, was ich seit meiner Ankunft in S.-Petersburg habe verrichten können.

113) AN AL. P. ČECHOV MOSKAU, 24. 3. 1888

24. Martember.

Vater Archimandrit! Ich schicke euch durch den Leutnant Pleščeev einen Packen meiner Predigten und Belehrungen für das zweite Buch, welche Sie bitte geruhen zu segnen und sofort nach Erhalt des Packens zu drucken. Titel des Buches: »Menstruationen des Lebens, oder Hiebe vor den Arsch!« Ein anderer Titel ist mir bislang nicht eingefallen.

Die Erzählungen sollen folgendermaßen angeordnet werden:

1) Das Glück.
2) Typhus.
3) Vanka.
4) Die Schalmei.
5) Die Wollblume.
6) Die Aufgabe.
7) Die Steppe.
8) Der Kuß.

Das Buch darf nicht weniger als 20 Bogen haben. Wenn das Geschickte nicht reicht, soll Neupokoev, Gott schenke seiner Seele Frieden, dir Bescheid sagen, damit ich schnellstens weiteres Material schicken kann.

Das »Glück« steht in Nr. 4046. Wenn du diese Nummer, die ich dir schicke, verlierst, merk dir diese Zahl. Unter den Titel »Das Glück« gehört geschrieben: »Ja. P. Polonskij gewidmet« – Schulden werden erst durchs Bezahlen schön: er hat mir ein Gedicht gewidmet. Weitere Anordnungen warte ab.

Die Abrechnung für die »Dämmerungen« mach nach dem 15. April. Von dem erhaltenen Geld bist du verpflichtet, dir den Anteil zu nehmen, den wir verabredet haben, sonst bist du ein Rüpel und ein Schurke. Die Buchhandlung schuldet uns für die restlichen 445 Expl. 311 R. 50 K. Das heißt ein Drittel für dich.

Ich hoffe, die zweite Auflage der »Dämmerungen« ist bereits im Druck.

Grüße an Suvorins. Die Woche, die ich bei ihnen verbracht, verging wie ein einziger Augenblick, von dem ich mit Puškin sagen darf: »Ein Augenblick ist mein gewesen...« In einer einzigen Woche: Landauer, Philosophie, die Romanzen der Pavlovskaja, nächtliche Fahrten in die Druckerei, »Kolokol«, Champagner, sogar Brautwerbung... Suvorin hat mir allen Ernstes angetragen, seine Tochter zu heiraten, die im Augenblick noch aufrecht unter dem Tisch spazierengeht...

– Warten Sie fünf, sechs Jahre, mein Lieber, und heiraten Sie sie. Was zum Teufel brauchen Sie mehr? Und ich wünsche mir keinen Besseren...

Ich bat im Scherz um den »Istoričeskij vestnik« inclusive Šubinskij als Mitgift, und er versprach mir allen Ernstes die Hälfte der Einkünfte aus dem »Novoe vremja«. Seine Gattin hat es dir wahrscheinlich schon berichtet... Also: als ich daran dachte, Gavrilovs Tochter zu heiraten, habe ich damit gedroht, Vater und Aleksej zu Laufburschen zu degradieren; jetzt aber – nimm du dich in acht! wenn ich Suvorins Putenküken heirate, dann werde ich die ganze Redaktion unter meine Fuchtel nehmen, und dich werd ich rausschmeißen.

Eben komme ich von meinen Patienten zurück: von der Gräfin Keller... deren Amme ich behandelt habe und dafür 3 Rub. bekommen. Ich hatte das Glück, mit Dero Gnaden zu parlieren.

In Moskau ist Sterbenslangeweile. Allen geht es gut. Mutter, Tante und Schwester erwarten Anna Ivanovna und die Küken.

Gruß an Burenin, Maslov und and.

Votre à tous A. Čechov.

114) AN A. N. MASLOV-BEŽECKIJ MOSKAU, 29. 3. 1888

29. März

Verzeihen Sie, bester Aleksej Nikolaevič, daß ich mich nicht beeilt habe, Ihren Auftrag auszuführen. In der »Russkaja mysl« war ich erst gestern.

In Abwesenheit des Redakteurs und Herausgebers Lavrov gab mir die Audienz der Großvesir der »Russkaja mysl« Golcev – ein lieber und guter Mensch, der aber von Literatur so viel versteht wie ein Hund von einem Rettich. Die Unterhaltung führte er mit Würde, so wie es sich für einen Vizedirektor der dicksten und der klügsten Zeitschrift ganz Europas geziemt. Hier die Resultate unserer Unterhaltung:

1) Über Ihre Mitarbeit würde man sich freuen.

2) Man wünschte sich von Ihnen eine kleine Novelle von 2–3 Druckbogen.

3) Große Novellen sind unerwünscht, da die modernen Belletristen (ein Stein in meinen Garten) große Sachen nicht schreiben können; wenn sie es sich dennoch zutrauen, welche zu schreiben, so ist das Ergebnis nur eine Schande fürs ganze Gouvernement. Allgemein gesagt, wir jungen Schriftsteller haben keine »gedankliche Tiefe«, und sollten lange Novellen und Romane nicht schreiben, weil das moderne Leben keine »Motive« dafür hergibt.

4) Unsere Literatur befindet sich zur Zeit in einer Übergangsphase.

5) Wenn Ihre Novelle *lang und gut* werden sollte (was in Ermangelung von »Motiven« kaum möglich sein dürfte), wenn sie gedankliche Tiefe haben sollte, so würde ihr die wärmste Gastfreundschaft zuteil.

6) Einen Vorschuß zahlt man mit Vergnügen.

»Wir zahlen einen Teil des Honorars«, sagte Golcev. Wie groß dieser Teil ist, weiß ich nicht, aber wenn Sie mich damit beauftragen, so werde ich als Ihr Makler einen möglichst großen herausschlagen. Ich werde bis zum 5. Mai in Moskau bleiben. Wenn die Novelle bis dahin geschrieben und von der Redaktion gelesen worden ist, werde ich mit Vergnügen in Aktion treten und Ihnen das Geld schicken. Am 1. April werde ich mich wieder mit Golcev treffen und diesmal mit ihm über die Höhe des Honorars sprechen. Wir werden gemeinsam essen, und beim Essen sind die Herren Freimaurer aus unseren Zeitschriften nicht so steif und herablassend-wichtig wie in ihren Redaktionsstuben.

Wenn Sie die Absicht haben, eine Komödie zu schreiben, so geben Sie sie nicht auf.

Seien Sie gegrüßt. Grüßen Sie Suvorin, V.P. Burenin und Petersen. *Ihr A. Čechov.*

115) AN A. N. PLEŠČEEV MOSKAU, 31. 3. 1888

31. März

Lieber Aleksej Nikolaevič!

Draußen regnet es, in meinem Zimmer ist es dämmerig und im Herzen traurig, zum Arbeiten bin ich zu faul – überhaupt bin ich aus dem Gleis geraten und fühle mich nicht auf dem Teller. Aber dennoch soll dieser Brief nicht traurig sein. Während ich ihn schreibe, bewegt mich der frohe Gedanke, daß ich in 30–35 Tagen schon fern von Moskau weilen werde. Ich habe mir bereits ein Sommerhaus gemietet auf einem Gut am Fluß Psël (einem Nebenfluß des Dnepr), im Kreis Sumy, nicht weit von Poltava und jenen kleinen, gemütlichen und schmutzigen Städten, in denen einst Nozdrëv gewütet hat und Ivan Ivanyč sich mit Ivan Nikif verzankte. Vorgestern habe ich die Anzahlung überwiesen. Der Psël ist ein tiefer Fluß, breit, reich an Fischen und Krebsen. Außerdem gibt es auf meinem Gut noch einen Teich mit Karauschen, der vom Fluß durch ein Wehr abgetrennt ist. Das Sommerhaus liegt am Fuß eines Hügels, den ein Garten bedeckt. Ringsum Wald. Junge Damen im Überfluß.

Sie sprachen so unentschlossen von der Volga, daß kaum daran zu zweifeln war, daß aus unserer Reise nichts werden würde. Wenn Sie nicht an die Volga fahren, dann kommen Sie zu mir an den Psël! Von Moskau fährt man einen Tag, und die III. Klasse kostet 10 R. 30 Kop. Der Ort ist, ich versichere Sie, entzückend. Dort ist

> Alles still... Die Pappeln überm schlafenden Gewässer
> Gespenstergleich sie stehn, vom Mondlicht übergossen...
> Jenseits des Flusses hört man Lieder,
> Und kleine Lichter sieht man funkeln.

Ich gebe Ihnen mein Ehrenwort, wir werden *nichts* tun, uns ganz dem Nichtstun hingeben, das so gesund für Sie ist. Wir werden essen, trinken, früh aufstehen, früh schlafen gehen, Fische fangen, auf die Jahrmärkte fahren, musizieren und nichts weiter. Bei solch einer Lebensweise werden Sie Ihren Bauch los, werden schön braun, fröhlich und verbringen eine Zeit, in der

> Das Herze schläft, erstarrt ist auch der Geist...

Meine ganze Mannschaft wird ausnahmslos aus jungen Leuten bestehen, und wo die Jugend ist, da hat, wie Sie bereits mehrfach erfahren konnten, Ihre Anwesenheit einen besonderen Reiz.

> Da drängt die Jugend sich mit Feuer
> Um einen grauen alten Mann...

Ende Mai oder Anfang Juni – überhaupt, wann Sie wollen – packen Sie den Koffer, nehmen nur das Geld für die Reise mit, versorgen sich mit Zigarren, die Sie im Süden wohl kaum finden werden, nehmen Abschied von der Melancholischen Mandoline für einen ganzen Monat und

> Voran! ohn' alle Furcht und Zweifel...

Bringen Sie Ščeglov mit. Ihr Sohn N. A. hatte ebenfalls versprochen zu kommen und wird, natürlich, nicht kommen, weil ihn der Dienst nicht losläßt.

Wie und wohin Sie fahren müssen, erkläre ich Ihnen im Mai.

Ich schreibe an einer kleinen Novelle für den »S. v.« und spüre, wie sie lahmt. Habe heute Aristarchov in den »Russkie vedomosti« gelesen. Was für eine Dienerei vor großen Namen, und was für ein väterlich-herablassendes Geschwätz, wenn es sich um Anfänger handelt! Alle diese Kritiker sind Speichellecker und Feiglinge: sie haben Angst, etwas zu loben, Angst, etwas zu tadeln, und bewegen sich in einer erbärmlichen, grauen Mitte. Und vor allem, sie glauben nicht an sich selbst... »Lebende Zahlen« sind ein Quatsch, der nur mit Mühe zu lesen und zu verstehen ist. Aristarch. hat sie mit Mühe gelesen und nicht verstanden, aber hat er den Mut, das zuzugeben? Meine »Steppe« hat ihn ermüdet, aber wird er sich das eingestehen, wenn die anderen Kritiker rufen » ein Talent! ein Talent!«? Übrigens, zum Waldschrat mit denen!

Richten Sie Nikolaj Alekseevič aus, daß ich mich mit I. M. Kondratjev (dem Agenten der dram. Ges.) getroffen habe und er das Honorar an Aleksandr Aleks. am 26. März wie versprochen abgeschickt hat; das Honorar ist in voller Höhe geschickt worden, ohne Abzüge.

Nun denn, bleiben Sie gesund. Grüßen Sie die Ihren und A. M. Evreinova. Vor einigen Tagen habe ich einen herzlichen Brief von Polonskij bekommen. Leben Sie wohl.

Von ganzem Herzen Ihr A. Čechov.

116) AN A. S. SUVORIN MOSKAU, 3. 4. 1888

3. April 88.

Verehrter

Aleksej Sergeevič!

Das bessere Papier würde, wie Sie meinem Bruder sagten und er mir schrieb, mein Buch fast doppelt so teuer machen. Das würde mir nichts ausmachen, wenn ich überzeugt wäre, daß mein Buch nicht auf Sand setzt, da ich diese Überzeugung aber nicht habe, sollte man es einfach auf die alte Art machen, d.h. auf dem billigen Papier drucken. Das ist unwichtig. Wenn es aber nötig ist, daß das Buch dicker wird, so werde ich noch Texte schicken, von denen ich haufenweise hier habe. Die Träume von einer Luxusausgabe übertrage ich voll und ganz auf »Kaštanka«; wenn die Zeichnungen schön werden und das Buch eine Luxusausgabe, dann ist ein Verlust auch leichter zu tragen.

Ich danke Ihnen für den Kramskoj, den ich zur Zeit lese. Ein kluger Kopf! Wenn er Schriftsteller gewesen wäre, hätte er ganz bestimmt lang, originell und aufrichtig geschrieben, und ich bedauere, daß er kein Schriftsteller war. Unsere Belletristen und Dramatiker stellen in ihren Werken gern Maler dar; jetzt, während ich Kramskoj lese, sehe ich, wie wenig und wie schlecht sie und das Publikum den russischen Maler kennen. Ich glaube nicht, daß Kramskoj eine Einzelerscheinung ist; wahrscheinlich findet sich in der Welt der Repin und Bakalovič noch so mancher bemerkenswerte Mensch.

Das Buch weist, meiner Meinung nach, in der Abteilung »Anlagen« eine Lücke auf, die vielen wesentlich erscheinen könnte: es fehlt das Referat oder, richtiger, der Vortrag über die Krankheit und den Tod Kramskojs, den S. P. Botkin in der Medizinischen Gesellschaft gehalten hat.

Viktor Petrovič sei gedankt für das Feuilleton über Garšin. Man sagt, Garšin habe von einem historischen Roman geträumt und, wahrscheinlich, damit begonnen. Interessant ist, daß er bereits eine Woche vor seinem Tode gewußt hat, daß er sich das Treppenhaus hinabstürzen werde, und sich auf dieses Ende vorbereitet hat. Ein unerträgliches Leben! Und die Treppe ist furchtbar. Ich habe sie gesehen: finster, schmutzig...

Für mich haben von den Schriftstellern der letzten Zeit Wert nur Garšin, Korolenko, Ščeglov und Maslov. All das sind sehr gute und nicht beschränkte Leute. Jasinskij ist nicht zu verstehen (das ist entweder ein gewissenhafter Müllkutscher, oder ein kluger Spitzbube), Albov und Barancevič beobachten das Leben in der Dämmerung und Feuchtigkeit der Wasserabflußrohre, alle übrigen sind unbegabt und haben sich in die Literatur gedrängt, nur weil die Literatur ein weites Feld ist für Durchtriebenheit, leicht verdientes Geld und Faulheit.

Richten Sie Anna Ivanovna aus, daß der dunkelblaue Stoff, den wir gemeinsam bei Korovin gekauft haben, meiner Schwester gefallen hat, und zwar *sehr.* An Nastja und Borja einen Gruß. Ich werde ganz bestimmt nach Feodosija kommen. Ein Sommerhaus für mich habe ich am Fluß Psël gemietet (einem Nebenfluß des Dnepr), auf einem Gut. Von der Ukraine zur Krim ist es nicht weit. Wollen Sie mich nicht damit beauftragen, Ihnen Angelzubehör zu kaufen? Eingefleischte Angler haben die Redensart: je billiger und schlechter das Zubehör, desto besser beißt der Fisch. Ich kaufe mir gewöhnlich Rohmaterial und mache mir daraus selbst, was ich brauche.

Meine wohlwollenden Kritiker freuen sich, daß ich mit dem »Nov. vremja« »gebrochen« habe. Darum sollte man, ehe sich ihre Freude gelegt hat, möglichst bald etwas im »Novoe vremja« veröffentlichen. Aber ich habe nicht die Kraft zu schreiben. Ich werde und werde nicht fertig mit meiner Novelle (dem Gespräch mit den Ingenieuren in der Baracke); sie hat mich an Händen und Füßen gebunden.

Verzeihen Sie, daß dieser Brief so lang geworden ist, und gestatten Sie mir, Ihnen noch einmal zu danken für Ihre Gastfreundschaft. Mein Gott, ich hatte gar keine Lust wegzufahren. Ich wünsche Ihnen alles Gute. Ihr aufrichtig ergebener

A. Čechov.

117) AN AL. P. ČECHOV MOSKAU, 4. 4. 1888

4. April.

Vielfraß! Ich flehe dich an: zieh schnell die Hosen an, lauf (lejf a chejm) in die Buchhandlung des »Nov. vremja« und schicke mir *so schnell wie möglich* 2 Ex. »Dämmerungen«. Bitte!

Wenn das teure Papier zu teuer ist, soll man auf billigem drukken. Die 2. Auflage der »Dämmerungen« druckt natürlich auf dem billigen Papier, wie die erste.

Ich werde Suvorin einen Brief schicken mit der Bitte, dich davonzujagen.

Die »Dämmerungen« schick als eingeschriebenes Streifband.

Ich bitte dich für die Behelligung nicht um Verzeihung, denn du hast die Pflicht zu gehorchen.

Grüße. *Deine Autorität A. Čechov.*

118) AN AL. P. ČECHOV MOSKAU, 5. 4. 1888

5. Apr.

Widerwärtiger Erpresser! Ich habe von dir 2 Briefe auf einmal bekommen und bin froh, nicht auch noch einen dritten bekommen zu haben. Eine Kurve mit zwei Erhöhungen am Tag ist nur möglich, wenn A. I. abends etwas gegen das Fieber einnimmt: Chinin, Antipyrin, Antifibrin oder ähnliche, deinem Verstande unzugängliche Dinge. Sie braucht dringend ärztliche Hilfe. Wenn du dich nicht entschließen kannst, A. I. zu Botkin zu bringen, geh wenigstens selbst zu ihm und erklär ihm, was los ist: er wird dir dann wohl seinen Assistenten schicken.

Deine Bitte werde ich Mutter ausrichten. Sie wird kaum kommen, da ihr Gesundheitszustand nicht der beste ist. Und sie hat auch keinen Paß. Sie ist in Vaters Paß eingetragen, man müßte deshalb lange mit ihm reden, zum Oberpolizeimeister gehen usw. Auf den Trauschein leben, wie du es getan hast, will sie nicht, aus Angst.

Wegen des Papiers habe ich bereits an Suvorin geschrieben. Je billiger die Ausgabe, desto besser. Fragt Neupokoev, Gott schenke seiner Seele Frieden, ob es genügend Text ist für 20 Bogen. Wenn nicht, dann vergiß dein häusliches Elend, laß alles stehen und liegen und erfülle meine Befehle.

Korbo hat einen unbändigen Husten. Wahrscheinlich Schwindsucht infolge Altersschwäche und ständigem Onanieren. Aus Angst, daß er die Bazillen in der Wohnung herumträgt, denke ich bereits an Mord. Ich möchte ihm Morphium geben. Setz Gerška davon in Kenntnis, um ihn auf diese Schreckensnachricht vorzubereiten.

Jetzt im Ernst. Was Charakter und Reizbarkeit von Anna Iv.

betrifft, so ertrage das um Gottes willen und zanke dich nicht mit ihr herum, mit keinem Wort. Ich wünschte von Herzen, daß deine Heldentat (in der Erinnerung) keine dunklen Flecken bekommt. Übrigens stecke ich nicht in deiner Haut, darum ist es auch nicht an mir, dir Ratschläge zu erteilen. Bleib gesund und Gott befohlen... *Graf Platov.*

119) AN A. N. MASLOV-BEŽECKIJ MOSKAU, 7. 4. 1888

7. April.

Bester

Aleksej Nikolaevič!

Bevor ich wegfahre, will ich Ihren Brief beantworten. Ja, ich bin ein zartfühlender Mensch, d.h. ich kann mich oft nicht entschließen, die Wahrheit zu sagen und zu schreiben, aber ich versichere Sie, ich habe nichts von dem Gespräch mit Golcev für mich behalten. Bei der »Russkaja m.« würde man sich wirklich über Ihre Mitarbeit freuen. Es gibt keinen Grund, weshalb man sich nicht darüber freuen sollte.

Einen Brief werden Sie von Golcev nicht bekommen. Warum nicht? Wenn Sie wollen, werde ich es Ihnen nicht verheimlichen: alle diese Golcevs sind liebe, gute Leute, aber sie sind äußerst unkonziliant. Ob sie schlecht erzogen sind oder stumpfsinnig sind oder ob ihnen der Groschenruhm Sand in die Augen gestreut hat – weiß der Teufel, aber erwarten Sie keine Briefe von ihnen. Erwarten Sie weder Anteilnahme noch simple Aufmerksamkeit von ihnen... Leute wie sie würden Ihnen und allen Russen gern wohl nur das eine geben – das ist eine *Konstitution,* alles, was unter dem rangiert, halten sie für unvereinbar mit ihrer hohen Berufung. Darum zu *bitten,* daß man Ihnen einen Brief schreibt, war ich nicht autorisiert; wenn ich vorgeschlagen hätte, daß man Ihnen diesen Brief schreibt, so hätte man diesen Vorschlag als Bitte aufgefaßt und sich gewunden. Ach, zum Waldschrat mit denen!

Ich will Ihnen nicht verheimlichen, daß sie mir als Menschen gleichgültig sind, ich sympathisiere sogar noch mit ihnen, denn sie sind Erfolglose, Unglückliche, und sie haben in ihrem Leben nicht wenig gelitten ... Aber als Redakteure und Literaten kann ich sie nicht ausstehen. Ich habe noch kein einziges Mal bei ihnen veröffentlicht und habe ihre trübsinnige Zensur noch nie am eigenen Leibe erfahren, aber mein Herz spürt, daß sie etwas zugrunderichten, ersticken, daß sie bis über die Ohren in ihrer eigenen und in fremden Lügen stecken. Es kommt mir so vor, als seien alle diese literarischen Dachshunde (ich finde, Dachshunde, die langgestreckten, kurzbeinigen, mit den scharfen Schnauzen, sind eine Mischung aus Hofhunden und Krokodilen; die Moskauer Redakteure sind eine Mischung aus Beamten-Professoren und unbegabten Literaten) – also, mir kommt es so vor, als bildeten diese Dachshunde, begeistert vom eigenen Erfolg und den lakaienhaften Lobhudeleien ihrer Tellerlecker, um sich herum eine ganze Schule oder einen Orden, der den literarischen Geschmack und die Ansichten über Literatur, für die Moskau seit alters berühmt war wie für seine Weizenkringel, bis zur Unkenntlichkeit entstellen kann. Lesen Sie Mačtet, einen Zögling dieser Schule, der heutzutage in Moskau Riesenerfolg genießt, lesen Sie die Feuilletons der »Russkie vedomosti«, und Sie werden meine Unruhe verstehen.

Man lädt mich seit langem ein, in der »Russkaja m.« zu schreiben, aber dorthin wende ich mich erst im äußersten Notfall. Ich kann es nicht!!! Es ist durchaus möglich, daß ich mich irre, und darum nehmen Sie diesen Brief nicht als Rat, nicht für die »R. m.« zu arbeiten, obwohl es mir, zugegeben, angenehmer wäre, Sie in jeder beliebigen Petersb. Zeitschrift zu sehen als in der »R. m.«

Sie haben nur drei Rubel in der Tasche, und ich ganze dreihundert! Das ist alles, was ich von der »Steppe« und den »Dämmerungen« noch habe. Aber da dieses Geld meine Schwester versteckt hält für die Fahrt in die Sommerferien, sitze ich ganz auf dem Trocknen und nähre mich vom Ruhm allein.

Was Ihre Angst vor Sujets betrifft, so ist sie schwer zu heilen. Nehmen Sie Kalium bromatum. Ich vertraue meinen Sujets ebenfalls nicht. Mir scheint irgendwie, um an seine Sujets und Gedanken glauben zu können, müßte man entweder Deutscher oder, wie Barancevič, verheiratet sein und 6 Stück Kinder haben.

Ich riet Ihnen, eine Komödie zu schreiben, und rate es Ihnen noch einmal. Sie bringt Ihnen keinen Schaden, bringt Ihnen aber Einkünfte. Mein »Ivanov«, stellen Sie sich vor, ist sogar in Stavropol gespielt worden. Was die Ausführung betrifft, so brauchen Sie keine Angst zu haben. Erstens schreiben Sie eine sehr schöne gesprochene Sprache, zweitens wird die Unkenntnis der Bühne voll durch die literarischen Qualitäten eines Stücks aufgewogen. Nur geizen Sie nicht mit Frauen und halten Sie Ihre Milz in Schranken.

Was für einen langen Brief ich Ihnen da geschrieben habe! Ich habe schreckliche Lust, nichts zu tun, und bin froh über die Gelegenheit, jemandem einen Brief zu schreiben oder auf der Straße herumzubummeln.

Gestern bekam ich eine Einladung, etwas für den »Graždanin« zu schreiben.

Grüßen Sie Suvorin, Viktor Petrovič und Petersen. Seien Sie gegrüßt.

Habe die Ehre hochachtungsvoll zu verbleiben, entschuldigen Sie den Ausdruck, der angehende Schriftsteller *A. Čechov.*

120) AN A. N. PLEŠČEEV MOSKAU, 17. 4. 1888

17. Apr.

Lieber Aleksej Nikolaevič!

Ich eile, Ihren Brief zu beantworten. Ich fahre am *fünften* Mai nach Sumy und werde also in der Nacht zum *siebten* auf dem Gut sein. Danach erreichen Sie mich *täglich* auf dem Gut von 9 Uhr morgens bis 9 Uhr morgens. Herzlich willkommen! Hier Ihre Reiseroute: Sie fahren *bis Kursk, von hier nach Vorožba, von Vorožba nach Sumy.* Wenn Sie heute von Moskau abfahren, sind Sie morgen um 12 Uhr nachts in Sumy. Bei der Abreise aus Kursk oder, besser, wenn Sie in Kursk gegessen haben, vergessen Sie nicht, dieses Telegramm zu schicken: »Sumy, Frau Lintvarëva. Sagen Sie Čechov: komme. Pleščeev.« Ich komme an den Bahnhof, um Sie abzuholen.

Sie fürchten, meiner Familie zur Last zu fallen? Nun, und ich fürchte, daß wir Ihnen zur Last fallen, d.h. Ihnen nicht den Komfort bieten könnten, der Ihrem Rang gebührt; wir fürchten es im Ernst, weil wir noch nicht wissen, was für Zimmer wir auf dem Gut haben, was für Möbel usw. Wir haben das Haus aufs Geratewohl gemietet. Sehr leicht möglich, daß wir statt eines Palazzos einen Schweinekoben vorfinden. Morgen fährt mein kleiner Bruder auf Kundschaft voraus. In jedem Falle werden wir uns nach Kräften bemühen, Ihnen das Leben so komfortabel wie möglich zu machen und Sie mindestens zwei Wochen bei uns zu halten. Und daß Sie uns nicht zur Last fallen, davon werden Sie sich überzeugen, wenn Sie meine Mannschaft kennengelernt haben.

Jetzt zu meiner Novelle. Sie warnen mich vor überflüssiger Feinarbeit und befürchten, daß ich des Guten zuviel tue und kalt und trocken werden könnte. Das ist vernünftig, und zwar sehr, aber die Geschichte ist die, daß in meinem Brief die Rede nicht von Feinarbeit war. Ich habe den *gesamten* corpus der Novelle verändert, beibehalten habe ich lediglich das Fundament. Mir hat die *gesamte* Novelle nicht gefallen, nicht nur Details. Und da sitzt man dann statt eines Monats ganze drei. Überhaupt wird das keine aufsehenerregende Sache, die Kritiker werden nur die Nase rümpfen. Das ist keine gespielte Bescheidenheit. Die Qualität der Novelle: ihre Kürze und irgend etwas Neues ... Für den Fall, daß Sie zu uns kommen, werde ich die Novelle an Anna Michajlovna schicken. Ich werde sie um einen Vorschuß bitten.

Mir scheint, daß Sie irren, Korolenko betreffend. Aus unseren Gesprächen über Sie habe ich nur das eine bemerken können, nämlich daß er Sie sehr und aufrichtig verehrt. Eine Meinung, wie Sie sie bei ihm vermuten, hat er, Ehrenwort, nicht einmal in Anspielungen durchblicken lassen. Er ist zu Michajlovskij gegangen und wird auch weiterhin zu ihm gehen, da er, gleich mir,

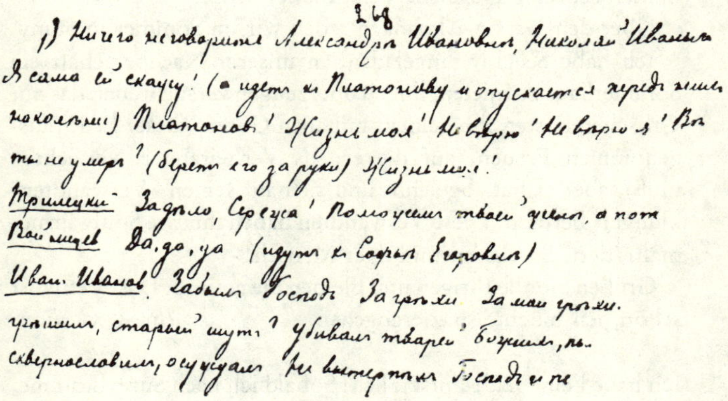

»Platonov« bzw. »Das Stück ohne Titel«. Letzte Seite des Manuskripts.

ein Provinzmensch ist, d.h. einer, der den Redaktionszentren fernsteht und sich die Redaktionsereignisse nicht so sehr zu Herzen nimmt. Feuersbrünste in Petersburg erhitzen nur die Petersburger, die Moskauer und Nižegoroder kennen diese Feuer nur aus Briefen und Zeitungen, d.h. theoretisch. Übrigens, ich glaube, ich schreibe Quatsch. Verstumme, Muse!

Über den Garšin-Almanach reden wir im Sommer in Sumy.

Ich habe Ščeglov eingeladen, in unserer Nachbarschaft ein Sommerhaus zu mieten, ihn zu überzeugen versucht, daß das nur Groschen kostet, ihn gelockt mit allen Gütern dieser Erde (ausgenommen Frauen, auf die er, als Verheirateter, verzichten muß), aber er hat abgelehnt und sich auf seinen »Verwandtenklüngel« berufen. Diese Verwandten haben ihn wie Spulwürmer malträtiert. So ein kleinmütiger Mensch!

Grüßen Sie alle Ihrigen und bleiben Sie gesund. Das Wetter ist schön, ich möchte spazierengehen. *Ihr A. Čechov.*

Ich habe kein Geld! Entsetzlich! Sobald ich nach Sumy komme, setze ich mich hin und kritzle kleine Sachen.

Ich will von Anna Michajlovna einen Vorschuß in Höhe von *fünfhundert* (250 sofort und 250 im Juni). Ob sie mir den gibt?

Von Moskau nach Kursk geht ein Postzug um drei Uhr nachmittags. Nehmen Sie diesen Zug.

121) AN I. L. LEONTJEV-ŠČEGLOV MOSKAU, 18. 4. 1888

18. Apr.

Lieber Hauptmann! Ich habe den »Ehemann für die Sommerfrische« bekommen, und die Kritik zu meiner »Steppe«. Also, wir sind Pantheisten! – wozu ich Ihnen gratuliere.

Ich fahre am fünften Mai aus Moskau ab. Sie haben Zeit, mir noch 5mal zu schreiben und sogar zu den Feiertagen zu mir zu kommen und mein Gast zu sein. Wenn Sie kein Feigling wären, dann würden Sie kommen.

Über Korš weiß ich nichts. Gerüchte keine.

Ich habe noch 75 R.... Womit soll ich nach Sumy fahren? Wenn man mir keinen Vorschuß gibt, erschieße ich mich.

Ich habe ebenfalls einen »Verwandtenklüngel«. Damit er mich nicht stört, nehme ich ihn auf Reisen immer mit, wie Gepäck, und bin daran gewöhnt wie an die Beule auf der Stirn. Es ist bei weitem bequemer und billiger, ihn mitzunehmen, als ihn zu Hause zu lassen... Übrigens, mein Klüngel ist, wenn man ihn mit einer Geschwulst vergleicht, eine gutartige Geschwulst, keine bösartige. Meine Geschwulst näht mir meine Hemden, und zwar hervorragend, kocht hervorragend und ist immer fröhlich. Im Winter besteht mein Klüngel aus 8 Mann, im Sommer aus 5 (davon 2 Dienstboten). Jedenfalls habe ich es öfter lustig als traurig, obwohl ich, wenn ich es recht überlege, an Händen und Füßen gebunden bin... Sie, Väterchen, haben eine kleine Wohnung, ich dagegen ein ganzes Haus, wenn auch ein lausiges, aber doch ein Haus, und noch dazu mit zwei Etagen... Sie haben eine *Frau*, die Ihnen die Geldlosigkeit verzeiht, ich habe eine *Ordnung*, die zusammenbricht, wenn ich nicht die bestimmte Quantität an Rubeln monatlich verdiene, zusammenbricht und mir auf die Schultern fällt wie ein schwerer Stein...

Übrigens, pfeif drauf... Ich bin dabei, eine sehr langweilige Novelle abzuschließen. Ich hatte Lust zu philosophieren, und herausgekommen ist Kolophonium mit Essig. Ich lese das Geschriebene durch und spüre, wie sich mir vor Übelkeit der Speichel zusammenzieht: es ist widerwärtig! Naja, macht nichts... Pfeif drauf. Welche Dummheit wir heute auch schreiben, welch kluge Dinge die Kritikerputer auch über uns loslassen, in 10 Jahren werden wir nichts mehr davon spüren, und darum, Hauptmann, – voran! ohn' alle Furcht und Zweifel! Haben Sie Babikov (oder Bibikov, Sancho Belinskij) mit seinen Erinnerungen an Garšin gelesen in der »Vsemirnaja illjustracija«? Was für ein selbstsüchtiges, verstelltes, saures, prahlsüchtiges und taktloses Geschwätz! Ich beneide ihn um seinen Aplomb und seine naive Selbstsicherheit, beneide ihn um seine Freundschaft mit Minskij und seine Ehrfurcht vor dem Halbgott Jasinskij, die bis zur Dysenterie geht... Er ist glücklich und zufrieden!

Leben Sie wohl und bleiben Sie gesund. Michajlovskij ist nicht so widerwärtig, wie Sie meinen, und kein so schrecklicher Teufel, ihn haben die Nerven zermürbt. *Ihr A. Čechov.*

122) AN AL. P. ČECHOV MOSKAU, 18./24. 4. 1888

Pfeiler des Bösen! Oh, Fluch Juda!

Erstens war es dumm von dir gehandelt, daß du dir von den 13 R. nicht 7 genommen hast; zweitens soll die Buchhandlung nicht denken, und du sollst dich nicht mit ihnen beraten, ob es Zeit sei, die »Dämmerungen« zu drucken oder nicht. Es *ist* Zeit.

Was die Antwort M. Suvorins betrifft, so ist er eine Hose. Auf der Rückreise von Piter habe ich mein Buch auf *keiner einzigen* Bahnstation gefunden; vor ein paar Tagen war ich auf dem Nižegoroder Bahnhof und habe es dort ebenfalls nicht gesehen. Die jungen Damen beklagen sich, daß man mein Buch nirgends bekommen könne. Ein Mensch, ein guter Bekannter, der in Suvorins Buchhandlung kam (Ende März oder Anfang April), um das Buch zu kaufen, bekam zur Antwort – »nicht da! nicht da!« *In seiner Gegenwart kam ein anderer* mit demselben Wunsch und bekam dieselbe Antwort... Wer hat recht? Ich oder euer »Konterfraktionskontor«? Ich entlasse dich für dieses Mal aus brieflichen und mündlichen Erklärungen, ich werde selbst reden, und du schweig... In Suvorins Buchhandel herrscht die schlimmste Konfusion... So geht es nicht. Mein Buch geht *gut,* d.h. es herrscht große Nachfrage, und es ist nirgends zu bekommen... Weiß der Teufel!

Der Alte hatte versprochen, diese Woche nach Moskau zu kommen. Ich werde ihn bitten, dich davonzujagen, dich Trottel. Du verstänkerst die ganze Zeitung.

Kann man nicht die Wahrheit über die Krankheit von A. I. herausbekommen? Daß sie *irgendwo* einen Abszeß hat, wußte ich schon, als Knoch die Schwindsucht feststellte. Wenn einen

Leberabszeß, dann was für einen Abszeß? Ist er nicht von einem Stein, der unterwegs aufgehalten worden ist und einen der ductusse im Parenchymen der Leber verschließt? Hat A. I. früher unter Leberkoliken gelitten?

Am 5. Mai bewegt sich unsere Karawane gen Süden in Richtung »Sumy, Gouv. Chark., Gut A. V. Lintvarëva«. Miška ist heute gefahren. In ein paar Tagen schließe ich eine Novelle für den »Sev. vestnik« ab... Von Mai bis September werde ich nichts Großes schreiben. Ich werde mich mit kleinen Sachen befassen, wonach ich Sehnsucht habe.

Geld für die Reise ist da, aber wovon wir in Sumy leben werden, weiß ich nicht... Ich werde Fische fangen und damit meine hochbetagten Eltern ernähren.

Zieh die Hosen aus und verprügle dich. Ich verbleibe unzufrieden mit dir *Blagorodnov.*

123) AN V. N. DAVYDOV MOSKAU, 23. 4. 1888

23. April.

Christ ist erstanden, verehrter Vladimir Nikolaevič! Ich wünsche Ihnen Glück zu den Feiertagen und wünsche Ihnen, sie feierlich und fröhlich zu verbringen. Ich gratuliere Ihnen zum Ende Ihrer Scherereien. Petersburg hat gewonnen, und Moskau verloren; wir sind also in Zukunft ohne V. N. Davydov – und ich um einen jener Bekannten ärmer, die ich besonders schätze. Nun, was ist da zu machen! Obwohl ich mich nicht ganz abfinden möchte mit dem Gedanken, daß Sie Moskau ganz verlassen, freue ich mich, daß Sie weggegangen sind: in Piter, im Kreis Ihrer Familie, werden Sie es leichter haben, und außerdem sind in Piter die Leute wenn auch trockener, so doch klüger und besser befähigt, ein solches Talent, wie Sie es sind, zu schätzen. Ich wünsche Ihnen allen Erfolg, und danke für die vergangene Saison. Ich freue mich, daß mich das Schicksal, wenn auch nur für kurz, mit Ihnen zusammengeführt und mir die Möglichkeit gegeben hat, Sie kennenzulernen. Wir werden uns wahrscheinlich nicht mehr begegnen, und wenn, dann sehr selten – nicht öfter als einmal im Jahr. Übrigens, Gott weiß es.

Neues gibt es in Moskau nicht. Anfang Mai fahre ich mit meiner Familie in die Ukraine, wo ich für den Sommer ein Gut gemietet habe (Sumy, Gouv. Charkov, Gut Lintvarëva; wenn Sie an Sumy vorbeifahren, herzlich willkommen).

Grüßen Sie Pavel Pavlovič. Wenn »Kalchas« nicht verlorengegangen ist, schicken Sie ihn; wenn er verloren ist, dann zum Teufel mit ihm, machen Sie sich keine Umstände.

Bleiben Sie gesund. Von Korš wird erzählt, er sei ernstlich krank. *Hochachtungsvoll A. Čechov.*

124) AN I. L. LEONTJEV-ŠČEGLOV MOSKAU, 3. 5. 1888

3. Mai.

Lieber Alba! Endlich können Sie mir gratulieren: übermorgen, d.h. am 5. Mai, fahre ich dahin... Die Antwort auf diesen Brief müssen Sie so adressieren: »g. Sumy, Gouv. Chark., Gut A. V. Lintvarëva«. Um den 10. Mai kommt Pleščeev zu mir... Warum wollen Sie nicht kommen? Ach Sie! Jedenfalls werde ich Sie den ganzen Sommer lang erwarten. Vielleicht überlegen Sie es sich und kommen doch! Übrigens, im Juni werde ich Sie nicht erwarten. Diesen Monat über werde ich reisen. Wenn Sie kommen, bringen Sie 3 Pfd. gute Schinkenwurst mit, die teuerste (auf meine Rechnung).

Die Erzählung habe ich an den »Sev. vestnik« abgeschickt. Ich schäme mich ihretwegen ein bißchen. Sie ist schrecklich langweilig und so philosophickerig, daß einem schlecht wird... Es ist unangenehm, aber sie nicht abzuschicken, ging nicht, weil ich das Geld so nötig brauche wie die Luft. Morgen beende ich eine Erzählung für das »Novoe vremja«. Den Sommer über werde ich nur kleine Sachen schreiben.

Ich habe von Leman einen Brief bekommen; er verkündet, daß »wir (d.h. wir alle, die Petersburger) übereingekommen sind«, in unseren Büchern über uns gegenseitig Anzeigen zu drucken, er lädt mich ein, dem beizupflichten, und warnt, in den Kreis der Erwählten könnten »nur Personen aufgenommen werden, die mit uns mehr oder weniger *solidarisch* sind«. Als Antwort habe ich ihm meine Zustimmung geschickt und die Frage: »Woher wissen Sie, mit wem ich solidarisch bin und mit wem nicht?« Was liebt man bei Ihnen in Petersburg doch den Schwulst! Wird Ihnen allen nicht schwül von solchen Worten wie Solidarität, Einheit der jungen Schriftsteller, Gemeinsamkeit der Interessen usw.? Solidarität und ähnliche Dinge verstehe ich an der Börse, in der Politik, in religiösen Angelegenheiten (Sekte) usw., aber Solidarität der jungen Schriftsteller ist unmöglich und auch nicht nötig... Das Gleiche denken und fühlen können wir nicht, unsere Ziele sind verschieden oder es gibt sie gar nicht, wir kennen einander zu wenig oder kennen uns gar nicht, es gibt also nichts, dem man auf Dauer irgendeine Solidarität aufkleben könnte... Und braucht man sie? Nein... Um seinem Kollegen zu helfen, seine Person und seine Arbeit zu achten, um keine Gerüchte und Haß über ihn zu verbreiten, um ihn nicht anzulügen und vor ihm zu heucheln, – dazu muß man weniger ein junger Schriftsteller sein als erst einmal ein Mensch... Sind wir normale Menschen, verhalten wir uns *zu allen* gleich, dann braucht man keine künstlich geschraubte Solidarität. Das hartnäckige Streben nach einer privaten, professionellen, zirkelhaften Solidarität, wie man sie bei Ihnen wünscht, gebiert unwillkürlich allseitiges Herumspionieren, Argwohn, Kontrolle, und wir werden, ohne es zu wollen, zu einer Art jesuitischem Sozius für den andern... Ich, lieber Jean, bin nicht mit Ihnen solidarisch, aber ich verspreche Ihnen beim Sarg des Lebens die volle Freiheit als Schriftsteller; d. h. Sie können schreiben, wo und wie Sie wollen, können meinetwegen denken wie Korejša, können Ihre Überzeugungen und Richtung 1000mal ändern usw. usf., und meine menschlichen Beziehungen zu Ihnen werden sich nicht um ein Gran ändern, und ich werde immer auf den Umschlagseiten meiner Bücher Anzeigen Ihrer Bücher drucken. Das kann ich auch meinen anderen Kollegen versprechen, und das würde ich auch für mich wollen. Das sind, meiner Meinung nach, die normalsten Beziehungen. Nur dann sind Achtung und sogar Freundschaft möglich, und Mitgefühl in schweren Augenblicken des Lebens.

Aber ich habe mich verschwatzt. Gott behüte Sie!

Ihr A. Čechov.

125) AN N. A. LEJKIN SUMY, 11. 5. 1888

11. Mai, g. Sumy Gouv. Chark., Gut A. V. Lintvarëva.

Seien Sie gegrüßt,

bester Nikolaj Aleksandrovič!

Ich schreibe Ihnen aus der warmen und grünen Ferne, wo ich mich bereits mitsamt meiner Familie eingerichtet habe. Ich lebe auf einem Landgut nahe Sumy am Steilufer des Flusses Psël (eines Nebenflusses des Dnepr). Der Fluß ist breit und tief; Fische gibt es darin so viele, daß Ihr bärtiger Timofej, wenn Sie ihn hierherkommen ließen, vor Wut vergessen würde, daß er einmal beim Grafen Stroganov in Diensten stand.

Ringsum in den weißen Katen wohnen Kleinrussen. Das Volk ist satt, fröhlich, gesprächig und witzig. Die Bauern verkaufen hier weder Butter noch Milch noch Eier, sondern essen alles selbst – ein gutes Zeichen. Bettler gibt es keine. Betrunkene habe ich noch keine gesehen, und Fluchen hört man sehr selten, und wenn, dann in einer mehr oder weniger künstlerischen Form. Die Gutsbesitzer, bei denen ich wohne, sind gute und fröhliche Leute.

Ich bedaure sehr, daß Sie fast den ganzen Sommer Waise sein werden. Allein im Sommerhaus ist es langweilig, besonders wenn ringsum keine Bekannten leben, die einem sympathisch sind. Mieten Sie sich eine französische Bonne von 25–26 Jahren. Das ist gut für die Gesundheit. Und wenn Dalkevič und Bilibin Sie besuchen kommen, dann[...]

Fahren Sie Boot? Eine sehr gute Gymnastik. Ich fahre täglich Boot und überzeuge mich von Mal zu Mal mehr, daß die Ruderarbeit die Arm- und Rumpfmuskeln bewegt, teilweise auch Bein-

und Halsmuskeln, und daß diese Übung einer allseitigen Körpergymnastik nahekommt.

Mit »Satyr und Nymphe« ist mir etwas Ärgerliches passiert. Noch vor Ihrer Ankunft in Moskau hatte sich der Buchbinder (der in der Schule meines Bruders arbeitet) das Buch geliehen; er hat es sich geliehen, dann angefangen zu trinken und es erst in der zweiten Woche nach Ostern zurückgebracht. Ich bin nicht mehr dazugekommen es zu lesen, obwohl ich große Lust hatte, Kritik an Ihnen zu üben. Ich las den Roman in der Zeitung, erinnere mich an den Kaufmann, Akulina, die teuflische Katerina, den Advokaten, Pantelej, erinnere mich an Schürzung und Lösung des Konflikts; aber Kenntnis der handelnden Personen und des Romaninhalts genügen nicht, um sich ein Urteil anzumaßen. Die Menschen des Romans sind lebendig, aber für einen Roman genügt das nicht. Man müßte auch wissen, wie Sie mit der Architektur zurechtgekommen sind. Überhaupt interessieren mich Ihre großen Sachen sehr, und ich lese sie mit großer Neugierde. »Stukin und Chrustalnikov« ist, meiner Meinung nach, eine sehr gute Sache, bei weitem besser als jene Romane, die von Weibern, Mačtet u.a. ausgebacken werden. »Stukin« ist besser als die »Sklavin« von Barancevič ... Ihr Hauptvorzug in den großen Sachen ist das Fehlen von Prätention und eine großartige gesprochene Sprache. Ihr Hauptfehler – Sie wiederholen sich gern, und in jeder großen Sache reden die Pantelejs und Katerinas so lange über ein und dasselbe, daß es den Leser ein wenig ermüdet. Dann noch ein Vorzug: je einfacher die Fabel, desto besser, und Ihre Fabeln sind einfach, sind aus dem Leben gegriffen und nicht konstruiert. An Ihrer Stelle würde ich einen kleinen Roman aus dem Leben der Kaufleute schreiben, im Stil Ostrovskijs; ich würde die gewöhnliche Liebe und das Familienleben beschreiben, ohne Bösewichte und Engel, ohne Advokaten und Teufelinnen; als Sujet würde ich das gleichmäßige, glatte, gewöhnliche Leben wählen, wie es tatsächlich ist, und das »Kaufmannsglück« darstellen, so wie Pomjalovskij das der Kleinbürger dargestellt hat. Das Leben des russischen Handelsmannes ist runder, nützlicher, klüger und typischer als das Leben der Jammerlappen und Wichtigtuer, die Albov, Barancevič, Muravlin u. a. beschreiben. Aber ich habe mich verschwatzt. Bleiben Sie gesund. Grüßen Sie die Ihren … Schreiben Sie. *Ihr A. Čechov.*

126) AN I. P. ČECHOV SUMY, MITTE MAI 1888

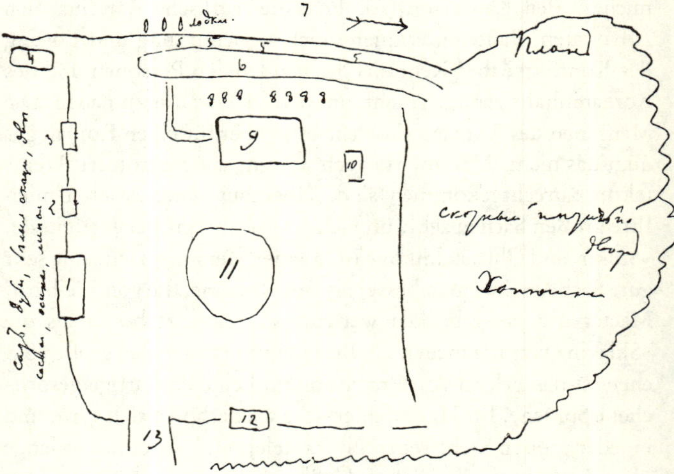

1) Unser Flügel. Mit Säulen. Die Treppe ganz. Dahinter und zu beiden Seiten Garten, der auf einen hohen Berg hinausläuft, von dem man Sumy und den Bahnhof sehen kann. Im Garten Wege und Bänke. Auf dem Berg Gruben für Leute, die a–à zu machen wünschen.

2) Die provisorische Kammer des Friedensrichters, der aussieht wie Ivanenko und dicke Zigaretten raucht. Hier ist auch unsere Küche. Köchin ist die Polin Anna, die Frau des Schriftführers.

3) Der Mieter Artemenko, der in der Fabrik Charitonenko arbeitet. Spricht heiser. Ein leidenschaftlicher Angler. Angelt jede Nacht riesige Welse.

4) Eine verlassene Schnapsbrennerei.

5) Das Wehr, das den Teich vom Fluß trennt.

6) Der Teich, sehr groß und tief.

7) Der Psël. Breiter als der Moskva-Fluß. Unser Ufer ist steil, hoch, wie ein Sitz im Badehaus; das jenseitige Ufer abschüssig, mit Bäumen und Hütten besät. Es ist schön. Der Pfeil zeigt in die Richtung, in die wir im Boot zur Mühle fahren. Die Mühle ist groß, arbeitet mit 5–6 Rädern. Der Müller hat eine zivilisierte Tochter, nicht übel. An der Mühle ist herrlich zu angeln.

8) Der herrschaftliche Garten. Tulpen und Flieder blühen. Die weiße Akazie hat noch nicht geblüht.

9) Das Herrenhaus. Alte Möbel. Darin wohnen: die Dame des Hauses A. V., eine sehr gute und freundliche alte Frau; Georges, ein großartig klavierspielender gutmütiger Junge; die älteste Tochter Elena, Ärztin, ein kluges und gutes, wenn auch häßliches Wesen, das uns täglich Spargel schickt; die zweite Tochter Zinaida, ebenfalls Ärztin, blind infolge eines Gehirntumors; die dritte Tochter Natalja, Lehrerin, hat die Bestuževsche Lehranstalt absolviert und spricht ukrainisch. Alle nehmen an der Wirtschaft teil, fahren uns im Boot spazieren, fahren uns zur Stadt, auf die umliegenden Gutshöfe usw. Fröhliche Leute. Die Post kommt täglich.

10) Der Flügel, in dem nebst Gattin der älteste Sohn der Lintvarëva, Pavel, wohnt.

11) Gärtchen mit einem Olivenbaum.

12) Hier wohnt der kleine Panas, der nach den Würmern gräbt.

13) Der Weg zur Stadt über das Dorf Luka, an der Fabrik Charitonenko vorbei. Ein gemütliches Dorf. Liegt überall dort, wo die Wellenlinie entlangführt. Die Bauern sind reich. Bettler gibt es keine.

Um ein Uhr essen wir, um 4 trinken wir Tee; Abendessen um

10. Ich esse um 7 oder 8 Uhr, um nicht mit vollem Magen schlafenzugehen. Vodka trinke ich *gar keinen.* Mondnächte.

Ich angle, aber mit Maßen. Lebenden Köder habe ich noch nicht versucht. Die Barsche beißen, wie in Babkino die Kaulbarsche. Schick mir Angelhaken und Hosen.

Grüß Papa, Tante und Aleksej. Wenn Nikolaj bei uns ist, dann auch ihn. Für Semaško gibt es einen Platz. Er wird hier ein herrliches Leben haben für 12 Rub. monatl.

Machs gut. *Dein A. Čechov.*

127) AN A. S. SUVORIN SUMY, 30. 5. 1888

30. Mai, Sumy, Gut Lintvarëva.

Verehrter

Aleksej Sergeevič!

Ich antworte auf Ihren Brief, den ich erst gestern bekam; der Umschlag war zerrissen, zerknautscht und verschmiert, was meine Wirtsleute und Hausgenossen mit einer politischen Deutung versehen.

Ich lebe am Ufer des Psël, im Flügel eines alten Herrenguts. Ich habe das Sommerquartier aufs Geratewohl, auf gut Glück gemietet und es bis heute noch nicht bereut. Der Fluß ist breit, tief, reich an Inseln, Fischen und Krebsen, die Ufer sind schön, es gibt viel Grün ... Und die Hauptsache, es ist dermaßen viel Platz, daß es mir vorkommt, als hätte ich für meine hundert Rubel das Recht bekommen, in einem Raum zu leben, dessen Ende unabsehbar ist. Natur und Leben hier sind nach genau der Schablone gefertigt, die heute so veraltet ist und in den Redaktionen verworfen wird: ganz zu schweigen von den Nachtigallen, die Tag und Nacht singen, vom Hundegebell, das man von ferne hört, von den alten verwilderten Gärten, von den fest vernagelten, sehr poetischen und traurigen Landsitzen, in denen die Seelen schöner Frauen wohnen, ganz zu schweigen von den alten, dem Tode nahen leibeigenen Lakaien, den jungen Mädchen, die sich sehnen nach der schablonenhaftesten Liebe, nicht weit von mir entfernt gibt es sogar so eine abgedroschene Schablone wie eine Mühle (mit 16 Rädern) mit einem Müller und seiner Tochter, die immer am Fenster sitzt und offenbar auf etwas wartet. Alles, was ich jetzt sehe und höre, kommt mir seit langem bekannt vor aus den alten Novellen und Märchen. Neu wehte es mich nur von einem geheimnisvollen Vogel an – der »Rohrdommel«, die irgendwo weit weg im Schilf sitzt und Tag und Nacht einen Schrei ausstößt, der teilweise an einen Schlag vor ein leeres Faß erinnert, teilweise an das Brüllen einer in eine Scheune eingesperrten Kuh. Jeder Ukrainer hat in seinem Leben diesen Vogel einmal gesehen, aber alle beschreiben ihn anders, also hat niemand ihn gesehen. Es gibt auch Neues anderer Art, aber das ist eingeschleppt und darum nicht ganz neu.

Jeden Tag fahre ich im Boot zur Mühle, und abends begebe ich mich mit den leidenschaftlichen Anglern der Fabrik Charitonenko auf die Inseln zum Fischefangen. Es gibt interessante Gespräche. Zu Pfingsten wollen alle Angler auf den Inseln übernachten und die ganze Nacht Fische fangen, ich auch. Es gibt großartige Typen darunter.

Meine Wirtsleute haben sich als liebe und gastfreundliche Leute erwiesen. Eine Familie, die es wert ist, studiert zu werden. Besteht aus 6 Mitgliedern. Die alte Mutter, eine sehr gute, aufgedunsene Frau, die viel durchgemacht hat; liest Schopenhauer und fährt zum Akathistos in die Kirche; studiert gewissenhaft jede Nr. des »Vestnik Evropy« und »Severnyj vestnik« und kennt Schriftsteller, von denen ich noch nicht einmal geträumt habe; mißt dem große Bedeutung bei, daß in ihrem Seitenflügel einmal der Maler Makovskij gewohnt hat, und jetzt wohnt da ein junger Schriftsteller; wenn sie mit Pleščeev spricht, fühlt sie am ganzen Körper ein heiliges Schaudern und freut sich jeden Augenblick, daß es ihr »widerfahren« ist, einen großen Dichter zu sehen.

Ihre älteste Tochter, eine Ärztin, ist der Stolz der ganzen Familie und, wie die Bauern sie nennen, eine Heilige – eine wahrlich ungewöhnliche Erscheinung. Sie hat einen Gehirntumor; davon ist sie völlig erblindet, leidet an Epilepsie und ständigen Kopfschmerzen. Sie weiß, was sie erwartet, und spricht stoisch, mit niederschmetternder Kaltblütigkeit über den nahen Tod. Als praktizierender Arzt bin ich gewöhnt, Menschen zu sehen, die bald sterben werden, und ich hatte immer ein merkwürdiges Gefühl, wenn in meiner Gegenwart Menschen, die dem Tode nahe waren, sprachen, lächelten oder weinten, aber hier, wo auf der Terrasse eine Blinde lacht, scherzt oder zuhört, wie man ihr meine »Dämmerungen« vorliest, kommt mir allmählich merkwürdig nicht mehr vor, daß die Ärztin sterben wird, sondern daß wir unseren eigenen Tod nicht spüren und »Dämmerungen« schreiben, als ob wir nie sterben würden.

Die zweite Tochter, ebenfalls Ärztin, ist eine alte Jungfer, ein stilles, schüchternes, unendlich gutes, alle Menschen liebendes und häßliches Wesen. Patienten sind für sie die wahrste Folter, und sie behandelt sie vorsichtig bis zur Psychose. Bei Beratungen sind wir immer verschiedener Meinung: ich erscheine als Heilsverkünder, wo sie den Tod voraussieht, und verdopple die Dosen, die sie verschreibt. Wo dagegen der Tod offensichtlich und unausweichlich bevorsteht, da fühlt sich meine Doktorin alles andere als ärztlich. Einmal empfing ich mit ihr gemeinsam Patienten in einem Sanitätszentrum; kam eine junge Ukrainerin mit einer bösartigen Drüsengeschwulst an Hals und Nacken. Die Erkrankung war so weit fortgeschritten, daß an eine Heilung nicht zu denken war. Und da, weil das Weib im Moment keinen Schmerz fühlte, in einem halben Jahr aber unter fürchterlichen Qualen sterben würde, schaute meine Doktorin sie so tiefsinnig-schuldbewußt an, als wolle sie sich für ihre eigne Gesundheit entschuldigen und habe Gewissensbisse, daß die Medizin machtlos sei. Sie geht mit Eifer der Hauswirtschaft nach und versteht sich darauf bis in alle Kleinigkeiten. Sie kann sogar mit Pferden umgehen. Wenn z.B. das Beipferd nicht zieht oder unruhig wird, weiß sie, wie man dem abhilft, und erteilt dem Kutscher Belehrungen. Sie liebt das Familienleben über alles, das ihr vom Schicksal verwehrt ist, und träumt anscheinend davon; wenn abends im großen Haus gespielt und gesungen wird, geht sie mit schnellen und nervösen Schritten die dunkle Allee auf und ab, wie ein Tier, das man eingesperrt hat... Ich glaube, sie hat nie jemandem etwas Böses getan, und es kommt mir so vor, als sei sie nie glücklich gewesen und würde es nie auch nur für einen Augenblick werden.

Die dritte Tochter, die an der Bestuževschen Lehranstalt Examen gemacht hat – ein junges Mädchen von männlichem Körperbau, kräftig, knochig wie ein Schlag, muskulös, braungebrannt, mit einer Stimme... Sie lacht, daß man es verstweit hört. Eine leidenschaftliche Ukrainomanin. Sie hat auf dem Gut auf eigene Kosten eine Schule bauen lassen und unterrichtet die Ukrainerkinder in Krylovs Fabeln in ukrainischer Übersetzung. Sie fährt ans Grab Ševčenkos wie der Türke nach Mekka. Sie läßt sich nicht die Haare schneiden, trägt Korsett und Turnüre, geht der Wirtschaft nach, singt und lacht gern und lehnt die schablonenhafte Liebe nicht ab, obwohl sie das »Kapital« von Marx gelesen hat, aber heiraten wird sie wohl kaum, weil sie häßlich ist.

Der älteste Sohn ist ein stiller, bescheidener, kluger, talentloser und arbeitsamer Mensch, ohne Prätentionen und, offenbar, zufrieden mit dem, was das Leben ihm beschert hat. Er ist im 4. Studienjahr von der Universität verwiesen worden, prahlt aber nicht damit. Er spricht wenig. Liebt die Wirtschaft und das Land, lebt in Eintracht mit den Ukrainern.

Der zweite Sohn ist ein junger Mensch, der verrückt ist nach dem Genie Čajkovskij. Pianist. Träumt von einem Leben nach Tolstoj.

Das ist eine kurze Beschreibung der Menschen, in deren Umgebung ich jetzt lebe. Was die Ukrainer betrifft, so erinnern mich die Frauen an die Zankoveckaja, und alle Männer an Panas Sadovskij. Oft sind viele Gäste da.

Bei mir ist Pleščeev zu Gast. Alle sehen ihn an wie einen Halbgott, halten es für ein Glück, wenn er die Sauermilch, die ihm gebracht wird, mit seiner Aufmerksamkeit beehrt, bringen ihm Blumensträuße, laden ihn überallhin ein usw. Besonders den Hof macht ihm die Jungfer Vata, eine Institutsschülerin aus Poltava, die bei den Wirtsleuten zu Gast ist. Und er »hört zu und frißt« und raucht seine Zigarren, von denen seine Verehrerinnen Kopfschmerzen bekommen. Er ist schwerfällig und altersfaul, aber das hindert das schöne Geschlecht nicht daran, ihn im Boot zu rudern, auf die benachbarten Güter zu fahren und ihm Romanzen vorzusingen. Er stellt hier dasselbe dar wie in Petersburg, d.h. eine Ikone, die man anbetet, weil sie alt ist und früher einmal neben wundertätigen Ikonen gehangen hat. Ich persönlich sehe in ihm, außer daß er ein guter, warmherziger und aufrichtiger Mensch ist, ein Gefäß voller Traditionen, interessanter Erinnerungen und schöner Gemeinplätze.

Die Erzählung habe ich geschrieben und bereits ans »Novoe vremja« abgeschickt.

Was Sie mir zu den »Lichtern« schreiben, ist vollkommen richtig. »Nikolaj und Maša« ziehen sich als roter Faden durch die »Lichter«, aber was tun? Da ich nicht gewohnt bin, lange Dinge zu schreiben, bin ich ein Zweifler; wenn ich schreibe, schreckt mich jedesmal der Gedanke, meine Novelle sei über Gebühr lang, und ich bemühe mich, so kurz wie möglich zu schreiben. Das Finale des Ingenieurs mit Kisočka war für mich ein unwesentliches Detail, das die Novelle staute, darum habe ich es weggelassen und stattdessen unwillkürlich »Nikolaj und Maša« eingesetzt.

Sie schreiben, weder das Gespräch über den Pessimismus noch die Kisočka-Novelle würden die Frage des Pessimismus vorantreiben oder gar klären. Ich glaube nicht, daß Schriftsteller solche Fragen wie Pessimismus, Gott usw. klären sollten. Sache des Schriftstellers ist es dazustellen, wer, wie und unter welchen Umständen über Gott oder den Pessimismus gesprochen oder gedacht hat. Der Künstler soll nicht Richter seiner Personen und ihrer Gespräche sein, sondern nur ein leidenschaftsloser Zeuge. Ich hörte ein ungeordnetes, nicht klärendes Gespräch zweier russischer Menschen über den Pessimismus und muß dieses Gespräch in der Gestalt wiedergeben, wie ich es gehört habe, beurteilen werden es die Geschworenen, d.h. die Leser. Meine Sache ist nur, Talent zu haben, d. h. die Fähigkeit zu besitzen, die wichtigen Äußerungen von den unwichtigen zu unterscheiden, Figuren zu beleuchten und ihre Sprache zu sprechen. Ščeglov-Leontjev wirft mir vor, daß ich die Erzählung mit dem Satz beende: »Ja, man begreift nichts auf dieser Welt!« Seiner Meinung nach *muß* der Künstler und Psychologe begreifen, dazu sei er Psychologe. Ich bin nicht seiner Meinung. Die Schreibenden, besonders die Künstler, müssen sich allmählich eingestehen, daß man auf dieser Welt nichts begreifen kann, so wie sich das einst Sokrates und Voltaire eingestanden haben. Die Menge meint, alles zu wissen und alles zu begreifen; und je dümmer sie ist, desto weiter erscheint ihr ihr Horizont. Wenn sich aber der Künstler, dem die Menge glaubt, dazu entschließt zu erklären, daß er nichts von dem begreift, was er sieht, so stellt das bereits ein großes Wissen dar und einen großen Schritt vorwärts.

Was Ihr Theaterstück betrifft, so hadern Sie zu unrecht mit ihm. Seine Mängel liegen nicht darin, daß Sie zu wenig Talent und Beobachtungsgabe besäßen, sondern im Charakter Ihrer schöpferischen Tätigkeit. Sie neigen mehr zum strengen, durch die Lektüre der klassischen Vorbilder und die Liebe zu ihnen anerzogenen Schaffen. Stellen Sie sich vor, Ihre »Tatjana« wäre in Versen geschrieben, und Sie werden sehen, daß ihre Mängel ein ganz anderes Gesicht bekommen. Wenn sie in Versen geschrieben wäre, so würde niemand bemerken, daß alle handelnden Personen ein und dieselbe Sprache sprechen, würde niemand Ihren Helden vorwerfen, daß sie nicht sprechen, sondern philosophieren und feuilletonisieren, – all das verschmilzt in der klassischen Versform zu einem allgemeinen Ton, wie der Rauch in der Luft –, und niemand würde das Fehlen der banalen Sprache und banaler, kleinlicher Bewegungen bemerken, die das moderne Drama und die Komödie im Überfluß haben muß und die Ihre »Tatjana« überhaupt nicht hat. Geben Sie Ihren Helden lateinische Namen, kleiden Sie sie in Togen, und es kommt dasselbe heraus... Die Mängel Ihres Stückes sind nicht zu beseitigen, weil sie organisch sind. Trösten Sie sich damit, daß sie ein Produkt Ihrer positiven Eigenschaften sind und daß, wenn Sie diese Ihre Mängel anderen Dramatikern, zum Beispiel Krylov oder Tichonov schenken würden, deren Stücke davon interessanter und klüger werden würden.

Jetzt zur Zukunft. Ende Juni oder Anfang Juli fahre ich nach Kiev, von dort den Dnepr abwärts nach Ekaterinburg, dann nach Aleksandrovsk und so bis ans Schwarze Meer. Ich werde Sie in Feodosija besuchen. Wenn Sie tatsächlich nach Konstantinopel fahren, kann ich da nicht mit Ihnen fahren? Wir würden Vater Paisij besuchen, der uns beweisen wird, daß die Lehre Tolstojs vom Teufel kommt. Den ganzen Juni über werde ich schreiben, und darum aller Wahrscheinlichkeit nach Geld genug für die Reise haben. Von der Krim fahre ich nach Poti, von Poti nach Tiflis, von Tiflis an den Don, vom Don an den Psël... Auf der Krim werde ich ein lyrisches Theaterstück schreiben.

Was habe ich Ihnen da für einen langen Brief geschrieben! Ich muß aufhören. Grüßen Sie Anna Ivanovna, Nastja und Bora. Aleksej Nikolaevič läßt Sie grüßen. Er ist heute ein wenig krank: er bekommt schwer Luft und sein Puls lahmt wie Lejkin. Ich werde ihn behandeln. Leben Sie wohl, bleiben Sie gesund, und Gott schenke Ihnen alles Gute.

Ihr aufrichtig ergebener *A. Čechov.*

128) AN I. L. LEONTJEV-ŠČEGLOV SUMY, 9. 6. 1888

9. Juni. Sumy, Gut A. V. Lintvarëva.

Ich grüße Sie, lieber Dramatiker, gemeinsam mit A. N. Pleščeev, der nun fast schon einen Monat lang bei mir zu Gast ist. Wir lesen beide die Zeitungen und beobachten Ihre Erfolge. Ich freue mich und beneide Sie, obwohl ich Sie gleichzeitig dafür hasse, daß Ihr Erfolg Sie hindert, zu mir an den Psël zu kommen. Natürlich, über Geschmack läßt sich nicht streiten, aber für meinen Geschmack ist es, am Psël zu leben und nichts zu tun, bei weitem heilsamer als zu arbeiten und Erfolg zu haben. Der Coitus mit den Musen ist nur im Winter schön.

Sie sind zweifelsohne ein Mensch mit Talent, literarischem Gespür, Erfahrung im Kampfesgetümmel, sind geistreich und nicht unterdrückt von vorgefaßten Ideen und Systemen, deshalb können Sie davon überzeugt sein, daß aus Ihrer Stückebäckerei etwas sehr Vernünftiges herauskommt. Ich segne Sie mit beiden Händen und schicke tausend herzliche Wünsche. Sie wollen sich also ganz der Bühne widmen – das ist gut und lohnt die Mühe und Spiel bei Kerzenschein, aber... haben Sie auch Kraft genug? Man braucht viel Nervenenergie und Beharrlichkeit, um die Bürde eines russischen Dramenschreibers zu tragen. Ich fürchte, daß Sie sich verfransen, ehe Sie vierzig Jahre alt sind. Es hat doch jeder Dramatiker (jeder professionelle, wie Sie es werden wollen) unter 10 Stücken 8, die mißglückt sind, jeder muß den Mißerfolg erleben, und der Mißerfolg bleibt einem manchmal Jahre lang treu, haben Sie genug Kraft, sich damit abzufinden? Sie in Ihrer Nervosität neigen dazu, alles übergenau zu nehmen, und der geringste Fehlschlag bereitet Ihnen Schmerzen, das ist für einen Dramatiker nicht gut. Außerdem fürchte ich, daß aus Ihnen kein russischer Dramatiker wird, sondern ein Petersburger. Für die Bühne schreiben und in ganz Rußland Erfolg haben kann nur jemand, der sich in Piter nur als Gast aufhält und das Leben nicht von der Tučkov-Brücke aus beobachtet. Sie müssen wegfahren, sonst werden Sie sich kaum entschließen, irgendwann einmal Abschied zu nehmen von der Tundra und der Baronesse. »In den Bergen des Kaukasus« haben Sie geschrieben, weil Sie im Kaukasus waren; die Theaterstücke aus dem Leben der Militärs, weil Sie das Wanderleben eines russischen Offiziers geführt haben. Petersburg hat Ihnen nur den »Ehemann fürs Sommerhaus« gegeben... Wenn Sie sagen, auch der »Gordische Knoten« sei Produkt Ihrer Petersburger Beobachtungen, so glaube ich Ihnen das nicht. Ich schreibe das alles auch mit einem bösen Hintergedanken – Sie zu mir zu locken, und seis für einen Augenblick. Kommen Sie! Ich verspreche Ihnen ein Dutzend Sujets und hundert Charaktere.

Was den Schluß meiner »Lichter« betrifft, so erlaube ich mir, nicht Ihrer Meinung zu sein. Es ist nicht Sache des Psychologen, das zu begreifen, was er nicht begreift. Um so weniger ist es Sache des Psychologen, den Anschein zu erwecken, als begreife er etwas, was niemand begreift. Wir wollen keine Scharlatane sein und geradeheraus verkünden, daß man auf dieser Welt nichts begreift. Alles wissen und alles begreifen können nur Dummköpfe und Scharlatane. Aber bleiben Sie gesund und glücklich. Schreiben Sie mir, mein Bester, und langweilen Sie sich nicht. Ich gewöhne mich allmählich an Ihre Handschrift und kann sie schon vorzüglich lesen. *Ihr Egmont.*

Mein Buch ist erschienen. Wenn mein Bruder es Ihnen nicht gegeben hat, dann erinnern Sie ihn dran, wenn Sie ihn sehen.

Ekeln Sie sich nicht vor dem Vaudeville. Schreiben Sie sie zu Dutzenden. Das Vaudeville ist eine gute Sache. Davon ernährt sich bislang die ganze Provinz.

129) AN N. A. LEJKIN SUMY, 21. 6. 1888

21. Juni 88.

Ihren zweiten Brief, bester Nikolaj Aleksandrovič, habe ich gestern bekommen, als ich aus dem Gouv. Poltava zurückkam. Den ersten bekam ich kurz vor meiner Abreise. Ich war in Lebedino, in Gadjač, in Soročincy und an vielen durch Gogol berühmt gewordenen Stätten. Was für Stätten! Ich bin wirklich bezaubert. Zu meinem Glück war die ganze Zeit herrliches, warmes Wetter, ich fuhr in einer ruhigen, gefederten Kalesche und kam ins Gouv. Poltava, als dort gerade die Heumahd begonnen hatte. Ich bin 400 Verst in der Kalesche gefahren, habe an zehn Stellen übernachtet... Alles, was ich sah und hörte, war so neu, schön und gesund, daß mich den ganzen Weg ein betörender Gedanke nicht losließ – die Literatur hinzuwerfen, die mir fade geworden ist, und mich in einem Dorf am Ufer des Psël niederzulassen und mich als Arzt zu betätigen. Wäre ich allein, so bliebe ich im Gouv. Poltava, da mich an Moskau keinerlei Sympathien binden. Im Sommer würde ich in der Ukraine leben, und für den Winter käme ich ins liebgewordene Piter... Außer der Natur verblüfft mich in der Ukraine nichts so sehr wie die allgemeine Zufriedenheit, die Gesundheit des Volks, die hohe Entwicklungsstufe des hiesigen Bauern, der klug ist und religiös, musikalisch, nüchtern, moralisch, und immer fröhlich und satt. Von einem Antagonismus zwischen Paysan und Pan keine Spur.

Daß Lazarev und Ežov heiraten, hörte ich bereits. Ich gratuliere der Redaktion zur gesetzlichen Eheschließung ihrer Mitarbeiter und wünsche Kindersegen und ein weiches Bett. Sollen sie doch heiraten! Das ist eine gute Sache. Besser eine schlechte Ehe als ein gutes Lotterleben. Ich würde mich selbst gern von Hymenäus in Fesseln schlagen lassen, aber ohweh! die Umstände beherrschen mich, nicht ich sie.

Mir hat Ihre... »Erste Nacht« gefallen. Sie ist sehr gut geschrieben; nur der Titel paßt nicht recht: er macht den Leser neugierig und läßt ihn weiß der Teufel was erwarten. Ich lese die »Oskolki«. Die Widmungen von Kaktus gefallen mir. Das paßt und ist schön. Die Zeichnungen von Dalkevič sind rein modische Bildchen, die nur einen Friseur zweiter Wahl befriedigen können.

Mein Bruder Aleksandr ist mit seinen Kindern nach Piter zurückgekehrt. Die Kinder hatte er nur mitgebracht, um sie vorzuzeigen.

Das Wetter bei uns ist warm. Es reifen die Früchte der Erde. Anfang Juli fahre ich nach Feodosija zu Suvorin. Haben Sie irgend einen Auftrag?

Ihre Bücher hat in meiner Abwesenheit Lazarev in Empfang genommen, er war beauftragt, Ihnen den Empfang zu bestätigen und für Ihre Liebenswürdigkeit zu danken. Ich stehe in Ihrer Schuld.

Wenn Sie an Lazarev und Ežov schreiben, so gratulieren Sie ihnen in meinem Namen. Ich hätte auch selbst gratuliert, aber ich habe ihre Adressen nicht. Schreiben Sie, daß ich ihnen alles Gute wünsche, besonders literarische Erfolge, auf die sie bei ihrer Anständigkeit und ihrem Fleiß um so mehr ein Recht haben, als beide, besonders Lazarev, Talent haben...

Bleiben Sie gesund. Ich setze mich jetzt hin und schreibe fürs tägliche Brot.

Schrieb ich Ihnen, daß A. N. Pleščeev bei mir zu Gast war? Er hat 3 Wochen bei mir verbracht. *Ihr A. Čechov.*

NB. An den Buchkiosken auf den Bahnhöfen gibt es Ihre Bücher nur bei Petrovskij.

130) AN M. P. ČECHOVA FEODOSIJA, 14. 7. 1888

Feodosija, Donnerstag.

Mademoiselle Schwester!

Es ist sehr heiß und schwül, und darum will ich nicht lange und kurz schreiben. Ich beginne damit, daß ich gesund und munter bin, alles bestens steht, Geld einstweilen noch vorhanden ist... Die Lunge rasselt nicht, dafür aber das Gewissen, weil ich nichts tue und auf der Bärenhaut liege. Die Strecke von Sumy nach Charkov ist furchtbar langweilig, von Charkov nach Lozovaja und von Lozovaja nach Simferopol kann man vor Schwermut umkommen. Die Krimsteppe ist trostlos, eintönig, ohne Ferne, ohne Kolorit wie die Erzählungen von Ivanenko und erinnert im ganzen an die Tundra. Als ich sie während der Fahrt durch die Krim so sah, dachte ich: »Ich kann daran nichts Gutes finden, Saša«... Nach der Steppe, ihren Bewohnern und dem Fehlen all dessen zu urteilen, was andere Steppen so lieb und anziehend macht, hat die Halbinsel Krim keine strahlende Zukunft vor sich und kann auch keine haben. Hinter Simferopol fangen die Berge an, und mit ihnen die Schönheit. Schluchten, Berge, Schluchten, Berge, aus den Schluchten ragen Pappeln auf, von den Bergen schimmern dunkel kleine Weingärten – alles vom Mondlicht übergossen, ist wild, neu und stimmt die Phantasie auf ein Motiv aus Gogols »Schrecklicher Rache« ein. Besonders phantastisch das Abwechseln zwischen Abgründen und Tunnels, wenn man mal die vom Mondlicht überfluteten Abgründe sieht, mal die undurchdringliche, ungute Finsternis... Ein bißchen unheimlich und angenehm. Man spürt etwas Nichtrussisches und Fremdes. In Sevastopol kam ich nachts an. Die Stadt an sich ist schön, schön auch, weil sie an einem wunderbaren Meer liegt. Das Schönste am Meer ist seine Farbe, und diese Farbe ist nicht zu beschreiben. Sie ist wie blaues Vitriol. Was die Dampfer und Schiffe, die Buchten und Anlegestellen betrifft, so fällt vor allem die Armut des russischen Menschen ins Auge. Außer den »Popovki«, die aussehen wie Moskauer Kaufmannsfrauen, außer 2–3 erträglichen Dampfern gibt es im Hafen nichts Vernünftiges, und ich staune über unseren Kapitän Michel, der in Sevastopol nicht nur die fehlende Flotte hat sehen können, sondern sogar Dinge, die es überhaupt nicht gibt. Ich übernachtete im Hotel mit dem Gutsbesitzer Krivobok aus Poltava, mit dem ich mich unterwegs angefreundet hatte.

Wir aßen zerkochte Meeräsche und Hühnchen, tranken uns mit Wein voll und legten uns schlafen. Am nächsten Morgen – tödliche Langeweile. Hitze, Staub, Durst... Im Hafen stinkt es nach Tauwerk, erscheinen hie und da Fratzen mit ziegelroter Haut, hört man die Klänge der Seilwinde, das Plätschern der Abwässer, Hämmern, Tatarisch, und allen möglichen uninteressanten Blödsinn. Man tritt auf einen Dampfer zu: Menschen in Lumpen, verschwitzt, halb verbrannt von der Sonne, halbverrückt, mit zerlöcherten Schultern und Rücken, sie löschen Portlandzement, man bleibt stehen, schaut, und das ganze Bild erscheint einem allmählich derart fremd und fern, daß es unerträglich langweilig wird und einen nicht neugierig macht. Interessant ist, an Bord zu gehen und zuzusehen, wie der Anker gelichtet wird, die Fahrt dagegen und das Gespräch mit dem Publikum, das gänzlich aus Leuten besteht, die einem auf die Nerven fallen und die man schon kennt, ist langweilig. Das Meer und die eintönige, kahle Küste sind nur in den ersten Augenblicken schön, aber man gewöhnt sich schnell daran; unwillkürlich geht man in seine Kajüte und trinkt Wein. Schön ist die Küste nicht... Ihre

Schönheit ist übertrieben worden. All diese Gurzufs, Massandras und Zedern, von den Gourmets im Bereich der Poesie besungen, erscheinen vom Dampfer aus wie kümmerliche Sträucher, Brennesseln, ihre Schönheit kann man daher nur vermuten, und sehen kann man sie nur durch ein starkes Fernglas. Das Psëltal mit Sary und Raševka ist bei weitem vielfältiger und reicher an Gehalt und Farben. Als ich vom Dampfer aus die Küste sah, begriff ich, warum sie noch keinen Dichter inspiriert und noch keinem Schriftsteller und Künstler als Sujet gedient hat. Sie wird gepriesen von den Ärzten und vornehmen Damen – darin liegt ihre ganze Stärke. Jalta, das ist eine Mischung aus etwas Europäischem, das an Nizza erinnert, und einem kleinbürgerlichen Jahrmarkt. Die schachtelförmigen Hotels, in denen die unglücklichen Schwindsüchtigen dahinsiechen, die frechen Tatarenfratzen, die Turnüren mit dem sehr offenherzigen Ausdruck von etwas sehr Ekelhaftem, diese Fratzen der reichen Nichtstuer mit ihrer Gier nach Groschenabenteuern, der Parfumgeruch statt des Geruches von Zedern und Meer, der armselige schmutzige Hafen, die traurigen Lichter draußen auf dem Meer, das Geschwätz der Damen und ihrer Kavaliere, die hierhergekommen sind, um die Natur zu genießen, von der sie keine Ahnung haben, – all das vermittelt im Ganzen einen so trostlosen Eindruck und zwar so eindringlich, daß man anfängt, sich Vorurteile und Voreingenommenheit vorzuwerfen.

Geschlafen habe ich gut, in einer Kajüte 1. Klasse, in einem Bett. Morgens um 5 Uhr geruhte ich in Feodosija einzutreffen – einem gräulich-braunen, trostlosen und langweilig anzusehenden Städtchen. Gras keines, klägliche Bäumchen, grobkörniger, hoffnungslos dürrer Boden. Alles ist von der Sonne verbrannt, und es lächelt nur das Meer, das mit kleinen Städtchen und Touristen nichts zu schaffen hat. Das Baden ist so schön, daß ich nach dem Untertauchen ohne jeden Grund zu lachen anfing. Suvorins, die hier eines der schönsten Häuser bewohnen, freuten sich über mein Kommen; wie sich zeigte, war das Zimmer für mich schon lange vorbereitet und hatte man schon lange gewartet, um mit den Ausflügen zu beginnen. Eine Stunde nach meiner Ankunft fuhren sie mit mir zum Frühstück zu einem gewissen Murza, einem Tataren. Hier versammelte sich eine große Gesellschaft: Suvorins, ein Marineoberstaatsanwalt, seine Frau, die lokalen Honoratioren, Ajvazovskij... Es wurden 8 tatarische Gerichte serviert, sehr schmackhaft und sehr fett. Wir aßen bis 5 Uhr und betranken uns wie die Schuster. Murza und der Staatsanwalt (ein noch jüngerer Geschäftsmann aus Piter) versprachen, mich in die Tatarendörfer zu fahren und mir die Harems der Reichen zu zeigen. Natürlich fahre ich da mit.

Zum Schreiben ist es zu schwül. Ich glaube, lange werde ich es in der Hitze nicht aushalten. Ich komme bald zurück, obwohl Suvorins versprechen, mich bis September hier festzuhalten.

Mit Suvorins habe ich endlose Gespräche. Die Suvorina zieht stündlich ein neues Kleid an, singt gefühlvoll Romanzen, schimpft und schwatzt endlos. Ein unruhiges, rühriges Weib, eine Phantastin, kokett bis ins Mark. Mit ihr ist es nie langweilig.

Ich fahre in die Stadt. Leb wohl. Grüß alle. Ich schreibe wieder. Der Kalender mit dem Geld ist im Koffer.

Dein A. Čechov.

Geld schicke ich.

131) AN I. L. LEONTJEV-ŠČEGLOV FEODOSIJA, 18. 7. 1888

Feodosija, 18. Juli.

Ich schreibe Ihnen, lieber Hauptmann, von den Ufern des Schwarzen Meeres. Ich lebe in Feodosija beim General Suvorin. Die Hitze und Schwüle sind unmöglich, der Wind trocken und steif wie ein Buchumschlag, einfach um nach der Polizei zu rufen. Bäume und Gras gibt es in Feodosija nicht, verstecken kann man sich nirgends. Es bleibt nur das eine – baden. Und ich bade. Das Meer ist herrlich, tiefblau und zärtlich wie die Haare eines unschuldigen Mädchens. An seiner Küste kann man 1000 Jahre leben, ohne sich zu langweilen.

Den ganzen Tag verbringen wir mit Gesprächen. Die Nacht desgleichen. Und ich verwandle mich allmählich in eine Gesprächsmaschine. Wir haben bereits sämtliche Fragen geklärt und eine Menge neuer aufgetan, die noch nie jemand aufgeworfen hat. Wir reden, reden, reden und werden, aller Wahrscheinlichkeit nach, damit enden, daß wir an Entzündung der Zunge und der Stimmbänder sterben. Mit Suvorin zusammenzusein und zu schweigen, ist ebenso schwer, wie bei Palkin zu sitzen und nicht zu trinken. Suvorin ist tatsächlich das inkarnierte Gespür. Er ist ein großer Mann. In der Kunst macht er aus sich dasselbe wie ein Setter auf Schnepfenjagd, d. h. er arbeitet mit teuflisch sicherem Gespür und bebt dabei vor Leidenschaft. Er ist ein schlechter Theoretiker, hat die Wissenschaften nicht studiert, hat wenig Kenntnisse, er ist in allem Autodidakt – daher seine geradezu hündische Unverdorbenheit und Integrität, daher auch die Selbständigkeit seiner Ansichten. Da er an Theorien nicht viel hat, mußte er unwillkürlich das an sich entwickeln, was ihm die Natur in reichem Maße gegeben hat, hat er unwillkürlich seinen Instinkt zu einem großen Geist entwickelt. Mit ihm ist angenehm zu reden. Und wenn man seine Art, ein Gespräch zu führen, kennt, seine Aufrichtigkeit, die man bei Gesprächspartnern sonst nur selten antrifft, so wird das Geplauder mit ihm fast zu einem Genuß. Ihren Suvorin-Schmerz kann ich sehr gut verstehen.

Schicken Sie mir den »Theaterspatzen«. Wenn Sie tatsächlich eine Komödie geschrieben haben, sind Sie ein Prachtkerl und ein kluger Kopf. Schreiben Sie, was das Zeug hält, und zwar das, was Sie im gegebenen Augenblick schreiben wollen. Wollen Sie eine Tragödie schreiben – schreiben Sie sie, wollen Sie ein einfaches Vaudeville schreiben – schreiben Sie es. Ihre Natur ist nicht von der Art, daß Sie von fremden Ansichten und Urteilen viel hätten. Sie müssen Ihrem inneren Gefühl folgen, das für nervöse und empfindsame Menschen das beste Barometer ist. Und je mehr Stücke Sie schreiben, desto besser. Ach, ich predige schon wieder Moral! Verzeihen Sie, mein Lieber... Aber das ist keine Moralpredigt, sondern ein Gespräch mit Ihnen. Wenn ich Ihnen schreibe, sehe ich Ihr Gesicht.

Ich fahre zur Post in die Stadt. Leben Sie wohl.

Allah behüte Sie. *Ihr A. Čechov.*

132) AN DIE FAMILIE ČECHOV FEODOSIJA, 22./23. 7. 1888

22. Juli, Feodosija.

Liebe Hausgenossen! Hiermit setze ich euch davon in Kenntnis, daß ich Feodosija morgen verlassen werde. Meine Faulheit vertreibt mich von der Krim. Ich habe keine einzige Zeile geschrieben und keine Kopeke verdient; wenn meine ekelhafte Faulenzerei noch 1–2 Wochen andauert, so verbleibt mir kein einziger Groschen, und die Familie Čechov wird in Luka überwintern müssen. Ich hatte davon geträumt, auf der Krim ein Theaterstück und 2–3 Erzählungen zu schreiben, aber es stellte sich heraus, daß man unter dem Himmel des Südens leichter lebendigen Leibes zum Himmel auffahren kann, als auch nur eine Zeile zu schreiben. Ich stehe um 11 Uhr auf, gehe um 3 in der Nacht schlafen, esse den ganzen Tag, trinke und rede, rede, rede ohne Ende. Ich habe mich in eine Gesprächsmaschine verwandelt. Suvorin tut ebenfalls nichts, und wir haben bereits sämtliche Fragen gelöst. Ein sattes, randvolles Leben, das einen verschlingt... Das Faulenzen am Strand, mit Chartreuse, Wein und Rum, Raketen, Baden, die fröhlichen Diners, Spazierfahrten, Romanzen – all das macht die Tage kurz, man merkt sie kaum; die Zeit fliegt, fliegt dahin, und der Kopf döst beim Rauschen der Wellen und mag nicht arbeiten... Die Tage sind heiß, die Nächte schwül, asiatisch... Nein, ich muß wegfahren!

Gestern war ich in Šach-mamaj, auf dem Gut Ajvazovskijs, 25 Verst von Feodosija entfernt. Das Gut ist wunderschön, ein wenig wie im Märchen; solche Güter kann man wahrscheinlich in Persien sehen. Ajvazovskij, ein rüstiger Greis von etwa 75 Jahren, ist eine Mischung aus einem gutmütigen Armenier und einem zugereisten Bischof; der eignen Würde voll bewußt, hat er weiche Hände, die er einem gibt wie ein General. Keine sonderlich weite, aber komplizierte und interessante Natur. Er vereinigt alles in einem – den General, den Bischof, den Künstler, den Armenier, den naiven Großvater, und Othello. Verheiratet mit einer jungen und sehr schönen Frau, die er fest unter der Fuchtel hält. Verkehrt mit Sultanen, Schahs und Emiren. Hat gemeinsam mit Glinka »Ruslan und Ljudmila« geschrieben. War mit Puškin befreundet, hat Puškin aber nicht gelesen. Er hat in seinem ganzen Leben kein Buch zu Ende gelesen. Wenn man ihm etwas zu lesen empfiehlt, sagt er: »Warum soll ich das lesen, wo ich doch meine eigene Meinung habe?« Ich war den ganzen Tag bei ihm und habe bei ihm gegessen. Ein langes, sich hinziehendes Essen, mit endlosen Trinksprüchen. Unter anderem habe ich bei dem Essen die Tarnovskaja kennengelernt, Ärztin, die Frau des berühmten Professors. Sie ist ein dicker, verfetteter Klumpen Fleisch. Wenn man sie nackt ausziehen und grün anmalen würde, käme ein Teichfrosch heraus. Nach der Unterhaltung mit ihr habe ich sie in Gedanken aus dem Ärzteverzeichnis gestrichen.

Ich sehe viele Frauen; die beste von allen ist die Suvorina. Sie ist ebenso originell wie ihr Mann und denkt nicht wie Frauen. Sie redet viel Unsinn, aber wenn sie ernst sein will, redet sie klug und selbständig. Sie ist bis über die Ohren verliebt in Tolstoj und kann daher die moderne Literatur auf den Tod nicht leiden. Wenn man mit ihr über Literatur spricht, spürt man, daß Korolenko, Bežeckij, ich und andere ihre persönlichen Feinde sind. Sie verfügt über das ungewöhnliche Talent, ununterbrochen Unsinn zu schwatzen, aber mit Talent und so interessant, daß man ihr den ganzen Tag zuhören kann, ohne sich zu langweilen, wie einem Kanarienvogel. Überhaupt ist sie ein interessanter, kluger und guter Mensch. Abends sitzt sie am Meeresstrand und weint, morgens lacht sie und singt Zigeunerromanzen...

Eines von beidem: entweder fahre ich direkt nach Hause, oder dorthin, wo der Pfeffer wächst. Im ersten Fall erwartet mich in einer Woche, im zweiten erwartet mich nicht in einer Woche.

Grüße an Aleksandra Vasiljevna, Zinaida Michajlovna, die

verehrte Kollegin, Natalja Michajlovna, Pavel und Georgij Michajlovič und alle rechtgläubigen Christen. An Antonida Fëdorovna und ihren Säugling ebenfalls einen Gruß.

Gerade sitzt Suvorin bei mir im Zimmer und stöhnt: »Geben Sie mir den Brief zu lesen!« Stöhnt und schimpft. Ich fahre gleich in die Stadt.

Das Geld schicke ich in diesen Tagen.

Geld für den Kauf des Bauernhofes *habe ich* – 2000 Rub. Suvorin hat mir 2 Boote und ein Lineal geschenkt. Die Boote sollen großartig sein. Ich will versuchen, sie an den Psël zu schicken. Sie sind im Petersburger Yachtklub gekauft. Eins hat ein Segel.

Mutter küsse ich die Hand. Ich hoffe, ihr habt alle zu essen, Tabak usw. Spart nicht. Spart um so weniger, als ohnehin nichts da ist.

Ich küsse alle. *A. Čechov.*

Drei Uhr nachts auf Samstag. Ich bin eben erst aus dem Garten zurück und habe gegessen. Habe mich von den Feodosijanern verabschiedet. Die Küsse, guten Wünsche, Ratschläge und Wortergüsse nahmen kein Ende. In 1½ Stunden geht der Dampfer. Ich fahre mit Suvorins Sohn – wohin das Auge reicht. Es kommt Wind auf. Ich werde also kotzen müssen.

In 2–3 Tagen bekommt ihr einen weiteren Brief.

Hebt das »Novoe vremja« auf, angefangen vom 20. Juli. Hebt überhaupt alle Zeitungen auf.

Sagt Lidija Fëdorovna, daß ihr Kamm noch ganz ist und seinen Dienst tut: jeden Augenblick kämme ich mir den Sand aus den Haaren.

Briefe adressiert (im Bedarfsfall) an Suvorin nach Feodosija. Er wird wissen, wo ich jeweils bin.

Es ist heiß!

Mich zwackt das Gewissen, daß ich mich, als ich wegfuhr, von Elena Ivanovna und Lidija Fëdorovna nicht verabschiedet habe.

133) AN A. N. PLEŠČEEV SUMY, 13. 8. 1888

13. Aug.

Seien Sie gegrüßt, lieber Aleksej Nikolaevič! Ich bin ins heimatliche Reich zurückgekehrt. Ich war auf der Krim, in Novyj Afon, in Suchum, in Batum, in Tiflis, in Baku; ich wollte nach Buchara und Persien fahren, aber dem Schicksal gefiel es, meine Framstange umzukehren. Die neuen Eindrücke sind dermaßen scharf, daß mir alles Erlebte jetzt wie im Traume erscheint. Von unterwegs konnte ich nicht schreiben, weil es unerträglich heiß war, ich fühlte mich wie in einem Halfter gejagt, und der Eindrücke waren so viele, daß ich schier den Verstand verlor und nicht wußte, wovon ich schreiben sollte. In Feodosija bekam ich Ihren Brief; mit Sinn und Verstand und ausführlich darauf antworten, wenn sich einem der Kopf dreht vom Krimwein und der Mund trocken ist von den vielen Gesprächen, wenn sich die Eindrücke zu einem Gemüseeintopf vermengen, ist schwer.

Von meiner Reise erzähle ich Ihnen in Piter. Ich werde Ihnen zwei Stunden lang erzählen, auf dem Papier beschreiben werde ich sie nicht, denn die Beschreibung würde zu kurz und zu blaß.

Jetzt sitze ich am Fenster, schreibe und schaue zum Fenster hinaus auf das sonnenüberflutete Grün, und spüre bedrückt schon die Prosa des Lebens in Moskau. Ach, ich habe so gar keine Lust wegzufahren! Der Psël, die Kanaille, wird, wie um mich zu ärgern, mit jedem Tag schöner, das Wetter ist herrlich; das Getreide wird eingefahren... Moskau mit seiner Kälte, seinen schlechten Theaterstücken, Buffets und seinem russischen Denken schreckt mich... Ich würde den Winter gern fern von ihm verbringen...

In sechs Monaten ist Frühling. In fünf werde ich beginnen, Sie mit Einladungen zu bombardieren. Wahrscheinlich werde ich auch den kommenden Sommer am Psël verbringen.

Sie werden im Mai kommen und ein, zwei Monate bei mir wohnen. Ich möchte, daß Sie das Gouvernement Poltava kennenlernen.

Heute ist in der Kammer Verhandlung. Meine Mutter möchte

ein Beschwerdegesuch beim Justizminister einreichen: der Friedensrichter stört sie beim Kochen! Der kleine »Manasein«, den Sie morgens immer besuchen gingen, ist heil und unversehrt.

Mein Roman ist eingefroren. Er ist nicht länger geworden... Um nicht ohne einen Groschen dazusitzen, eile ich, irgendeinen kleinen Unsinn zu schreiben. Für den »Sev. vestn.« schreibe ich eine Novelle bis November oder Oktober, aber der Roman wird kaum seine Seiten erblicken. Ich habe sowieso beschlossen, daß der Roman erst in drei, vier Jahren fertig wird.

Suvorin war, als ich bei ihm war, gesund und munter. Jetzt, nach dem Tod seines Sohnes, ist er, wie ich den Telegrammen entnahm, die ich lesen konnte, verzweifelt. Etwas Schicksalhaftes schwebt über seiner Familie.

Ist der Garšin-Almanach erschienen, und wann wird er erscheinen?

Barancevičs Arbeit ist anscheinend ins Stocken geraten.

George spielt. Er denkt daran, ans Konservatorium zu gehen.

Bleiben Sie gesund, glücklich, der Himmel beschütze Sie! Wir werden uns wahrscheinlich im November sehen. Pläne habe ich viele, ach wie viele! Von einem meiner Pläne, der teilweise Sie betrifft, schreibe ich Ihnen in einer Woche.

Herzliche Grüße an die Ihren. Vergessen Sie nicht, Ihre Söhne von mir zu grüßen. *Ihr A. Čechov.*

134) AN A. N. PLEŠČEEV SUMY, 27. 8. 1888

27. Aug.

Ich antworte Ihnen, lieber Aleksej Nikolaevič, auf Ihren letzten Brief.

Die Erzählung für das Oktoberheft des »Sev. vestnik« wird *unbedingt* fertig. Umfang = 1–2 Bogen. Ein Vorschuß wird kaum nötig sein; Geld habe ich keins, ich werde hungern, aber mich bemühen, kein Geld im voraus zu nehmen, denn Vorschüsse sind im Sommer nötig, wenn ich nichts tue und überflüssiges, unsinniges Geld brauche. Die Ausschweifungen des Frühlings und Sommers sind es wert, daß man im Winter ein bißchen hungert.

Gestern bin ich aus dem Gouvernement Poltava zurückgekehrt. Ich war wieder bei den Smagins, habe wieder eine Menge Verst zurückgelegt und mich abgehetzt, mit Staub bedeckt und zerzaust wie ein Hundesohn. Ich bin mit einem bestimmten Ziel gefahren – einen Bauernhof zu kaufen (?!?). Ich will mithilfe aller Kunststücke und Bankgeschäfte 20 Desjatinen mit Garten und Fluß erwerben. Der Hof kostet 3000 Rub. Ich werde Zinsen zahlen und ihn mit der Zeit abzahlen. Im Preis konnten wir uns nicht einigen, werden aber wahrscheinlich zusammenkommen, und noch ehe der Oktober anbricht, werde ich unterschreiben als: »Gutsbesitzer im Gouv. Poltava, Arzt und Schriftsteller Antoine Šponka.«

Das ist auch die Neuigkeit, die Sie betrifft. Sie werden es doch nicht ablehnen, bei mir auf meinem Bauernhof zu Gast zu sein? Das Gouv. Poltava ist hundertmal wärmer und schöner als die Krim; ein gesundes, fröhliches, sattes, menschenreiches Fleckchen Erde... Sie werden zwei, drei Monate bei mir wohnen, wir werden nach Soročincy fahren, nach Mirgorod, zu den Smagins, nach Luka usw. Ich will den Hof kaufen, damit Sie und alle meine guten Bekannten, von denen ich, Hand aufs Herz, noch nichts außer Gutem erlebt habe, meinen räudigen Bauernhof als den Ihren ansehen und sich dort erholen können. Wenn es mir tatsächlich gelingt, ihn zu kaufen, dann werde ich am Ufer des Chorol bauen und den Anfang zu einer Schriftstellerkolonie setzen.

Noch eine Neuigkeit (geheim): die Schwestern Lintvarëva wollen meinen Bruder Ivan, den Lehrer, mit Vata verheiraten. Wenn das geschieht, wird Vatas liebes Mütterlein meine Verwandte, wozu ich mir gratuliere. Aber Vata ist prächtig. Sie ist eine sehr gute Hausfrau und hält ihre liebreizende Mutter unter der Fuchtel.

Sergej Smagin ist nach Charkov gefahren, um ins Veterinärinstitut einzutreten. Er wird 4 Jahre im Anatomiehörsaal schmachten und krepierte Kühe sezieren, nicht der Kühe wegen, sondern weil er das bei seinen 1500 Desjatinen braucht.

Warten Sie, die »Russkaja mysl« wird noch ganz andere Überraschungen bringen! Unter dem Banner der Wissenschaften, der Kunst und des unterdrückten Freiheitsdenkens werden bei uns in Rußland solche Kröten und Krokodile herrschen, wie sie nicht einmal Spanien während der Inquisition gekannt hat. Sie werden es sehen! Beschränktheit, große Prätentionen, übermäßige Eitelkeit und absolute Absenz von literarischem und sozialem Gewissen werden das Ihre tun. Alle diese Golcevs & Co. werden eine solche Schwüle verbreiten, daß jeder frische Mensch sich vor der Literatur ekeln wird wie weiß der Teufel wovor, und jeder Scharlatan und Wolf im Schafspelz lügen, heucheln und »ehrenhaft« sterben wird, wo immer er will...

Ich freue mich, daß Ihr Sohn ein großes Theaterstück geschrieben hat. Ihre Söhne kenne ich kaum, aber immer, wenn ich sie sah oder mit ihnen sprach, hatte ich den Eindruck, daß sie, wo immer sie auch hingeraten würden, von der ihnen eigenen außerordentlichen Gutmütigkeit geleitet werden würden. Die Gutmütigkeit ist für sie dermaßen typisch, daß man sie leicht auf den ersten Blick errät.

Auf Wiedersehen. Eine Empfehlung an Anna Michajlovna.

Am 5. September werde ich wieder in Moskau sein. Es fällt mir so schwer, dorthin zu fahren! Hätte ich Geld, würde ich nach Piter fahren.

Der Gruß von Fausek ist seinem Adressaten übermittelt worden.

Bleiben Sie gesund. Herzlich Ihr *A. Čechov.*

135) AN AL. P. ČECHOV SUMY, 28. 8. 1888

28. Aug. Sumy.

Verantwortungsloser Erpresser, Räuber der Feder und Pressegauner! Ich beantworte deinen ekelhaften und tadelnswerten Brief nach Punkten.

1) Vor allem zu den »Dämmerungen«... Wenn irgendwo in Čuchloma oder Kupjansk in den Kiosken noch unverkaufte Exemplare herumliegen, so folgt daraus nicht, daß beide Hauptstädte, Rostov und Charkov das Vergnügen missen sollten, mein Buch zu kaufen. Zweitens ist Herr des Buches nicht die Buchhandlung, sondern du. Nicht ihre Sache ist es zu überlegen, sondern deine. Die Buchhandlung hat sich nach deinem Geschmack und deinen Wünschen zu richten, um so mehr, als du Suvorin nahestehst, dem du Gutes wünschst und deshalb keine Unordnung in der Buchhandlung dulden kannst. Bitte, sei selbständiger! Wenn du auf die Damen Buchhändlerinnen hörst, wirst du kein einziges Exemplar verkaufen. Erstaunlich: warum gibt es keine Anzeigen? Warum macht man für meine und Bežeckijs Bücher keine Reklame?

2) Den Bucherlös nimm angesichts seines Groschencharakters nicht, sondern laß ihn in der Kasse. Wir nehmen ihn uns, wenn sich eine anständige Summe angesammelt hat, so an die 200–400 (das wird so bald nicht geschehen).

3) Jetzt zu deiner Ehe. Der Ap. Paulus gibt den Rat, von diesen Gemeinheiten nicht zu sprechen, und ich persönlich halte mich an die Meinung, wonach in Amouren, Heirats- und Ehescheidungsangelegenheiten Dritte mit ihren Ratschlägen Fremdkörper sind. Aber wenn du um jeden Preis meine Meinung hören willst, dann bitte. Vor allem bist du ein Heuchler von 84 Karat. Du schreibst: »Ich möchte Familie, Musik, Zärtlichkeit, ein gutes Wort, wenn ich abgearbeitet bin, müde bin, das Bewußtsein, daß, während ich zu Feuersbrünsten renne... usw.« Erstens zwingt dich niemand, zu Feuersbrünsten zu rennen. Dafür gibt es die Gotbergs & Co., du dagegen, ein solider, des Lesens und Schreibens kundiger Mensch, kannst dich mit etwas Soliderem und Angemessenerem befassen; das »Novoe vremja« ist groß und vielfältig, aber es herrscht darin keine Ordnung; wenn die Mitarbeiter, die des Lesens und Schreibens kundig sind, zu Feuersbrünsten rennen und Korrektur lesen, wer soll sich dann der Ordnung annehmen? Zweitens bist du kein Čochov und

weißt sehr wohl, daß man Familie, Musik, Zärtlichkeit und ein gutes Wort nicht durch die Heirat mit der ersten, wenn auch anständigen, erstbesten Frau bekommt, sondern *durch Liebe*. Wenn keine Liebe da ist, wozu dann von Zärtlichkeit reden? Und Liebe ist keine da und kann auch nicht da sein, weil du Elena Mich. weniger kennst als die Bewohner des Mondes. Drittens bist du kein Weib und weißt sehr wohl, daß deine zweite Frau nur Mutter deiner Kinder wäre; für die kleinen Küken wäre sie nur ein Muttersurrogat, d. h. eine Stiefmutter, und von einer Stiefmutter zärtliche Aufmerksamkeit und Liebe zu fremden Kindern zu verlangen, bedeutet, sie in eine unerträglich peinliche, verlogen-falsche Situation zu bringen. Viertens will ich nicht glauben, daß du eine freie Frau nur aus dem Bedürfnis heiraten willst, eine Kinderfrau und Krankenschwester zu bekommen; mir scheint, deine Jugend (33 ist ein schönes Alter) und dein Herz, das nicht das der Čochovs und Mironovs ist, sind jenem Egoismus fremd, der all den positiven und charaktervollen Menschen eignet, die da meinen, daß sie durch eine Heirat nicht nur ihre Frau, sondern auch deren Familie bis ins zehnte Glied glücklich machen würden.

Was El. Mich. betrifft – sie ist Ärztin, hat Besitz, ist frei, selbständig, gebildet, hat ihre eigenen Anschauungen. Sie ist satt und unabhängig bis obenhin. Natürlich kann sie sich zu einer Heirat entschließen, denn sie ist ein Weib, aber sie würde nicht für Millionen heiraten, wenn keine *Liebe* da wäre (ihrerseits). Überleg selbst, welcher Waldschrat sollte sie treiben, ihr warmes vertrautes Nest zu verlassen, in die Tundra zu gehen, mit einem Menschen zu leben, den sie gar nicht kennt, wenn dazu der natürliche Impuls fehlt, d. h. die Liebe? Sie ist doch kein Weibchen, niemand, der Gefühle und Abenteuer sucht, sondern, ich wiederhole, eine freie und denkende Frau, die ihren Wert kennt und absolut ehrenhaft ist. Heiraten kann sie nur aus Liebe, deinetwegen und der zukünftigen Kinder wegen, aber keinesfalls aus Prinzip und Philanthropie. Sie ist doch kein Melonenkopf, keine Titularrätin a. D. Mit autobiographischen und Tränenergüssen rührst du sie nicht; ebensowenig mit den Küken, denn das eine ist sie, das andere sind die Küken...

Die Situation, in der ihr beide euch zur Zeit befindet, ist kurz so zu definieren: du empfindest für sie nichts Ernstes, außer dem Wunsch, um jeden Preis zu heiraten und sie dir als Kinderfrau für deine Küken zu schnappen, sie liebt dich ebenfalls nicht... Ihr beide seid einander fremd wie der Glockenton einem Stück Seife... Folglich handelst du, wenn du *hinterrücks und unbesehen* um ihre Hand anhieltest und eine Liebe gestündest, die nicht da ist, genauso unsinnig wie Grigorij Čochov, der eine Brautwerberin zu einem Mädchen schickt, das er gar nicht kennt, von dem er nur sehr viel Gutes gehört hat. Stell dir das Gesicht von Elena Mich. vor, wenn sie deinen Brief liest! Hast du es dir vorgestellt?

Nichts hat dich gehindert, ein oder zwei Monate im Sommer bei mir zu verbringen; nichts hindert dich, zu den Weihn.-feiertagen nach Luka zu kommen oder im Sommer... In 1–2 Monaten kann man Menschen kennenlernen und sich selbst zeigen. Du gefällst El. Mich., sie hält dich für ungewöhnlich; d. h., du würdest sie liebgewinnen (sie ist eine sehr gute Frau) und ihre Liebe wecken können. Du wirst menschliche Manieren annehmen und menschlich heiraten, wie alle anderen auch; wenn du dich an das System der Čochovs oder Nikolajs hältst, dann bist du kein Mensch, und die Frau, die dich heiratet, ist eine ausgemachte dumme Gans. Wenn du im Winter oder kommenden Sommer in Luka wohnst, werde ich dir auf jede Weise helfen und dir sogar eine Mitgift aussetzen (20 Kop.), aber bis dahin, verzeih schon, werde ich den Mund halten und mich nach Kräften bemühen, so gute Menschen wie El. Mich. und dich nicht in peinliche Situationen zu bringen. Ihr beide seid eines weit besseren Schicksals würdig als die Čochovs und Leute ähnlichen Schlages. Ich werde schweigen, schweigen, schweigen, werde unserer Schwester raten zu schweigen, und hoffe nur, daß Mutter dir keinen Bärendienst erweist.

Für den Fall, daß du El. Mich. tatsächlich einmal heiratest (was ich von Herzen wünsche), heb diesen Brief auf, du wirst ihn deiner Gattin dann vorlesen und sie fragen: hatte ich recht oder nicht? Wenn ich nicht recht habe, seid ihr beide keinen Pfifferling wert, dann gehört euch ein Tritt in den A[...] und schert euch zum Teufel, ich aber werde von euch beiden sagen, daß ihr keine Menschen seid, sondern Zulukaffern, die die Ehe, die Liebe und die Menschlichkeit in den Beziehungen profanieren...

Den Lintvarëvs werde ich sagen, daß du im Winter vielleicht zu ihnen zur Erholung kämst. Sie werden sich freuen. Den Urlaub werde ich bei Suvorin schon für dich herausschlagen. Bleib bis dahin gesund, aber seiet nicht leichtsinnig und lernet, was Gott befiehlt.

Allen geht es gut. *Dein Antoine.*

In Moskau werde ich am 5. Sept. sein. Adresse wie voriges Jahr.

136) AN A. S. SUVORIN SUMY, 29. 8. 1888

29. Aug.

Am 2. September, verehrter Aleksej Sergeevič, endet für mich der Sommer, und ich fahre zurück nach Moskau. Meine Adresse ist wie im vorigen Jahr, d.h. Moskau, Kudrinskaja-Sadovaja, Hs. Korneev. Wenn Sie auf der Heimreise über Moskau fahren, dann besuchen Sie mich, wenn Zeit bleibt, oder sagen Sie zumindest Bescheid – ich komme Sie abholen und begleite Sie zum Bahnhof.

Alle diese Tage beschäftigte mich der Gedanke an Ihr enzyklopädisches Wörterbuch. Wenn Sie es tatsächlich verlegen wollen, sagen Sie mir rechtzeitig Bescheid: ich schreibe Ihnen meine Vorstellungen, die vielleicht von Nutzen sind.

Vorgestern bin ich aus dem Gouv. Poltava zurückgekehrt. Ich habe den Bauernhof besichtigt, konnte mich im Preis nicht einigen und fuhr wieder zurück. Ich kam gerade zum Dreschen zurecht. Eine großartige Ernte. Wer Weizen gesät hatte, bekam, ungeachtet der schlechten Preise, 70–80 Rub. pro Desjatine, und der Roggen war so schwer, daß eine 6 PS starke Dampfdreschmaschine vor meinen Augen an einem Tag 1200 Pud gedroschen hat und die Arbeiter vor Müdigkeit total erschöpft waren – so schwer waren die Garben! Eine schwere Arbeit, aber lustig wie ein schöner Tanzball. In meiner Kindheit, als ich bei meinem Großvater auf dem Gut des Gr. Platov lebte, habe ich tagelang von Dämmerung bis Dämmerung neben der Dreschmaschine sitzen und die Pude und Pfunde des gedroschenen Getreides aufschreiben müssen; die Pfiffe, das Zischen und der tiefe brummkreiselhafte Ton, den die Maschine während der Arbeit ausstößt, das Quietschen der Räder, der träge Trott der Ochsen, die Staubwolken, die schwarzen, verschwitzten Gesichter von einem halben Hundert Menschen – all das hat sich in mein Gedächtnis eingeschnitten wie das »Vater unser«. Auch jetzt habe ich stundenlang beim Dreschen zugebracht und mich im höchsten Maße wohlgefühlt. – Die Dampfmaschine erscheint, wenn sie arbeitet, wie lebendig; ihr Ausdruck ist schlau, spielerisch; die Menschen und Ochsen dagegen erscheinen wie Maschinen. – Im Kreis Mirgorod hat kaum jemand ein eigenes Lokomobil, aber jeder kann es leihweise bekommen. Die Dampfmaschine betreibt Prostitution, d. h. sie fährt, von sechs Ochsen gezogen, im ganzen Landkreis umher und dient sich jedem an, der sie haben will. Sie nimmt 4 Kop. pro Pud, d. h. etwa 40 Rub. am Tag. Heute rattert sie an der einen Stelle, morgen an einer andern, und überall stellt ihr Eintreffen ein Ereignis dar wie das Eintreffen des Bischofs.

Der Bauernhof, den ich besichtigt habe, hat mir gefallen. Ein sehr gemütliches, poetisches Fleckchen. Großartiger Boden, eine Flußwiese, der Chorol, Teich, Garten, im Garten eine Menge Obstbäume, ein Fischteich und eine Lindenallee. Er befindet sich zwischen zwei riesengroßen Dörfern, Chomutec und Bakumovka, wo es keinen einzigen Arzt gibt, so daß er ideal läge für einen medizinischen Versorgungspunkt. Alles ist sehr billig. Juden in rauhen Mengen, und zwar so grindige, wie Sie sie im Traum noch nicht gesehen haben. Und die Juden sind feige, sie lassen sich gern behandeln. Mit dem Besitzer konnte ich mich wegen dreihundert Rubeln nicht einigen. Mehr als ich ihm biete, kann ich nicht zahlen und zahle ich auch nicht, denn seine Forderungen sind ungerechtfertigt. Für den Fall, daß er einwilligt, hinterlasse ich einem Freund eine Vollmacht, um den Kauf zu tätigen, und dann bin ich, noch ehe der Oktober anbricht, unter die Šponkas und Korobočkas gefallen. Wenn der Kauf zustandekommt, werde ich auf Ihr Angebot zurückkommen und mir von Ihnen anderthalbtausend borgen, aber bitte unter der unumstößlichen Bedingung, daß Sie meine Schulden als Schulden ansehen, d. h. sich weder durch Verwandtschaft noch Freundschaft verleiten lassen, mich nicht hindern werden, sie zurückzuzahlen, keine Nachlässe und Rabatte gewähren, sonst würden mich diese Schulden in eine Situation bringen, die Sie erraten können. Bislang bin ich, immer wenn ich Schulden hatte, in Heuchelei verfallen – ein äußerst widerwärtiger, psychopathischer Zustand. Überhaupt bin ich in Geldangelegenheiten extrem argwöhnisch und wider Willen verlogen. Ich will es Ihnen offen sagen, unter uns: als ich anfing, für das »Novoe vremja« zu arbeiten, kam ich mir vor wie in Kalifornien (vorher hatte ich nicht mehr als 7–8 Kop. für die Zeile bekommen), und ich hatte fest vor, so oft wie möglich zu schreiben, um so viel wie möglich zu bekommen – daran ist nichts verwerflich; aber nachdem ich Sie näher kennengelernt hatte und Sie für mich ein vertrauter Mensch geworden waren, bäumte sich der Argwohn in mir auf, und die Arbeit an der Zeitung, gekoppelt mit dem Erhalt des Honorars, verlor ihren wahren Wert für mich, ich begann, mehr zu reden und zu versprechen als zu tun; ich begann zu befürchten, unsere Beziehungen könnten getrübt werden durch den Gedanken, ich bräuchte Sie als Verleger, nicht als Menschen usw. usf. All das ist dumm, kränkend und beweist nur, daß ich dem Geld zu große Bedeutung beimesse, aber ich kann nichts dagegen machen. An der Zeitung eine bestimmte, nach Arbeit und Geld festgelegte Stellung einzunehmen, werde ich mich erst dann entschließen, wenn unsere Beziehungen zueinander abgekühlt sind, bis dahin bleibe ich für Sie ein nutzloser Mensch. Als guter Bekannter werde ich mich in der Zeitung und dem enzyklopädischen Wörterbuch nützlich machen, werde ich mir pour plaisir eine Abteilung im letzteren vornehmen, werde selten, einmal im Monat, eine Samstagsbeilage schreiben, aber fest an der Zeitung arbeiten werde ich nicht für Tausende, und wenn Sie mich in Stücke reißen. Das heißt nicht, daß ich Ihnen gegenüber herzlicher und aufrichtiger wäre als andere; das heißt nur, daß ich schrecklich verdorben bin durch die Tatsache, daß ich in einer Umgebung geboren wurde, aufwuchs, studierte und anfing zu schreiben, in der das Geld eine unverschämt große Rolle spielt. Verzeihen Sie mir diese unangenehme Offenheit; ich muß nur ein für alle Male aufklären, was mißverstanden werden könnte.

Für alle Fälle habe ich meinem Bruder geschrieben, er solle den Bucherlös und 25% des Honorars einbehalten. So kann die Schuld in 1½ bis 2 Jahren beglichen sein.

Gestern las ich in einem Brief eine schreckliche Neuigkeit. Der Sohn des verstorbenen A. N. Ostrovskij ist am Tag vor seiner Hochzeit an Diphtherie gestorben; seine Braut hat sich nach der Beerdigung mit Karbolsäure vergiftet; der Bruder der Braut ist vom Pferd gestürzt und hat sich die Knochen gebrochen.

Leben Sie wohl, bleiben Sie gesund. Hat Ihnen der Apotheker Phenacetin verschrieben? Einen Gruß an Anna Ivanovna, Aleksej Alekseevič, seine Familie, die Vinogradovs und die Kinder. Wenn ich den Bauernhof gekauft habe, verschicke ich Einladungen zum Besuch der Klimastation. Aleksej Alekseevič werde ich einen Lageplan schicken.

Gott schenke Ihnen Frieden im Herzen, und Mut.

Herzlich Ihr *A. Čechov.*

Ich werde für einige Zeit aufhören, große Sachen zu schreiben, und mich wieder an kleine Erzählungen begeben. Ich sehne mich danach.

Wenn Aleksej Alekseevič mir schreiben will, soll er an die Moskauer Adresse schreiben.

137) AN A. S. SUVORIN MOSKAU, 11. 9. 1888

11. Sept.

Ich glaube, dieser mein Brief wird Sie noch in Feodosija erreichen, verehrter Aleksej Sergeevič.

Die Korrektur der Moskauer Äskulapiade für Ihren Kalender übernehme ich gern und freue mich, dienlich sein zu können. Sie ist mir noch nicht geschickt worden, wird mir aber wahrscheinlich bald geschickt. Ich werde in ihr herumwirtschaften und tun, was ich kann, fürchte aber, daß sie nicht wie die Petersburger ausfallen wird, d. h. sie wird fetter oder magerer. Wenn Sie diese meine Befürchtung für begründet halten, so telegraphieren Sie an die Druckerei, daß man mir zur Ansicht auch die Petersb. Korrektur schickt. Es wäre unschön, wenn in ein und derselben Abteilung Petersburg eine magere Kuh und Moskau eine fette wäre oder umgekehrt; beiden Hauptstädten sollte die gleiche Ehre erwiesen werden oder Moskau zumindest die geringere...

Ich werde die Gelegenheit benutzen und die »Irrenhäuser in Rußland« einsetzen – eine für Ärzte ganz junge Frage, von Interesse auch für die Zemstvoärzte. Ich werde auch ein kurzes Verzeichnis mitliefern. Im kommenden Jahr werde ich, mit Ihrer Erlaubnis, den gesamten medizinischen Teil des Kalenders übernehmen, diesmal kann ich nur neuen Wein in alte Schläuche gießen – mehr kann ich nicht tun, weil ich einstweilen weder Plan noch Material zur Hand habe.

Sie raten mir, nicht zwei Hasen nachzujagen und nicht mehr an die praktische Medizin zu denken. Ich weiß nicht, warum ich nicht zwei Hasen nachjagen sollte – im buchstäblichen Sinn dieser Worte. Wer Treiber hat, kann jagen. Treiber habe ich, aller Wahrscheinlichkeit nach, keine (jetzt im übertragenen Sinne), aber ich habe ein besseres und zufriedeneres Gefühl, wenn ich mir vor Augen halte, daß ich zwei Berufe habe, nicht nur einen... Die Medizin ist meine gesetzliche Ehefrau, die Literatur meine Geliebte. Wenn mir die eine auf die Nerven fällt, nächtige ich bei der andern. Das ist meinetwegen unanständig, aber dafür nicht langweilig. Und darum verlieren auch beide nicht durch meinen Treuebruch. Hätte ich nicht meine Medizin, so würde ich in meinen Mußestunden meine überflüssigen Gedanken wohl kaum der Literatur widmen. Ich habe keine Disziplin.

In meinem letzten Brief an Sie habe ich viel Unpassendes geschrieben (ich hatte Kummer), aber ich versichere Sie mit meinem Ehrenwort, ich hatte, als ich von meinen Beziehungen zu Ihnen sprach, nicht Sie gemeint, sondern nur mich allein. Ihr Angebot, mir einen Vorschuß zu geben, Ihre Einstellung mir gegenüber und so weiter hatten für mich immer ihren wahren Sinn; man müßte Sie schlecht kennen und dabei ein Psychopath von 84 Karat sein, um in dem von Ihnen angebotenen Brot einen Stein zu vermuten. Als ich mich über meinen Argwohn verbreitete, hatte ich nur den netten Zug von mir gemeint, der mich daran hindert, wenn ich in einer Zeitung eine Erzählung gedruckt habe, bald darauf eine zweite zu drucken, damit so anständige Menschen wie ich nicht denken, daß ich mich so oft drucken lasse um des lieben Lohnes willen... Verzeihen Sie um Gottes willen, daß ich aus heiterem Himmel diese peinliche und unnötige »Polemik« ausgelöst habe...

Heute habe ich einen Brief von Aleksej Alekseevič bekommen. Übermitteln Sie ihm meinen Rat, der auf Erfahrung beruht: die Herren Maler und Künstler muß man fest unter der Fuchtel und ständiger Aufsicht halten, so nett und beredt sie auch sein mögen. Richten Sie ihm und, à propos, Borja aus, daß ich die Kunstreiterin Godefroy kenne. Sie ist überhaupt nicht schön. Außer dem Reiten der »hohen Schule« und schönen Muskeln hat sie nichts, alles andere ist gewöhnlich und vulgär. Ihrem Gesicht nach zu urteilen, ist sie eine nette Frau.

Jene junge Dame (aus Sumy), die mich gebeten hatte, nicht zu Ihnen zu fahren, hatte die »Richtung« und den »Geist« im Sinn, keineswegs die Verderbtheit, von der Sie schreiben. Sie befürchtete politische Beeinflussung meiner Person. Ja, diese junge Dame ist eine gute, reine Seele, aber als ich sie fragte, woher sie Suvorin kenne und ob sie das »Novoe vremja« lese, wurde sie verlegen, bewegte die Finger und sagte: »Mit einem Wort, ich rate Ihnen, nicht zu fahren.« Ja, unsere jungen Damen und ihre politisierenden Herren Kavaliere sind reine Seelen, aber 9/10 ihrer seelischen Reinheit sind keine Eierschale wert. All ihre tatenlose Heiligkeit und Reinheit beruht auf nebulosen und naiven Antipathien und Sympathien für Personen und Etiketts, nicht für Tatsachen. Es ist leicht, rein zu sein, wenn man es fertigbringt, den Teufel zu hassen, den man nicht kennt, und Gott zu lieben, an dem zu zweifeln das Hirn nicht reicht.

Grüßen Sie alle. *Ihr A. Čechov.*

138) AN I. L. LEONTJEV-ŠČEGLOV MOSKAU, 14. 9. 1888

14. Sept.

Ach, lieber Jean, die Hölle soll Sie verschlingen mit Ihrer empörenden, gotteslästerlichen Handschrift! Fünf Wörter habe ich nicht entziffern können... Ich kann mir vorstellen, welche Freude Ihre Handschrift den Setzern und Abschreibern macht!

Ich bin gesund und lebe in Moskau. Mehr kann ich über mich nicht sagen. Mit Respekt gesagt, die Natur und das absolute Nichtstun haben mich unendlich befriedigt, ich war zufrieden und ruhig; jetzt dagegen, wo ich lege necessitatis an die notwendige Arbeit gehen und im Schweiße meines Angesichts mein Brot essen muß, bin ich unzufrieden, ergebe mich der Trübsal, jammere, predige Moral, misanthropiere und ziehe in meinem Schädel solche Schlußfolgerungen, daß Gott mich bewahre. In den 10 Tagen, die ich bereits in Moskau bin, habe ich nur 2mal das Haus verlassen, nur für einen Augenblick, sonst sitze ich die ganze Zeit in meinen vier Wänden, treibe mich zur Arbeit an und warte auf den Frühling, wenn ich wieder untätig sein kann, bummeln, essen, lange Briefe schreiben und mich mit liberalen Jungfrauen zanken kann.

Mein Traum: bis zum Frühling ganz viel Geld zu verdienen, das ich zur Verwirklichung meiner im stillen ausgeheckten Pläne brauche. Ich werde versuchen, überall zu schreiben, links und rechts, kreuz und quer, ohne den Bauch zu schonen, bis mich niemand mehr will; ich kehre zur »Pet. gaz.« zurück, zu den »Oskolki« und den andren Wiegen meines Ruhms, gehe zum »Sever«, zur »Niva« und wohin Sie sonst noch wollen... Geld, Geld!

Heiraten sollte ich, oder???

Ihnen gefällt der »Bär«? Wenn das so ist, schicke ich ihn zur Zensur. Ich kann mir vorstellen, wieviel Geld Sie mit Ihren »Bergen des Kaukasus« verdient haben! Ich sitze da mit 15 Rubeln, und die Zukunft, in der ich einmal Honorare bekommen werde, erscheint mir fern wie das Jüngste Gericht. Ich habe im Sommer über 500 Schulden gemacht. Bin ich nicht ein Hundesohn?

Um in meiner Wohnung die Luft zu erneuern und aufzufrischen, habe ich die Jugend zu mir als Untermieter genommen in Gestalt eines Gymnasiasten, Sextaners, der auf den Händen geht, schlechte Zensuren bekommt und jedem auf den Rücken springt.

Wie geht Ihr Buchhandel?

Wenn Sie in Moskau sind, herzlich willkommen in meiner Bärenhöhle. Wenn Sie Tichonov sehen, übermitteln Sie auch ihm meine Einladung. Vom »Ehemann fürs Sommerhaus« – als Theaterstück – habe ich noch nichts gehört und gelesen; wenn ich zu Korš gehe, werde ich ihn nach den neuen Stücken ausfragen, ein Steinchen in Ihren Garten werfen und Ihnen über das Resultat unserer Unterhaltung schreiben. Aber das wird kaum vor 2–3 Wochen geschehen.

Suvorin ist noch in Feodosija, wo er sich ein Schloß errichtet. Bleiben Sie glücklich. *Ihr A. Čechov.*

Daß wir unser Leben verlieren, ist so wahr wie, daß Sie Brille tragen. Übrigens, weiß der Teufel!

139) AN A. N. PLEŠČEEV MOSKAU, 15. 9. 1888

15. Sept.

Lieber Aleksej Nikolaevič, lassen Sie mich nicht hinrichten, lassen Sie mich ein Wort sagen! Ich sehe jetzt, daß in meinem Kopf, als ich Ihnen eine Erzählung für das *Oktoberheft* versprochen hatte, die ganze Arithmetik durcheinander war. Als ich nach Moskau fuhr, hatte ich beschlossen, im September für den »Sev. vestnik« zu schreiben, zum 1.–2. Oktober damit fertig zu werden und bis spätestens 5. Oktober etwas zu schicken ... So ist der verdammte »Oktober« in meinem Schädel durcheinandergeraten mit dem »Oktoberheft«. Nachdem ich Anfang September angefangen habe zu schreiben, hätte ich unter keinen Umständen fertigwerden können für das Heft, das im September gedruckt wird! Ich bitte Sie und Anna Michajlovna inständig, mir meine Zerstreutheit zu verzeihen. Im Novemberheft wird eine Erzählung von mir stehen – das steht außer Zweifel (wenn Sie sie nicht ablehnen werden). Ich schreibe langsam, und sie wird böse, weil ich selbst furchtbar böse bin ...

Was den Garšin-Almanach betrifft, so weiß ich nicht, was ich Ihnen sagen soll. Keine Erzählung beisteuern – möchte ich nicht. Erstens liebe ich solche Menschen wie den verstorbenen Garšin von ganzem Herzen und halte es für meine Pflicht, meine Sympathie öffentlich zu bekunden; zweitens hat Garšin sich in den letzten Tagen seines Lebens sehr mit meiner Person befaßt, was ich nicht vergessen kann; drittens – eine Beteiligung an dem Almanach abzulehnen, hieße, unkollegial zu handeln, will sagen schweinisch. All das spüre ich bis ins Mark, aber stellen Sie sich meine unsinnige Situation vor! Ich habe absolut keine Themen, die für den Almanach auch nur einigermaßen passen könnten.

Alles, was ich habe, ist entweder sehr abgeschmackt, oder sehr lustig, oder sehr lang ... Ich hatte ein unwesentliches kleines Sujet, aber auch das habe ich bereits ins Werk gesetzt und in Gestalt einer kleinen Skizze ans »Novoe vremja« geschickt, wo ich bis über die Ohren in Schulden stecke ... Übrigens, ich habe noch ein Thema: ein junger Mann vom Zuschnitt Garšins, überdurchschnittlich, ehrenhaft und zutiefst feinfühlig, gerät zum ersten Mal im Leben in ein Freudenhaus. Da man über ernste Dinge in ernstem Ton sprechen muß, werden in dieser Erzählung alle Dinge bei ihrem wahren Namen genannt. Vielleicht gelingt es mir, sie so zu schreiben, daß sie, wie ich es möchte, einen bedrückenden Eindruck hervorruft; vielleicht wird sie gut und paßt in den Almanach, aber können Sie, mein Lieber, garantieren, daß die Zensur oder selbst die Redaktion nicht das aus ihr entfernt, was ich für das Wesentliche halte? Der Almanach wird doch illustriert, unterliegt also der Zensur. Wenn Sie garantieren, daß *kein einziges* Wort gestrichen wird, dann schreibe ich die Erzählung an zwei Abenden; wenn das zu garantieren unmöglich ist, dann warten Sie noch eine Woche, ich gebe Ihnen dann endgültig Antwort: ich werd mir schon ein Sujet einfallen lassen!

Gut haben es die Vielschreiber Ščedrin und Ščeglov! Natürlich ist es besser, viel zu arbeiten, als nichts zu tun, und Ihr Vorwurf an die Adresse der jungen Schriftsteller ist vollkommen berechtigt. Auf der anderen Seite liegt die Vielschreiberei nicht jedem Schriftsteller. Nehmen Sie nur mich, zum Beispiel. In der vergangenen Saison habe ich die »Steppe« geschrieben, die »Lichter«, ein Stück, zwei Vaudevilles, eine Masse kleiner Erzählungen, habe einen Roman angefangen... und? Wenn man die 100 Pud dieses Sandes auswäscht, so bekommt man (das Honorar nicht eingerechnet) 5 Zolotnik Gold, mehr nicht.

Trotzdem werde ich auch in der bevorstehenden Saison die Vielschreiberei nicht vermeiden können. Ich werde mich nach Kräften bemühen, so viel Geld wie möglich zu verdienen, um den Sommer wieder mit Nichtstun verbringen zu können... Ach, wie kommt mich Moskau sauer an! Der Herbst hat eben erst angefangen, und ich denke schon wieder an den Frühling.

Den Kauf des Bauernhofes habe ich auf den Dezember verschoben. Sie fürchten, daß ich mich in den Fesseln der Bank verheddern könnte. Das wird kaum möglich sein. Ich kauf doch nur eine Lappalie, und der Bank muß ich nicht mehr zahlen, als ich jährlich für den Sommer zahle, d. h. 100–150–200 Rub., und dieses Geld habe ich. Und die Bankschulden kann ich, bei mittlerem Verdienst, in 2–3 Jahren tilgen. Wenn ich auf die Idee kommen sollte zu bauen, so kostet das teuerste Gebäude mit 6–7 Zimmern, hohen, mit Fußböden nicht über eintausend Rubel, die ich mir im Sommer an drei Stellen als Vorschuß geben lassen oder einfach bis zum Sommer verdienen kann. Das Dach wird für die erste Zeit aus Stroh sein (was man im Gouv. Poltava sehr schön macht), die Fußböden und Fenster streichen wir selbst (Miša streicht hervorragend), überhaupt werden wir vieles selbst machen, weil wir von klein auf daran gewöhnt sind. Hauptsache sind Möbel und Einrichtung. Wenn kein Komfort da ist, erscheint einem das schönste Haus als der Teufel weiß was. Und Möbel habe ich keine. Weh mir!

Wenn Ihre Vermutung in bezug auf Korolenko zutreffen sollte, so täte es mir leid. Korolenko ist unersetzlich. Er wird geliebt und gelesen, und er ist auch ein sehr guter Mensch. Offen gestanden bin ich traurig, daß auch Michajlovskij nicht mehr im »Sev. vestn.« schreibt. Er hat Talent, ist klug, auch wenn er in letzter Zeit ein wenig langweilig war; ihn durch Protopopov oder Impacatus zu ersetzen, ist genauso schwierig, wie den Mond durch eine Kerze zu ersetzen.

Wahrscheinlich werden wir im kommenden Sommer, zumindest bis Juli, wieder bei den Lintvarëvs wohnen. Auf die Krim rate ich Ihnen nicht zu fahren; wenn Sie sich schon von der Natur überwältigen lassen und Ach! rufen wollen, fahren Sie in den Kaukasus. Meiden Sie Kurorte wie Kislovodsk, fahren Sie die Georgische Heerstraße entlang nach Tiflis, von dort nach Boržom, von Boržom über den Surampaß nach Batum. Das ist billiger als ein Leben im judenstrotzenden Jalta.

Georgik geht anscheinend ans Konservatorium.

Einen Gruß an all die Ihren und an Leontjev.

Bleiben Sie glücklich. *Ihr A. Čechov.*

Nach Piter kommen werde ich im November.

140) AN A.S. SUVORIN MOSKAU, 2. 10. 1888

2. Oktober.

Nun denn, die Suppe ist eingebrockt und kocht im Herzen von Korš! Als ich ihm bewußte Frage stellte, war er wie betäubt, erschrak, freute sich, fing an eilig hin und herzulaufen, und begann mich zu versichern, daß er Sie noch aus der Zeit kenne, als er bei seinem Onkel Korš ausgebildet wurde, und daß es für ihn die höchste Seligkeit bedeuten würde, wenn sein Theater in solch zuverlässige Hände gelangte. Auf die Frage antwortete er nicht sofort.

– Ich zeige Ihnen in der Pause die Bücher.. Sie müssen die Zahlen sehen...

Als ich sah, daß er ernstlich erregt war, begann ich ihn zu versichern, daß ich von Buchhaltung keine Ahnung habe und ihm aufs Wort glaube...

Ich habe ihm den ganzen Abend verdorben. Er ging wie wahnsinnig die Korridore auf und ab, wie von Kummer erschlagen, und suchte die ganze Zeit nach mir, um mir sein Herz auszuschütten. Einmal erwischte er mich am Buffet und flüsterte mir zu:

– Schreiben Sie ihm, daß ich jedenfalls mindestens Hunderttausend nehme.

– Nur? – fragte ich ernstlich verwundert. – Ich hatte gedacht, Sie würden mindestens eine Million verlangen.

– Aber, mein Bester, ich habe doch nur eine annähernde Zahl genannt, aus der freien Hand... Ich werde Ihnen die Bücher zeigen. (Entschlossen.) Schreiben Sie ihm, ich nehme 150 Tausend!

Er dachte lange über etwas nach und fragte:

– Wissen Sie nicht, mein Bester, ob er immer noch mit der Zankoveckaja in Briefwechsel steht?

– Das weiß ich nicht. Wahrscheinlich ja.

– Lieber, richten Sie ihm bloß aus, daß ich mit der Rybčinskaja einen Zweijahresvertrag abgeschlossen habe!

– Das werde ich ihm ausrichten.

Als er mir noch einmal begegnete, rief er mir freudig zu, voll davon überzeugt, sein Theater sei bereits verkauft:

– Mein Bester, ich komme morgen zu Ihnen! Ich bringe alle Bücher mit! Mein Lieber! Teurer! Wann schenken Sie mir Ihre Bücher? Meine Frau liest Sie! Kennen Sie meine Frau? Katja, das hier ist der Čechov, der... (stellt mich seiner Frau vor.) Morgen komme ich zu Ihnen!

Er kam aber nicht, sondern schickte mir einen Brief, den ich beilege. Mir tut Korš ein bißchen leid. Wenn ich gewußt hätte, daß er so große Lust hat, seinen Ruhmestempel zu verkaufen, so hätte ich mich gehütet, diese Frage zu stellen, aber weiß der Teufel! Wir beschlossen beide, unser Gespräch streng geheimzuhalten. Zerreißen Sie diesen Brief, sonst liest ihn Ihre Jungfer und sagt es Sljunin, daß Sie das Theater Korš kaufen, und Sljunin sagt es Žitel, Žitel meinem Bruder, mein Bruder noch jemandem, und wenn es dann die »Listki« an die große Glocke hängen, erschießt sich mein Korš.

Der »Ehemann fürs Sommerhaus« ist durchgefallen, und Jean Ščeglov ist in den Schatten getreten. Das Stück ist nachlässig geschrieben. Turnüre und falsche Zähne, verbunden mit einer langweiligen Moral; es ist gezwungen, grob und riecht nach Prostitution. Das Stück hat keine Weiblichkeit, keine Leichtigkeit, keine Ehefrau, keinen Ehemann, kein Pavlovsk, keine Musik, kein Salz, keine Luft; ich habe eine Scheune auf der Bühne gesehen und Kleinbürger, die der Autor entlarvt und dafür hinrichtet, worüber man nur lachen sollte, und zwar nicht anders lachen sollte als die Franzosen. Können Sie es sich vorstellen? Jean brachte um des Kontrastes willen Hausknecht und Stubenmädchen auf die Bühne, tugendsame Bauern, die einander auf die schlichte Art lieben und damit prahlen, daß sie keine Turnüren tragen. Nehmt euch, ihr Herren, ein Beispiel an uns... Schwer auszuhalten! Wenn nur die Dienstboten witzig gewesen wären, aber nein, das erschien dem lieben Jean unseriös, und er hängte den Besen und Schürzen noch eine billige Moral an. Und es kam der Teufel weiß was heraus, ein Eintopf. Die Glama spielte keine Ehefrau, sondern ein schüchternes Etwas, Gradov keinen Ehemann, keinen Beamten, sondern den Hanswurst... Das Bühnenbild widerwärtig. Jean schleicht jetzt um mich herum, »verbessert« sein Stück und jammert:

– Wenn die Glama mehr Turnüre gehabt hätte, wenn der

Souffleur nicht so geschrieen hätte, wenn Korš nicht so geizig gewesen wäre, dann...

Dann wäre auch nichts daraus geworden. Die »Berge des Kaukasus« hatten Erfolg, weil sie unprätentiös waren und nur zum Lachen bringen wollten, der »Ehemann« dagegen will zum Lachen bringen und nach Tragödie riechen und will die Turnüre zum ernsten Problem erheben...

Aleksej Alekseevič ist noch nicht in Moskau.

Meine Novelle habe ich abgeschlossen. Sie ist träge und nachlässig geschrieben, aber sie zu verbessern habe ich nicht die Zeit.

Ich habe meinen »Ivanov« gelesen. Mir scheint, wenn ich einen anderen IV. Akt schreiben und noch das eine oder andere streichen und einen Monolog einfügen würde, der mir bereits im Hirn sitzt, dann würde das Stück abgeschlossen wirken und durchaus Effekt besitzen. Bis zu Weihnachten werde ich ihn korrigieren und an die Alexandriner schicken.

Der »Bär« ist durch die Zensur gegangen (ich glaube, nicht uneingeschränkt) und wird bei Korš gespielt. Solovcov lechzt danach, ihn zu spielen.

Hat Maslov nicht ein Stück? Ich würde es bei Korš auf die Bühne bringen. Die Schauspieler sind sehr nett zu mir.

Einen Gruß an Anna Ivanovna, Nastja, Borja, Burenin und Maslov. *Ihr A. Čechov.*

Einen Gruß an Trezor und die Ente des »Novoe vremja«.

Die Brille und den Katalog der dram. Gesellschaft bekommen Sie durch Aleks. Aleks.

141) AN A. N. PLEŠČEEV MOSKAU, 4. 10. 1888

4. Okt.

Teurer und lieber Aleksej Nikolaevič!

Die Erzählung für den »Severnyj vestnik« habe ich abgeschrieben und an die Redaktion geschickt. Ich bin müde. Jetzt warte ich auf das Honorar. Den ganzen September habe ich ohne Geld dagesessen, ein paar Sächelchen verpfändet und mich hin und hergeworfen wie der Fisch gegen das Eis; ich bin jeden September knapp, aber dieses Jahr war der September für mich, nach dem sommerlichen Nichtstun und Leben aufkosten der Zukunft, besonders finster. Ich hatte bei Suvorin 400 R. Schulden, abgearbeitet sind 200...

Einmal habe ich Ihnen aus dem Theater Korš einen Brief geschickt. Wenn die »Ehernen Stirnen« bei Korš laufen sollten, so vergessen Sie nicht, durch mich oder durch wen immer Sie wollen, einen Vertrag zu schließen. Korš zahlt für Originalstücke 2% pro Akt, für übersetzte 1%. Das ist kein großes Geld, aber trotzdem Geld, das man nicht wegwerfen sollte... Ihre »Ehernen Stirnen« stehen nicht im Katalog der dram. Gesellschaft. A propos: Korš zahlt an die Gesellschaft inzwischen 6 Rubel pro Akt, nicht mehr 5. Svetlov ist ein guter Schauspieler und ein feiner Kerl.

Heute war Pavel Lintvarëv bei mir. Er ist gekommen, um in die Petersakademie einzutreten, aber sie werden ihn, den Ärmsten, wohl nicht nehmen. Er steht unter Aufsicht.

Bei mir zu Gast ist Jean Ščeglov. Sein »Ehemann fürs Sommerhaus« hatte in Moskau keinen Erfolg, wird ihn aber, allem Anschein nach, in Petersburg und in der Provinz haben. In Moskau versteht man weder Pavlovsk noch den Ehemann, noch die Dienstboten im Sommerhaus, noch die Departementsangestellten. Das Stück ist sehr leicht und komisch, und zugleich ärgerlich: an den Turnüren der Damen wird eine Moral aufgehängt. Ich bin der Meinung, daß der liebe Jean, wenn er im Sinne des »Ehemanns« fortfährt, es in seiner Karriere als Dramatiker nicht weiter bringen wird als bis zum Hauptmann. Man kann nicht immer ein und denselben Typ durchkauen, ein und dieselbe Stadt, ein und dieselbe Turnüre. Es gibt doch außer Turnüren und Ehemännern in Rußland noch so manches Komische und Interessante. Zweitens muß er aufhören mit der billigen Moral. Die »Berge des Kaukasus« sind ohne Prätentionen auf Moral geschrieben, und daher hatten sie großen Erfolg. Ich rate Jean, eine große Komödie zu schreiben, eine in fünf Akten, und jedenfalls die Schriftstellerei nicht aufzugeben.

Bald werden Sie George sehen. Er kommt nach Petersburg.

In meinem Brief an Anna Michajlovna bat ich darum, in meiner Erzählung keine einzige Zeile zu streichen. Dieser meiner Bitte liegt weder Sturheit noch Laune zugrunde, sondern die Angst, daß meine Erzählung durch Streichungen genau die Farbe bekommt, vor der ich immer Angst hatte. Ich küsse Sie und bleibe Ihr herzlich liebender und ergebener *A. Čechov.*

Eine Empfehlung an die Ihren.

142) AN A. N. PLEŠČEEV MOSKAU, 4. 10. 1888

Kaum hatte ich den Brief an Sie abgeschickt, als ich von Ihnen, lieber Aleksej Nikolaevič, die Nachricht bekam, die Svetlov gar nicht gefallen wird. Ich werde ihm Ihre Antwort mitteilen und ihm nachdrücklich den »Schlechten Menschen« empfehlen.

Wenn Ihr Brief zwei Stunden später gekommen wäre, so hätte ich meine Erzählung Ihnen geschickt, jetzt ist sie unterwegs zum Baskov per.

Ich würde sehr gern lesen, was Merežkovskij geschrieben hat. Einstweilen auf Wiedersehen. Wenn Sie meine Erzählung gelesen haben, schreiben Sie mir. Sie wird Ihnen nicht gefallen, aber vor Ihnen und Anna Michajlovna habe ich keine Angst. Angst habe ich vor denen, die zwischen den Zeilen eine Tendenz suchen und die mich unbedingt als einen Liberalen oder als Konservativen sehen wollen. Ich bin kein Liberaler, kein Konservativer, kein Reformanhänger, kein Mönch, kein Indifferenter. Ich möchte ein freier Künstler sein und nichts weiter, und ich bedaure, daß Gott mir nicht die Kraft gegeben hat, einer zu sein. Ich hasse Lüge und Gewalt in all ihren Erscheinungsformen, und Konsistorialsekretäre sind mir gleichermaßen zuwider wie Notovič und Gradovskij. Pharisäertum, Stumpfsinn und Willkür herrschen nicht allein in Kaufmannshäusern und Gefängnissen;

ich sehe sie in der Wissenschaft, in der Literatur, unter der Jugend... Darum hege ich gleichermaßen geringe Vorliebe für Gendarmen, für Fleischer, für Gelehrte, für Schriftsteller, für die Jugend. Firma und Etikett halte ich für ein Vorurteil. Mein Allerheiligstes sind – der menschliche Körper, Gesundheit, Geist, Talent, Begeisterung, Liebe und absolute Freiheit, Freiheit von Gewalt und Lüge, worin sich die beiden letzteren auch äußern mögen. Das ist das Programm, an das ich mich halten würde, wenn ich ein großer Künstler wäre.

Aber ich habe mich verschwatzt. Bleiben Sie gesund.

Ihr A. Čechov.

143) AN D. V. GRIGOROVIČ MOSKAU, 9. 10. 1888

9. Oktober. Kudrinskaja-Sadovaja, H. Korneev.

Ich freue mich, lieber Dmitrij Vasiljevič, daß Sie endlich genesen und nach Rußland zurückgekehrt sind. Leute, die Sie gesehen haben, schrieben mir, Sie seien bereits völlig gesund, rüstig wie früher und hätten sogar aus Ihrer neuen Novelle vorgelesen, Sie trügen jetzt einen langen Bart.

Wenn der Schmerz in der Brust vergangen ist, so wird er wahrscheinlich nicht wiederkehren, aber die Bronchitis wird Sie wohl kaum in Ruhe lassen; wenn sie sich im Sommer beruhigt hat, kann sie sich im Winter bei der geringsten Unvorsichtigkeit wieder verschärfen. Bronchitis an sich ist nicht gefährlich, aber sie stört den Schlaf, macht müde und reizbar. Rauchen Sie möglichst wenig, trinken Sie keinen Kvas, kein Bier, meiden Sie Räume, in denen geraucht wird, ziehen Sie sich bei feuchtem Wetter warm an, lesen Sie nicht laut vor und gehen Sie nicht so schnell, wie Sie es tun. Diese kleinen Vorsichtsmaßregeln belästigen und ärgern Sie nicht weniger als die Bronchitis, aber was tun?

Ich freue mich auch darüber, daß ich einen Brief von Ihnen bekommen habe. Ihre Briefe sind kurz wie gute Gedichte, ich sehe Sie so selten, aber mir scheint, ich bin sogar beinahe überzeugt, daß ich, wenn es in Petersburg Sie und Suvorin nicht gäbe, das

Gleichgewicht verlieren und schrecklichen Unsinn anstellen würde.

Der Preis ist für mich natürlich ein Glück, und wenn ich sagen würde, daß er mich nicht in Aufregung versetzte, so würde ich lügen. Ich fühle mich, als hätte ich ein Studium abgeschlossen, außer dem Gymnasium und der Universität noch an einer dritten Stelle. Gestern und heute laufe ich von einer Ecke in die andere, wie ein Verliebter, arbeite nicht und denke nur nach.

Natürlich – das steht außer jedem Zweifel – habe ich den Preis nicht mir zu verdanken. Es gibt junge Schriftsteller, die besser und nützlicher sind als ich, Korolenko zum Beispiel, ein sehr guter Schriftsteller und edler Mensch, der den Preis bekommen hätte, wenn er sein Buch eingereicht hätte. Den Gedanken an den Preis hat Ja. P. Polonskij aufgebracht, Suvorin hat diesen Gedanken unterstützt und das Buch an die Akademie geschickt. Und Sie waren in der Akademie und standen für mich wie ein Berg.

Geben Sie zu, wenn Sie drei nicht gewesen wären, ich hätte den Preis so wenig zu sehen bekommen wie meine Ohren. Ich will nicht den Bescheidenen spielen und Sie versichern, daß Sie alle drei voreingenommen gewesen seien, ich den Preis nicht wert sei usw. – all das wäre alt und langweilig; ich will nur sagen, daß ich mein Glück nicht mir zu verdanken habe. Ich danke Ihnen tausendmal und werde Ihnen mein Leben lang dankbar sein.

In der kleinen Presse arbeite ich seit Neujahr nicht mehr. Meine kleinen Erzählungen veröffentliche ich im »Novoe vremja«, und was größer ist, gebe ich dem »Severnyj vestnik«, wo man mir 150 R. für den Bogen zahlt. Das »Novoe vremja« werde ich nicht aufgeben, weil ich Suvorin verbunden bin, außerdem ist das »Novoe vremja« ja keine kleine Zeitung. Bestimmte Zukunftspläne habe ich nicht. Ich möchte einen Roman schreiben, habe ein wunderbares Sujet, von Zeit zu Zeit überkommt mich der leidenschaftliche Wunsch, mich hinzusetzen und mich an die Arbeit zu begeben, aber ich habe offenbar nicht die Kraft dazu. Ich habe ihn angefangen und Angst, ihn fortzusetzen. Ich habe beschlossen, ihn ohne Eile zu schreiben, nur in guten Stunden, wobei ich ständig korrigiere und feile; ich werde einige Jahre dafür brauchen; ihn sofort, in einem Jahr zu schreiben, habe ich nicht den Mut, ich habe Angst vor meiner Kraftlosigkeit, und es besteht ja auch keine Notwendigkeit, mich zu beeilen. Ich habe die Fähigkeit – in diesem Jahr das nicht mehr zu lieben, was ich im vergangenen geschrieben habe, mir scheint, im nächsten Jahr werde ich stärker sein als jetzt; und das ist der Grund, weshalb ich mich jetzt nicht eile, den entscheidenden Schritt zu riskieren und zu tun. Denn wenn mein Roman schlecht wird, habe ich für immer verspielt.

Die Gedanken, die Frauen, Männer, Bilder der Natur, die sich bei mir für den Roman angesammelt haben, bleiben heil und unversehrt. Ich werde sie nicht für Kleinigkeiten tranchieren und verspreche es Ihnen. Mein Roman umfaßt einige Familien und einen ganzen Landkreis mit seinen Wäldern, Flüssen, Fähren, der Eisenbahn. Im Zentrum des Kreises stehen zwei Hauptfiguren, eine männliche und eine weibliche, um die herum sich die anderen Steine gruppieren. Eine politische, religiöse und philosophische Weltanschauung habe ich noch nicht; ich ändere sie Monat für Monat und muß mich deshalb auf die Beschreibung dessen beschränken, wie meine Helden lieben, heiraten, gebären, sterben und wie sie reden.

Solange die Stunde für den Roman noch nicht geschlagen hat, werde ich fortfahren, das zu schreiben, was ich liebe, das sind die kleinen Erzählungen von 1 – 1½ Bogen und weniger. Unwichtige Sujets auf großer Leinwand auszubreiten ist langweilig, wenn auch einträglich. Große Sujets nur anzurühren und die mir lieben Bilder auf die alltägliche Terminarbeit verschwenden, fände ich schade. Ich warte auf bessere Zeiten.

Meinem Bruder zu verbieten, mit seinem Namen zu unterschreiben, habe ich nicht das Recht. Bevor er damit begann, hat er mich um Erlaubnis gebeten, und ich habe ihm gesagt, ich hätte nichts dagegen.

Den Sommer habe ich großartig verbracht. Ich habe in den

Gouv. Charkov und Poltava gelebt, bin auf die Krim gefahren, nach Batum, nach Baku, habe die Georgische Heerstraße erlebt. Viele Eindrücke. Wenn ich im Kaukasus leben würde, ich würde dort Märchen schreiben. Ein wunderbares Land!

Nach Petersburg komme ich nicht vor November und werde mich am Tage meiner Ankunft bei Ihnen melden, und bis dahin lassen Sie mich Ihnen nochmals von ganzem Herzen danken, Ihnen Gesundheit und Glück wünschen. Ihr herzlich ergebener

A. Čechov.

144) AN A. N. PLEŠČEEV MOSKAU, 9. 10. 1888

9. Oktober.

Verzeihen Sie, guter Aleksej Nikolaevič, daß ich auf einfachem Papier schreibe; Briefpapier habe ich keinen einzigen Bogen mehr, und warten, bis man mir welches aus dem Laden bringt, möchte ich nicht und habe ich nicht die Zeit.

Großen Dank dafür, daß Sie meine Erzählung gelesen haben, und für Ihren letzten Brief. Ihre Meinung ist mir sehr viel wert. In Moskau gibt es niemanden, mit dem ich sprechen könnte, und ich bin froh, gute Menschen in Petersburg zu haben, die es nicht langweilt, mir zu schreiben. Ja, mein lieber Kritiker, Sie haben recht! Der Mittelteil meiner Erzählung ist langweilig, grau und monoton. Ich habe ihn träge und nachlässig geschrieben. Gewöhnt an die kleinen Erzählungen, die nur aus Anfang und Ende bestehen, langweile ich mich jedesmal und beginne zu würgen, wenn ich merke, ich bin im Mittelteil. Sie haben auch damit recht, daß Sie mit Ihrem Verdacht nicht hinterm Berg halten, sondern ihn rundheraus äußern: ob ich nicht Angst habe, man könnte mich zu den Liberalen zählen. Das veranlaßt mich, einen Blick in meine Eingeweide zu werfen. Mir scheint, man kann mich eher der Gefräßigkeit bezichtigen, der Trunksucht, des Leichtsinns, der Kälte, wes auch immer – als des Wunsches, als etwas zu erscheinen oder nicht zu erscheinen... Ich habe mich nie versteckt. Wenn ich Sie liebe, oder Suvorin, oder Michajlovskij, so habe ich das nirgends verhehlt. Wenn mir meine Heldin Olga Michajlovna sympathisch ist, eine liberale, gebildete Frau, so mache ich in meiner Erzählung kein Hehl daraus, was, wie mir scheint, genügend klar wird. Ich mache auch kein Hehl aus meiner Achtung vor dem Zemstvo, das ich liebe, oder vor dem Geschworenengericht. Verdächtig ist in meiner Erzählung zwar das Bestreben, die Plus- und Minuspunkte ins Gleichgewicht zu bringen. Aber ich will doch kein Gleichgewicht zwischen Konservativismus und Liberalismus herstellen, die für mich gar nicht das Wesentliche sind, sondern zwischen der Lüge meiner Helden und ihrer Wahrheit. Pëtr Dmitrič lügt und gibt vor Gericht einen Buffosänger ab, ist schwerfällig und hoffnungslos, aber ich kann nicht verhehlen, daß er seiner Natur nach ein netter und weicher Mensch ist. Olga Michajlovna lügt auf Schritt und Tritt, aber es soll nicht verheimlicht werden, daß ihr diese Lüge Schmerzen bereitet. Der Ukrainophile kann nicht als Beweisstück dienen. Ich habe nicht Pavel Lintvarëv gemeint! Gott beschütze Sie! Pavel Michajlovič ist ein kluger, bescheidener, das Seine denkender Mensch, der niemandem seine Gedanken aufdrängt. Die Ukrainophilie der Lintvarëvs ist eine Liebe zur Wärme, zur Volkstracht, zur Sprache, zur Heimaterde! Sie ist sympathisch und rührend. Gemeint habe ich jene tiefsinnigen Idioten, die auf Gogol schimpfen, weil er nicht ukrainisch geschrieben hat, die, weil sie hölzerne, unbegabte und blasse Nichtstuer sind, weder etwas im Kopf noch etwas im Herzen haben, nichtsdestotrotz sich bemühen, als etwas über dem mittleren Niveau Stehendes zu erscheinen, weshalb sie sich auch Etiketts auf die Stirn kleben, und eine kleine Rolle zu spielen. Was dagegen den Menschen der 60er Jahre betrifft, so habe ich mir Mühe gegeben, seine Darstellung vorsichtig und knapp zu halten, obwohl er einen ganzen Aufsatz verdienen würde. Ich habe ihn geschont. Es ist die verblichene, untätige Unbegabtheit, die die 60er Jahre usurpiert hat; in der v. Klasse im Gymnasium hat sie 5–6 fremde Gedanken aufgeschnappt, ist mit ihnen erstarrt und wird sie hartnäckig wiederkäuen bis zu ihrem Tode. Es ist kein Scharlatan, sondern ein

Dummkopf, der an das glaubt, was er wiederkäut. Er ist dumm, stumpfsinnig, herzlos. Hätten Sie nur gehört, wie er im Namen der 60er Jahre, von denen er nichts versteht, über die Gegenwart lästert, die er nicht sieht; er verleumdet die Studenten, Mädchen, die aufs Gymnasium gehen, die Frauen, die Schriftsteller und alles, was modern ist, und sieht darin das Wesen des Menschen der 60er Jahre. Er ist langweilig wie eine Grube und schädlich für den, der ihm glaubt, wie eine Zieselmaus. Die Sechziger Jahre sind eine heilige Zeit, und dummen Zieselmäusen erlauben, sie zu usurpieren, bedeutet, sie in den Schmutz zu ziehen. Nein, ich werde weder den Ukrainophilen streichen noch diesen Ganter, der mir auf die Nerven geht! Er ist mir schon zu meiner Gymnasialzeit auf die Nerven gegangen und tut es heute immer noch. Wenn ich ähnliche Subjekte darstelle oder über sie spreche, dann denke ich weder an Konservativismus noch an Liberalismus, sondern an ihre Dummheit und an ihre Prätentionen.

Jetzt zu den Kleinigkeiten. Wenn man einen Studenten der Militär-Med. Akademie fragt, an welcher Fakultät er ist, antwortet er kurz: an der medizinischen. Anderen in einem gewöhnlichen Gespräch den Unterschied zwischen Akademie und Universität erklären wird nur ein Student, den das interessiert und nicht langweilt. Sie haben recht, das Gespräch mit dem schwangeren Weib geht etwas in die Richtung Tolstojs. Ich werde es mir merken. Aber dieses Gespräch ist nicht von Bedeutung: ich habe es nur als Keil eingesetzt, damit die Fehlgeburt nicht ex abrupto geschieht. Ich bin Arzt, und deshalb, um mich nicht zu blamieren, muß ich medizinische Vorfälle in meinen Erzählungen motivieren. Auch in bezug auf den Nacken haben Sie recht. Ich spürte es beim Schreiben, aber den Nacken weglassen, wo ich ihn beobachtet habe, hatte ich nicht die Kraft: es tat mir leid um ihn.

Recht haben Sie auch darin, daß ein Mensch, der eben noch geweint hat, nicht lügen kann. Aber recht nur zum Teil. Lüge ist dasselbe wie Alkoholismus. Lügner lügen auch noch, wenn sie sterben. Vor ein paar Tagen hat sich ein adeliger Offizier zu erschießen versucht, der Bräutigam eines uns bekannten Fräuleins. Der Vater dieses Bräutigams, ein General, geht seinen Sohn nicht im Krankenhaus besuchen, und er wird so lange nicht gehen, solange er nicht weiß, wie sich die Leute dem Selbstmordversuch seines Sohnes gegenüber verhalten...

Ich habe den Puškinpreis bekommen! Ach, wenn ich dieses Geld im Sommer bekommen würde, wenn es lustig ist, aber im Winter wird es doch nur sinnlos vertan.

Morgen setze ich mich an die Erzählung für den Garšin-Almanach. Ich werde mir Mühe geben. Wenn sie sich in eine Form gießen läßt, gebe ich Ihnen Bescheid und verbürge mich mit meinem Versprechen. Fertig wird sie wahrscheinlich nicht vor kommendem Sonntag. Ich bin jetzt in Aufregung und kann schlecht arbeiten.

Ein Expl. des Almanachs notieren Sie für die Lintvarëvs, ein zweites für den Schauspieler Lenskij... Übrigens, ich werde Ihnen eine Liste meiner Subskribenten schicken. Wie hoch ist der Preis des Almanachs?

Die Antwort an Svetlov ist längst abgeschickt.

Die »Ketten« von Sumbatov sind gut. Lenskij spielt den Proporjev großartig. Bleiben Sie gesund und munter. Der Preis hat mich aus dem Gleis geworfen. Meine Gedanken gehen durcheinander, so dumm wie nie zuvor. Meine Verwandten lassen Sie grüßen, und ich grüße die Ihren. Es ist kalt. *Ihr A. Čechov.*

145) AN A. S. SUVORIN MOSKAU, 10. 10. 1888

10. Oktober.

Die Nachricht von dem Preis hatte überwältigende Wirkung. Sie verbreitete sich über meine Wohnung und über ganz Moskau wie das Donnergrollen des unsterblichen Zeus. Ich laufe alle diese Tage herum wie ein Verliebter; Mutter und Vater reden entsetzlichen Unsinn und sind unsagbar froh, meine Schwester, die über unseren Ruf wacht mit der Strenge und Kleinlichkeit einer Hofdame, ehrgeizig und nervös, läuft zu ihren Freundinnen und hängt es an die große Glocke. Jean Ščeglov spricht von den literarischen Jagos und den fünfhundert Feinden, die ich mir mit den 500 R. erworben habe. Ich begegnete dem Ehepaar Lenskij, und sie nahmen mir das Wort ab, daß ich zu ihnen zum Essen komme; ich begegnete einer Dame, Liebhaberin von Talenten, sie lud mich ebenfalls zum Essen ein; der Inspektor der Kleinbürgerschule kam, um mir zu gratulieren, und kaufte mir »Kaštanka« für 200 Rub. ab, damit ich »was habe« ... Ich glaube, jetzt würde sogar Anna Ivanovna, obwohl sie wie Rasstrygin weder mich noch Ščeglov akzeptiert, mich ebenfalls zum Essen einladen. Die X, Z und N, die in den »Budilniks«, »Strekozas« und »Listki« arbeiten, sind in heller Aufregung und blicken hoffnungsvoll in ihre Zukunft. Ich wiederhole noch einmal: die Zeitungsbelletristen zweiter und dritter Sorte müssen mir ein Denkmal errichten oder mir zumindest ein silbernes Zigarettenetui überreichen; ich habe ihnen den Weg in die dicken Zeitschriften geebnet, zu Lorbeer und zu den Herzen anständiger Menschen. Das ist einstweilen mein einziges Verdienst, alles, was ich geschrieben habe und wofür man mir jetzt den Preis gibt, wird keine zehn Jahre im Gedächtnis der Menschen bleiben.

Ich habe unheimliches Glück. Den Sommer habe ich großartig, glücklich verbracht, dabei habe ich nur Groschen ausgegeben und keine allzu hohen Schulden gemacht. Mir lachten der Psël, das Meer, der Kaukasus, der Bauernhof, der Buchhandel (ich habe monatlich etwas bekommen für meine »Dämmerungen«). Im September habe ich die Hälfte meiner Schulden abgearbeitet und eine kleine Novelle von 2¼ Bogen geschrieben, was mir mehr als 300 R. eingebracht hat. Die 2. Auflage der »Dämmerungen« ist erschienen. Und plötzlich, wie ein Blitz aus heiterem Himmel, dieser Preis!

Ich habe solches Glück, daß ich anfange, mißtrauisch zum Himmel aufzublicken. Ich werd mich schnell unter den Tisch verkriechen, still und leise dort sitzenbleiben, ohne die Stimme zu erheben. Solange ich mich nicht entschließe zu dem ernsten Schritt, d. h. den Roman schreibe, werde ich still und bescheiden beiseite stehen, kleine Erzählungen ohne Prätentionen schreiben, kleine Theaterstücke, keine Berge besteigen und nicht herunterfallen, sondern gleichmäßig arbeiten wie der Puls von Burenin:

Ich höre auf den Ukrainer, der da sagte: »Wenn ich Zar wäre, würde ich hundert Rubel stehlen und abhaun.« Solange ich der kleine Zar in meinem Ameisenhaufen bin, werde ich hundert Rubel stehlen und weglaufen. Übrigens, mir scheint, ich fange an, Blödsinn zu schreiben.

Jetzt wird über mich geredet. Schmiede das Eisen, solange es heiß ist. Man müßte eine Anzeige meiner beiden Bücher drukken, dreimal hintereinander jetzt und am 19., wenn die Preisverleihung offiziell verkündet wird. Die 500 Rubel hebe ich mir auf für den Bauernhof. Desgleichen den Bucherlös.

Was soll ich nur mit meinem Bruder machen? Es ist wirklich ein Jammer. In nüchternem Zustand ist er klug, schüchtern, gerecht und weich, betrunken dagegen ist er unerträglich. Hat er 2–3 Gläschen getrunken, ist er in höchstem Grade erregt und fängt an, Unsinn zu reden. Den Brief hat er geschrieben aus dem leidenschaftlichen Wunsch, eine unschädliche, aber effektvolle Lüge zu sagen, zu schreiben oder zu vollbringen. Bis zu Halluzinationen ist er noch nicht gediehen, weil er vergleichsweise wenig trinkt. Ich kann an seinen Briefen erkennen, wann er nüchtern ist und wann betrunken: die einen Briefe sind zutiefst anständig und ehrlich, die anderen verlogen von Anfang bis Ende. Er leidet an Trunksucht – zweifellos. Was das ist, Trunksucht? Das ist eben solch eine Psychose wie Morphinismus, Onanie, Nymphomanie usw. Meistens ist die Trunksucht ererbt von Vater oder Mutter, Großvater oder Onkel. Aber wir haben in unserer Familie keine Trinker. Großvater und Vater haben sich manchmal, wenn sie Gäste hatten, ganz schön betrunken, aber das hat sie nicht daran gehindert, rechtzeitig wieder ihrer Arbeit nachzugehen oder zur Frühmesse aufzuwachen. Der Wein machte sie gutmütig und geistreich; er erheiterte das Herz und regte den Geist an. Ich und mein Bruder, der Lehrer, trinken nie solo, sehen keinen Sinn im Alkohol, wir können trinken soviel wir wollen, aber wachen immer mit klarem Kopf auf. Diesen Sommer hatte ich mit einem Professor aus Charkov die Idee, uns einmal richtig einen anzutrinken. Wir tranken, tranken und ließen es dann bleiben, weil nichts dabei herauskam; am nächsten Morgen wachten wir auf, als sei nichts geschehen. Aleksandr und der Maler dagegen werden von 2–3 Gläschen verrückt und haben zeitweise geradezu eine Gier nach Alkohol... Von wem sie das haben, weiß der liebe Gott. Ich weiß nur, daß Aleksandr nicht grundlos trinkt, sondern sich betrinkt, wenn er unglücklich oder durch irgendetwas entmutigt ist. Ich habe seine Adresse nicht. Wenn es Ihnen keine Schwierigkeiten bereitet, schicken Sie mir bitte seine Privatadresse. Ich werde ihm einen politisch-vorwurfsvoll-zärtlichen Brief schreiben. Meine Briefe haben Einfluß auf ihn.

Ich freue mich, daß mein Leitartikel brauchbar war. Die Erzählung von dem jungen Mann und der Prostitution, von der ich Ihnen erzählte, habe ich für den Garšin-Almanach bestimmt.

Im Herzen bin ich unruhig. Übrigens, das sind Lappalien. Einen Gruß an Ihre Angehörigen. Das Ärzteverzeichnis habe ich an den Kalender geschickt. Ich habe alles umarbeiten müssen. Wenn Sie erlauben, übernehme ich im kommenden Jahr die gesamte Kalender-Medizin. Im Sommer werd ich auf die Jagd gehn. Bleiben Sie gesund und zufrieden. *Ihr A. Čechov.*

Maslov schreibt mir: »Zum 2. Mal übermittelt man mir Ihren Rat zu heiraten. Was soll dieser Rat bedeuten, edler Sir?«

Ich schicke eine Erzählung des Lehrers Ežov. Die Erzählung ist genauso unreif und naiv wie ihre Heldin Lelja, – das ist das Gute daran. Alles, was hölzern war, habe ich gestrichen.

Wenn die Erzählung nicht taugt, werfen Sie sie nicht weg. Mein Protégé wäre sonst verletzt.

146) AN A. N. PLEŠČEEV MOSKAU, 10./11. 10. 1888

Ist etwa auch in meiner letzten Erzählung keine »Richtung« zu erkennen? Sie sagten mir einmal, in meinen Erzählungen fehle das Element des Protests, es gebe darin keine Sympathien und Antipathien ... Aber protestiere ich denn in der Erzählung nicht von Anfang bis Ende gegen die Lüge? Ist das denn keine Richtung? Nein? Nun, dann kann ich also nicht beißen, oder ich bin ein Floh ...

Ich habe Angst vor der Zensur. Sie wird die Stelle streichen, wo ich Pëtr Dmitrič als Vorsitzenden beschreibe. Heutzutage sind doch alle Gerichtsvorsitzenden so!

Ach, wie ich Ihnen auf die Nerven falle! *A. Čechov.*

147) AN AL. P. ČECHOV MOSKAU, 13. 10. 1888

13. Oktober.

Trunkenbold!

Deine Wallfahrt zur Akademie war nicht umsonst: ich habe den Preis bekommen. Da auch du dich an meiner Bekränzung mit Lorbeer beteiligt hast, schicke ich auch dir einen Teil meines Herzens. Nimm hin und friß.

Du bist ein Mensch absolut ohne Geschäftssinn. In der Nr., in der das mit dem Preis stand, hätte man eine große Anzeige meiner Bücher bringen müssen. Behalt im Auge, daß die öffentliche Bekanntgabe der Preisverleihung am 19. Oktober sein wird. Eine Anzeige der Bücher also am 19. und am 20.

Suvorin hat mich benachrichtigt, daß dich irgendein Offizier angefallen habe, der, bei der Gelegenheit, versprochen haben soll, gleich auch noch Fëdorov und Suvorin zu verprügeln. Als er mir diese freudige Familiennachricht schrieb, fragte Suvorin unschuldig à la Mitrofan Egorovič: »Was ist das, Trunksucht? Mein Schwiegervater war auch ein Quartalssäufer« usw. Ich habe ihm erklärt, was Trunksucht ist, aber Halluzinationen habe ich bestritten. Den »Offizier« habe ich ihm anders erklärt. Ich habe geschrieben, daß du im betrunkenen Zustand zu Hyperbolik und

Ekstase neigst: du bist benebelt, vergißt Rang und Namen, ziehst die Lippe herunter, redest Unsinn, schreist in der ganzen Welt herum, du seist Čechov, und am nächsten Morgen kotzt du... Am Abend protzt du, am Morgen kotzt du... Ich bat ihn, dich zu entlassen oder der Aufsicht von Žitel zu unterstellen.

Neulich habe ich für Suvorin einen Leitartikel geschrieben. Sie haben ihn gedruckt und um weitere gebeten. Leitartikel werde ich nicht schreiben, aber dir würde ich raten, sich ihrer anzunehmen. Sie werden dir mit einem Schlag zu einer angemessenen Stellung verhelfen.

Wenn du betrunken bist, verheimliche das nicht vor der Redaktion und rechtfertige dich nicht. Lieber in aller Offenheit handeln, wie das Suvorins Schwiegervater, Gej und Žitel tun. Und Hauptsache, versuch dich fest an deine Arbeit zu heften, dann wird dir das niemand zum Vorwurf machen.

Und warum zum Waldschrat trinkst du überhaupt. Trinken in der Gesellschaft anständiger Leute, na schön, aber doch nicht solo und weiß der Teufel mit wem! Sich betrinken ist ein Ausbrechen, ein Sich-fortreißen-Lassen, also dann sorg dafür, daß es das wird, aber aus dem Vodka etwas Düster-Kaschemmiges, Rotziges, Kotziges machen – pfui!

Bei uns sind alle wohlauf. M.M. Čochov heiratet eine Kaufmannsjungfer und bekommt 10 T. Mitgift, was ich auch dir wünsche.

Wenn es keine Schwierigkeiten macht, schick mir als Sendung mit Zustellung 5 Expl. meiner beiden Bücher. Wenn die Druckerei mich mit den Kosten für die »Erzählungen« bekanntmachen würde, fände ich das äußerst schmeichelhaft.

Füge der Sendung 1 Ex. »Unterwegs« von Bežeckij bei; bitte den Autor: möge ein Faksimile sein Buch zieren.

In der Beziehung zu Menschen soviel Aufrichtigkeit und Herz wie möglich, im Umgang mit ihnen soviel Schweigen und Schlichtheit wie möglich. Sei grob, wenn du zornig bist, lach, wenn etwas komisch ist, und antworte, wenn man dich etwas fragt. Vater lächelte die Käufer sogar an, wenn ihm vom Schweizer Käse übel war; er antwortete Pokrovskij, auch wenn der ihn gar nicht gefragt hatte, schrieb in dem Gesuch an die Alferaki und in dem Brief an Ščerbina Sachen, die er niemals hätte schreiben sollen... Du bist in dieser Beziehung Vater schrecklich ähnlich! Zum Beispiel, wenn dich tatsächlich ein Offizier angefallen hat, warum das an die große Glocke hängen? Er hat es getan, na schön, aber damit hat die Redaktion doch nichts zu tun – sie kann weder dir helfen noch sich selbst vor Schlägen schützen.

Wenn wir die Bücher einigermaßen gut verkaufen, kaufen wir den Bauernhof. Halte das Geld zusammen: für 600 Rubel kann ich dir ein Stück Land kaufen an einer Stelle, wie du sie im Traum noch nicht gesehen hast. Wenn ich den Bauernhof kaufe, werde ich das Land parzellieren, und jede Parzelle wird nicht mehr als 500–600 Rub. kosten. Ein einigermaßen erträgliches Haus, in dem man wohnen kann, kostet ebenfalls nicht über 500–600 Rub., je nach Zahl der Zimmer. Rechne pro Zimmer 100 Rub.

Bleib gesund und grüß die Küken. *Dein A. Čechov.*

148) AN A. S. SUVORIN MOSKAU, 14. 10. 1888

14. Okt.

Seien Sie noch einmal gegrüßt, Aleksej Sergeevič! Jean Ščeglov wird Ihnen wahrscheinlich gestern oder heute meinen Brief gegeben haben mit der beigefügten Erzählung meines Protégés Ežov. Heute antworte ich auf Ihren letzten Brief. Zuerst über meinen Bluthusten... Zum ersten Mal bemerkt habe ich ihn vor 3 Jahren auf dem Kreisgericht: er dauerte 3–4 Tage und verursachte keinen geringen Aufruhr in meiner Seele und in meiner Wohnung. Er war heftig. Das Blut ergoß sich aus der rechten Lunge. Danach habe ich ein-, zweimal Blut festgestellt, mal stärker, d. h. jeder Auswurf kräftig rot gefärbt, manchmal schwächer... Vorgestern oder noch einen Tag davor – ich erinnere mich nicht, habe ich Blut festgestellt, es floß auch noch gestern, aber heute ist nichts mehr zu sehen. Jeden Winter, Herbst und Frühling und an jedem feuchten Sommertag habe ich Husten.

Aber das erschreckt mich nur dann, wenn ich Blut sehe: das Blut, das mir aus dem Mund quillt, hat etwas Unheilverkündendes, wie ein Feuerschein. Wenn ich kein Blut sehe, regt es mich nicht auf, und ich drohe der russischen Literatur nicht mit einem »weiteren Verlust«. Lungenschwindsucht oder eine andere ernsthafte Lungenerkrankung ist nämlich erst beim Zusammentreffen mehrerer Symptome erkennbar, und gerade das ist bei mir nicht der Fall. Bluthusten an sich ist nichts Ernstes; das Blut fließt manchmal den ganzen Tag, es strömt, alle Hausgenossen und der Kranke sind entsetzt, und es endet damit, daß der Kranke nicht stirbt – so geht es in den meisten Fällen. Und Sie sollten jedenfalls wissen: wenn jemand, der erkanntermaßen nicht die Schwindsucht hat, plötzlich Blut hustet, soll man nicht erschrecken. Eine Frau kann ungefährdet die Hälfte ihres Bluts verlieren, ein Mann ein bißchen weniger als die Hälfte.

Wenn der Bluthusten, den ich auf dem Kreisgericht bekam, Symptom einer beginnenden Schwindsucht gewesen wäre, so wäre ich längst nicht mehr auf dieser Welt – das ist meine Logik.

Was meinen Bruder betrifft, so muß ich Ihnen danken. Sie werden mir beipflichten, daß es ungut wäre, wenn man einen Menschen, der im Suff halluziniert oder lügt, ohne jede moralische Unterstützung ließe. Sie haben mir geschrieben, ich habe ihm geschrieben, und wir beide haben getan, was nötig war. Wenn Ihr Brief über meinen Bruder nicht gewesen wäre, wäre mir vieles unverständlich gewesen, aber das ist schlimmer als jede Kränkung.

Ganze Tage hat mein Untermieter, der Gymnasiast, ein Enkel Ašanins, mit 40° Temperatur, Kopfschmerzen und phantasierend im Bett gelegen. Stellen Sie sich das allgemeine Entsetzen vor, und in Sonderheit meines! Seine Mutter ist so eine sympathische Frau wie selten eine. Mich quälte die Frage: ihr ein Telegramm schicken oder nicht? Das Telegramm hätte ihr einen betäubenden Schlag versetzt – der kleine Bub ist ihr einziger Sohn –, ihr kein Telegramm zu schicken, habe ich nicht das Recht. Zum Glück lebte der Nestling wieder auf, und die Frage löste sich von allein. A propos: aus dem Gymnasium kam der Klassenlehrer des Nestlings zu Besuch, ein geschlagener, von Zirkularen eingeschüchterter Mensch, beschränkt und bei den Kindern wegen seiner Strenge verhaßt (er hat einen Griff: den Jungen an den Schultern zu packen und zu schütteln; stellen Sie sich vor, in Ihre Schultern krallen sich die Hände eines Menschen, den Sie hassen). Er wurde ganz verlegen, setzte sich kein einziges Mal und beklagte sich die ganze Zeit über die Vorgesetzten, die aus ihnen, den Pädagogen, Feldwebel gemacht hätten. Wir schwangen beide ein paar liberale Reden, sprachen vom Süden (wie sich herausstellte, sind wir Landsleute), seufzten ... Als ich zu ihm sagte: – Und wie frei man an unseren Gymnasien im Süden atmet! – winkte er hoffnungslos ab und ging.

Die Klassenlehrer sind gehalten, die Wohnungen ihrer Schüler aufzusuchen; eine idiotische Situation, besonders, wenn er bei seinem Besuch eine Menge Gäste antrifft: die allgemeine Konfusion.

Vom »Verführer von Sevilla« werde ich Korš erzählen, bei den Schauspielern sondieren, aber spielen werden sie ihn kaum! Dazu bräuchte man doch besondere Bühnenbilder und Kostüme, und Korš ist so geizig. Und er hat auch niemanden, der das spielen könnte. Raten Sie Maslov, wenn er keine Zeit hat, eine Komödie zu schreiben, soll er sich an Vaudevilles machen... Der Unterschied zwischen einem großen Stück und einem Einakter ist doch nur quantitativ. Und auch Sie sollten im stillen ein Vaudeville* schreiben (unter Pseudonym), à propos, ich werde Sie bei der dramat. Gesellschaft als Mitglied eintragen.

Bleiben Sie gesund. *Ihr A. Čechov.*

Beispiel der Briefe, die mein Bruder, der Lehrer bekommt:

Sehr geehrter Ivan Pavlovič!
Ich habe die Ehre, Ihnen mitzuteilen, daß mein Sohn, Nikolaj Renskij, am 12. Tage dieses Monats auf unser Betreiben der Schule ferngeblieben ist. Am 11. Tage abends war er in der Kirche, sah eine Hochzeit und war, durch ein Versehen des Küsters, in der Kirche eingesperrt worden. Zwei Stunden später, nach langem Suchen, brachten wir ihn nach Hause. In der Furcht, daß

der Schrecken in schwächender Weise sein Nervensystem beeinflussen könnte, ließen wir ihn am darauffolgenden Tage zu Hause, um ihn sich beruhigen zu lassen.

1888 Okt. 13. Ihr ergebener Diener
der Diakon Dimitrij Nikiforovič Renskij.

*Drama oder Komödie in einem Akt.

149) AN A. N. MASLOV-BEŽECKIJ
MOSKAU, MITTE OKTOBER 1888

Ich antworte auf Ihren zweiten Brief. Der »Verführer von Sevilla« ist in Versen geschrieben, er erfordert besondere Bühnenbilder und Kostüme und, in jedem Fall, nicht 2–3 Proben, sondern mehr; darum eignet er sich für Korš nicht. Bei ihm gehen leichte Stücke mit Vaudeville-Charakter in 3–4 Akten, mit Salons, mit Terrassen, die in einen Garten führen, mit witzelnden Lakaien und den unvermeidlichen jungen Witwen. Der Schauspieler Gradov-Sokolov, der im Theater Korš die Macht eines Generalgouverneurs ausübt, besaß die Frechheit, »Tartuffe« zu inszenieren. Als man ihn fragte, warum er das tue, sagte er: »Was soll ich machen, mein Lieber? Die Presse verlangts ...«

Außerdem will Petipa, den Moskau ausgezischt hat, nach Petersburg gehen.

Schreiben Sie eine leichte Komödie in 3–4 Akten aus dem Leben der Intellektuellen mittleren Kalibers. Das militärische Element (mit Ausnahme von Militärs a. D.) wird von der Zensur gestrichen. Wenn Sie nicht die Zeit haben, sich mit einem großen Stück abzugeben, dann schreiben Sie irgendeinen Einakter. In dieser Saison werden von mir zwei einaktige Sachen gespielt: eine bei Korš, eine am Staatstheater. Beide sind in Arbeitspausen entstanden. Ich liebe das Theater nicht, werde schnell müde, aber Vaudevilles sehe ich gern. Ich glaube an das Vaudeville auch als Autor: wer 25 Desjatinen Land hat oder 10 erträgliche Vaudevilles, den halte ich für einen gemachten Mann – seine Witwe wird nicht Hungers sterben.

Wenn Sie etwas geschrieben haben, hier der kürzeste und schnellste Weg zum Lorbeer: das Stück schicken Sie an die Zensur mit einem Begleitbrief von M. P. Fëdorov, er ist mit Krjukovskij bekannt, dem Sekretär der dramat. Zensur. Wenn Sie es von der Zensur wiederhaben, geben Sie ein Exemplar unverzüglich Bazarov (Grafskij per., Theaterbibliothek) zur Herstellung der Textbücher und zum Versand in die Provinz; gleichzeitig schicken Sie mir eine Kopie dieses Exemplars, bekräftigt durch die Unterschrift des Zensors, damit ich das Stück bei Korš inszenieren lasse; sowie die Anzeige erscheint, schreibe ich Sie als Mitglied bei der Dramat. Gesellschaft ein, und diese schickt Ihnen zum Neuen Jahr 63 R. 33 Kop., und Sie werden angenehm überrascht sein zu sehen, daß Ihr Stück in Saratov gelaufen ist, in Novorossijk, im Offizierskasino von Irkutsk, in Šklov, in Kars...

Wer alles die Stücke wiederkäut, Gott allein kennt sie, aber allein in der vergangenen Saison hat die Gesellschaft rund 85000 R. Autorenrechte eingenommen. In diesem Jahr werden es 100 T. sein, wobei auf Ščeglovs »Berge des Kaukasus« etwa eintausend entfielen und in diesem Jahr ebenso viel entfallen werden.

Wenn das Vaudeville schlecht ist, genieren Sie sich nicht und schreiben Sie unter Pseudonym. Die Provinz frißt alles. Bemühen Sie sich nur, daß Rollen herauskommen. Je einfacher das Bühnenbild und je weniger hand. Personen, desto häufiger wird Ihr Vaudeville gespielt.

Bleiben Sie gesund. *Ihr A. Čechov.*

150) AN A. S. SUVORIN MOSKAU, 18. 10. 1888

18. Okt.

Den Anfang des Stückes habe ich bekommen. Ich danke Ihnen. Blagosvetlov wird übernommen, so wie er ist. Sie haben ihn gut gemacht: er ermüdet und ärgert einen schon von seinen ersten Worten an, und wenn ihn das Publikum 3–5 Minuten hintereinander hört, bekommt es genau den Eindruck, der nötig ist. Der

Zuschauer wird denken: »Ach, schweig doch, bitte!« Dieser Mensch, d.h. Blagosvetlov, muß auf die Zuschauer wirken wie ein kluger, nörgeliger Podagriker und wie ein langweiliges Musikstück, das lange gespielt wird. Wie sehr er Ihnen gelungen ist, werden Sie, glaube ich, sehen, wenn ich den ersten Akt unseres Stücks geschrieben habe und Ihnen schicke.

Bei Anučin lasse ich den Familiennamen und »all das«, seine Rede muß aber ein bißchen geölt werden. Anučin ist eine schwächliche, ölige, liebende Natur, auch seine Rede muß schwächlich, ölig sein, bei Ihnen ist er zu abrupt und nicht gutmütig genug.

Von diesem Patenonkel müssen einem Alter und Faulheit entgegenwehen. Er ist zu faul, Blagosvetlov zuzuhören; statt zu streiten, würde er lieber ein Schläfchen machen und Geschichten hören über Piter, über den Zaren, über die Literatur, die Wissenschaft und in guter Gesellschaft etwas essen...

Ich rufe Ihnen den Grundriß unseres Stücks ins Gedächtnis zurück:

1) Aleksandr Platonyč Blagosvetlov, Mitglied des Staatsrats, hat den Weißen Adler, bekommt 7200 R. Pension; stammt aus einer Popenfamilie, hat an Priesterseminaren studiert. Die Stellung, die er bekleidet, hat er durch eigene Anstrengungen erworben. In seiner Vergangenheit kein einziger Makel. Leidet an Podagra, Rheumatismus, Schlaflosigkeit, Ohrensausen. Die Immobilien hat er als Mitgift bekommen. Hat wirklich Geist und Verstand. Kann Mystiker, Phantasten, Blödsinnige, Lyriker, Frömmler nicht ausstehen, glaubt nicht an Gott und ist gewohnt, die ganze Welt unter dem Gesichtspunkt der Arbeit anzusehen. Arbeit, Arbeit und nochmals Arbeit, alles andere ist Quatsch oder Scharlatanerie.

2) Boris, sein Sohn, Student, ein Jüngling, sehr zärtlich, sehr ehrenhaft, aber strohdumm. Hielt sich früher mal für einen Narodnik, kleidet sich deshalb wie ein Bauer und schmückt sich wie ein Türke. Spielt hervorragend Klavier, singt mit Gefühl, schreibt insgeheim Theaterstücke, verliebt sich leicht, ver-

schwendet eine Menge Geld und redet immer Blödsinn. Ist ein schlechter Student.

3) Blagosvetlovs Tochter – nur bitte nicht Saša. Dieser Name fiel mir schon im »Ivanov« auf die Nerven. Wenn der Sohn Boris heißt, soll die Tochter meinetwegen Nastja heißen. (Errichten wir Borja und Nastja ein Denkmal nicht von Menschenhand geschaffen...) Nastja ist 23–24 Jahre alt. Sie ist hervorragend gebildet, kann denken... Petersburg langweilt sie, das Landleben ebenfalls. Sie hat kein einziges Mal in ihrem Leben geliebt. Sie ist faul, philosophiert gern, liest im Liegen Bücher; will nur der Abwechslung halber heiraten und um nicht zur alten Jungfer zu werden. Sagt dauernd, sie könne sich nur in einen interessanten Menschen verlieben. Puškin oder Edison hätte sie mit Vergnügen geheiratet, in sie hätte sie sich verliebt, aber einen guten Menschen heiratet sie nur aus Langeweile; ihren Mann wird sie achten, die Kinder lieben. Nachdem sie den Waldschrat gesehen und ihm zugehört hat, gibt sie sich der Leidenschaft bis zum nec plus ultra, bis zu Krämpfen hin, bis zum dummen, grundlosen Lachen. Das Pulver, naßgeworden in der Petersburger Tundra, trocknet an der Sonne und explodiert mit furchtbarer Gewalt... Eine Liebeserklärung habe ich mir ausgedacht – phänomenal.

4) Anučin, ein alter Mann. Hält sich für den glücklichsten Menschen auf Erden. Seine Söhne sind erwachsen, die Tochter verheiratet, und er selbst ist – ein freier Vogel. War nie in ärztlicher Behandlung, hatte nie einen Gerichtsprozeß, hat nie einen Orden getragen, vergißt die Uhr aufzuziehen und ist mit jedermann gut Freund. Ißt abends schwer, schläft ausgezeichnet, trinkt viel und ohne Folgen, ist böse auf sein Alter, an den Tod kann er nicht denken. Früher einmal hat er Trübsal geblasen und war mürrisch, hatte schlechten Appetit und Interesse an Politik, aber der Zufall rettete ihn: einmal mußte er aus irgendeinem Anlaß, vor 10 Jahren, vor der Zemstvoversammlung alle um Verzeihung bitten – danach fühlte er sich plötzlich heiter, bekam Lust aufs Essen und gelangte, als subjektive und bis ins Mark gesellschaftliche Natur, zu dem Schluß, daß absolute Aufrichtig-

keit, wie öffentliche Reue, ein Allheilmittel gegen alle Krankheiten sei. Dieses Mittel empfiehlt er allen, unter anderem auch Blagosvetlov.

5) Viktor Petrovič Korovin, Gutsbesitzer von 30–33 Jahren. Der Waldschrat. Dichter, Landschaftsmaler, mit einem leidenschaftlichen Gefühl für die Natur. Einmal, als er noch aufs Gymnasium ging, hatte er bei sich auf dem Hof eine Birke gepflanzt; als sie anfing zu grünen und sich im Winde zu wiegen, zu rascheln und einen kleinen Schatten zu werfen, erfüllte sich seine Seele mit Stolz: er hatte Gott geholfen, eine neue Birke zu schaffen, er hatte es vermocht, daß es auf der Erde einen Baum mehr gab! Daher das Prinzip seines eigenartigen Schaffens. Er verwirklicht seine Idee nicht auf der Leinwand, nicht auf dem Papier, sondern auf der Erde, nicht mit toter Farbe, sondern mit Organismen... Ein Baum ist schön, aber nicht genug damit, er hat ein Recht auf Leben, man braucht ihn so nötig wie das Wasser, die Sonne, die Sterne. Ein Leben auf der Erde ist ohne Bäume undenkbar. Wälder bedingen das Klima, das Klima beeinflußt den Charakter der Menschen usw. usf. Es gibt weder Zivilisation noch Glück, wenn die Wälder erzittern unter der Axt, wenn das Klima rauh und hart ist, wenn die Menschen ebenfalls rauh und hart sind... Die Zukunft ist schrecklich! Nastja gefällt er nicht wegen seiner Idee, die ihr fremd ist, sondern wegen seines Talents, seiner Leidenschaft, wegen des großen Schwungs der Idee... Ihr gefällt, daß sein Gehirn ausholt über ganz Rußland und zehn Menschenalter vorausdenkt. Wenn er zu ihrem Vater gelaufen kommt und ihn unter Tränen, schluchzend anfleht, seinen Wald nicht zum Abholzen zu verkaufen, lacht sie laut auf vor Begeisterung und Glück, daß sie endlich einen Menschen erblickt, an dessen Existenz sie früher nicht geglaubt hatte, als sie seine Züge nur in Träumen und in Büchern gesehen hatte...

6) Galachov, Altersgenosse des Waldschrats, aber bereits Staatsrat, ein sehr reicher Mann, der zusammen mit Skalkovskij Dienst tut. Ein eingefleischter Beamter, und sich von diesem seinem Beamtendenken freimachen kann er einfach nicht, weil es

ihm von Vater und Großvater in Fleisch und Blut übergegangen ist... Er möchte seinem Herzen entsprechend leben, aber er kann es nicht. Er versucht, Natur und Musik zu verstehen, aber versteht sie nicht. Ein ehrlicher und aufrichtiger Mensch, der begreift, daß der Waldschrat höher steht als er selbst, und das auch offen zugibt. Er will aus Liebe heiraten, meint, er sei verliebt, stimmt sich auf einen lyrischen Ton ein, aber es wird nichts daraus. Nastja gefällt ihm nur als ein schönes, kluges Mädchen, als gute Ehefrau und sonst nichts.

7) Vasilij Gavrilovič Volkov, Bruder der verstorbenen Frau Blagosvetlovs. Verwaltet das Gut von ihm (sein eigenes hat er seinerzeit durchgebracht). Bedauert, nicht gestohlen zu haben. Hätte nicht erwartet, daß die Petersburger Verwandtschaft seine Verdienste so schlecht zu schätzen weiß. Man versteht ihn nicht, will ihn nicht verstehen, und er bedauert, nicht gestohlen zu haben. Trinkt Vichy und nörgelt. Ist sehr auf seinen Ruf bedacht. Betont, daß er vor Generälen keine Angst habe. Schreit.

8) Ljuba, seine Tochter. Diese sorgt sich ums Irdische. Hühner, Enten, Messer, Gabeln, der Viehhof, die Prämie der »Niva«, die eingerahmt werden müßte, die Bewirtung der Gäste, Essen, Diners, der Tee – all das ist ihr Revier. Hält es für eine persönliche Beleidigung, wenn es jemandem einfällt, statt ihrer den Tee einzuschenken: »Ich werde also nicht gebraucht in diesem Hause?« Mag keine Menschen, die mit Geld um sich werfen und keiner Arbeit nachgehen. Verehrt Galachov, weil er so positiv ist. Bei Ihnen ist sie nicht so. Sie muß aufgeregt aus dem Hintergrund des Gartens kommen und den Schrei ausstoßen: »Wie konnten Marja und Akulina die Putenküken über Nacht draußen lassen im Tau?« oder etwas in der Art. Sie ist immer streng. Streng mit den Menschen wie mit den Enten. Hausfrauen freuen sich heutzutage nie an ihrer Hände Arbeit, sondern versuchen im Gegenteil zu beweisen, daß sie ein Zuchthäuslerinnenleben haben, ausruhen – Gott bewahre, keine Zeit, alle sitzen da, die Hände gefaltet, und nur sie, die Ärmste, rackert sich ab, weit

über ihre Kräfte ... Nastja und Boris wirft sie ein Schmarotzerleben vor, vor Blagosvetlov hat sie Angst.

9) Semën, ein Bauer, Aufseher beim Waldschrat.

10) Der Pilger Feodosij, ein Greis von 80 Jahren, aber noch ohne ein graues Haar. Soldat unter Nikolaus, hat im Kaukasus gedient und spricht kaukasischen Dialekt. Sanguiniker. Liebt Anekdoten und fröhliche Gespräche; verbeugt sich vor allen bis zur Erde, küßt jeden auf die Schultern und auch die Damen, ob sie wollen oder nicht. Bruder eines Athosklosters. Hat in seinem Leben 300 Tausend zusammengescharrt und alles ans Kloster geschickt, selbst lebt er bettelarm. Spielt den Hanswurst und Schurken, ohne sich um Rang und Stellung zu scheren.

Da haben Sie schon den ganzen Grundriß. Noch vor Weihnachten bekommen Sie mein Material für den ersten Akt. Blagosvetlov werde ich nicht anrühren. Er und Galachov gehören Ihnen, ich sage mich von ihnen los; die gute Hälfte von Nastja gehört Ihnen. Allein werde ich mit ihr nicht fertig. Boris ist nicht wichtig, er ist leicht zu bewältigen. Der Waldschrat gehört bis zum vierten Akt mir, und im vierten Akt bis zur Unterhaltung mit Blagosvetlov Ihnen. In dieser Unterhaltung werde ich mich an den Grundton der Figur halten, einen Ton, den Sie nicht erfaßt haben.

Den zweiten Akt (die Gäste) werden wieder Sie anfangen.

Feodosij ist eine Episodenfigur, die wir, glaube ich, brauchen: ich möchte, daß der Waldschrat nicht allein auf der Bühne ist, daß Blagosvetlov sich von Blödsinnigen umringt fühlt. In dem Grundriß habe ich m-lle Emily vergessen, die alte Französin, die sich ebenfalls für den Waldschrat begeistert. Man muß zeigen, wie die Hrrn. Waldschrate auf Frauen wirken. Emily ist eine liebe alte Frau, Gouvernante, die ihre Elektrizität noch nicht verloren hat. Wenn sie erregt ist, vermengt sie Französisch und Russisch. Die geduldige Krankenschwester Blagosvetlovs. Sie gehört Ihnen. Für sie werde ich im ersten Akt Leerstellen lassen.

Ich sehe Aleksej Alekseevič jeden Tag. Aus einem Architekten hat er sich in einen Revisor verwandelt. Bogolepov entspricht seinem Namen mehr und mehr... Heute hat ihn einer der Rechnungsführer im Gespräch mit mir »Sonnabend« genannt...

Wenn Jesus Christus radikaler gewesen wäre und gesagt hätte: »Liebe deine Feinde wie dich selbst«, dann hätte er nicht gesagt, was er sagen wollte. Der Nächste ist ein allgemeiner Begriff, der Feind dagegen eine Einzelheit. Das Schlimme ist nicht, daß wir unsere Feinde hassen, von denen wir nur ganz wenige haben, sondern daß wir unsere Nächsten nicht genügend lieben, von denen wir so viele haben wie Sand am Meer. »Liebe deine Feinde wie dich selbst« hätte Christus vielleicht gesagt, wenn er eine Frau gewesen wäre. Frauen neigen dazu, aus dem Allgemeinen die hervorstechende, ins Auge fallende Einzelheit herauszugreifen. Christus aber, der über seinen Feinden stand, sie nicht wahrnahm, eine männliche, ausgeglichene und weitherzig denkende Natur, hat dem Unterschied kaum Bedeutung beigemessen, der zwischen den Einzelheiten des Begriffes »Nächster« besteht. Wir beide sind subjektiv. Wenn man zum Beispiel allgemein über Tiere spricht, so denken wir gleich an Wölfe und Krokodile, oder an Nachtigallen und schöne Rehe; für den Zoologen existiert kein Unterschied zwischen Wolf und Reh: er ist für ihn zu unbedeutend. Den Begriff »Journalismus« haben Sie sich in hohem Maße zu eigen gemacht; Einzelheiten, die das Publikum in Aufregung versetzen, erscheinen Ihnen als unbedeutend... Sie haben sich den allgemeinen Begriff zu eigen gemacht, und darum ist Ihnen das Zeitungsgeschäft gelungen; Leute dagegen, die nur Einzelheiten durchdenken konnten, haben Bankrott gemacht... In der Medizin ist es dasselbe. Wer nicht medizinisch denken kann, sondern nur aufgrund von Einzelheiten urteilt, leugnet die Medizin; Botkin dagegen, Zacharjin, Virchow und Pirogov sind zweifelsohne kluge und begabte Menschen, sie glauben an die Medizin wie an Gott, weil sie zu dem Begriff »Medizin« gereift sind.

Dasselbe gilt auch in der Belletristik. Dem Terminus »Tendenz« liegt eben jenes Unvermögen der Menschen zugrunde, sich über die Einzelheiten zu erheben.

Aber ich schreibe schon den 3. Bogen voll. Es ist Nacht. Verzeihen Sie bitte. Einen Gruß an alle Ihre Angehörigen.

Ihr A. Čechov.

Sagen Sie niemandem etwas von dem Stück.

151) AN A. S. LAZAREV-GRUZINSKIJ MOSKAU, 20. 10. 1888

20. Okt.

Ich danke Ihnen, bester Aleksandr Semënovič, für Ihren Glückwunsch. Soweit ich mich entsinne, habe ich Sie noch nie einen Schmeichler genannt und Sie angegriffen; ich habe Ihnen nur wiederholt gesagt, daß auch große Schriftsteller der Gefahr unterliegen, sich auszuschreiben, langweilig zu werden, aus den Pantoffeln zu kippen und nicht mehr gebraucht zu werden. Ich persönlich unterliege dieser Gefahr im höchsten Maße, was Sie als kluger Mensch, wie ich hoffe, nicht bestreiten werden. Erstens bin ich »jenes Glückskind ohne Ahnen«, in der Literatur bin ich ein Potëmkin, entsprungen dem Schoß von »Razvlečenie« und »Volna«, ich bin ein Kleinbürger unter Adeligen, und solche Leute halten nicht lange durch, wie eine Saite, die man zu rasch spannt. Zweitens läuft *der* Eisenbahnzug die größte Gefahr zu entgleisen, der tagtäglich fährt, ohne zu halten, ungeachtet des Wetters und der Menge an Brennstoff...

Natürlich ist der Preis eine große Sache, und nicht nur für mich allein. Ich bin glücklich, daß ich vielen den Weg in die dicken Zeitschriften gewiesen habe, und nicht minder glücklich darüber, daß jetzt, dank meiner Gnade, diese vielen auch mit akademischem Lorbeer rechnen können. Alles, was ich geschrieben habe, wird in 5–10 Jahren vergessen sein; aber die Wege, die ich gebahnt habe, bleiben heil und unversehrt – darin liegt mein einziges Verdienst.

Ežov ist ein Prachtkerl. Er hat bereits die zweite »Samstagsbeilage« geschickt.

Ihre »Samstagsbeilage« ist mir sympathisch, besonders die Mitte, wo die Mutter das Mädchen unterrichtet.

Briefmarken haben Sie umsonst beigelegt.

Ihre »Samstagsbeilage« habe ich Suvorin-fils übergeben, der gerade in Moskau ist.

Warum unterschreiben Sie nicht mehr mit Lazarev?

Mir gefallen Ihre Erzählungen; Sie schreiben mit jedem Jahr besser und besser, d.h. mit mehr Talent und Verstand. Aber Sie laufen Gefahr, zu spät zu kommen. Sie müssen sich beeilen. Wenn Sie keinen forcierteren Schritt anschlagen, werden Sie die Zeit verpassen: andere werden Ihren Platz einnehmen.

Ihr Mangel: Sie haben Angst, in Ihren Erzählungen Ihrem Temperament freien Lauf zu lassen, Sie haben Angst vor Brüchen und Fehlern, d.h. genau vor dem, woran man das Talent erkennt. Sie lecken und schleifen zuviel, und alles, was Ihnen zu kühn und zu schroff erscheint, setzen Sie eiligst in Klammern und Gänsefüßchen (z.B. »Auf dem Gutshof«). Um Gottes willen lassen Sie die Klammern und Gänsefüßchen! Für Parenthesen gibt es ein hervorragendes Satzzeichen, den doppelten Gedankenstrich (– soundso –). Gänsefüßchen benützen zweierlei Arten von Schriftstellern: die ängstlichen und die ohne Talent. Erstere erschrecken vor der eigenen Courage und Originalität, die zweiten (die Nefedovs und zum Teil die Boborykins), die irgendein Wort in Gänsefüßchen setzen, wollen damit sagen: sieh mal, Leser, was für ein originelles, kühnes und neues Wort ich gefunden habe!

Und ahmen Sie Bilibin nicht nach! Man muß männlich sein, stark, Sie aber ergeben sich in den Beschreibungen des Honigmondes usw. einem sentimental-verspielten Altweiberton, der Bilibin eigen ist. Das soll man nicht tun... Ihre Naturbeschreibungen sind nicht übel; Sie tun gut daran, daß Sie alle Kleinlichkeiten und Staatsdomänen meiden. Aber auch dabei lassen Sie Ihrem Temperament keinen freien Lauf. Darum haben Sie keine Originalität in den Kunstgriffen. Frauen müssen Sie so beschreiben, daß der Leser spürt, daß Sie die Weste aufgeknöpft und keine Krawatte um haben, die Natur – genauso. Nehmen Sie sich die Freiheit.

Bleiben Sie gesund. Einen Gruß an Ihre Frau. Ich bin gesund und munter. *Ihr A. Čechov.*

152) AN A.P. LENSKIJ MOSKAU, 26. 10. 1888

26. Okt.

Verehrter Aleksandr Pavlovič, ich war heute bei Ihnen und habe Ihnen »Kalchas« und eine Kopie dagelassen. Wenn das Zensurexemplar nicht mehr gebraucht wird, seien Sie so gut, nehmen Sie es dem Regisseur weg und heben Sie es auf: das geht an Rassochin.

»Kalchas« habe ich in »Schwanengesang« umbenannt. Ein langer, süßsaurer Titel, aber mir ist einfach kein anderer eingefallen, obwohl ich lange nachgedacht habe. Verzeihen Sie, daß ich so lange gebraucht habe mit dem Stück. Die Sache ist die, daß es dieses Mal zwei Fegefeuer durchlaufen mußte: die dramat. Zensur und das Komitee. Wenn die Zensur nicht wäre, hätten Sie das Stück längst gehabt.

Eine Empfehlung an Lidija Nikolaevna. Ich wünsche Ihnen Gesundheit. *Ihr herzlich ergebener A. Čechov.*

153) AN A. S. SUVORIN MOSKAU, 27. 10. 1888

27. Okt.

Ežov ist kein Spatz, sondern eher (um mich in der edlen Waidmannssprache auszudrücken) ein Welpe, dem noch die lange Behaarung fehlt. Er läuft bislang nur herum und wittert, stürzt sich wahllos auf Vögel und Frösche. Seine Rasse und Fähigkeiten zu bestimmen, habe ich einstweilen Bedenken. Zu seinen Gunsten sprechen seine Jugend, sein Anstand und seine Unverdorbenheit im Sinne der Moskauer Zeitungen.

Ich predige manchmal Ketzerei, aber bis zur Leugnung von Fragen im Bereich des Künstlerischen bin ich noch nie gediehen. In Gesprächen mit Leuten von der schreibenden Zunft bestehe ich immer darauf, daß es nicht Sache des Künstlers sei, allzu spezielle Fragen zu behandeln. Es ist schlimm, wenn ein Künstler etwas aufgreift, wovon er nichts versteht. Für spezielle Fragen haben wir Spezialisten; ihre Sache ist es, zu urteilen über die Gemeinschaft, über das Schicksal des Kapitals, über die Schädlichkeit der Trunksucht, über Stiefel, über Frauenkrankheiten... Der Künstler soll nur darüber urteilen, wovon er etwas versteht; sein Gesichtskreis ist ebenso beschränkt wie der jedes anderen Spezialisten auch, – das wiederhole ich und darauf werde ich immer bestehen. Daß es in seiner Sphäre keine Fragen gäbe, sondern unentwegt immer nur Antworten, kann nur jemand sagen, der nie geschrieben und nie mit Bildern zu tun gehabt hat. Der Künstler beobachtet, wählt aus, errät, gruppiert – schon allein diese Handlungen setzen von Anfang an eine Frage voraus; wenn man sich nicht von Anfang an eine Frage gestellt hat, so gibt es nichts, was man erraten, nichts, was man auswählen könnte. Um kurz zu sein, will ich mit der Psychiatrie enden: wenn man im Schaffen des Künstlers Fragen und Absichten leugnet, so wäre die Folgerung, daß der Künstler absichtslos schafft, ohne Vorsatz, im Affekt; wenn sich darum irgendein Autor vor mir brüsten würde, er habe eine Novelle ohne zuvor durchdachte Absicht, nur aus der Inspiration geschrieben, ich würde ihn einen Verrückten nennen.

Wenn Sie vom Künstler ein bewußtes Verhältnis zu seiner Arbeit verlangen, so haben Sie recht, aber Sie verwechseln zwei Begriffe: *die Lösung der Frage* und *die richtige Stellung der Frage*. Nur zum zweiten ist der Künstler verpflichtet. In »Anna Karenina« und im »Onegin« wird keine einzige Frage gelöst, aber beide befriedigen Sie völlig, nur weil in ihnen alle Fragen richtig gestellt sind. Das Gericht ist verpflichtet, die Fragen richtig zu stellen, lösen sollen sie die Geschworenen, jeder nach seinem Geschmack.

Ežov ist noch nicht erwachsen. Der andere, den ich Ihrer Aufmerksamkeit empfehle, A. Gruzinskij (Lazarev), ist talentierter, klüger und stärker.

Aleksej Alekseevič habe ich die Belehrung mit auf den Weg gegeben, nicht später als Mitternacht schlafenzugehen. Die Nächte mit Arbeit und mit Gesprächen zuzubringen ist genauso schädlich, wie die Nächte durchzuzechen. In Moskau wirkte er fröhlicher als in Feodosija; wir lebten in Freundschaft und unseren Mitteln entsprechend: er bewirtete mich mit Opern, ich ihn mit schlechtem Essen.

Morgen wird bei Korš mein »Bär« gespielt. Ich habe noch ein Vaudeville geschrieben: zwei Männer-, eine Frauenrolle.

Sie schreiben, der Held meines »Namenstags« sei eine Figur, mit der man sich hätte beschäftigen sollen. Herrgott, ich bin doch kein gefühlloses Rindvieh, ich verstehe das. Ich verstehe, daß ich meine Helden verderbe und verunstalte, daß gutes Material bei mir umsonst zugrundegeht... Offen gesagt, ich hätte an dem »Namenstag« gern ein halbes Jahr gesessen. Ich faulenze gern und sehe keinerlei Reiz in Schnellfeuerveröffentlichungen. Ich hätte gern, mit Vergnügen, mit Gefühl und mit Distanz meinen *ganzen* Helden beschrieben, hätte seinen Seelenzustand beschrieben während der Entbindung seiner Frau, hätte beschrieben, wie die Hebamme und die Ärzte nachts Tee trinken, hätte den Regen beschrieben... Für mich wäre es das reinste Vergnügen gewesen, denn ich wühle gern und mache mir gern lange zu schaffen. Aber was soll ich tun? Ich fange am 10. Sept. eine Erzählung an mit dem Gedanken, daß ich verpflichtet bin, sie bis zum 5. Oktober abzuschließen – das ist der äußerste Termin; wenn ich den Termin nicht einhalte, begehe ich Betrug und bleibe ohne Geld sitzen. Den Anfang schreibe ich ruhig, ich tue mir keinen Zwang an, aber schon in der Mitte beginne ich den Mut zu verlieren und zu fürchten, daß meine Erzählung zu lang wird: ich muß daran denken, daß der »Sev. vestnik« wenig Geld hat und daß ich einer seiner teuren Mitarbeiter bin. Darum wird der Anfang bei mir immer vielversprechend, so als würde ich einen Roman beginnen; die Mitte gedrängt, ängstlich, und der Schluß wie in einer kleinen Erzählung – ein Feuerwerk. Unwillkürlich schlägt man sich, wenn man eine Erzählung macht, vor allem mit ihrem Rahmen herum: aus der Masse der Helden und halben Helden greift man eine einzige Person – Ehefrau oder Ehemann – heraus, legt diese Person auf die Malfläche und zeichnet nur sie, gibt ihr auch Konturen, die übrigen aber wirft man über die Fläche wie Kleingeld, und man erhält etwas wie das Himmelsgewölbe: einen großen Mond und um ihn herum eine Masse sehr kleiner Sterne. Der Mond aber mißlingt, weil man ihn nur verstehen kann, wenn man auch die anderen Sterne verstanden hat, und die Sterne sind nicht ausgeführt. Und darum wird bei mir keine Literatur daraus, sondern etwas wie Triškas Kaftan. Was tun? Ich weiß es einfach nicht. Ich verlasse mich auf die Zeit, die alles heilt.

Um noch einmal offen zu sein, so habe ich mit meiner literarischen Tätigkeit noch nicht begonnen, auch wenn ich den Preis bekommen habe. In meinem Kopf schmachten Sujets für fünf Novellen und zwei Romane. Einer der Romane ist bereits seit langem geplant, so daß einige der handelnden Personen bereits veraltet sind, noch ehe ich sie geschrieben habe. In meinem Kopf ist eine ganze Armee von Menschen, die nach draußen drängen und nur auf den Befehl warten. Alles, was ich bisher geschrieben habe, ist Unfug im Vergleich zu dem, was ich schreiben möchte und was ich mit Begeisterung schreiben würde. Es macht für mich keinen Unterschied, ob ich den »Namenstag« schreibe, oder die »Lichter«, oder ein Vaudeville, oder einen Brief an einen Freund, – all das ist langweilig, maschinell, schlaff, und ich werde ärgerlich über den Kritiker, der z. B. den »Lichtern« Bedeutung beimißt, mir scheint, ich betrüge ihn mit meinen Werken, so wie ich viele betrüge mit meinem unangemessen ernsten oder fröhlichen Gesicht... Mir gefällt es nicht, daß ich Erfolg habe; die Sujets, die mir im Kopf sitzen, sind auf ärgerliche Weise eifersüchtig auf das bereits Geschriebene; es ist kränkend, daß der Quatsch bereits getan ist, das Gute aber im Magazin herumliegt wie Bücherramsch. Natürlich ist an dieser Wehklage vieles übertrieben, vieles *erscheint* mir nur so, aber ein Teil daran ist wahr, und zwar ein großer Teil. Was ich gut nenne? Die Bilder, die mir als die besten erscheinen, die ich liebe und eifersüchtig hüte, um sie nicht auf termingebundene »Namenstage« zu verschwenden und zu schlachten... Wenn meine Liebe sich irrt, so bin ich im Unrecht, aber es ist doch auch möglich, daß sie sich nicht irrt! Ich bin ein Idiot und selbstgefälliger Mensch, oder ich bin tatsächlich ein Organismus, der zu einem guten Schriftsteller fähig ist; alles, was derzeit geschrieben wird, gefällt mir nicht und langweilt mich, alles dagegen, was mir im Kopf sitzt, interessiert, rührt und erregt mich – und daraus schließe ich, daß niemand das tut, was nötig wäre, und ich allein das Geheimnis kenne, wie es zu tun sei. Sehr wahrscheinlich denken alle Schreibenden so. Übrigens, über diesen Fragen bricht sich selbst der Teufel den Hals.

Bei der Lösung, wie ich mich zu verhalten und was ich zu tun habe, *hilft kein Geld.* Tausend Rubel mehr oder weniger lösen die Frage nicht, und Hunderttausend hat die Fee in den Himmel gemalt. Außerdem werde ich, wenn ich Geld habe (vielleicht, weil ich es nicht gewohnt bin, ich weiß es nicht), extrem sorglos und faul: mir geht das Meer dann bis ans Knie... Ich brauche Einsamkeit und Zeit.

Verzeihen Sie, daß ich Ihre Aufmerksamkeit für meine Person in Anspruch nehme. Es ist mir aus der Feder geflossen. Aus irgend einem Grunde kann ich zur Zeit nicht arbeiten.

Danke, daß Sie meine Artikelchen ins Blatt setzen. Um Gottes willen, machen Sie sich keine Umstände mit ihnen: kürzen Sie, verlängern Sie, verändern Sie, werfen Sie sie weg und machen Sie damit, was Sie wollen. Ich gebe Ihnen, wie Korš zu sagen pflegt, carte blanche. Ich werde froh sein, wenn meine Artikel keinen fremden Platz einnehmen.

Lesen Sie im »Stoglav« die Postregeln – über den Versand von Geldpaketen. Aleksej Alekseevič ist es, der solche Regeln aufstellt. Seine medizinische Rubrik ist unter aller Kritik – übermitteln Sie ihm ruhig diese Meinung eines Spezialisten!

Schreiben Sie mir, wie Anna Ivanovnas Krankheit auf lateinisch heißt. Ich werde Ihnen schreiben, ob es etwas Ernstes ist oder nicht. Wenn man ihr Atropin verschrieben hat, ist es etwas Ernstes, aber nicht unbedingt. Und was hat Nastja? Wenn Sie glauben, in Moskau von der Langeweile geheilt zu werden, so irren Sie: die Langeweile hier ist furchtbar. Viele Literaten sind verhaftet, darunter auch der Hansdampf in allen Gassen Golcev, Autor der »Neunten Symphonie«. Um einen von ihnen kümmert sich V. S. Mamyšëv, der heute bei mir war.

Einen Gruß an all die Ihren. *Ihr A. Čechov.*

Bei mir im Zimmer fliegt eine Mücke herum. Woher ist die gekommen? Ich danke Ihnen für die auffälligen Anzeigen meiner Bücher.

154) AN I. L. LEONTJEV-ŠČEGLOV MOSKAU, 2. 11. 1888

2. November

Lieber Jeanuška! Ich danke Ihnen für Ihre Mühen. Ich stehe bis an den Hals in Ihrer Schuld, und wann wir einmal quitt werden können, weiß der Himmel allein.

Jetzt zum »Bären«. Solovcov spielte phänomenal, die Rybčinskaja war anständig und lieb. Im Theater wurde ununterbrochen gelacht; die Monologe durch Applaus unterbrochen. In der 1. und 2. Vorstellung wurden Schauspieler und Autor vor den Vorhang gerufen. Alle Zeitungsschreiber, außer Vasiljev, waren des Lobes voll... Aber, mein Guter, Solovcov und die Rybč. spielen nicht kunstvoll, ohne Nuancen, sie blasen immer die eine Note, sind feig undsof. Ein Spiel wie mit der Axt.

Nach der ersten Vorstellung geschah ein Unglück. Die Kaffeemaschine hat meinen Bären erschlagen. Die Rybčinskaja trank Kaffee, die Kaffeemaschine platzte vom Dampfdruck und verbrühte ihr das ganze Gesicht. Das zweite Mal spielte die Glama, sehr anständig. Jetzt ist die Glama nach Piter gefahren, und so ist mein Pelztier ungewollt krepiert, ohne auch nur drei Tage gelebt zu haben. Die Rybčinskaja verspricht, bis Sonntag wieder gesund zu sein.

Jetzt zu Ihnen. Was den »Theaterspatzen« betrifft, so wird er offenbar gespielt werden. Ich hatte ein Gespräch mit Korš darüber, mit Solovcov werde ich noch sprechen, wenn ich den günstigsten Augenblick dafür abpasse.

Mit dem »Ehemann« beeilen Sie sich nicht. Beruhigen Sie Ihre Stieglitznerven. Wenn Sie tatsächlich zu der Überzeugung gelangt sind, daß der III. Akt überflüssig ist, dann soll es so sein, wenn Sie aber nicht dieser Überzeugung sind, weshalb dann Konzessionen machen? Lassen Sie das Stück lieber im Archiv liegen, als daß Sie Konzessionen machen... Denn wenn Sie einmal Konzessionen gemacht haben, werden es Ihre Nerven endlos wiedertun... Mehr Eisen!

Meiner Meinung nach ist es besser, zwei neue Stücke zu schreiben, als Konzessionen zu machen. Das ist ruhiger, ist einträglicher und leichter. Beeilen Sie sich nicht, mein Lieber...

Ich werde zu einem populären Vaudevillisten? Jetzt reichts aber! Wenn ich in meinem ganzen Leben mit Ach und Krach ein knappes Dutzend szenischer Bagatellen kritzele, dann will ich schon froh sein. Ich verspüre keine Liebe für die Bühne. Die »Gewalt der Hypnose« werde ich im Sommer schreiben – jetzt mag ich nicht. In dieser Saison werde ich ein kleines Vaudeville schreiben und mich darauf bis zum Sommer ausruhen. Ist das etwa Arbeit? Ist das etwa Leidenschaft?

Ich treffe mich manchmal mit Tichonov. Er rät mir, den »Bären« ans Alexandratheater zu schicken.

Alle Unsrigen sind wohlauf, sie lassen Sie grüßen. Bleiben Sie gesund und blasen Sie keine Trübsal. *Ihr Antoine.*

155) AN A. S. SUVORIN MOSKAU, 3. 11. 1888

3. November.

Seien Sie gegrüßt, Aleksej Sergeevič! Gleich stürze ich mich in den Frack, um zur Gründung der »Gesellschaft der Künste und Literatur« zu fahren, wozu ich als Gast geladen bin. Es wird ein offizieller Ball. Welche Ziele und Mittel diese Gesellschaft hat, wer dort Mitglied ist usw. – weiß ich nicht. Ich weiß nur, daß an ihrer Spitze Fedotov steht, Autor vieler Theaterstücke. Mich hat man nicht zum Mitglied gewählt, worüber ich sehr froh bin, weil 25 Rub. Mitgliedsbeitrag zu erbringen für das Recht, sich zu langweilen, ich absolut keine Lust habe. Wenn sich etwas Interessantes oder Komisches ergeben sollte, schreibe ich Ihnen; Lenskij wird Erzählungen von mir lesen.

Im »Sev. vestnik« (November) ist ein Aufsatz des Dichters Merežkovskij über meine Person. Ein langer Aufsatz. Ihrer Aufmerksamkeit empfehle ich seinen Schluß. Er ist charakteristisch. Merežkovskij ist noch sehr jung, Student, fast ein Naturwissenschaftler. Wer sich die Weisheit der wissenschaftlichen Methode angeeignet hat und demzufolge wissenschaftlich denken kann, der erfährt nicht wenig bezaubernde Versuchungen. Archimedes wollte die Erde aus den Angeln heben, die Hitzköpfe von heute wollen das Unfaßliche wissenschaftlich erfassen, wollen die physischen Gesetze des Schaffens finden, das allgemeine Gesetz und die Formeln, nach denen der Künstler, der sie instinktiv spürt, Musikstücke, Landschaften, Romane schafft usw. In der Natur existieren diese Formeln wahrscheinlich. Wir wissen, in der Natur gibt es a, b, c, d, do, re, mi, fa, so, gibt es Kurve, Gerade, Kreis, Quadrat, grüne Farbe, rote, blaue... Wir wissen, daß all das in bestimmter Zusammensetzung eine Melodie ergibt, oder ein Gedicht, oder ein Bild, so wie die einfachen chemischen Körper in bestimmter Zusammensetzung einen Baum ergeben, einen Stein, oder das Meer, aber bestimmt wissen wir nur, daß es sich um eine Zusammensetzung handelt, die Ordnung dieser Zusammensetzung jedoch ist uns verborgen. Wer die wissenschaftliche Methode beherrscht, der spürt im Herzen, daß ein Musikstück und ein Baum etwas Gemeinsames haben, daß das eine wie das andere nach gleichermaßen richtigen, einfachen Gesetzen geschaffen ist. Daher die Frage: was für Gesetze sind das? Daher die Versuchung, eine Physiologie des Schaffens zu schreiben (Boborykin), und bei den Jüngeren und Zaghafteren, sich auf Wissenschaft und Naturgesetze zu berufen (Merežkovskij). Eine Physiologie des Schaffens existiert wahrscheinlich in der Natur, aber Träumereien von ihr sollte man im

Keim ersticken. Wenn die Kritiker sich auf wissenschaftliche Grundlage stellen, dann wird daraus nichts Gutes: sie verschwenden Dutzende von Jahren, schreiben vielen Ballast, verwirren die Frage nur noch mehr – und nichts weiter. Wissenschaftlich denken ist überall gut, das Schlimme ist nur, daß sich das wissenschaftliche Denken vom Schaffensprozeß schließlich und endlich nolensvolens beschränken wird auf die Jagd nach »Zellen« oder »Zentren«, die die schöpferischen Fähigkeiten lenken, und dann wird irgendein stumpfsinniger Deutscher diese Zellen irgendwo im Schläfenlappen des Gehirns entdecken, ein anderer wird ihm widersprechen, ein dritter Deutscher ihm zustimmen, und ein Russe wird den Aufsatz über die Zellen überfliegen und darüber ein Referat hinhauen für den »Sev. vestnik«, der »Vestnik Evropy« wird anfangen, dieses Referat zu zerpflükken, und drei Jahre lang wird in der russischen Luft der unsinnige Pesthauch stehen, der den Stumpfsinnigen Verdienst und Popularität einbringt, kluge Menschen aber nur verärgert.

Diejenigen, die es zur wissenschaftlichen Methode hinzieht, denen Gott das seltene Talent verliehen hat, wissenschaftlich zu denken, haben meiner Meinung nach nur den einen Ausweg – die Philosophie des Schaffens. Man kann die besten Werke, die die Künstler aller Zeiten geschaffen haben, auf einen Haufen versammeln und, mithilfe der wissenschaftlichen Methode, das Gemeinsame herauszufinden versuchen, was sie einander vergleichbar macht und was ihren Wert bedingt. Dieses Gemeinsame wäre das Gesetz. Die Werke, die man unsterblich nennt, haben sehr viel gemeinsam; wenn man aus jedem von ihnen dieses *Gemeinsame* wegläßt, so verliert das Werk seinen Wert und Reiz.

Also ist dieses *Gemeinsame* unbedingt notwendig und bedeutet die c o n d i t i o s i n e q u a n o n für jedes Werk, das Anspruch auf Unsterblichkeit erhebt.

In meiner Familie gibt es ein kleines *Unglück*, von dem ich Ihnen erzählen werde, wenn wir uns sehen. Der Donner brach über einen meiner Brüder herein, und dieser Donner läßt mich nicht arbeiten und ruhig leben. Was für eine Kalamität, oh Schöpfer, Familienoberhaupt zu sein!

Französinnen tröpfeln sich aus Koketterie, um große Pupillen zu bekommen, Atropin in die Augen – und nichts geschieht ihnen.

Maslovs Stück liest Petipa. Bei Korš ist die Hölle los. Die Dampfkaffeemaschine ist geplatzt und hat der Rybčinskaja das Gesicht verbrüht. Die Glama-Meščerskaja ist nach Petersb. Solovcovs Lebensgefährtin, die Glebova, ist krank usw. Niemand kann spielen, niemand gehorcht, alle schreien herum, streiten ... Ein Ausstattungsstück, ein Kostümstück wird offenbar mit Entsetzen zurückgewiesen ... Ich möchte, daß der »Verführer« inszeniert wird. Ich kümmere mich nicht wegen Maslovs darum, sondern einfach aus Mitleid mit der Bühne und aus Ehrgeiz. Man muß sich mit aller Kraft bemühen, daß die Bühne aus den Händen der Krämer in literarische Hände übergeht, sonst geht das Theater zugrunde.

Die Kaffeemaschine hat meinen »Bären« erschlagen. Die Rybčinskaja ist krank, und niemand kann ihn spielen.

Meine Angehörigen lassen Sie grüßen. An Anna Ivanovna, Nastja und Borja meinen herzlichen Gruß. *Ihr A. Čechov.*

Vaudevilles kann man nur im Sommer veröffentlichen, im Winter macht es nur Unannehmlichkeiten. Im Sommer werde ich jeden Monat ein Vaudeville schreiben, im Winter muß ich auf dieses Vergnügen verzichten.

Tragen Sie mich als Mitglied der Literarischen Gesellschaft ein. Wenn ich komme, werde ich sie aufsuchen.

156) AN I. L. LEONTJEV-ŠČEGLOV MOSKAU, 7. 11. 1888

7. November.

Lieber Jeančik! Wenn Sie sich schon so großzügig einverstanden erklären, die Zuchthausarbeit zu übernehmen, sich mit Freundesaufträgen herumzuschlagen, so bedanken Sie sich bei sich selbst. Am Donnerstag um 3 Uhr bekommen Sie 2 Expl. des »Bären«, die Sie bitte dem Großvater aushändigen. Am Samstag denken Sie vielleicht an eine Spazierfahrt, da fahren Sie ins Komitee. Wenn das Stück dort genehmigt wird, dann nehmen Sie das überzählige Exemplar und händigen es dem Schauspieler oder der Schauspielerin aus, je nachdem. Sie empfehlen die Savina und Sazonov? Gut. Tichonov empfiehlt Dalmatov und die Vasiljeva... Auch gut. Das heißt, mir ist es völlig egal, da ich die Pitersche Truppe nicht kenne. Tun Sie, was Sie wollen, und wenn Sie nichts tun, werde ich auch nicht böse sein. Ich schäme mich, freundschaftliche Beziehungen zu mißbrauchen und für nichts und wieder nichts Jean Ščeglov einzuspannen, den unschuldigsten aller Menschen und Dramatiker.

Wenn Sie von dem einen Auftrag noch nicht genug haben, so hier noch einen schlechteren und geringeren. Ich habe speziell für die Provinz ein räudiges kleines Vaudeville, »Der Heiratsantrag«, gekritzelt und zur Zensur geschickt. In dem Gesuch bat ich darum, es an die Bibliothek Rassochin zu schicken. Wenn Sie, Engel, zur Zensur gehen, dann sagen Sie Krjukovskij, da lebt in der Stadt Soundso ein Pëtr Ivanovič Bobčinskij und daß ich gemeinsam mit Rassochin die Hydra der Zensur unter Tränen bitte, das Vaudeville nicht in Quarantäne zu halten. Das kleine Vaudeville ist läppisch und langweilig, aber in der Provinz wird es gespielt werden: zwei Männer- und eine Frauenrolle. In der Hauptstadt werde ich den »Heiratsantrag« nicht auf die Bühne bringen.

Sagen Sie Bazarov, ich habe Rassochin gebeten, ihm 5 Expl. des »Bären« zu schicken. Rassochin sagte: gut. Der Schöpfer des Milaškin ist sehr nett zu mir. Er wird mit allem einverstanden sein.

Ihren »Ehemann« geben Sie den Venezianischen Dogen, aber nicht vor der kommenden Saison. *Überstürzen Sie nichts.* Die Zeit läuft nicht davon. Warum Sie ihn nicht jetzt schon aus der Hand geben sollen? Das werde ich Ihnen sagen, wenn wir uns sehen, jetzt im Brief ist kein Platz dafür. Den »Theaterspatzen« lassen Sie spielen und geben mir freie Hand. Erlauben Sie mir, daß ich die Besetzung mache, eine Probe besuche und bei Strichen die Feder führe. Ich mache das nicht schlechter als Sie und der brüllende Solovcov. Ich werde mehr Disziplin haben.

Haben Sie etwas Großes zu schreiben angefangen?

Der »Verführer von Sevilla« von Bežeckij ist kein übles Stück. Es ist eine Aufführung wert.

Die Glama-Meščerskaja hat sich mit Korš zerstritten und geht. Ein unersetzlicher Verlust! Wer soll jetzt in psychopathischen Stücken die kranken Kätzchen spielen?

Jeančik, Sie geben sich Mühe und werden solide. Sie sind verheiratet, Hauptmann, Literat, haben einen Namen. Ich flehe Sie an, bitte hören Sie auf, das Theater zu lieben. Wirklich, da ist so wenig Gutes dran. Das Gute wird maßlos übertrieben, das Ekelhafte maskiert. Ich glaube, V. Krylov haßt Kulissen, Galerie, Schauspieler und Schauspielerinnen aus ganzem Herzen und hat deshalb solchen Erfolg. Er ist kalt, grausam, gallig… Er hat nicht recht, weil er ein Hundesohn ist, aber hat zutiefst recht, wenn er die Sache und die Menschen, die um diese Sache herum leben, einfach sieht. Das Theater heute ist die Krätze, eine üble Krankheit der Städte. Man muß diese Krankheit mit dem Besen austreiben, und sie zu lieben ist ungesund. Sie werden das abstreiten und mir den alten Satz sagen: das Theater ist eine Schule, es bildet usw. Und ich sage Ihnen darauf, was ich sehe: das heutige Theater steht nicht über der Menge, sondern das Leben der Menge ist im Gegenteil vernünftiger und steht höher als das Theater; das heißt, es ist keine Schule, sondern etwas anderes.

Wir sehen uns nicht vor Dezember. Ich bin absolut ohne Geld. Niemand schickt mir etwas, ich lebe auf Pump.

»Sekt« habe ich verloren. Was soll ich schicken? Ich hatte Barancevič eine Erzählung geschickt, aber sie wurde mir zurückgeschickt in der Hoffnung, daß ich etwas Unveröffentlichtes schicke. Geben Sie Barancevič meine Adresse. Ich würde gern einen Brief von ihm bekommen. Bleiben Sie am Leben.

Ihr Antoine.

великодушный характеръ,что у него не хватаетъ духа прогнать отъ себя Боркина..

I гость Слабый характеръ...|смѣется| Александра Павловна, ей Богу глаза отводитъ...

ЗИН.САВ. А тебѣ стыдно за такихъ заступаться...

САША. Я жалѣю,что вмѣшалась въ этотъ разговоръ... |быстро идетъ къ правой двери.|

ЛЕБ. Шура,горячка!..|смѣется|Порохъ-дѣвка...

I гость|загораживаетъ ей дорогу| Александра Павловна,ей Богу не буду!..Виноватъ..честное слово не буду больше!..

ЗИН.САВ. Хоть при гостяхъ,Сашенька,не показывай характеръ.

САША.|дрогнувшимъ голосомъ| Всю свою жизнь проработалъ для другихъ;все,что у него было,растащили,расхитили;около его великодушныхъ затѣй наживался всякій,кто хотѣлъ... Никогда въ жизни онъ не оскверналъ себя ложью,хитростью, ни разу я не слышала,чтобы онъ говорилъ о комъ нибудь худо... [redacted] и что-же? Куда не прійдешь,только и слышишь:Ивановъ,Ивановъ,Ивановъ...какъ будто не о чемъ больше говорить...

ЛЕБ. Горячка..Будетъ тебѣ...

САША. Да,у него есть ошибки,но вѣдь каждая ошибка такихъ людей стоитъ двадцати нашихъ добродѣтелей...Если бы вы только могли...|оглядывсется и видитъ Иванова и Шабельскаго|

Явленіе 4.

Тѣ же,Ивановъ и Шабельскій.

ШАБ.|входя съ Ивановымъ изъ правой двери| Кто это здѣсь

Ле

»Ivanov«. Seite aus dem Zensurexemplar.

157) AN A. S. SUVORIN MOSKAU, 7. 11. 1888

7. November.

Ich hätte nicht gedacht, daß Ihnen, lieber Aleksej Sergeevič, mein Atropin ein Rätsel wäre. Sie schrieben mir einmal, daß Grigorovič sich *nichts* in die Augen tropfen ließe; als Antwort darauf hatte ich Ihnen, glaube ich, geschrieben, daß sich die kleinen Französinnen aus Eitelkeit Atropin in die Augen tropfen – und es schadet nichts. Was kann schlimmer sein als Straßenstaub, Bücherstaub und jeder andere Staub, was kann schädlicher sein als Versündigungen am Nervensystem und am Blutkreislauf, die im Augenapparat zusammenhängen wie der Fluß und das Meer? Gegen diese Versündigungen sind Tropfen ein unschuldiger Spaß.

Ein Unglück ist über den Maler hereingebrochen. Es geht um Folgendes. Vor fünf Jahren hat er die Lehranstalt für Malerei verlassen, ohne Examen gemacht zu haben; die ganzen fünf Jahre hat er ohne Paß gelebt. Er lebte mal bei mir, mal bei seiner femme, mal bei Freunden... Diese Illegalität fiel ihm und der Familie zur Last... Die ganzen fünf Jahre hat er sich »morgen« darum kümmern wollen, aber dieses Morgen kam, und er tat nichts. Ich kenne die russischen Gesetze, aber die Paßscherereien sind eine solch verworrene Angelegenheit, daß man nicht weiß, wo man anfangen soll... Der eine rät meinem Bruder, sich nach Taganrog zu wenden, andere – zum Generalgouverneur zu gehen, wieder andere – er solle Lehrer werden, noch andere sind entsetzt und stoßen Drohungen aus... Selbst der Teufel wird daraus nicht schlau! Der Wirrwarr wird noch verworrener durch einen Umstand: der Maler, der jetzt 30–31 Jahre alt ist, war nie zur Einberufung, hat nie gedient, nie das Los gezogen, mit einem Wort, er erfüllt alle Voraussetzungen, auf die Anklagebank zu geraten wegen Umgehung der Wehrpflicht, die mit Gefängnis und Zwangsrekrutierung ohne jede Vergünstigungen bestraft wird. Ein regelrechter Skandal! Die Nachlässigkeit, das Verschieben auf morgen, Bacchus, Zeitnot und Träumereien wären endlos so weitergegangen, wenn nicht der Donner eingeschlagen hätte in Gestalt eines Wachtmeisters, der kam, um den Paß zu sehen, und in Gestalt der Geburtsurkunde, die mein Maler die Naivität besaß, ans Revier zu schicken. Was ich jetzt machen soll, weiß ich nicht. Der Volksschulinspektor, ein mächtiger Mann, hat versprochen, den Maler Ende November nach Dmitriev mitzunehmen, ihn dort das Lehrerexamen ablegen zu lassen und ihm dann das Diplom auszustellen, das ihm einen legalen Status verleiht und ihn gleichzeitig von der leidigen Wehrpflicht befreit. Aber bis Ende November kann noch vieles geschehen... Mit einem Wort, es ist miserabel. All das ist vorläufig noch geheim.

An der miserablen Qualität unserer Theater ist nicht das Publikum schuld. Das Publikum ist immer und überall das gleiche: es ist klug und dumm, herzlich und erbarmungslos – je nach Laune. Es ist immer eine Herde gewesen, die gute Hirten und Hunde brauchte, und es ist immer dorthin gelaufen, wohin die Hirten und Hunde es geführt haben. Sie sind empört darüber, daß es über platte Witze lacht und bei klingenden Phrasen applaudiert; aber es ist doch dasselbe Publikum, dasselbe dumme Publikum, das bei »Othello« volles Haus macht und das in der Oper »Evgenij Onegin« weint, wenn Tatjana ihren Brief schreibt.

Das Publikum, so dumm es immer sein mag, ist noch allemal klüger, aufrichtiger und gutmütiger als Korš, die Schauspieler und die Dramatiker, nur halten Korš und die Schauspieler sich für klüger. Ein gegenseitiges Mißverständnis.

Eben war Ežov bei mir. Er ist gekränkt. Ich will ihm den Rat geben, noch ein, zwei Jahre mit der Mitarbeit am »Nov. vr.« zu warten. Er ist noch jung, wenn auch schon verheiratet.

Der Wasserträger hat irgendwo einen jungen sibirischen Kater mit langem weißem Fell und mit schwarzen Augen gestohlen und ihn zu uns gebracht. Dieser junge Kater hält die Menschen für Mäuse; wenn er einen Menschen sieht, schmiegt er sich mit dem Bauch an den Boden, stellt den Schwanz auf und stürzt sich auf die Beine. Heute morgen, als ich von einer Ecke in die andere schritt, hat er mir mehrere Male aufgelauert und sich à la Tiger auf meine Stiefel gestürzt. Ich glaube, der Gedanke, er sei der Schrecklichste und Größte im Hause, bereitet ihm großen Genuß.

Alle haben mir geraten, den »Bären« ans Alexandratheater zu schicken. Ich werde es tun. Bei Korš brüllt das Publikum vor Lachen, unaufhörlich, obwohl Solovcov und die Rybčinskaja alles andere als künstlerisch spielen. Meine Schwester und ich würden es besser machen.

Schicken Sie mir die Liste der von Ihnen geschriebenen und von der Zensur zur Aufführung genehmigten Stücke. Das ist nötig, sonst nimmt man Sie nicht als Mitglied in die Dramat. Gesellschaft auf. Wenn Sie wollen, können Sie es bei »Medea« bewenden lassen.

Die Dramat. Gesellschaft sehe ich als kommerzielle Einrichtung. Sie hat ein einziges Ziel: dafür zu sorgen, daß ihre Mitglieder soviel wie möglich bekommen. Dieses Ziel ist so gut, daß daneben alle übrigen keine Eierschale wert sind. Viktor Krylov ist ein großer Hundesohn, aber angesichts dieses Zieles würde ich ihm als erster meine Stimme geben, damit er Vorsitzender wird. Zur Zeit führen Ikonen den Vorsitz, keine Arbeiter, und so lange wird in der Gesellschaft keine Ordnung herrschen.

Einen Gruß an all die Ihren. Bei uns ist miserabelstes Wetter.

Ihr A. Čechov.

158) AN I. L. LEONTJEV-ŠČEGLOV MOSKAU, 11. 11. 1888

11. November.

Mein lieber Johann! Vom Wunsch der Savina, meinen »Bär« zu spielen, erfuhr ich zwei Tage eher als von dem der Abarinova, weshalb ich bereits vor Erhalt Ihres Briefes mein Einverständnis der hochtalentierten und göttlichen Marija Gavrilovna erklärt habe. Gegen unseren Willen haben wir Verwirrung gestiftet. Ich fürchte, irgend jemanden in eine peinliche Situation zu bringen. Wenn Ihr Beobachterauge in irgend jemandes Herzen (im eigenen oder dem eines Schauspielers) eine Verstimmung bemerken sollte, führen Sie schnell ein Manöver durch: ziehen Sie meinen »Bären« zurück und motivieren Sie dies mit meinem Wunsch, an einem Staatstheater nicht mit einem Vaudeville zu debütieren oder etwas in der Art. Vor solch einem Manöver hätte ich keine Angst. Jemanden, wer es auch sei, aus weiß der Teufel welchem Grund in eine unangenehme Situation bringen möchte ich nicht.

Sie wollen mit mir über das Theater streiten. Tun Sie sich den Gefallen, aber Sie werden mich nicht überzeugen, ich bleibe bei meinem Haß auf die Schafotts, auf denen die Dramatiker hingerichtet werden. Das moderne Theater ist eine Welt des Unsinns, der Karpovs, des Stumpfsinns und des hohlen Geklingels. Vor ein paar Tagen hat sich Karpov vor mir gebrüstet, er habe sich in seinen strohdummen »Krokodilstränen« die »liberalen Grünschnäbel« vorgeknöpft und deshalb sei das Stück durchgefallen und beschimpft worden. Danach habe ich einen noch größeren Haß auf das Theater bekommen und jene Fanatiker und Märtyrer liebgewonnen, die etwas Vernünftiges und Unschädliches aus ihm machen wollen.

Sie sagen, Sie schrieben unwillkürlich, der Not gehorchend »schlechte Novellen«. Wie können Sie so etwas sagen? Kein einziges Ihrer Stücke hat das Niveau des »Gordischen Knoten« und Ihrer Skizzen aus dem Militärleben erreicht! Hol Sie der Teufel! Übrigens, wenn Sie Ihre Stücke für besser halten als Ihre Novellen, dann wollen wir nicht streiten und keinen Streit wecken.

Die Glama hat sich offenbar wieder mit Korš vertragen. Soll der Teufel das verstehen!

Bleiben Sie gesund und ruhig. Halten Sie Ihre Stieglitznerven im Zaum und vergessen Sie nicht, daß Sie ein braver Hauptmann sind. *Ihr Antoine.*

Vom »Theaterspatzen« schreibe ich Ihnen.

»Spatz«, »Grauer Ziegenbock«, »Krokodilstränen«, »Mäuschen«, »Bär«, »Freier Vogel« – was für ein Tiergarten!

159) AN A. S. SUVORIN MOSKAU, 11. 11. 1888

11. November.

Ich danke Ihnen, Aleksej Sergeevič, für die Savina, d.h. für die Nachricht über sie. Ich denke, sie würde eine hervorragende Bärin abgeben. Aber stellen Sie sich mein kleines Malheur vor! Jean Ščeglov, dem ich 2 Expl. des »Bären« für das Th.-Lit. Komitee geschickt hatte, schreibt mir heute, er habe auf Anraten von V. P. Burenin meinen »Bären« der Abarinova überbracht für deren Benefiz. Jean Ščeglovs Ton ist freudig: Glücklicher, man hat dich für würdig befunden! Ich fürchte, daß eine peinliche Geschichte daraus wird. Von der Savina habe ich viel Gutes gehört, die Abarinova kenne ich ganz und gar nicht, und darum habe ich keinen Grund, Ščeglovs freudigem Ton beizupflichten. Als Antwort auf seinen Brief habe ich geschrieben, daß ich der Savina bereits mein Einverständnis mitgeteilt hätte. Soll der Ärmste sich selbst herauswinden.

Heute habe ich die Erzählung für den »Garšin-Almanach« abgeschlossen – als wäre mir ein Stein vom Herzen gefallen. In dieser Erzählung habe ich meine Meinung, meine eigene, von niemandem benötigte Meinung über solch seltene Menschen wie Garšin gesagt. Ich hätte beinahe 200 Zeilen geschrieben. Ich spreche viel von der Prostitution, löse aber nichts von dieser Frage. Warum schreibt in Ihrer Zeitung nie jemand über die Prostitution? Sie ist doch das schrecklichste Übel. Unser Sobolev pereulok – das ist ein Sklavenmarkt.

Morgen und übermorgen werde ich die Erzählung abschreiben und noch irgend etwas tun, und danach beginne ich mit dem Schreiben fürs »Novoe vremja«. Sujets habe ich.

In meinen Briefen an Ščeglov erkläre ich meinen Haß auf das Theater. Ich will ihm diesen Haß einpflanzen, sonst wird er hinter den Kulissen noch ganz zum alten Weib.

Die Glama hat bei Korš Revolution gemacht. Ich werde einfach nicht schlau daraus: wird Maslovs Stück nun gespielt oder nicht? Es herrscht ein solches Höllendurcheinander, daß ich es am liebsten nie gesehen hätte. In einer Woche bringt Korš 2 neue

Stücke heraus. Vor ein paar Tagen sah ich die »Krokodilstränen« – eine strohdumme Posse in fünf Akten von einem gewissen Karpov, Autor der Stücke »Auf dem Gemeindeacker«, »Ein freier Vogel« usw. Das ganze Stück ist, abgesehen von seiner hölzernen Primitivität, eine einzige Lüge und Verleumdung des Lebens. Ein Dorfältester, der sein Leben lang gestohlen und andere begaunert hat, nimmt einen sehr jungen Beamten* unter seine Fittiche und will ihn mit seiner Tochter verheiraten, die in den Gedichte schreibenden Schreiber verliebt ist. Vor der Hochzeit öffnet ein ehrenhafter und junger Landvermesser dem Beamten die Augen, dieser wiederum entdeckt Amtsmißbrauch, das Krokodil, d. h. der Dorfälteste, bricht in Tränen aus, und eine der Heldinnen ruft: »Das Laster ist bestraft, die Tugend triumphiert!« – womit das Stück denn auch zu Ende ist.

Brrr! Nach der Vorstellung begegnet mir Karpov und sagt:

– In diesem Stück habe ich die liberalen Grünschnäbel verrissen, darum hat es mißfallen und man hat es beschimpft... Ich pfeife drauf!

Wenn ich einmal etwas Ähnliches sagen oder schreiben sollte, dann sollen Sie mich hassen und nicht mehr kennen.

Für meinen künftigen Roman habe ich etwa dreihundert Zeilen geschrieben über eine Feuersbrunst auf dem Lande: auf einem Hof wacht man nachts auf und sieht den Feuerschein – Eindrükke, Gespräche, das Stampfen nackter Sohlen auf dem Eisendach, das Hin und Her...

In der Dram. Ges. schreibe ich Sie nicht als Mitglied ein, bevor Sie mich nicht dazu beauftragen. Einen Gruß an die Ihren.

Ihr A. Čechov.

In Rassochins Katalog gibt es ein Stück »Anna Karenina«.

* einen Gutsbesitzer und Adeligen.

160) AN A. N. PLEŠČEEV MOSKAU, 13. 11. 1888

13. November.

Uff! endlich habe ich die Erzählung abgeschrieben, verpackt und an Sie abgeschickt, lieber Aleksej Nikolaevič. Haben Sie sie bekommen? Gelesen? Sind sie vielleicht böse? Die Erzählung paßt nicht in einen Familienalmanach, ist ungraziös und riecht nach Nässe wie Wasserabflußrohre. Aber mein Gewissen ist zumindest beruhigt: erstens habe ich mein Versprechen gehalten, zweitens dem verstorbenen Garšin den Tribut entrichtet, wie ich es gewollt und vermocht habe. Mir als Medikus kommt es so vor, als hätte ich die Geisteskrankheit richtig beschrieben, nach allen Regeln der psychiatrischen Wissenschaft. Was die Dirnen betrifft, so war ich seinerzeit ein großer Spezialist.

Wie geht es George Lintvarëv? Was macht er?

Den Empfang der Erzählung bestätigen Sie mir bitte; wenn sie bei Ihnen nicht paßt, dann veröffentliche ich sie an anderer Stelle mit dem Titel »Dem Andenken Garšins«. Gott bewahre, daß sie nicht paßt. Ich habe mich lange mit ihr herumgeschlagen.

Geld habe ich überhaupt keins, es ist, um nach der Polizei zu rufen. Den Preis verspricht man mir in 5–6 Wochen zu schicken, und Honorare schickt man mir von nirgendwo, weil ich nirgends veröffentliche. Wenn die Herausgeberin das Geld an die Redaktion schicken sollte, dann sagen Sie dort Bescheid, daß man es mir umgehend schickt, d.h. mir telegraphisch überweist. Mein Gott, was sind Sie nur für ungeschickte Menschen, warum haben Sie die Sabašnikova weggegeben an dieses Monstrum Evreinov? Warum haben Sie nicht auf mich gewartet? Im Interesse der Literatur hätte ich sie gern geheiratet. Bei mir hätte der »Severnyj vestnik« dann 10–15 Tausend Subskribenten. Die halbe Mitgift hätte ich für Reklame auf den Kopf gehauen. Und die Sabašnikova wäre nicht im Nachteil.

Korolenko war nicht bei mir. Hat er seine Novelle geschickt? Wenn ja, dann freue ich mich, ich habe es schon zum Erbrechen satt, Čechov zu lesen.

Der Aufsatz von Merežkovskij ist, wenn man ihn als Wunsch

ansieht, sich ernsthaft mit Kritik zu befassen, eine äußerst sympathische Erscheinung. Sein Hauptmangel ist das Fehlen von Einfachheit. Der zweite Mangel: der Autor hat sich das Problem nicht klargemacht und ist nicht überzeugt genug; das sieht man daran, daß er fast auf jeder Seite Konzessionen macht und verschiedene Begriffe durcheinanderbringt; an manchen Stellen ist er gezwungen und nebulös. Der dritte Mangel ist die Anmerkung der Redaktion, die ich, und wenn Sie mich totschlagen, nicht verstehe. Von welchen Mitarbeitern ist da die Rede? Dann geruhen Sie aber auch unter jeden Aufsatz von Protopopov die Anmerkung zu setzen – »diesen Aufsatz drucken wir, auch wenn er Čechov nicht gefallen wird«. Die Redaktion ist für jede Zeile verantwortlich, zusammen mit dem Autor. Schuld sind Sie und der Autor, Dritte sind hier überflüssig. Wer anderer Meinung ist, der kann einen eigenen Aufsatz schreiben, aber einen Ausfall aus der Schlucht zu machen, das gehört sich nicht. Die Redaktion, wie immer sie auch sei, muß unbedingt *selbständig* sein, zumindest in den Augen des Publikums, dazu ist sie die Redaktion.

Ich würde gern zu Ihnen nach Piter kommen, aber ich habe kein Geld. Die Savina will meinen »Bären« spielen – sie war bei Suvorin, hat sich meine Adresse und die Nummer mit dem »Bären« geben lassen. In Moskau läuft er mit großem Hallo, und auch in der Provinz wird er furore machen. Da soll einer wissen, wo man findet, wo man verliert.

Die Schauspieler des Kleinen Theaters lesen um die Wette meinen »Namenstag«. Er gefällt ihnen. Besonders den Geschmack des weiblichen Geschlechts hat er getroffen.

Danke für Ihren Wunsch, bei meinen Erzählungen Korrektur zu lesen. Aber auch der beste, idealste Korrektor kann Druckfehler kaum vermeiden. Es geht nicht ums Jatj und das Fita. Die Autoren müssen bei ihren Arbeiten selbst Korrektur lesen. Wenn Sie mir in Zukunft die Korrekturfahnen schicken, verspreche ich Ihnen, sie nicht länger als einen Tag zu behalten. Einen herzlichen Gruß an all die Ihren. Gott und alle Engel mögen Sie beschützen. *Ihr A. Čechov.*

161) AN A. S. SUVORIN MOSKAU, 15. 11. 1888

15. November.

Ich schicke Ihnen, lieber Aleksej Sergeevič, »Kaštanka«, die ich Sie zu verstecken bitte. Das ist für den Umschlag. Der Umschlag meines Buches wird weiß, und als Fleck hinein der Hund gesetzt. Das wird schlicht, aber schön. Gezeichnet hat das der Maler Stepanov, ein leidenschaftlicher Jäger, der die Hunde bis in alle Feinheiten studiert hat. Eine Mischung aus einem Dachshund und einem Hofhund darzustellen, ist keine leichte Aufgabe, aber Stepanov hat sie, wie Sie sehen, glänzend gelöst. Sehen Sie sich die Beine an und die Brust. Einer Fuchsschnauze einen gutmütigen Hunde-Ausdruck zu verleihen, ist ebenfalls nicht leicht, aber auch das hat er geschafft. Zeigen Sie die Zeichnung Nastja und Borja. Wenn sie ihnen gefällt, ist es gut. Die restlichen Zeichnungen sind noch nicht fertig. Man schämt sich, den Antreiber zu spielen: es sind Freunde.

Mit meinem »Namenstag« habe ich den Geschmack der Damen getroffen. Wohin ich auch komme, überall wird er gepriesen. Wirklich, es ist nicht schlecht, Arzt zu sein und eine Ahnung von dem zu haben, worüber man schreibt. Die Damen sagen, die Geburt sei *wahr* beschrieben. In der Erzählung, die ich für den Garšin-Almanach abgeschickt habe, habe ich eine Geisteskrankheit beschrieben.

Was macht Ihre Erzählung? Ich bin neugierig darauf, sie zu lesen. Ich glaube nicht, daß sie Ihnen gelungen ist, aber ich weiß, daß ich sie mit Vergnügen lesen würde. Sie haben zu viel Spannung, Mißtrauen sich selbst gegenüber, zu viel Gewissenhaftigkeit und halten sich immer an der Schnur fest, das heißt, Sie haben zu wenig Freiheit, zum Beispiel: aus Angst, nicht genau genug zu sein und nicht verstanden zu werden, halten Sie es für nötig, jede Situation und Bewegung zu motivieren. Die Repina sagt: »Ich habe mich vergiftet!«, aber Ihnen genügt das nicht, und Sie lassen sie noch 2–3 überflüssige Sätze sagen und opfern damit Ihrer Gewissenhaftigkeit die Wahrhaftigkeit. Ich will nicht sagen, dies sei eine tief verwurzelte Eigenschaft Ihrer Natur. Es ist die Gewohnheit, alles mit den Augen des Publizisten zu sehen. Ein alter Soldat bringt, worüber er auch sprechen mag, die Rede immer auf den Krieg, und so ist es bei Ihnen mit der Publizistik. Wenn Sie ein Dutzend Erzählungen geschrieben hätten und ein halbes Dutzend Theaterstücke, dann verhielte sich die Sache anders: die Angewohnheit würde sich der Routine unterordnen. Wo wir schon von der Natur reden, so ist die Ihre ausschließlich. Sie haben, was andere nicht haben. Solange wir noch nicht auseinander und noch nicht gestorben sind, würde ich mit Vergnügen Ihre Kraft ausnutzen; ich würde Ihnen das stehlen, was Sie nicht nutzen. Warum lehnen Sie es ab, mit mir zusammen den »Waldschrat« zu schreiben? Wenn das Stück mißlingen sollte oder aus irgendeinem Grunde nicht nach Ihrem Geschmack ausfallen sollte, so gebe ich Ihnen mein Wort, daß ich es nie inszenieren oder drucken lassen würde. Wenn Ihnen der »Waldschrat« nicht paßt, geben Sie mir ein anderes Sujet. Lassen Sie uns zusammen die Tragödie »Holofernes« nach Motiven der Oper »Judith« schreiben, in der wir Judith sich in Holofernes verlieben lassen; ein guter Heerführer, der an der List der Juden zugrundegeht... Sujets gibt es viele. Man könnte einen »Salomo« schreiben, man könnte Napoleon III. und Eugénie nehmen oder Napoleon auf Elba...

Ich schreibe an einer Erzählung für das »Nov. vr.« Ich beschreibe ein böses Weib.

Gestern bat mich ein Schauspieler von Korš um Protektion in Ihrer Buchhandlung: ihm den Turgenev mit Rabatt zu beschaffen. Ich sagte ihm, die Turgenev-Ausgabe sei nicht von Ihnen, meine Protektion würde also zu nichts führen. Habe ich richtig gehandelt?

Einen herzlichen Gruß an all die Ihren. *Ihr A. Čechov.*

162) AN I. L. LEONTJEV-ŠČEGLOV MOSKAU, 16./17. 11. 1888

Johannes Leonis filius. Ich schicke Ihnen, wie versprochen, 2 Expl. des »Bären«: eines für Smolensk, das andere geben Sie, wem Sie wollen.

Danke für den Brief. Wenn es zu einer Verstimmung kommen sollte, wenn die Abarinova und die Savina sich nun gegenseitig den Vortritt lassen und auf diese Weise meinen »Bären« auf Sand setzen, dann auch gut. Wird er gespielt – gut, wird er nicht gespielt – dann muß es nicht sein. Man soll nichts überstürzen.

Gleich oder morgen nach dem Essen kommt Solovcov zu mir, und wir werden unbedingt über den Spatzen reden. In seiner Regisseursmausefalle ist so ein Gedränge und so eine Hitze, daß man unmöglich ernst reden kann.

Warum necken Sie mich mit Potëmkin? In meinem Dasein als Potëmkin sehe ich einstweilen nichts als Arbeit, Erschöpfung und Geldmangel sowie Langeweile von größtem Ausmaß. Für meinen »Bären« schäme ich mich, für den Preis schäme ich mich ebenfalls, das Theater liebe ich nicht, an Literatur und an Familie bin ich gewöhnt, interessante Leute sehe ich keine, das Wetter ist widerwärtig... Was ist daran beneidenswert, und worin bin ich Potëmkin ähnlich?

Ihre Handschrift bessert sich, nur verbessern Sie das Geschriebene nicht und streichen Sie keine Wörter durch.

Ich freue mich, daß Sie eine Novelle schreiben und gratuliere zu »Cordelia« im voraus. Dramatiker haben wir etwa 700, Belletristen hundertmal weniger. Schreiben Sie Stücke – die Rettung des Theaters obliegt den literarisch Gebildeten, – aber lassen Sie nicht von der Belletristik. Wenn Sie das tun, will ich Sie nicht mehr kennen.

Denken Sie daran, daß Sie den Sommer im Schoße der Natur verbringen müssen.

Alle meine Angehörigen und Coquelin jr. lassen Sie grüßen.

Ihr Antoine.

Ach, wie ich mir wünsche, daß Ihre Frau Sie verprügelt!

163) AN AL. P. ČECHOV MOSKAU, 16. 11. 1888

16. November.

Liebster Bootsmann!

Die beiliegende Vollmacht eröffnet dir folgende freudige Perspektiven:

1) Du gehst in die Akademie der Wissenschaften und nimmst dort 500 Lorbeeren in Empfang. Wie man in die Kanzlei der Akademie kommt und wie wieder heraus – all das weiß Aleksej Alekseevič Suvorini filius, an den du dich wegen aller Erklärungen wendest. Bitte in der Akademie in meinem Namen, daß man dich zum Akademie-Mitglied macht.

2) Für den Fall, daß irgendeines meiner Stücke ungewollt auf ein Staatstheater gelangen oder daß irgendein Privattheater den Wunsch äußern sollte, etwas »Neues« von mir zu inszenieren, so bevollmächtige ich die Hrrn. Vorgesetzten, Direktoren und Theaterunternehmer, Verhandlungen mit dir zu führen, Verträge mit dir zu schließen und das Honorar an dich zu zahlen. Wenn im Alexandratheater mein »Bär« gespielt werden sollte, kannst du die Kraft dieser Vollmacht erproben: die Direktion wird den Kontrakt mit dir schließen. Anmerkung ein für alle Male: sollte irgendeine Direktion irgendein Stück von mir zu kaufen wünschen, so lehnst du diesen Wunsch ab, auch wenn sie dir eine Million gäben. Ich wünsche prozentuelle Beteiligung an der Abendkasse (2% pro Akt). Das Honorar nimmst du jedesmal auf besondere Anordnung von mir in Empfang.

Diese angenehmen Pflichten erlege ich dir weniger im Wunsche auf, dir ein Vergnügen zu bereiten, als vielmehr aus Respekt vor deinen Eltern.

Den Wechsel und die Nachricht von deiner illegitimen Ehe habe ich bekommen. Für das eine wie das andere schönsten Dank. Das erste habe ich bereits verbraucht, und vom zweiten erwarte ich eine neue höchstinteressante Epopöe mit Kindern, Wohnungswechseln, Quecksilberchlorüren usw.

Averkiev kann nichts über den »Severnyj vestnik« wissen. Er hat nichts damit zu tun. Er quatscht und nichts weiter.

Die »Rodina« zeigt die Mitarbeit eines gewissen M. Čechov an. Doch nicht etwa Mitrofan?

Ein Stück, das an einem Staatstheater gelaufen ist, kann auf keinen Fall an Privattheatern laufen. Folglich kann, was am Alexandratheater laufen soll oder läuft, in keinem Fall an einem Privattheater zur Aufführung zugelassen werden. Ich werde dich über jedes neue Stück von mir informieren. Zu den Stücken, die zur Aufführung an Staatstheatern angeboten werden, gehören einstweilen nur zwei: »Der Bär« und »Schwanengesang (Kalchas)«. Meine Theaterangelegenheiten halt geheim. Zu niemandem auch nur einen Mucks... Noch ein Wort: geh in Theaterangelegenheiten nie von selbst irgendwohin und unternimm nie etwas von selbst, sondern warte, bis man sich an dich wendet oder dich von sich aus einlädt. Etwas verlangen, wenn es nötig ist, kannst du, soviel du willst, aber untersteh dich zu bitten.

Stücke, die von keiner staatlichen Direktion unter Kontrakt genommen sind, unterliegen der Geschäftsführung der Agenten der Dramatikergesellschaft, wenn du darum in irgendeiner Anzeige eines Privattheaters irgendein »Pflaumenweiches Krokodil, oder Ei! der Onkel!« von mir entdeckst, schlag keinen Alarm, sondern bleib ruhig auf deinem Lokus sitzen.

Wenn du ein Stück schreiben willst, schreib es.

Allen bei uns geht es gut. Maša hat sich mit der Ėfros verzankt und ist jetzt mit anderen befreundet. Bei uns sind gerade Lenskij (A. P.) und Frau, die sehr an Karolina Egorovna erinnert in ihrer Jugend; zwischen dieser Karolina und der einen Ma entsteht anscheinend etwas wie eine Freundschaft.

Und bei uns ist heute große Wäsche. *A. Čechov.*

Da du nur 68 Rubel verdient hast, sind nur 68/100 meines Wunsches erfüllt.

Mit dem Preis nimm auch das Papier in Empfang. Ohne das Papier nimm ihn nicht an.

Schreib deine Privatadresse.

164) AN A.S. SUVORIN MOSKAU, 24./25. 11. 1888

... Schriftsteller sollen mißtrauisch sein gegenüber allen Plaudereien und Liebesepopöen. Wenn Zola [...] aufgrund von Gerüchten und Erzählungen von Freunden geschrieben hat, so ist er voreilig und unvorsichtig vorgegangen.

Ach, was ich für eine Erzählung angefangen habe! Ich werde sie mitbringen und Sie bitten, sie zu lesen. Ich schreibe zum Thema Liebe. Als Form habe ich die feuilletonistisch-belletristische gewählt. Ein anständiger Mensch hat einem anderen anständigen Menschen die Frau abspenstig gemacht und schreibt seine Meinung darüber; er lebt mit ihr – eine Meinung; er trennt sich von ihr – wieder eine Meinung. Nebenbei schreibe ich über das Theater, über das Vorurteil von der »Unvereinbarkeit der Überzeugungen«, über die Georgische Heerstraße, über das Familienleben, über Pečorin, über Onegin, über Kazbek... Ein solches Durcheinander, daß es Gott erbarm. Mein Gehirn schlägt mit den Flügeln, aber wohin ich fliegen will, weiß ich nicht.

Sie schreiben, die Schriftsteller seien das auserwählte Volk Gottes. Ich will darüber nicht streiten. Ščeglov nennt mich einen Potëmkin der Literatur, und deshalb solle ich nicht sprechen vom dornigen Weg, von Enttäuschungen usw. Ich weiß nicht, ob ich je im Leben mehr gelitten habe, als die Schuster, Mathematiker, Schaffner leiden; ich weiß nicht, wer sich durch meine Lippen verkündet, ob Gott oder einer, der geringer ist als er. Ich erlaube mir nur, eine am eigenen Leib erfahrene Unannehmlichkeit zu konstatieren, die Sie wahrscheinlich aus Erfahrung kennen. Es geht um Folgendes. Sie und ich, wir lieben die gewöhnlichen Menschen; wir werden geliebt, weil man in uns außergewöhnliche Menschen sieht. Ich zum Beispiel werde überallhin eingeladen, überall mit Speis und Trank versorgt wie ein General auf einer Hochzeit; meine Schwester ist empört, daß sie überallhin eingeladen wird, weil sie die Schwester eines Schriftstellers ist. Niemand will in uns den gewöhnlichen Menschen lieben. Daraus folgt, daß, wenn wir uns morgen in den Augen unserer guten Bekannten als gewöhnliche Sterbliche erweisen, man aufhören wird uns zu lieben und nur noch Mitleid empfinden wird. Und das ist schlecht. Schlecht ist auch, daß man das an uns liebt, was wir an uns selbst ganz offen nicht lieben und nicht achten. Schlecht ist, daß ich recht hatte, als ich die Erzählung »Der Reisende 1. Klasse« schrieb, wo sich bei mir ein Ingenieur und ein Professor über den Ruhm unterhalten.

Ich ziehe auf einen Bauernhof. Zum Teufel mit ihnen! Sie haben Ihr Feodosija.

A propos Feodosija und die Tataren. Man hat den Tataren das Land geraubt, aber niemand denkt an ihr Wohlergehen. Gebraucht werden Schulen für die Tataren. Schreiben Sie, daß das Geld, das für die Wurstuniversität Dorpat verbraucht wird, wo nutzlose Deutsche studieren, vom Ministerium für Schulen für die Tataren verwendet werden sollte, die nützlich sind für Rußland. Ich würde selbst darüber schreiben, aber ich kann es nicht.

Lejkin hat mir ein sehr komisches Vaudeville von sich geschickt. Er ist ein einzigartiger Mensch.

Bleiben Sie gesund und glücklich. *Ihr A. Čechov.*

Sagen Sie Maslov, das Schicksal seines Stücks werde sich entscheiden: Schwanken nach der einen und nach der anderen Seite. Ein spanisches Stück ist aufgeführt worden und durchgefallen, ein zweites zu inszenieren kann man sich nicht entschließen.

165) AN A.S. SUVORIN MOSKAU, 28. 11. 1888

28. November.

»Glückliche Gedanken«, lieber Aleksej Sergeevič, passen nicht so recht. Der Leser ist gewohnt, unter diesem Titel Gedanken von Burnardschem Zuschnitt zu finden. Zweitens ist dieser Titel schon mehrfach von den kleinen Zeitungen ausgebeutet worden.

Meine Erzählung werde ich bei Ihnen abschließen, und wenn sie fürs »Nov. vremja« taugen sollte, würde ich mich sehr freuen. Ich hätte sie längst abgeschlossen, aber ich werde so oft gestört wie noch nie. Besuche und kein Ende... Es ist einfach eine Qual!

So viele Gespräche der Teufel weiß worüber, daß ich wie betäubt bin und von Petersburg träume wie vom verheißenen Land. Ich werde mich bei Ihnen noch am selben Tage in mein Zimmer setzen und es nicht verlassen.

Die Erzählung wird langweilig. Ich lerne, »Abhandlungen« zu schreiben, und bemühe mich, von der gesprochenen Sprache wegzukommen. Bevor ich an den Roman gehe, muß ich meine Hand daran gewöhnen, einen Gedanken frei in erzählerischer Form wiederzugeben. Mit dieser Dressur befasse ich mich zur Zeit. Ich werde es Ihnen zu lesen geben. Wenn meine Versuche zu irgendetwas taugen, dann nehmen Sie sie; wenn nicht, dann sagen Sie mir das. Ich habe viel untaugliche Ware, und ich fühle mich nicht schlecht deswegen, weil ich sie nicht veröffentliche. Das Sujet der Erzählung ist dieses: ich behandle eine junge Dame, schließe Bekanntschaft mit ihrem Mann, einem anständigen Menschen, der keinerlei Überzeugungen und keine Weltanschauung besitzt; dank seiner Situation als Adeliger, Liebhaber, Ehemann, denkender Mensch stößt er nolens-volens auf Fragen, die er nolens-volens um jeden Preis lösen muß. Aber wie soll er sie lösen, wenn er keine Weltanschauung besitzt? Wie? Unsere Bekanntschaft wird dadurch gekrönt, daß er mir ein Manuskript gibt – seine »Autobiographie«, die aus einer Menge kurzer Kapitel besteht. Ich wähle diejenigen Kapitel daraus, die mir als die interessantesten erscheinen, und lege sie dem geneigten Leser vor. Meine Erzählung beginnt direkt mit Kapitel VII und endet damit, was längst bekannt ist, nämlich damit, daß ein sinnvolles Leben ohne bestimmte Weltanschauung kein Leben ist, sondern eine Quälerei, ein Entsetzen. Ich nehme einen gesunden, jungen, liebesfähigen Menschen, der auch trinken kann, die Natur genießen kann, philosophieren kann, keinen aus Büchern, keinen enttäuschten, sondern einen sehr normalen Burschen.

Es kommt aber keine Erzählung heraus, sondern ein Feuilleton.

Den Direktor der Moskauer Theater kenne ich *sehr gut.* Gut die Hälfte von dem, was er über Frauen sagt, ist Unfug.

Echegaray kann man in einem kleinbürgerlichen Salon spielen, für Maslov dagegen muß man Kathedralen und Friedhöfe errichten. Das ist ein großer Unterschied. Wenn Maslovs Stück dreimal so schlecht wäre, aber ein gewöhnliches Milieustück, dann wäre es bei Korš längst gelaufen. Die Frage ist doch nicht, ob es gut ist oder nicht! Woher nimmt Maslov, daß Petipa ein Don Juan sei? Er ist ein hölzerner lackierter Franzose und sonst nichts.

Einen Gruß an Ihre Familie. Sie haben ausgezeichnete Briefcouverts! Wenn ich eine reiche Frau heirate, kaufe ich mir für 100 R. Couverts und für 100 R. Parfum. *Ihr A. Čechov.*

Könnte man statt der »Glücklichen Gedanken« nicht »Ohne Titel« nehmen?

166) AN A. S. SUVORIN MOSKAU, 18. 12. 1888

18. Dez. Abends.

Siegesglocke erschalle, freue dich, tapferer Reuße! Heute kam ein Lakai der Nikulina mit einem Brief. Sie bittet mich zu Verhandlungen zu sich. Ich fuhr hin und schaute unterwegs bei Lenskij vorbei. Von letzterem erfuhr ich, daß alle Schauspieler empört sind über die Prätentionen der Nikulina, daß man über sie lacht usw.

Lenskij teilte mir übrigens mit, daß er den Adašëv spielen werde. Er hätte Sabinin genommen, aber er ist es leid, den Verführer zu spielen. Davon, daß die Ermolova abgelehnt habe, die Repina zu spielen, hatte er nichts gehört, seiner Meinung nach ist die Repina eine Rolle für die Ermolova. Er empfahl, auf der Ermolova zu bestehen! Die Fedotova sei zu alt und intrigiere. Sie würde wollen, daß Rybakov spiele usw.

Bei der Nikulina ein herzlicher Empfang. Tausend betörendverträumte Lächeln und angenehme Worte.

– Ich bin einverstanden, die Kokoškina zu spielen, aber wer spielt dann die Repina? Mašenka (d.i. die Ermolova) ist beschäftigt, die Fedotova hat gesagt: ich spiele keine betrunkenen Frauen. Und warum will A. S. denn nicht, daß ich eine tragische Rolle spiele? Kann ich das etwa nicht? Ich glaube, ich wäre in der Sterbeszene und so weiter noch energischer als Mašenka... Und die Fedotova? Mein Gott! Sie würde doch nur alles verderben! Sie würde die Tugend spielen!

Kommt eine alte Jungfer mit einem Rattengesicht herein, in einen Schal gehüllt, stellt sich vor als Nikulinas Schwesterchen und hebt zu einem Monolog an:

– Die Fedotova will keine betrunkenen Frauen spielen, und Mašenka kann Suvorin nicht leiden. Sie hat gesagt: für nichts auf der Welt werde ich in Suvorins Stücken spielen, und niemand wird mich dazu zwingen! Er hat sie doch mit Schmutz beworfen. Ich glaube, wegen ihrer Ophelia... Sie haßt ihn... Außerdem wäre Nadja doch sehr gut in dieser Rolle... U.s.w.

– Was soll ich Suvorin also telegraphieren? – frage ich.

– Wirklich, ich weiß es nicht... Ich habe gerade kein Stück. Ich hatte eins von Krylov, wir hatten schon die Rollen exzerpiert und die Proben festgesetzt, aber als ich das erste Telegramm von Suvorin bekam, habe ich Krylov abgesagt, und er verkaufte sein Stück an Korš für das Benefiz der Rybčinskaja. Ich weiß einfach nicht, was ich tun soll...

– Was soll ich Suvorin telegraphieren? – insistiere ich.

– Machen wir es so: fahren Sie zu Mašenka und fragen Sie sie, ob sie einverstanden ist. Wenn ja, dann werde ich, nun ja, natürlich, obwohl...

– Ich werde nicht zu ihr fahren – sage ich. – Suvorin hat mich nicht beauftragt, herumzufahren und auf der Inszenierung des Stückes zu bestehen. Nicht er braucht die Inszenierung, sondern Sie. Unter uns gesagt, Suvorin ist ein pedantischer Mensch, und er mag es nicht, wenn er selbst oder sein Abgesandter auf diese oder jene Weise in die Rolle eines Bittstellers geraten. Das versetzt ihm einen Stich.

– Ach, mein Gott, wer könnte denn so etwas sagen? Wir bitten ihn, nicht er uns!

Und das Schwesterchen währenddessen: tra-ta-ta-ta. Schnattert ohne Unterlaß.

– Also, ich schreibe Mašenka jetzt gleich einen Brief und frage sie, ob sie einverstanden ist. Sie wohnt ganz in der Nähe. Wenn Sie eine halbe Stunde warten wollen, werden Sie die Antwort bekommen.

Nadja schreibt den Brief und liest mir nicht vor, was sie geschrieben hat. Der Brief wird auf den Weg gebracht. Ich warte. Herein kommt Krečinskij – Typ des Rentiers, Remonteoffiziers mit Koteletten und grauem Haar. Der mari d'elle. Wir stellen uns einander vor.

– Liebste, wo ist unser Tabak? – fragt er seine Gattin.

– Ich weiß nicht, Liebster. Ich habe gerade an Mašenka geschrieben wegen der Repina.

– Das ist keine Rolle für sie. Sie würde sie schlecht spielen.

– Aber Suvorin will nicht, daß ich sie spiele.

– Natürlich kannst du die Repina nicht spielen, unmöglich! Du bist nur in komischen Rollen gut, Liebste, in Dramen sehe ich dich nicht gern.

– Was sagst du da?! Liebster, du gehst doch nie in Dramen!

– Ja, das stimmt... wozu auch? Soll ich mich für mein Geld auch noch quälen. Dramen gibt es genug im Leben.

Es beginnt ein kluges Gespräch.

Der Remonteoffizier redet Blödsinn. Vom Drama wechselt er zur Schädlichkeit des Tabaks. Der Remonteoffizier klagt über Husten und gibt dem Tabak die Schuld. Schwesterchen schnattert. Eine Episode: Schwesterchen geht den Tabak holen, stolpert und verschüttet den Tabak auf dem Boden. Mir ist zum Lachen zumute, aber es wäre peinlich zu lachen.

Endlich kommt der Lakai und gibt Nadja einen Brief in einem ungewöhnlichen sozialdemokratischen Couvert. An dem Couvert erkenne ich, daß es ein Brief der Radikalen Mašenka ist. Nadja entsiegelt nervös den Brief und liest laut:

»Wenn das für Sie ist, so bin ich einverstanden. Aber mir

scheint, Sie wollten die Repina doch selbst spielen? Ich werde das Stück heute lesen, morgen antworten.«

Im ersten Satz des Briefs eine Spitze gegen Suvorin, im zweiten eine gegen Nadja selbst.

Ich verbeuge mich und gehe. Morgen also werde ich die Antwort bekommen, die ich Ihnen schicken werde. Die Weiber hassen einander und intrigieren, was das Zeug hält. Sie zu verstehen ist schwer, aber ich habe ja Lenskij, der alle Schauspielerinnen gern an die Luft setzen würde, mit Ausnahme der Ermolova. Er kennt alle Intrigen und deren Auflösungen, er durchschaut sie schnell. Er wird mich leiten in der Finsternis (wenn dies nötig werden sollte). Seiner Meinung nach wird die Ermolova früher oder später Tatjana Repina spielen, aber das Stück werde jetzt wohl kaum gespielt werden – die Weiber haben zu große Verwirrung angerichtet, das zu entwirren sei schwer.

Ich habe bei mir auf dem Tisch die Korrektur meiner Erzählung vergessen, die mit dem Kapitel VII beginnt. Finden Sie sie bitte und schicken Sie sie mir mit den Stücken. Ich will sie weiterschreiben.

Die Weiber sind gerissen. Auf ihre Telegramme und Briefe, sollten sie welche bekommen, antworten Sie nicht ohne mein Wissen, sonst riskieren wir, aus verschiedenen Opern zu singen. Meine Vollmacht habe ich beschränkt auf den Satz: »Was soll ich Suvorin telegraphieren?« Weiteres zu sagen halte ich für überflüssig. Und behalten Sie im Kopf, daß ich auch in Zukunft nicht mehr sagen werde als diesen Satz. Sollen die Weiber das selber entwirren.

Krylov hat, wie sich herausstellt, die »Tatjana« gerettet. Wenn er sein Stück nicht rechtzeitig an Korš verkauft hätte, würde über »Tatjana« längst nicht mehr gesprochen.

Ich grüße Anna Ivanovna, Nastja, Borja und alle Ihre Hausgenossen. Bleiben Sie gesund.

»Ivanov« ist *fertig.* Er wird gerade abgeschrieben.

Ihr A. Čechov

167) AN A. S. SUVORIN MOSKAU, 19. 12. 1888

19. Dezember.

Ich schicke diesen Brief dem Telegramm hinterdrein. Ich habe wieder einen Brief von der Nikulina bekommen. Sie hat ein Pferd geschickt, um mich holen zu lassen. Um Ihr Prestige zu erhöhen, habe ich den Kutscher 20 Minuten warten und frieren lassen. Ein schönes Pferd, es gehört der Nikulina selbst, woraus ich schließe, daß Schauspielerinnen ein bei weitem leichteres und bequemeres Leben führen als die Dramatiker Čechov und Ščeglov.

Die Nikulina überraschte mich mit der frohen Kunde, daß Mašenka einverstanden sei, die Repina zu spielen. Wir setzten uns an den Tisch und stellten diese Liste auf:

Repina – Ermolova.
Kokoškina – Nikulina.
Olenina – Leškovskaja.
Adašëv – Lenskij.
Matveev – Makšeev.

Gorev muß im Benefiz der Nikulina mitspielen. Er will den Adašëv, ich schlage ihm Sabinin vor. Sabinin lehnt er, den Worten der Nikulina zufolge, ab, was äußerst schade ist. Er ist sehr anständig, spielt nervös, kleidet sich geschmackvoll. Wenn er weiter bramabarsiert, dann spielt Južin den Sabinin. Darum habe ich geschrieben: Gorev oder Južin. In Ihrem Brief schreiben Sie, Sie wünschten sich sehr, daß Sabinin von Gorev gespielt wird, aber wenn das nicht geht usw. Gorev wäre als Sabinin *besser* als Južin, bestehen Sie darum auf Gorev. Was Raisa betrifft, so habe ich diese Rolle der Sadovskaja oder Medvedeva vorgeschlagen – sie sind beide gut. Die alte Amme nimmt die Sadovskaja nicht: zu kleine Rolle! Kotelnikov – Rybakov oder Michajlo Sadovskij, Kokoškin – Grekov. Die kleineren Chargen habe ich der hochtalentierten Benefiziantin zur Besetzung überlassen. Schicken Sie so viele Exemplare wie möglich: an die Ermolova, an Lenskij, die Nikulina, Sabinin, Makšeev, überhaupt an alle erst- und zweitrangigen Figuren. Das schmeichelt ihnen und ist nützlich. Sie werden sich mit dem Stück bekanntmachen.

Meinen »Bolvanov« habe ich abgeschlossen und schicke ihn Ihnen mit diesem Brief. Er fällt mir auf die Nerven wie Ščeglov den Schauspielern. Wenn Sie Lust haben, lesen Sie ihn, wenn nicht, schicken Sie ihn gleich an Potechin. Ich hatte ihm versprochen, das Stück bis zum 22. Dezember zu schicken. Habe ihm einen Brief geschickt, in dem ich ihm diesen Termin bestätigt habe. Ich habe mit keinem Wort eine Inszenierung erwähnt und werde es auch nicht tun. Sagen auch Sie nichts. Ich werde mir den Anschein geben, als benötigte ich weder den Ruhm noch das Geld. Mein Hr.Ivanov ist jetzt sehr viel verständlicher. Der Schluß befriedigt mich ganz und gar nicht (bis auf den Schluß verläuft alles schleppend), aber ich tröste mich damit, daß seine Gestalt nicht endgültig ist. Wenn man ihn inszenieren will und fragt, wer wen spielen soll, so ist dies mein unumstößlicher Wille:

Ivanov – Davydov.
Sarrah – Savina.
Šabelskij – Svobodin.
Lvov – Sazonov.
Lebedev – Varlamov.
Saša – Ihre Wahl.

Diese Liste können Sie Potechin meinetwegen auch jetzt schon übermitteln, damit unser gemeinsamer Freund Davydov den Hasen nicht vorausläuft und Verwirrung anrichtet. Den Ivanov muß ich Davydov geben – anders geht es nicht: Davydov hat diese Rolle in Moskau gespielt. Sazonov, Svobodin und Varlamov werden gut spielen, so gut, daß sie Davydenka an die Wand spielen und ihn dazu bringen werden, keine Dramen mehr zu spielen. Sehen Sie, wie fein meine Netze gesponnen sind!

Grigorovič hat zu Ihnen gesagt, ich sei stolz und überheblich geworden. Wohl deshalb, weil mein »Bär« den Herren Ministern vorgespielt wird! Ich wäre froh, wenn ich stolz sein könnte, aber ich weiß nicht, worauf und wem gegenüber. Wenn ich die Großen dieser Welt und meine Freunde nicht besuche, dann nicht aus Stolz, sondern aus Faulheit... Wenn ich in Petersburg lebte, würde ich meine Petersburger Bekannten nicht häufiger sehen als jetzt.

Einen herzlichen Gruß an Anna Ivanovna. Sagen Sie ihr, daß ich das zweimal unterstrichen habe, sonst beschuldigt sie mich wieder, daß ich sie in meinen Briefen nicht grüßen ließe. Wenn der »Ivanov« gespielt wird, lade ich sie in eine nichtnumerierte Loge ein.

Die Benefizvorstellung für die Nikulina ist auf den 11. Januar festgesetzt; wenn die Proben nicht ausreichen, dann auf den 17. Kommen Sie zum 17. An dem Tag, so Gott ihn werden läßt, habe ich Namenstag.

Finden Sie nicht, daß ich mit Theaterstücken sehr schnell zurechtkomme? Kaum hatte ich den »Ivanov« mit dem Finger berührt, schon war er fertig. Ich muß unter die Krylovs gehen.

Ščeglov hat mir ein Programm geschickt: eine lange Liste seiner Stücke, mit Kommentaren und der Bitte, bei Korš für den »Theaterspatzen« und andere Tiere seiner Erfindung ein gutes Wort einzulegen. Sollte man nicht Meržeevskij zu ihm schicken? Er ist ein lieber Mensch, gutherzig und nicht verschlagen. Leidet weiß der Teufel woran. Er tut mir leid.

Žitel hat mir sein Buch geschickt. Ich hatte ihn darum gebeten. Ich will ihn ganz lesen. Mir scheint, seine Zeit ist noch nicht gekommen. Es könnte sein, daß er zum Modeschriftsteller wird.

Ich gebe Ihnen mein Wort, daß ich solche gekünstelten und unflätigen Stücke wie »Ivanov« nicht mehr schreiben werde. Wenn der »Ivanov« nicht gespielt wird, werde ich mich nicht wundern und werde niemanden der Intrige und böser Absichten zeihen.

Der erste Akt Ihrer »Repina« ist so merkwürdig gemacht, daß ich völlig aus den Pantinen gekippt bin. Auf der Probe kam mir dieser Akt langweilig und plump gemacht vor, aber ich begreife jetzt, daß man Stücke nicht anders machen darf, und begreife den Erfolg dieses Akts. Nach der »Tatjana« erscheint mir mein Stück wie eins aus der Bonbonniere, obwohl ich mir immer noch nicht klargemacht habe, ob Ihr Stück gut ist oder nicht. Es hat etwas in seiner Architektur, das ich nicht verstehe.

Rassochin gebe ich das Stück in Kommission. Warum ihn verwöhnen? Er ist schon verwöhnt genug. Wir geben ihm 40% – und Schluß. Den Erlös zugunsten der »Hilfsgenossenschaft der Bühnenbeschäftigten«. So werde ich es ihm sagen.

Wenn der »Ivanov« am 22.–23. bei Potechin & Co. ist, kommt er gerade rechtzeitig.

Die »Fürstin« schreibe ich ganz bestimmt. Ich fühle mich in Ihrer Schuld. Ich rede und verspreche mehr, als ich tue. Wenn ich die »Fürstin« bis zum 24. Dez. schaffe, telegraphiere ich. Zu Neujahr schicke ich ein Märchen. Heute will ich für Chudekov schreiben, über ein so erbärmliches Thema, daß ich mich schäme. Ich würde es nicht tun, aber ich will mich auch nicht um einhundert Rubel bringen.

Einen Gruß an Aleksej Alekseevič. Desgleichen an Nastja und Borja. Danke für meine Schwester. Wer weiß? Vielleicht werde ich mich einmal für Ihre Gastfreundschaft revanchieren können? Ich träume davon.

Bleiben Sie gesund und munter. *Ihr A. Čechov.*

Sagen Sie Svobodin, wenn Sie ihn sehen, Graf Šabelskij sei seine Rolle. Geben Sie ihm dies Versprechen, bevor Davydov diese Rolle an den hölzernen Dalmatov vergibt.

168) AN I. L. LEONTJEV-ŠČEGLOV MOSKAU, 20. 12. 1888

20. Dez.

Obwohl ich Ihre Theaterangelegenheiten mit ganzer Seele und aus tiefstem Herzen hasse, habe ich mich dennoch, Ihrem Befehl gehorchend, gestern zu Korš begeben und Ihren Wunsch erfüllt. Hier das Resultat meiner Unterhaltung mit Solovcov: schicken Sie baldigst die »Theaterfreunde« (den Dreiakter) und den »Geborenen Komiker«. Der »Theaterspatz« wird ebenfalls gespielt werden. Dem »Ehemann« lassen Sie eine Totenmesse singen. Er wird nicht gespielt werden. Erstens ist die Glama verreist; zweitens ist es langweilig, ein altes Stück aufzuwärmen, wenn man neue vor der Nase hat.

Korš und Solovcov singen aus verschiedenen Opern; es ist nicht zu begreifen, aber aller Wahrscheinlichkeit nach werden sie die »Theaterfreunde« inszenieren.

Das Theater ist eine Schlange, die an Ihrem Blut saugt. Solange der Belletrist in Ihnen den Dramatiker nicht besiegt hat, werde ich Sie ärgern und Ihre Stücke mit dem Fluch belegen. Wissen Sie das!

Ich bedaure, Sie nicht besucht zu haben: ich schäme mich, aber mein Lieber, verzeihen Sie mir. In meinen Adern fließt das träge Blut des Ukrainers. Außerdem hat man mich in Piter in Stücke gerissen und gehetzt wie einen Postgaul. Ich ging und fuhr herum, aß und trank ohn Unterlaß.

Die zwei Wochen, die ich bei Suvorin verbrachte, vergingen wie im Fluge. Suvorin ist ein im höchsten Maße aufrichtiger und mitteilsamer Mensch. Alles, was er zu mir gesagt hat, war sehr interessant. Er hat eine Riesenerfahrung. Anna Ivanovna hat mich mit Ohrfeigen bewirtet, mit Belehrungen und Chartreuse. Von allen Frauen, die ich kenne, ist sie die einzige, die eine eigene, selbständige Ansicht über die Dinge hat. Sie ist eine geborene Orfanova, Schwester des Schriftstellers Michel Orfanov, eines wunderbaren Menschen. Die ganze Familie Orfanov ist sehr gut. Die übrigen Leute bei Suvorin sind warmherzige Menschen, die nicht immer langweilig sind.

Ich setze mich an eine Erzählung für die »Peterb. gazeta«.

Bleiben Sie gesund. Schreiben Sie mir. *Ihr Antoine.*

Weshalb sprechen Sie so ungern über den Sobolev pereulok? Ich mag die Menschen, die dorthin gehen, obwohl ich selbst ebenso selten dorthin gehe wie Sie. Man soll sich nicht vor dem Leben ekeln, wie immer es auch sein mag.

169) AN N. A. NIKULINA MOSKAU, 22. 12. 1888

22. Dez.

Verehrte Nadežda Alekseevna! Ich bin schuldlos schuldig vor Ihnen. Das Stück bekam ich erst *heute abend,* und ich beeile mich, es Ihnen zu schicken. Ein Exemplar ist das Zensurexemplar.

In einem Brief an mich bittet A. S. Suvorin Hrn. Gorev mit Nachdruck, die Rolle Sabinins zu übernehmen.

Die Exemplare, die ich schicke, sind die allerletzte Redaktion. Das Exemplar, das ich Ihnen seinerzeit gab, gilt nicht mehr. Für den Fall, daß die Damen und Herren Schauspieler irgendwelche Veränderungen und Auslassungen vorzunehmen wünschen, läßt ihnen der Autor volle Handlungsfreiheit. Er bittet, nur einige wenige Stellen unangetastet zu lassen, die er in seinem Brief an mich benannt hat. Seien Sie so gut, mich wissen zu lassen, zu welcher Tageszeit ich Sie zu Hause antreffen kann.

Habe die Ehre, mit Hochachtung zu verbleiben.

A. Čechov.

170) AN A. S. SUVORIN MOSKAU, 23. 12. 1888

23. Dez.

Lieber Aleksej Sergeevič, das Stück habe ich *gestern um 8 Uhr abends* bekommen, nicht vor zwei Tagen, wie Sie es versprochen hatten und wie es nötig gewesen wäre. Die Nikulina hat es furchtbar eilig, und jede Stunde Verzögerung verdirbt ihr ein Pud Blut. Gestern kam kein Abgesandter von ihr. Ein schlechtes Zeichen. Ich fürchte, sie hat es nicht erwarten können und die Rollen nach dem alten Exemplar exzerpieren lassen.

Gestern habe ich ihr die Exemplare geschickt und das Exemplar der alten Redaktion zurückbehalten: damit sie nichts durcheinanderbringen. Heute war ihr Abgesandter bei mir mit der Einladung, um 5 Uhr zu ihr zu kommen. Gestern habe ich ihr geschrieben: »Für den Fall, daß die Damen und Herren Schauspieler irgendwelche Veränderungen und Auslassungen vorzunehmen wünschen, so läßt ihnen der Autor (d. h. Sie) volle Handlungsfreiheit. Er bittet nur einige Stellen unangetastet zu lassen, die er in seinem Brief an mich benannt hat.« Ich werde nur Adašëv retten – das reicht, um das ganze Stück vor der Verwüstung zu retten. Sobald Adašëv den Mund aufmacht, muß die Repina antworten, ob sie will oder nicht.

Ich habe Ihr Stück noch einmal gelesen. Es ist sehr viel Gutes und Originelles daran, was es bisher in der dramat. Literatur nicht gegeben hat, und viel Unschönes (zum B. die Sprache). Seine Vorzüge und Mängel sind ein Kapital, an dem man, hätten wir eine Kritik, verdienen könnte. Aber dieses Kapital wird unproduktiv herumliegen, bis es veraltet ist und ausgedient hat. Wir haben keine Kritik. Der ständig Schablonen reitende Tatiščev, der Esel Michnevič und der gleichgültige Burenin – das ist doch schon die ganze kritische Potenz in Rußland. Und für die zu schreiben lohnt sich nicht, so wie es sich nicht lohnt, jemanden an Blumen riechen zu lassen, der Schnupfen hat. Es gibt Augenblicke, in denen ich wirklich den Mut verliere. Für wen und wofür schreibe ich? Für das Publikum? Aber ich sehe es nicht und glaube weniger daran als an einen Hausgeist: es ist ungebildet, schlecht erzogen, und seine besseren Elemente sind uns gegenüber gewissenlos und unaufrichtig. Ob dieses Publikum mich braucht oder nicht, ich weiß es nicht. Burenin sagt, es brauche mich nicht, weil ich mich mit Lappalien befasse, die Akademie hat mir einen Preis verliehen – der Teufel soll sich da auskennen. Für Geld schreiben? Aber ich habe nie Geld und bin gegenüber dem Geld, weil ich nie welches habe, beinahe gleichgültig. Für Lobeshymnen schreiben? Aber die ärgern mich nur. Die Literarische Gesellschaft, die Studenten, die Evreinova, Pleščeev, die jungen Damen usw. – alle haben meinen »Anfall« über den grünen Klee gelobt, aber die Beschreibung des ersten Schnees hat nur Grigorovič bemerkt. Usw. Usw. Hätten wir eine Kritik, dann wüßte ich, daß ich Material zusammenstelle – gutes oder schlechtes, egal, – daß Menschen, die sich dem Studium des Lebens widmen, mich brauchen wie der Astronom den Stern. Und dann würde ich mir Mühe geben beim Arbeiten und wissen, wofür ich arbeite. Aber so sind ich, Sie, Muravlin und andere wie Besessene, die Bücher und Stücke zum eigenen Vergnügen schreiben. Das eigene Vergnügen ist natürlich eine schöne Sache; man verspürt es, solange man schreibt, aber dann? Aber... ich schließe das Ventil. Mit einem Wort, Tatjana Repina tut mir leid, nicht weil sie sich vergiftet hat, sondern weil sie ihr Leben gelebt hat, den Märtyrertod gestorben und völlig umsonst und ohne jeden Nutzen für die Menschen beschrieben worden ist. Eine Menge von Volksstämmen, Religionen, Sprachen, Kulturen ist spurlos verschwunden – verschwunden, weil es keine Historiker und Biologen gegeben hat. So verschwindet vor unseren Augen eine Menge von Menschenleben und Kunstwerken, dank dem absoluten Fehlen einer Kritik. Man sagt, die Kritik habe bei uns nichts zu tun, alle modernen Werke seien bedeutungslos und schlecht. Das ist eine beschränkte Perspektive. Das Leben läßt sich nicht nur an den Pluspunkten, sondern auch an den Minuspunkten studieren. Allein die Überzeugung, daß die achtziger Jahre keinen einzigen Schriftsteller hervorgebracht hätten, kann Material für fünf Bände liefern.

Die Veränderungen am Stück sind nicht allzu bemerkenswert. Einen Monolog aufzuspalten, wenn Lenskij ihn spricht, besteht eigentlich keine Notwendigkeit. Wohl aber gewinnt dadurch die Repina. Einen jungen, vom Leben erschöpften Menschen überzeugen keine Argumente, keine Verweise auf Gott, auf die Mutter usw. Erschöpfung, das ist eine Kraft, mit der man rechnen muß. Hinzu kommt, daß die Repina unerträgliche Leibschmerzen hat. Kann sie da schweigend und ohne mit der Wimper zu zucken, einem langen Monolog zuhören? Nein. Der Satz von ihr: »Sagen Sie das nicht, das nicht...« stimmt, aber der Satz auf S. 139: »Für das Leben, für das Leben...« ist mir unverständlich. Es ist nicht nötig, daß sie Adašëv zustimmt. Wenn er sie dazu bringt, sich ein besseres Leben zu wünschen, so kann ich das verstehen, aber an die Kraft der Worte Adašëvs glaube ich nicht. Es ist auch nicht nötig, daß er überzeugend wirkt. Der

Einschub über die Mutterliebe: »... ich bin allein, allein« – ist schön. Merci. Der Monolog mit den Blumen (I. Szene) ist kurz, er könnte länger und saftiger sein. Überhaupt fehlen in der Rede der Repina saftige Sätze. Der Schluß des III. Akts liegt in der Hand der Ermolova. Tatjana verwendet zu oft das Wort »verflucht«: verfluchter Beleidiger, verfluchter Jude... Im I. Akt sind die neuen Worte der Repina, daß sie großzügiger sei, schön und angebracht, aber Kotelnikovs Erzählung vom Goldenen Kalb ist willkürlich und stellt ein überflüssiges Ornament dar.

Eben habe ich Ihren Brief bekommen. Ihnen sticht ins Auge, daß Saša am Schluß des IV. Akts fehlt. So soll es auch sein. Das ganze Publikum soll bemerken, daß Saša nicht da ist. Sie bestehen auf ihrem Auftritt: die Gesetze der Bühne verlangten dies. Schön, soll sie auftreten, aber was soll sie sagen? Welche Worte? Solche Jungfern (sie ist kein junges Mädchen, sondern eine Jungfer) können nicht sprechen und sollen es auch nicht. Die frühere Saša konnte sprechen und war sympathisch, die neue würde das Publikum durch ihr Erscheinen nur reizen. Sie kann Ivanov doch nicht um den Hals fallen und sagen: »Ich liebe Sie!« Sie liebt ihn doch nicht und ist sich dessen bewußt geworden. Um sie am Schluß auf die Bühne zu bringen, müßte man sie von Anfang an umarbeiten. Sie sagen, es sei keine einzige Frau auf der Bühne, und das mache den Schluß trocken. Einverstanden. Am Schluß erscheinen und für Ivanov eintreten könnten nur die beiden Frauen, die ihn tatsächlich geliebt haben: seine Mutter und die Jüdin. Da aber beide tot sind, kann davon keine Rede sein. Eine Waise soll ruhig Waise bleiben. Zum Teufel damit!

Der »Bär« wird in zweiter Auflage gedruckt. Und da sagen Sie, ich sei kein hervorragender Dramatiker? Ich habe mir für die Savina, Davydov und die Minister ein Vaudeville ausgedacht mit dem Titel »Blitz und Donner«. Während eines nächtlichen Gewitters lasse ich den Landarzt Davydov zur Jungfer Savina fahren. Davydov hat Zahnschmerzen und die Savina einen unerträglichen Charakter. Interessante Gespräche, vom Donner unterbrochen. Am Schluß ist Hochzeit. Wenn ich mich ausgeschrieben habe, werde ich Vaudevilles schreiben und davon leben. Ich glaube, ich könnte hundert Vaudevilles im Jahr schreiben. Sujets dafür sprudeln nur so aus mir hervor, wie das Erdöl aus den Feldern von Baku. Weshalb kann ich meine Ölparzelle nicht Ščeglov abtreten?

An Chudekov habe ich für 100 Rubel eine Erzählung geschickt, die ich Sie nicht zu lesen bitte: ich schäme mich ihretwegen. Gestern abend setzte ich mich hin, um für das »Novoe vremja« das Märchen zu schreiben, aber da erschien ein Weib und verschleppte mich zum Dichter Palmin, der in betrunkenem Zustand gestürzt war und sich die Stirn bis auf den Knochen aufgeschlagen hatte. Ich plagte mich mit ihm, dem Betrunkenen, anderthalb bis zwei Stunden herum, wurde müde, fing an nach Jod zu stinken, wurde böse und kehrte erschöpft nach Hause zurück. Heute war es schon zu spät für das Märchen. Überhaupt ist mein Leben langweilig, und ich verspüre von Zeit zu Zeit Haß in mir, was mir früher nie passiert ist. Die langen, dummen Gespräche, Gäste, Bittsteller, Ein-, Zwei-, Drei-Rubel-Almosen, Auslagen für die Fahrten zu Kranken, die mir keinen Groschen zahlen, – mit einem Wort, ein Durcheinander, einfach zum Davonlaufen. Man leiht sich von mir Geld und zahlt es nicht zurück, stiehlt mir Bücher, stiehlt mir die Zeit... Mir fehlt nur noch eine unglückliche Liebe.

Ich komme von der Nikulina zurück. Als die Rolle der Olenina bereits an die Leškovskaja vergeben war, äußerte die Fedotova den Wunsch, diese Rolle zu übernehmen, aber da war es schon zu spät. Sehen Sie, welche Ehrungen für Sie von allen Seiten! Sogar Leute, die Sie hassen, wollen Ihnen gefällig sein. Den Kotelnikov spielt Sadovskij. Das ist beschlossene Sache. Gorev wird kapitulieren, hat es aber noch nicht getan. Ihre Zeilen hatten Wirkung auf ihn. Južin wird auf die Schultern gehoben, aber den Damen gefällts. Sie übertreiben! Als Sabinin wird er 1000mal besser sein als Dalmatov. Zonenštejn – Pravdin. Raisa – die Medvedeva. Die Sadovskaja kann keine Jüdinnen spielen, die Medvedeva ist darin Meister. Sie wird Ihnen gefallen. Avdotja ist an die Rykalova vergeben. Die Nikulina ist betrübt, daß ihre Rolle zu kurz ist für sie als Benefiziantin. Das ist wahr. Schreiben Sie für die Nikulina noch etwas hinzu! Bis zum 16. können Sie noch zwei, drei Varianten schreiben und schicken. Erweitern Sie für die Nikulina den 2., 3. und 4. Akt. Soll sie im II. mit Sabinin über die Liebe und über die Männer reden – leicht und in spritziger, humoristischer Form. Sie schreiben die Varianten der Auftritte, schicken sie zur Zensur – das ist alles, und nach dem Benefiz können Sie sie wegwerfen. Ich habe der Nikulina mein Wort gegeben, Sie darum zu bitten. Lassen Sie sie am Schluß des IV. Akts etwas sagen. »Ach!« oder etwas in der Art.

Ich hoffe, Sie kommen zum 16. Jan. Wenn Sie nicht kämen, wären die Schauspieler gekränkt. Sie hegen für Sie ein gutes Gefühl, und alle, die Sie hassen, haben dennoch Respekt und schätzen Sie. Und werden besser spielen als die Alexandriner. Zumindest als Ensemble werden sie besser sein. Nach der zweiten Probe fahre ich zu Lenskij und bespreche mit ihm die Kürzungen, sollten die Schauspieler welche brauchen.

Diesen Brief bekommen Sie am ersten Weihnachtstag. Das heißt, ich wünsche Ihnen Glück. Ruhen Sie sich aus. Meine Schwester läßt grüßen: Sie, Anna Ivanovna und die Kinder. Ich grüße ebenfalls und bleibe Ihr trübsinniger *A. Čechov.*

Das Material für die »Kinder« schicke ich an den Feiertagen. Es wird ein schönes kleines Buch. Ich werde auch das Material für den dritten Erzählungsband zusammenstellen. Meine Malerfreunde, die Schufte, haben mich mit »Kaštanka« versetzt. Die Zeichnungen sind bis heute nicht fertig.

Dem »Severnyj vestnik« gebe ich eine Erzählung im März, bis zum März schreibe ich nur bei Ihnen. Ich gebe Ihnen mein Wort. Ich schäme mich. Zu Neujahr schicke ich das Märchen und im Januar die »Fürstin«.

171) AN A. S. SUVORIN MOSKAU, 26. 12. 1888

26. Dez.

Mich schmerzt, daß Sie böse sind und daß im »Novoe vremja« keine Erzählung von mir war, aber was tun? Ihnen eine Erzählung schicken, die mir widerwärtig ist, kann ich nicht um alles in der Welt, sonst würde ich jede Woche in der Zeitung stehn und wäre ein reicher Mann. Wie Sie wollen, aber ich werde mich auch in Zukunft dieser Politik befleißigen, d. h. Ihnen nicht das schikken, was mir zuwider ist. Man muß doch wenigstens eine Zeitung verschonen, und auf sein Renommee im »Novoe vremja« achten. Die »Peterb. gazeta« frißt alles.

Sie schreiben, man müsse nicht für die Kritik, sondern für das Publikum schreiben, und für mich sei es noch zu früh, mich zu beklagen. Es ist ein angenehmer Gedanke, für das Publikum zu arbeiten, natürlich, aber woher weiß ich, daß ich wirklich für das Publikum arbeite? Selbst empfinde ich an meiner Arbeit, dank ihrer miserablen Qualität und auch aus anderen Gründen, keinerlei Befriedigung, das Publikum aber (ich habe es nicht gemein genannt) verhält sich uns gegenüber gewissenlos und unaufrichtig, niemand hört vom Publikum die Wahrheit, und darum kann ich auch nicht erkennen, ob es mich braucht oder nicht. Es ist für mich zu früh, mich zu beklagen, aber es ist nie zu früh, sich zu fragen: befasse ich mich mit einer Arbeit oder mit Lappalien? Die Kritik schweigt, das Publikum lügt, und mein Gefühl sagt mir, daß ich mich mit Unsinn befasse. Beklage ich mich? Ich erinnere mich nicht mehr an den Ton meines Briefs, aber wenn es so ist, so beklage ich mich nicht um meinetwillen, sondern um unserer ganzen Zunft willen, die mir unendlich leidtut.

Die ganze Woche ärgere ich mich wie ein Hundesohn. Hämorrhoiden mit Juckreiz und Blutungen, Besucher, Palmin mit seiner aufgeschlagenen Stirn, Langeweile. Den Abend des ersten Feiertags verbrachte ich bei einem Patienten, der vor meinen Augen gestorben ist. Überhaupt, wenig erfreuliche Motive. Ärger ist eine besondere Art von Kleinmut. Ich bin mir dessen bewußt und schimpfe auf mich selbst. Und besonders ärgert es mich, daß ich Sie in die Geheimnisse meiner Melancholie einweihe, die uninteressant und beschämend ist für ein solch blühendes und von den Dichtern besungenes Alter wie meins.

Zu Neujahr werde ich mich bemühen, das Märchen für Sie zu machen, und nach dem Ersten schicke ich die »Fürstin«.

Vaudevilles kann man nur im Sommer veröffentlichen, im Winter nicht.

Sie wollen um jeden Preis, daß ich Saša auf die Bühne bringe. Aber der »Ivanov« wird doch wohl kaum laufen. Wenn er laufen sollte, dann bitte, tue ich Ihnen den Gefallen, aber Sie müssen schon entschuldigen, dann geb ichs ihr, dem Luder! Sie sagen, daß Frauen aus Mitleid lieben, aus Mitleid heiraten ... Und die Männer? Ich mag nicht, wenn realistische Schriftsteller die Frau verleumden, aber ich mag ebensowenig, wenn sie die Frau auf die Schultern heben, wie Južin, und zu beweisen suchen, daß, auch wenn die Frau schlechter sei als der Mann, der Mann in jedem Fall ein Schuft ist, und die Frau ein Engel. Frau und Mann sind beide dasselbe wert, nur ist der Mann klüger und gerechter. Heute nach dem Theater kommt Lenskij zu mir. Wir werden über »Tatjana« sprechen. Ich werde ihm die Variante für Sadovskij mitgeben.

Mein Maler ist immer noch in derselben Situation.

Im Herbst werde ich nach Petersburg übersiedeln. Ich nehme meine Mutter mit und meine Schwester. Ich muß mich endlich ernsthaft um meine Arbeit kümmern.

Warum gefällt Ihnen Ihr Fragment so wenig? Alles von Ihnen ist gut. Ich warte darauf, daß N. Lavreckij noch eine Erzählung schreibt. Schreiben Sie! In Ihrer »Geschichte einer Nacht« ist so viel Gutes versammelt und komprimiert, daß man, selbst wenn man mit der Zeit knapp ist, sie mit Interesse und mit großer Sympathie für den Autor liest. Nur schreiben Sie genau so, dicht und komprimiert, und nicht geleckt und glattgebügelt. Ich habe die geleckte Belletristik satt, und auch der Leser langweilt sich mit ihr.

Seien Sie mir nicht böse und verzeihen Sie mir die Melancholie, die mir selbst unsympathisch ist. Sie wird hervorgerufen durch verschiedene Umstände, die nicht ich geschaffen habe.

Halten Sie mir Moralpredigten und entschuldigen Sie sich nicht. Ach, wenn Sie wüßten, wie oft ich in meinen Briefen jüngeren Leuten Moral predige! Das ist mir sogar schon zur Gewohnheit geworden. Ich schreibe lange, weitschweifige Sätze, Sie dagegen kurze. Ihnen gelingt es besser.

Lenskij war bei mir, mit Frau. Er sagte, die Ermolova habe sich mit Vergnügen an die Tatjana gemacht. Der erste Akt läuft schlechter als in Petersburg, aber die übrigen drei, davon bin ich überzeugt, weit besser. Die Ermolova ist in Komödien unerträglich, sonst liefe auch der erste Akt großartig. Kommen Sie bitte. Das wird Sie zerstreuen. Die Inszenierung des Stücks, sein Erfolg, die Rezensionen, Verbesserungen usw. – all das wird Sie ermüden und ärgern, aber das ist gesund, und im Sommer werden Sie sich mit Vergnügen daran erinnern.

Es wäre an der Zeit, das Stück in die Provinz zu schicken. Schicken Sie 25 Expl., ich gebe sie Rassochin. Werden Sie Mitglied der Gesellschaft. Haben Sie den Monolog für Davydov geschrieben? Wenn Sie ihn geschrieben haben, lassen Sie ihn nicht drucken, sondern als Textbuch vervielfältigen. Die Schauspieler können nicht nach gedrucktem Text spielen, sie sind an ihre Textbücher gewöhnt. Unterschreiben Sie den Monolog mit N. Lavreckij. Im Sommer können Sie ihn dann in der Zeitung drukken.

Die Proben beginnen nach den Feiertagen. Auf der Beerdigung von Jurjev werde ich wahrscheinlich die Ermolova kennenlernen und mit ihr reden. Über das Stück gibt es schon fast nichts mehr zu reden, denn alles ist zum besten arrangiert. Und die Vollmacht für mich wär eigentlich überflüssig. Es wäre auch ohne mich alles gutgegangen. Meine Vorliebe für Petersburg und für Ihr Stück und meine Reisen nach Petersburg erklären die Schauspieler und ihre Gattinnen damit, daß Sie eine große Tochter haben und ich sie heiraten wolle.

Leben Sie wohl. Ich grüße Anna Ivanovna und alle Ihre Angehörigen. *Herzlich Ihr A. Čechov.*

172) AN A. S. SUVORIN MOSKAU, 30. 12. 1888

30. Dez.

Die Nikulina dankt Ihnen für die Korrekturen. Gorev spielt den Sabinin. Die Proben haben noch nicht begonnen. Davon, daß das Stück Erfolg haben wird, bin ich überzeugt, denn die Schauspieler haben helle Augen und keine verräterischen Gesichter – das bedeutet, daß ihnen das Stück gefällt und daß sie selbst an den Erfolg glauben. Die Nikulina hat mich zum Essen eingeladen. Ich danke Ihnen!

Der Regisseur hält Ivanov für einen überflüssigen Menschen im Sinne Turgenevs; die Savina fragt: Warum ist Ivanov ein Schuft? Sie schreiben: »Ivanov muß unbedingt etwas bekommen, aus dem ersichtlich wird, warum zwei Frauen sich ihm an den Hals werfen und warum er ein Schuft, der Arzt aber ein großer Mensch ist.« Wenn Sie drei mich so verstanden haben, dann bedeutet das, daß mein »Ivanov« nichts taugt. Wahrscheinlich hat mein Verstand ausgesetzt und ich habe etwas ganz anderes geschrieben, als ich wollte. Wenn Ivanov bei mir als ein Schuft oder überflüssiger Mensch erscheint, der Arzt dagegen als großer Mensch, wenn unverständlich bleibt, warum Sarrah und Saša Ivanov lieben, dann hat mein Stück ausgetanzt, und von einer Inszenierung kann nicht mehr die Rede sein.

Meine Helden sehe ich so. Ivanov, ein Adeliger, Akademiker, ist durch nichts bemerkenswert; er hat eine leicht erregbare, hitzige, sehr zu Enthusiasmus neigende, ehrliche und gerade Natur wie die meisten gebildeten Adeligen. Er hat auf seinem Gutshof gelebt und im Zemstvo gedient. Was er getan und wie er sich benommen hat, was ihn interessiert und begeistert hat, wird ersichtlich aus seinen folgenden, an den Arzt gerichteten Worten (Akt 1, Szene 5): »Heiraten Sie weder Jüdinnen noch Psychopathinnen noch Blaustrümpfe... führen Sie nicht als Einzelner

Цѣна 10 коп.

18 87.

ТЕАТРЪ КОРША

(Русскій драматическій).

Петровка, Богословскій переулокъ.

ВЪ ЧЕТВЕРГЪ, 19-го НОЯБРЯ,

БЕНЕФИСЪ
Н. В. СВѢТЛОВА.

ВЪ ПЕРВЫЙ РАЗЪ НОВАЯ ПЬЕСА:

ИВАНОВЪ.

Комедія въ 4-хъ дѣйствіяхъ и 5-ти картинахъ, соч. АНТОНА ЧЕХОВА.

НОВАЯ ДЕКОРАЦІЯ 1-го акта классн. художн. А. С. ЯНОВА.

ДѢЙСТВУЮЩІЯ ЛИЦА:

Ивановъ, Николай Алексѣевичъ, непремѣнный членъ по крестьянскимъ дѣламъ присутствія	г. Давыдовъ.
Анна Петровна, его жена, урожденная Сарра Абрамсонъ	г-жа Глама-Мещерская.
Шабельскій, графъ Матвѣй Семеновичъ, его дядя по матери	г. Киселевскій.
Лебедевъ, Павелъ Кирилловичъ, предсѣдатель земской управы	г. Градовъ-Соколовъ.
Зинаида Саввишна, его жена	г-жа Бороздина.
Саша, дочь Лебедева	г-жа Рыбчинская.
Львовъ, Евгеній Константиновичъ, молодой земскій врачъ	г. Солонинъ.
Бабакина, Марфа Егоровна, молодая вдова помѣщица, дочь богатаго купца	г-жа Кошева.
Косыхъ, Дмитрій Никитичъ, акцизный	г. Вязовскій.
Боркинъ, Михаилъ Михайловичъ, дальній родственникъ Иванова и управляющій его имѣніемъ	г. Свѣтловъ.
Дудкинъ, сынъ богатаго фабриканта	г. Валентиновъ.
Авдотья Назаровна, старуха съ неопредѣленной профессіей	г-жа Красовская.
Егорушка, нахлѣбникъ Лебедевыхъ	г. Никольскій.
1) гости	г. Минаевъ.
2)	г. **
Петръ, лакей Иванова	г. Рязанцевъ.
Гаврила, лакей Лебедева	г. Любимовъ.

Гости обоего пола, лакеи.

Дѣйствіе происходитъ въ одномъ изъ уѣздовъ средней полосы Россіи.

Дѣйствія происходятъ: 1-е и 3-е—въ домѣ Иванова; 2-е и 4-е—въ домѣ Лебедева.

»Ivanov«.
Theaterzettel der Uraufführung am Theater F.A. Korš am 19. November 1887.

Krieg gegen Tausende, kämpfen Sie nicht gegen Windmühlen, rennen Sie nicht mit dem Kopf durch die Wand... Gott bewahre Sie vor allen möglichen rationalen Wirtschaftsmethoden, ungewöhnlichen Schulen, flammenden Reden...« Das ist seine Vergangenheit. Sarrah, die seine rationale Wirtschaft und seine sonstigen Ideen mit angesehen und verfolgt hat, sagt über ihn zu dem Arzt: »Doktor, er ist ein bemerkenswerter Mensch, und ich bedaure, daß Sie ihn nicht vor zwei-drei Jahren gekannt haben. Jetzt hat er Depressionen, schweigt, tut nichts, aber früher... wie herrlich er war!« (1. Akt, Szene 7). Seine Vergangenheit ist wunderschön, wie die der meisten russischen Intellektuellen. Es gibt keinen oder fast keinen wohlgeborenen russischen Herrn oder Akademiker, der sich nicht seiner Vergangenheit rühmte. Die Gegenwart ist immer schlechter als die Vergangenheit. Warum? Weil die russische Erregbarkeit eine spezifische Eigenschaft besitzt: sie wird rasch abgelöst durch Ermüdbarkeit. Voll Feuer, kaum der Schulbank entwachsen, nimmt der Mensch eine Last auf sich, die seine Kräfte übersteigt, nimmt sich der Schulen an, der Bauern, der rationalen Wirtschaft, des »Vestnik Evropy«, hält Reden, schreibt an den Minister, kämpft gegen das Übel, applaudiert dem Guten, liebt nicht etwa einfach und irgendwie, sondern unbedingt entweder Blaustrümpfe oder Psychopathinnen oder Jüdinnen oder sogar Prostituierte, die er rettet usw. usw... Aber kaum ist er 30–35 Jahre alt, beginnt er Müdigkeit und Langeweile zu verspüren. Er hat noch nicht mal einen anständigen Schnurrbart, aber schon sagt er autoritativ: »Heiraten Sie nicht, mein Lieber... glauben Sie meiner Erfahrung.« Oder: »Was ist im Grunde der Liberalismus? Unter uns gesagt, Katkov hatte sehr oft recht.« Und schon ist er bereit, Zemstvo und rationale Wirtschaft und Wissenschaft und Liebe zu verleugnen. Mein Ivanov sagt zu dem Arzt (1. Akt, 5. Szene): »Sie, lieber Freund, haben erst voriges Jahr Ihr Studium beendet, Sie sind noch jung und guten Muts, ich bin fünfunddreißig. Ich habe das Recht, Ihnen Ratschläge zu erteilen...« Das ist der Ton dieser vor der Zeit Müdegewordenen. Weiter, unter Seufzern, rät er dem Arzt:

»Heiraten Sie nicht so und nicht so (siehe eins der obigen Zitate), sondern wählen Sie sich etwas Alltägliches, Graues, ohne grelle Farben, ohne überflüssige Töne... Richten Sie Ihr Leben überhaupt nach der Schablone. Je grauer und eintöniger die Grundfarbe, desto besser... Das Leben, das ich geführt habe, – wie ist es ermüdend!... ach, wie ermüdend!«

Er spürt die physische Ermüdung und Langeweile, versteht aber nicht, was mit ihm vorgeht und was geschehen ist. Voll Entsetzen sagt er zu dem Arzt (Akt I, Szene 3): »Sie sagen mir, daß sie bald sterben wird, aber ich empfinde weder Liebe noch Mitleid, sondern nur Leere, Erschöpfung... Für einen Außenstehenden, der mich so sieht, ist das wahrscheinlich entsetzlich, ich verstehe ja selbst nicht, was in meiner Seele vorgeht...« In solch eine Situation geraten, schieben beschränkte und gewissenlose Leute die ganze Schuld gewöhnlich auf die Umgebung oder schreiben sich den Status der überflüssigen Menschen und Hamlets zu und geben sich damit zufrieden. Ivanov aber, als gerader Mensch, erklärt dem Arzt und dem Publikum offen, daß er sich nicht verstehen kann: »Ich verstehe es nicht, ich verstehe es nicht...« Daß er sich ehrlich nicht versteht, wird ersichtlich aus dem großen Monolog im III. Akt, wo er, Auge in Auge mit dem Publikum und ihm beichtend, sogar weint!

Die Veränderung, die in ihm vorgegangen ist, kränkt seinen Anstand. Er sucht die Ursachen außerhalb und findet sie nicht; er beginnt, sie in seinem Innern zu suchen und findet einzig und allein ein unbestimmtes Schuldgefühl. Das ist ein russisches Gefühl. Der Russe fühlt – ob jemand in seinem Haus gestorben ist, krankgeworden ist, ob er bei jemandem Schulden hat oder sich selbst etwas borgt – immer sich selbst schuldig. Die ganze Zeit spricht Ivanov von seiner unbestimmten Schuld, und das Schuldgefühl in ihm wächst von Mal zu Mal. Im I. Akt sagt er: »Wahrscheinlich trage ich eine furchtbare Schuld, aber meine Gedanken sind ganz durcheinander, meine Seele ist in Trägheit erstarrt, und ich habe nicht die Kraft, mich zu verstehen...« Im III. Akt sagt er zu Saša: »Tag und Nacht plagt mich das Gewissen, ich fühle mich zutiefst schuldig, aber worin meine Schuld besteht, kann ich nicht begreifen ...«

Zu der Ermüdung, der Langeweile und dem Schuldgefühl fügen Sie noch einen Feind hinzu. Das ist die Einsamkeit. Wäre Ivanov Beamter, Schauspieler, Pope, Professor, dann hätte er sich an seine Situation gewöhnt. Aber er lebt auf einem Gutshof. In einem Landkreis. Die Leute dort sind entweder Trinker, oder Kartenspieler, oder solche wie der Arzt... Keiner will etwas wissen von seinen Gefühlen oder den Veränderungen in ihm. Er ist einsam. Die langen Winter, die langen Abende, ein leerer Garten, leere Zimmer, der nörgelnde Graf, die kranke Frau... Er kann nirgendwohin fahren. Darum quält ihn jeden Augenblick die Frage: wohin mit mir?

Jetzt der fünfte Feind. Ivanov ist müde, er versteht sich nicht, aber das Leben kümmert sich darum überhaupt nicht. Es stellt seine gesetzmäßigen Forderungen an ihn, und er muß – ob er will oder nicht – diese Fragen lösen. Die kranke Frau ist die eine Frage, der Haufen Schulden – ist eine Frage, Saša wirft sich ihm an den Hals – ist eine Frage. Wie er alle diese Fragen löst, muß ersichtlich werden aus dem Monolog des III. Akts und dem Inhalt der beiden letzten Akte. Leute wie Ivanov lösen keine Fragen, sondern brechen unter ihrer Last zusammen. Sie sind verwirrt, breiten die Arme aus, werden nervös, beklagen sich, begehen Dummheiten und verlieren schließlich und endlich, indem sie ihren schwachen, schlaffen Nerven freien Lauf lassen, den Boden unter den Füßen und treten ein in die Reihen der »Gebrochenen« und »Unverstandenen«.

Enttäuschung, Apathie, Nervenschwäche und Erschöpfung sind unmittelbare Folge übersteigerter Erregbarkeit, und eine solche Erregbarkeit ist unserer Jugend in extremem Maße eigen. Nehmen Sie die Literatur. Nehmen Sie die Gegenwart... Der Sozialismus ist eine Form der Erregung. Und wo ist er? In Tichonovs Briefen an den Zaren. Die Sozialisten haben geheiratet und üben Kritik am Zemstvo. Wo ist der Liberalismus? Selbst Michajlovskij sagt, alles sei durcheinandergeraten... Und was sind sie wert, all die Leidenschaften der Russen? Der Krieg hat sie ermüdet, Bulgarien hat sie ermüdet bis zur Ironie, die Zucchi hat sie ermüdet, die Operette desgleichen...

Ermüdbarkeit (das wird auch Dr. Bertenson bestätigen) äußert sich nicht allein in Gejammer oder dem Gefühl der Langeweile. Das Leben eines ermüdeten Menschen kann man nicht so darstellen:

Es verläuft sehr ungleichmäßig. Alle müden Menschen verlieren nicht die Fähigkeit, sich in höchstem Maße zu erregen, aber nur für sehr kurz, wobei nach jeder Erregung eine noch größere Apathie einsetze... Graphisch kann man das so darstellen:

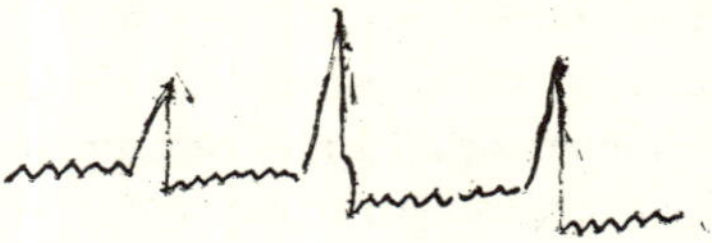

Der Abfall nach unten vollzieht sich, wie Sie sehen, nicht in der Neigung einer schiefen Ebene, sondern ein wenig anders. Saša gesteht ihm ihre Liebe. Ivanov ruft begeistert: »Ein neues Leben!«, und am nächsten Morgen glaubt er an dieses Leben genausowenig wie an einen Hausgeist (Monolog im III. Akt): seine Frau kränkt ihn, er fährt aus der Haut, regt sich auf und wirft ihr eine grausame Beleidigung an den Kopf. Man nennt ihn einen Schuft. Wenn das sein schwaches Gehirn nicht erschlägt, so gerät er doch in Erregung und spricht sich selbst das Urteil.

Um Sie nicht bis zur Ohnmacht zu ermüden, gehe ich über zu Doktor Lvov. Das ist der Typ des ehrenhaften, geraden, hitzigen, aber beschränkten und eingleisigen Menschen. Über solch kluge Menschen sagt man: »Er ist dumm, aber er hat Ehrgefühl.« Alles, was mit weitgreifenden Anschauungen oder spontanem Gefühl zu tun hat, ist ihm fremd. Lvov ist die personifizierte Schablone, die gängige Tendenz. Jede Erscheinung und Person sieht er durch seinen beschränkten Rahmen, über alles urteilt er voreingenommen. Wer da ruft: »Bahn frei der ehrlichen Arbeit!«, den betet er an; wer das nicht ruft, ist ein Schuft und Kulak. Eine Mitte gibt es nicht. Er ist mit den Romanen Michajlovs aufgewachsen; im Theater hat er auf der Bühne die »neuen Menschen« gesehen, d. h. die Kulaken und Söhne dieses Jahrhunderts, wie sie von den Dramatikern gezeichnet werden, die »Menschen des Profits« (Proporjev, Ochljabjev, Navarygin usw.). Er hat sich das hinter die Ohren geschrieben, und zwar so sehr, daß er sich, wenn er »Rudin« liest, unbedingt fragt: »Ist Rudin ein Schuft oder nicht?« Literatur und Bühne haben ihn dazu erzogen, an jede Person im Leben wie in der Literatur mit dieser Frage heranzutreten... Wenn er Ihr Stück hätte sehen können, hätte er Ihnen angekreidet, daß Sie nicht klar gesagt haben: sind die Herren Kotelnikov, Sabinin, Adašëv, Matveev Schufte oder sind sie es nicht? Um diese Frage geht es ihm. Ihm genügt nicht, daß alle Menschen Sünder sind. Man gebe ihm Heilige und Schufte!

In den Landkreis kam er bereits mit vorgefaßten Überzeugungen. In allen wohlhabenden Bauern sah er sofort Kulaken, und in dem ihm unverständlichen Ivanov sofort – einen Schuft. Der Mann hat eine kranke Frau, und fährt seine reiche Nachbarin besuchen – ist er nicht ein Schuft? Offensichtlich bringt er seine Frau unter die Erde, um die Reiche zu heiraten.

Lvov ist ehrlich, gerade, und er nimmt kein Blatt vor den Mund, rücksichtslos. Notfalls würde er eine Bombe unter eine Kutsche werfen, einem Inspektor in die Fresse hauen, Schuft! rufen. Er macht vor nichts halt. Gewissensbisse hat er keine – dafür ist er ein »ehrlicher Arbeiter«, dessen Aufgabe es ist, die »Macht der Finsternis« zu strafen!

Menschen wie er werden gebraucht und sind meistens sympathisch. Sie als Karikatur zu zeichnen, und sei es im Interesse der Bühne, ist unanständig und führt auch zu nichts. Eine Karikatur ist zwar schärfer und darum verständlicher, aber lieber etwas nicht zuendezeichnen als es verschmieren...

Jetzt zu den Frauen. Weshalb lieben sie? Sarrah liebt Ivanov deshalb, weil er ein guter Mensch ist, deshalb, weil er aufbrausend, brillant und genauso hitzig ist wie Lvov (I. Akt, Szene 7). Sie liebt ihn, solange er erregt und interessant ist; wenn er dagegen anfängt sich zu verdüstern und die Bestimmtheit des Ausdrucks zu verlieren, versteht sie ihn nicht mehr, und sagt das auch am Ende des III. Aktes offen und scharf.

Saša ist ein Mädchen neuesten Zuschnitts. Sie ist gebildet, klug, ehrenhaft usw. In der Not frißt der Teufel Fliegen, und darum fällt ihre Wahl auf den 35jährigen Ivanov. Er ist besser als alle anderen. Sie hat ihn gekannt, als sie klein war, hat ihn arbeiten gesehen, damals, als er noch nicht müde war. Er ist ein Freund ihres Vaters.

Sie ist ein Weibchen, das die Männchen nicht mit der Farbenpracht ihres Gefieders erobern, nicht mit Gewandtheit und Kühnheit, sondern mit Wehklagen, Gejammer, Mißerfolgen. Sie ist eine Frau, die die Männer in der Phase ihres Fallens liebt. Kaum hat Ivanov den Mut verloren, ist das Mädchen auch schon da. Sie hat nur darauf gewartet. Ich bitte Sie, sie hat eine so dankbare, heilige Aufgabe! Sie erweckt den Gefallenen zu neuem Leben, hilft ihm auf die Beine, wird ihm das Glück schenken ... Sie liebt nicht Ivanov, sondern diese Aufgabe. Argenton bei Daudet hat gesagt: das Leben ist kein Liebesroman! Saša weiß das nicht. Sie weiß nicht, daß die Liebe für Ivanov eine überflüssige Komplikation, einen zusätzlichen Schlag ins Kreuz darstellt. Und? Saša plagt sich ein ganzes Jahr mit Ivanov herum, und er erwacht nicht zu neuem Leben, sondern fällt tiefer und tiefer.

Mir tun die Finger weh, ich höre auf ... Wenn alles w.o. Geschriebene in dem Stück nicht vorkommt, dann kann von einer Inszenierung keine Rede sein. Ich habe dann nämlich nicht geschrieben, was ich wollte. Ziehen Sie das Stück zurück. Ich will von der Bühne herab keine Ketzerei predigen. Wenn das Publikum das Theater im Bewußtsein verläßt, die Ivanovs seien Schufte, die Doktor Lvovs dagegen große Menschen, dann muß ich meinen Abschied einreichen und meine Feder zum Teufel schikken. Mit Korrekturen und Einschüben erreicht man nichts. Keinerlei Korrekturen können einen großen Menschen vom Piedestal herunterholen, und keinerlei Einschübe können aus einem Schuft einen gewöhnlichen Sterblichen machen. Saša kann man am Schluß auftreten lassen, aber bei Ivanov und Lvov noch etwas hinzuschreiben kann ich nicht mehr. Ich kann es nicht. Wenn ich noch etwas hinzufüge, so spüre ich, daß ich noch mehr verderbe. Glauben Sie meinem Gefühl, es ist schließlich das des Autors.

Ich entschuldige mich bei Potechin und Jurkovskij, sie umsonst belästigt zu haben. Sie mögen verzeihen. Offen gesagt, verlockt hat mich die Inszenierung nicht wegen des Ruhms, nicht wegen der Savina... Ich hatte damit gerechnet, rund tausend Rubel zu verdienen. Aber lieber borge ich mir diese Tausend, als daß ich eine Dummheit riskiere. Winken Sie mir nicht mit dem Erfolg! Der Erfolg liegt, wenn ich nicht sterbe, noch vor mir. Ich wette, ich werde die Direktion früher oder später um 6–7 Tausend erleichtern. Wollen Sie die Wette halten?

Kiselevskij würde ich für nichts auf der Welt den Grafen spielen lassen! Mein Stück hat ihm in Moskau nicht wenig Kummer bereitet! Er ist überall herumgelaufen und hat sich beklagt, daß man ihn einen solchen Hundesohn spielen lasse wie meinen Grafen. Wozu ihm diesen Kummer noch einmal bereiten?

Man sagt, es sei peinlich: er habe ihn bereits gespielt... Warum ist es nicht peinlich, Ivanov an Sazonov oder Dalmatov zu vergeben? Davydov hat den Ivanov doch gespielt!

Ach, habe ich Sie ermüdet mit diesem Brief! Sabbath, basta!

Ich wünsche Ihnen Glück zum Neuen Jahr! Hurra-a-a-a!

Sie Glücklicher, Sie werden echten Champagner trinken oder bereits getrunken haben, ich dagegen Plempe!

Meine Schwester ist krank. Gliederreißen, hohe Temperatur, Kopfschmerzen usw. Die Köchin desgleichen. Beide liegen. Ich hoffe, es ist kein Typhus.

Verzeihen Sie, mein Lieber, diesen hoffnungslos langen, zudringlichen Brief. Ich grüße alle Ihre Angehörigen, und Anna Ivanovna küsse ich die Hand. Bleiben Sie gesund.

Ihr A. Čechov.

Wenn das Publikum »Eisen im Blut« nicht versteht, dann zum Teufel mit ihm, d. h. mit dem Blut, das kein Eisen enthält.

Ich habe diesen Brief durchgelesen. In der Charakteristik Ivanovs fällt oft das Wort »russisch«. Seien Sie darüber nicht böse. Als ich das Stück schrieb, hatte ich nur das im Auge, was nötig ist, das heißt typisch russische Züge. Übersteigerte Erregbarkeit, Schuldgefühl, Ermüdbarkeit sind rein russisch. Die Deutschen erregen sich nie, darum kennt Deutschland auch weder Enttäuschte, noch Überflüssige, noch Müdegewordene ... Die Erregbarkeit der Franzosen hält sich beständig auf ein und demselben Niveau, ohne steiles Ansteigen und Abfallen, darum ist der Franzose auch bis ins hohe Alter normal erregt. Mit anderen Worten, die Franzosen verausgaben ihre Kräfte nicht für übersteigerte Erregung; sie verausgaben ihre Kräfte mit Verstand, darum kennen sie auch keinen Zusammenbruch.

Es versteht sich, daß ich im Stück keine Termini verwendet habe wie Russe, Erregbarkeit, Ermüdbarkeit usw. in der großen Hoffnung, daß Leser und Zuschauer aufmerksam sind und daß sie die Hinweistafel »Das ist keine Melone, sondern eine Pflaume« nicht brauchen. Ich habe mich einfach auszudrücken versucht, habe keine Kniffe angewandt und war weit entfernt von dem Verdacht, daß Leser und Zuschauer meine Helden bei Phrasen ertappen würden, Gespräche über die Mitgift unterstreichen würden usw.

Ich habe es nicht vermocht, ein Theaterstück zu schreiben. Natürlich ist das schade. Ivanov und Lvov sind in meiner Vorstellung lebendige Menschen. Ich will es Ihnen offen und ehrlich sagen, diese Menschen sind in meinem Kopf nicht aus dem Meeresschaum geboren, nicht aus vorgefaßten Ideen, nicht aus »Verstandesarbeit«, nicht zufällig. Sie sind Resultat aus Beobachtung und Studium des Lebens. Sie sitzen mir fest im Hirn, und ich spüre, daß ich nicht um einen Zentimeter gelogen und nicht um ein Jota übertrieben habe. Wenn sie auf dem Papier nicht lebendig und undeutlich erscheinen, so sind nicht sie daran schuld, sondern mein Unvermögen, meine Gedanken zu vermitteln. Das heißt, es ist für mich noch zu früh, mich mit Theaterstücken zu befassen.

173) AN I. L. LEONTJEV-ŠČEGLOV MOSKAU, 31. 12. 1888

31. Dez.

Viel Glück im Neuen Jahr, lieber Jean! Gott schenke Ihnen Gesundheit, gute Nerven und Erfolg in allen Ihren Angelegenheiten. Ich wünsche Ihnen als Ausbeute von 1889: 8 Novellen, 120 Samstagsbeilagen, 1 Roman und 1/4 Stück. Ich wünsche, daß Sie das Theater hassen lernen und sich mit ganzem Herzen dem widmen, was sich ziemt für einen Stabsoffizier in der Literatur wie Sie...

Solovcov war bei mir und hat etwa 1–1 1/2 Stunden dagesessen. Wir sprachen über Ihr Stück. Er hat es bekommen und will es inszenieren.

Der Regisseur Ihres Theaters Fëdorov-Jurkovskij hat den Wunsch geäußert, zu seinem Benefiz meinen »Ivanov« zu inszenieren, mit der Strepetova und der Savina. Das ist natürlich schmeichelhaft, und ich bin auch geschmeichelt und freue mich. Offenbar will auch Potechin mir wohl und Ihnen zum 1001. mal beweisen, daß ich nicht Čechov, sondern Potëmkin bin. Die Rollen sind bereits verteilt, aber... aber die Aufführung wird wohl kaum stattfinden. Mich erschrecken die Mängel meines Stückes, und diese Mängel sind so gravierend, daß ich kein ruhiges Gewissen haben kann. Ich habe heute einen Brief geschickt, in dem ich einige Bedingungen aufgezählt habe; wenn nach Meinung derer, denen ich geschrieben habe, mein Stück nicht wenigstens einer dieser Bedingungen genügt, so habe ich allen Ernstes darum gebeten, mein Stück zurückziehen zu dürfen. Sie werden mir zustimmen, mein Lieber, daß ein Stück, dem vor aller Augen in Piter der Vorzug gegeben wird vor den Stücken von Mej und Victor Hugo (»Hernani«), *hervorragend* sein muß; Sie werden mir zustimmen und glauben, daß ich mich nicht ziere und nicht kokettiere. Ich tue das, was Sie an meiner Stelle tun würden, was

Suvorin und jeder auch nur ein klein bißchen ehrgeizige Mensch tun würde, der nur selten Stücke schreibt.

Und die Mängel meines Stückes sind nicht zu korrigieren. Nicht nur ich sehe sie, sondern auch Leute, denen ich völlig vertraue und deren Kompetenz ich über meine eigene stelle. Warten Sie, bis ich ein anderes Stück schreibe, und auf den »Ivanov« pfeifen Sie.

Kommen Sie nach Moskau, wenn die »Theaterfreunde« inszeniert werden. Bei uns ist Frost.

Ich habe Miša Wein holen geschickt, um das Neue Jahr zu feiern.

Bleiben Sie gesund und glücklich! *Ihr A. Čechov.*

1889

174) AN AL. P. ČECHOV MOSKAU, 2. 1. 1889

2. Jan. 1889.

Allweiser Sekretär!

Ich wünsche deiner strahlenden Person und deiner Kinderschar Glück zum neuen Jahr. Ich wünsche dir den Gewinn von 200 Tausend und den Wirkl. Staatsrat, vor allem aber Gesundheit und das tägliche Brot in der für einen Vielfraß wie dich ausreichenden Menge.

Bei meinem letzten Besuch haben wir uns gesehen und voneinander verabschiedet, als sei zwischen uns ein Mißverständnis entstanden. Ich werde bald wiederkommen; um dieses Mißverständnis aus der Welt zu schaffen, halte ich es für notwendig, dir ehrlich und nach bestem Gewissen Folgendes zu erklären. Ich war ernstlich böse auf dich und bin auch im Zorn weggefahren, was ich dir heute beichte. Schon bei meinem ersten Besuch stieß mich dein *entsetzlicher*, durch nichts zu rechtfertigender Umgang mit N. A. und deiner Köchin von dir ab. Verzeih mir großmütig, aber so mit Frauen umzugehen, wie immer diese auch sein mögen, ist eines anständigen und liebenden Menschen unwürdig. Welche Macht des Himmels oder der Erde hat dir das Recht gegeben, aus ihnen deine Sklavinnen zu machen? Ständige Beschimpfungen niedrigster Art, erhobene Stimme, Vorwürfe, Launen beim Frühstück und beim Mittagessen, ewige Klagen über das Zuchthausleben, das man führe, und die verfluchte Arbeit – ist das etwa nicht Ausdruck von grobem Despotismus? So nichtswürdig und schuldig eine Frau immer sein mag, so nah sie dir stehen mag, du hast nicht das Recht, in ihrer Gegenwart ohne Hosen dazusitzen, in ihrer Gegenwart betrunken zu sein, Wörter zu sagen, die nicht einmal Fabrikarbeiter in den Mund nehmen, wenn sie in der Nähe Frauen sehen. Anstand und Erziehung hältst du für Vorurteile, aber man muß doch wenigstens etwas verschonen, wenigstens die schwachen Frauen und Kinder – wenigstens die Poesie des Lebens, wenn es mit der Prosa schon aus ist. Kein anständiger Ehemann oder Liebhaber würde es sich erlauben, so mit einer Frau zu sprechen, so roh, des Witzes halber sich ironisch über Bettgeschichten herzumachen [...]. Das demoralisiert die Frau und entfernt sie ihrem Gott, an den sie glaubt. Ein Mensch, der Achtung hat vor der Frau, der gebildet ist und ein liebendes Herz hat, erlaubt sich nicht, vor dem Stubenmädchen ohne Hosen zu erscheinen und aus vollem Halse zu brüllen: »Katka, bring mir den Nachttopf!« ... Nachts schlafen Ehemänner mit ihren Frauen, wobei sie in Ton und Benehmen den Anstand wahren in aller Form, und morgens beeilen sie sich, eine Krawatte umzubinden, um die Frau nicht durch ihr unanständiges Äußeres zu kränken, will sagen durch die Nachlässigkeit ihrer Kleidung. Das ist pedantisch, dem liegt aber etwas zugrunde, was du begreifen wirst, wenn du daran denkst, welch schreckliche erzieherische Rolle im Leben des Menschen die Umgebung und Kleinigkeiten spielen. Zwischen einer Frau, die auf sauberen Laken schläft, und einer, die auf dreckigen pennt und fröhlich lacht, wenn der Liebhaber sie [...], besteht derselbe Unterschied wie zwischen einem Restaurant und einer Kneipe.

Kinder sind heilig und rein. Selbst bei Räubern und Krokodilen besitzen sie den Rang von Engeln. Wir selbst können in jede beliebige Grube kriechen, aber sie müssen wir mit einer Atmosphäre umgeben, die ihrem Rang gebührt. Man darf in ihrer Gegenwart nicht ungestraft unzüchtige Reden führen, die Dienstboten beleidigen oder voll Bosheit zu Natalja Aleksandrovna sagen:

»Scher dich fort zu allen Teufeln! Ich halte dich nicht zurück!« Man darf sie nicht zum Spielzeug seiner Laune machen: sie mal zärtlich abküssen, mal vor Wut mit Füßen treten. Besser gar nicht lieben, als mit der Liebe eines Despoten lieben. Der Haß ist bei weitem ehrlicher als die Liebe Nasereddins, der seine heißgeliebten Perser mal zu Satrapen befördert, mal auf Pfähle spießt. Man soll die Namen der Kinder nicht unnütz im Munde führen, aber du hast eine Art, jede Kopeke, die du einem anderen gibst oder geben willst, mit den Worten zu begleiten: »Nimm, du nimmst es meinen Kindern.« Wenn einer etwas nimmt, so heißt das, er *hat gegeben,* und über seine Wohltaten und Gnadengeschenke zu reden, ist nicht gerade schön. Das klingt nach Vorwurf. Die meisten Menschen leben für ihre Familie, und nur selten einer wird sich das als Verdienst anrechnen, und außer dir wird man kaum solch einen wackeren Mann finden, der jemandem einen Rubel borgt und dabei sagt: »Den nehme ich meinen Kindern weg.« Es ist Nichtachtung der Kinder, Nichtachtung ihrer Heiligkeit, wenn man, selber satt, gut gekleidet, täglich angeheitert, im selben Atemzug sagt, sein *ganzer* Verdienst gehe für die Kinder drauf. Hör schon auf!

Ich bitte dich, dich daran zu erinnern, daß Despotismus und Lüge die Jugend deiner Mutter zugrundegerichtet haben. Despotismus und Lüge haben unsere Kindheit dermaßen vergällt, daß einem schlecht wird und man Angst hat, sich daran zu erinnern. Erinnere dich an das Entsetzen und den Ekel, die wir empfanden, wenn Vater damals beim Essen einen Aufstand machte wegen einer versalzenen Suppe oder Mutter eine dumme Kuh nannte. Vater kann sich das heute noch nicht verzeihen.

Despotismus ist ein dreifaches Verbrechen. Wenn das Jüngste Gericht kein Hirngespinst ist, so wirst du dem Synedrion stärker unterliegen als Čochov und I. E. Gavrilov. Es ist dir kein Geheimnis, daß dich der Himmel mit etwas begabt hat, was 99 von 100 Menschen nicht haben: du bist von Natur unendlich großzügig und zärtlich. Darum wird von dir auch 100mal mehr verlangt. Außerdem bist du Akademiker und zählst dich zu den Journalisten.

Die schwierige Situation, der schlechte Charakter der Frauen, mit denen du leben mußt, die Idiotie der Köchin, die Zuchthausarbeit, das verfluchte Leben usw. können nicht als Rechtfertigung für deinen Despotismus dienen. Besser Opfer sein als Henker.

N. A., die Köchin und die Kinder sind schutzlos und schwach. Sie haben nicht die geringsten Rechte dir gegenüber, du dagegen hast jederzeit das Recht, sie zur Tür hinauszuwerfen und über ihre Schwäche zu spotten, wie es dir gefällt. Man soll andere dieses Recht nicht spüren lassen.

Ich bin für sie eingetreten, wie ich es vermochte, mein Gewissen ist rein. Wenn du ein gerader und kein verschlagener Mensch bist, wirst du nicht sagen können, daß dieser Brief Schlechtes zum Ziel hätte, daß er, zum Beispiel, beleidigend und mir von einem bösen Gefühl eingegeben worden wäre. In unseren Beziehungen suche ich einzig und allein Ehrlichkeit. Etwas anderes brauche ich nicht mehr. Wir beide haben nichts zu teilen miteinander.

Schreib mir, daß auch du nicht böse bist und die schwarze Katze für nicht existent hältst.

Die ganze Familie läßt grüßen. *Dein A. Čechov.*

175) AN A. N. PLEŠČEEV MOSKAU, 2. 1. 1889

2. Januar.

Der Teufel führt dieser Oberoffizierswitwe die Zunge. Meine Absicht, nach Petersburg zu ziehen, ist ernst; von den Sechstausend war in scherzhaftem Ton die Rede, sonst hätte ich das geheimgehalten. Suvorin hat es mir im Scherz angeboten, und ich habe diesen Gedanken im Scherz weitergesponnen, mit Anna Michajlovna gesprochen und mit Abramov, glaube ich, ich habe auch zu Hause darüber gesprochen. Die Oberoffizierswitwe hat es also aufgeschnappt, sich darüber gefreut und überall an die große Glocke gehängt. Der werd ichs besorgen, wenn ich sie sehe!

Meine Ansichten über das Geschäft und meine Beziehungen zu den Leuten würden mich nicht hindern, in die Zeitung einzutreten. Aber 500 Rubel halte ich für eine unzureichende Bedingung. Ich bin einverstanden, an einer Zeitung entweder für 1000 im Jahr zu arbeiten, oder für 1000 im Monat – für weniger kann ich nicht. Im ersten Falle würde ich nur fremde Manuskripte lesen, im zweiten würde ich einen harten Kampf um meine Selbständigkeit und um die Ansichten führen, die ich vom Journalismus habe. Ich würde mein ganzes Herz denen widmen, für die und mit denen ich arbeiten müßte, und glaube, daß dies keine sonderlich schlechten Folgen hätte. Das Alte fortsetzen kann ich nicht, aber ein wenig neuen Wein in den alten Schlauch füllen könnte ich wohl. Zumindest hatte alles bisher, was ich zu verschiedenen Zeiten an Zeitungen gegeben habe (in Moskau und in Piter), und alle meine mehr oder weniger engen Kontakte zu Zeitungsleuten keine schlechten Folgen, sondern haben, mit welcher Hoffnung ich mir zu schmeicheln wage, sogar einigen Nutzen gebracht.

Verzeihen Sie um Gottes willen, daß der Regisseur Sie belästigt hat. Daran bin ich schuld, weil ich ihn, ohne dies zu wollen, in Verwirrung gestürzt habe. Irgendwann im Gespräch über meinen verstorbenen »Ivanov« haben Sie zu mir gesagt: »Warum geben Sie ihn uns nicht zum Druck?« Ich habe Ihnen, soweit ich mich entsinne, damals keine bestimmte Antwort gegeben, mir Ihren Vorschlag aber hinter die Ohren geschrieben und, nachdem ich den »Ivanov« umgearbeitet hatte, beschlossen, ihn Ihnen zu schicken. Ščeglov hat mir ebenfalls gesagt*, Sie hätten ihm im Gespräch gesagt, Sie hätten nichts dagegen, den »Ivanov« zu drucken. Ich hatte beschlossen, Ihnen mein Stück im Januar oder im Februar zu schicken. Als ich mit dem Regisseur über das Stück sprach, sagte ich ihm, daß ich es im Januar oder Februar an den »Severnyj vestnik« schicken würde, – daher sein Besuch bei Ihnen. Mir ist es absolut egal, wann Sie das Stück drucken: meinetwegen im Juli oder drucken Sie es meinetwegen überhaupt nicht – ich mag es nicht. Je später Sie es drucken, desto besser, desto näher kommt es zur nächsten Saison. Außerdem habe ich die boshafte Absicht: wenn mein »Ivanov« in Piter durchfallen sollte, werde ich in der Literarischen Gesellschaft einen Vortrag halten darüber, wie man Stücke nicht schreiben soll und ich werde Auszüge aus dem Stück vorlesen zur Charakteristik meiner Helden, die ich, was immer auch geschehen mag, in der russischen Literatur für neu halte und von noch niemandem berührt. Das Stück ist schlecht, aber die Menschen darin sind lebendig und nicht gemacht.

Irgendwie spüre ich, daß mein »Ivanov« nicht gespielt werden wird. Der Wunsch des Regisseurs, ihn zu inszenieren, schmeichelt mir und rührt mich, aber die Inszenierung verspricht nichts Gutes. Ich habe meine ehrliche Meinung über das Stück nach Piter geschickt, habe die Bedingungen aufgezählt, denen es genügen muß und denen es, dem Hörensagen nach, nicht genügt; wenn diese meine Meinung nicht dumm ist und in Betracht gezogen wird, so wird das Stück nicht gespielt. Die Verhandlungen mit der Direktion führe ich über Suvorin, dem sehr daran liegt, daß mein Stück gespielt wird.

Dieser Mensch irrt sich in bezug auf mich: er ist bereit, alles zu inszenieren und zu drucken, was mir nur einfällt zu schreiben. Er hat die Leidenschaft eines Glücksspielers für jede Art von Talent, und jedes Talent sieht er nicht anders als in übertriebener Größe. Ich versichere Sie, es ist so. Wenn es nach ihm ginge, würde er einen Kristallpalast bauen und alle Prosaschriftsteller, Dramatiker, Dichter und Schauspielerinnen darin ansiedeln. Man kann ihn ungeheuer leicht ausbeuten, und ich staune über sein ungewöhnliches Glück: er ist umgeben von Leuten, von denen nicht einer auf die Idee käme, ihn auszubeuten. Alle verhalten sich ihm gegenüber äußerst anständig – auch dessen kann ich Sie versichern. Seine Schwächen gehören zu jener Art menschlicher Schwächen, die auszubeuten ein Verbrechen wäre.

Von dem Almanach wird im »Nov. vremja« wahrscheinlich noch die Rede sein. Ich schreibe an Suvorin. Zustände sind das, erstaunlich! In Moskau war die Nachfrage nach dem Almanach riesengroß, und geschickt hat man nur ganz wenig. In der Buchhandlung Suvorin waren 205 Exemplare gefragt, und da waren nur 5. Wie kommt so was?

Mein Exemplar heben Sie bitte auf, bis zu unserer nächsten Begegnung.

Korolenko war nicht bei mir. Seine Mutter ist krank, und man sagt, er sei eilig nach Nižnij weitergefahren. Was ihn zur »Russkaja mysl« zieht – das ist so natürlich und verständlich! Dort hat er doch seinen Ruhm begründet, und dort werden seine Bücher verlegt. Aber daß er auch den »Sev. vestnik« liebt, davon bin ich fest überzeugt.

»Dem Andenken Garšins« hat im »Novoe vremja« allen gefallen. Daran erinnere ich mich gut. In meiner Gegenwart war auch die Rede davon, daß man den Almanach gut besprechen müsse. Warum das bis heute nicht geschehen ist, weiß ich nicht. Die Notiz in bezug auf »Verstand schafft Leiden« und den »Revisor« ist unbedeutend und hat wirklich nichts zu sagen. Daraus auf Sympathien oder Antipathien für diesen oder jenen Almanach zu schließen, ist schon gar nicht möglich.

Meine ganze Familie läßt Sie herzlich grüßen und danken für die Grüße. Herzliche Grüße und alle guten Wünsche an die Ihren. *Ihr A. Čechov.*

Wenn doch bald Frühling wäre!

* oder, glaube ich, sogar geschrieben

176) AN A. S. SUVORIN MOSKAU, 3. 1. 1889

3. Jan.

Ich antworte auf Ihr Telegramm mit einem Brief, den Sie unbedingt am 4. Januar bekommen werden.

Soll die Babakina die Abarinova spielen, Šabelskij – Svobodin, den Doktor Lvov – Apollonskij. Ich bin einverstanden und danke Ihnen.

Davydov will den Lebedev spielen? Darüber wäre ich sehr froh. Aber wer spielt dann den Ivanov, wenn Sazonov nicht kann?

Ich habe mich sehr nett mit Ihrem Bahnhofsmädchen unterhalten, seitdem bekomme ich alle Ihre Sendungen aus der Dependance nicht mehr abends, sondern morgens. Bekommen habe ich das Exemplar der »Tatjana« mit den Änderungen und 2 Briefe, aber die Kopie des Monologs und Potechins Brief zur Besetzung habe ich nicht bekommen.

Bitten Sie Potechin, so schnell wie möglich ein Exemplar des »Ivanov« für mich abschreiben zu lassen und mir für die Änderungen zu schicken. Ich danke ihm sehr. Ich habe keine Kopie, sonst würde ich ihn nicht belästigen.

Meine Schwester ist wieder gesund und dankt.

Daß ich morgen nach Petersburg komme, ist eine Mystifikation. Man hat meinem Bruder offenbar einen Bären aufgebunden. Ich verlasse Moskau nicht ohne Sie.

Die »Novosti« sind unbegabt und trocken, darum haben sie auch 1100 Abonnenten verloren. Sie müssen mir 1500 R. Entschädigung dafür zahlen, daß ich in Petersburg keine Zeitung herausgebe.

Ich muß mich beeilen. Mein Bruder steht neben mir und wartet, wann er diesen Brief mitnehmen kann.

Natürlich, ich bin doch nicht mein Feind und will, daß mein Stück gespielt wird. Aber insgeheim muß ich Ihnen sagen, daß ich mein Stück nicht mag und bedaure, daß ich es geschrieben habe und nicht ein anderer, vernünftigerer Mensch.

Ich grüße die Ihren. *Ihr A. Čechov.*

Kümmern Sie sich um die Kopie! Ohne Kopie kann ich unmöglich irgendwelche Änderungen und Einschübe machen.

Weshalb hat man bei Ihnen kein Wort über »Dem Andenken Garšins« gesagt? Das ist ungerecht.

177) AN V. N. DAVYDOV MOSKAU, 4. 1. 1889

4. Jan. 89.

Bester Vladimir Nikolaevič! Vor allem wünsche ich Ihnen und Ihrer ganzen Familie nach christlichem Brauche Glück zum Neuen Jahr – Glück, Gesundheit, Geld und Erfolge.

Damit komme ich zur Sache. Mein verstorbener »Ivanov« ist, wie Sie wissen, exhumiert worden und unterliegt erneut der Expertise. Als die höheren Mächte eine Besetzungsliste von mir verlangten, habe ich, Ihrem Wunsch gehorchend, den Sie in einem unserer letzten Gespräche äußerten, geschrieben, daß den Ivanov unbedingt Sie spielen sollten. Gestern bekam ich von Suvorin ein Telegramm, in dem Aleksej Sergeevič mir mitteilt, daß Sie, Gerüchten zufolge, den Lebedev zu spielen wünschten. Jeder Ihrer Wünsche im Zusammenhang mit dem »Ivanov« ist für mich Gesetz. Wenn Sie zwei, drei Rollen auf einmal übernehmen wollten – mir bliebe nur, mich für mein Stück zu freuen. Also – es ist noch viel Zeit, wir können noch jede beliebige Änderung vornehmen. Wenn Sie tatsächlich den Lebedev spielen wollen, schreiben Sie mir. In meiner Besetzung hatte ich für die Rolle des Lebedev Hrn. Varlamov vorgesehen – das hatten Sie mir geraten. Da Hr. Varlamov darüber wahrscheinlich noch nicht in Kenntnis gesetzt worden ist, wird sich, glaube ich, keine peinliche Situation ergeben, wenn ich Ihren Wunsch erfülle.

Aber wer spielt dann den Ivanov? Hr. Sazonov ist, wie man sagt, mit einem anderen Stück beschäftigt.

Stimmt es, daß Sie bei Gamburger meinen »Bären« gespielt haben?

Ich komme am 20., 21. Januar oder erst am 22.

Den Gruß an Ananjev habe ich ausgerichtet.

Worüber soll ich noch schreiben? Neuigkeiten gibt es keine, die Fröste sind streng, Geld habe ich höllisch wenig, und schreckliche Hämorrhoiden; bei Korš geht es mit der Geschwindigkeit eines Kurierzugs bergab.

Richten Sie Ihrer Familie meinen Gruß aus und meinen herzlichen Dank für Brot und Salz. Einen Gruß an Pavel Pavlovič und die Aufforderung, meinen leidgeprüften »Ivanov« nicht auszischen zu wollen. Meine Familie läßt grüßen.

Ihr herzlich ergebener A. Čechov.

Kudrinskaja-Sadovaja, Hs. Korneev.

178) AN A. S. SUVORIN MOSKAU, 4. 1. 1889

4. Jan. 1889. Moskau.

Lieber Aleksej Sergeevič, ich schicke Ihnen für Fëdorov alle meine Einschübe und eine Korrektur. Wenn mein Stück eine halbe Stunde zu lange dauert, dann veröffentlichen Sie diesen Brief, damit alle wissen, wer daran schuld ist. Sie sind schuld! Wenn Sie nicht wären, gäbe es keine Einschübe.

Schreiben Sie mir Vor- und Vatersnamen von Fëdorov-Jurkovskij; ich will Sie nicht länger belästigen und werde meine Korrekturen direkt an die Adresse dessen schicken, der schuld ist an diesem Triumph. Sagen Sie ihm, daß weitere Einschübe und Korrekturen folgen, aber nur, wenn man mir eine Kopie meines Stückes schickt. Ich habe den IV. Akt nicht, fast nichts vom zweiten und nur ein Stück vom III. Bitten Sie ihn, die Korrekturen beim Exzerpieren der Rollentexte zu berücksichtigen. Ich schicke sie nicht jetzt zur Zensur, sondern um den 10., 15. zusammen mit den Korrekturen, die ich noch vornehmen werde. Ich habe mein Stück endgültig der Jungfräulichkeit beraubt!

Bitten Sie, daß man auf Anzeigen und Plakate setzt, man möge den Autor nicht vor Ende des Stückes vor den Vorhang rufen. Drei Akte werden glatt verlaufen, der IV. wird alle erschlagen.

Tatiščev hat Sie aufgefordert, sich der Politik zu ergeben und aufzuhören, sich mit Lappalien zu befassen? Oh, diese Diplomaten! Warum hat er dann selber »Hernani« übersetzt, warum sich abgemüht, einen himbeersüßen Dithyrambus auf »Tatjana Repina« zu schreiben? Warum verbeißt er sich nicht in die Savina? Ich versichere Sie, alle diese Leute würden sich gern, nur zu gern mit Lappalien befassen, wenn Gott ihnen das Zeug dazu gegeben hätte. Natürlich, die Politik ist eine interessante und attraktive Sache. Sie schreibt keine unabänderlichen Gesetze, redet fast immer verlogenen Unsinn, aber was Geschwätz, Klatsch und Raffinesse des Verstands betrifft, so ist sie unerschöpflich und liefert viel Material. Ich würde mich gern mit ihr befassen, würde sie auch Aleksej Alekseevič ans Herz legen, den es geradezu juckt nach ihr. Aber für Sie ist es keine Sünde, wenn Sie ihr gegenüber kalt bleiben. Sie haben in Ihrem Leben nicht wenig für sie getan. Sie sind jetzt Familienvater, haben Besitz, für Sie ist es das beste, sich den Künsten zu widmen, und sei es nur zum eigenen Vergnügen, auf das Sie längst ein Recht erworben haben. Es ist angenehm, im eigenen Palazzo zu sitzen und ein Stück zu schreiben oder die Werke Čechovs zu studieren! Ehrenwort, an Ihrer Stelle würde ich weder das Theater aufgeben, noch die Kunstkritik, noch N. Lavreckij! Mir ist es bei weitem angenehmer, ein neues Stück von Ihnen zu lesen, als zu hören, daß Sie den Engländern Persien abgewonnen haben. Wirklich, die Perser sind solche Idioten, und in Persien ist es so heiß, daß ich auf jede erdenkliche Weise den Engländern helfen würde, nicht umgekehrt.

Sie schreiben, das Theater ziehe Sie an, weil es dem Leben ähnlich sei... Wirklich? Meiner Meinung nach zieht das Theater Sie und mich an, Ščeglov dagegen hat es ausgedörrt, weil es eine Art Sport ist. Wo Erfolg und Mißerfolg sind, ist auch der Sport, ist das Glücksspiel.

Ich möchte, daß mein Stück inszeniert wird. Wer wollte das nicht? Die Hauptsache ist für mich natürlich das Geld, aber auch andere Details sind von Interesse. Ich werde z. B. sehr fröhlich bei dem Gedanken, daß Anna Ivanovna ironisch lachen wird über meinen Erfolg oder Mißerfolg, über mein Unvermögen, mich zu verbeugen, daß während der ersten Vorstellung Ščeglov und alle meine Freunde geheimnisvolle Gesichter aufsetzen werden, daß alle dunkelhaarigen Frauen in den Logen mir feindselig gesonnen erscheinen werden, die Blondinen dagegen kalt und unaufmerksam, daß die Herren Michnevič umherschleichen werden wie Schatten, mit roten Flecken im Gesicht – von der Schwüle und inneren Spannung, daß Grigorovič schon nach dem ersten Akt rufen wird: »Den Autor! den Autor!«, daß der Autor schon nach dem zweiten Akt Müdigkeit in den Schultern, Trokkenheit in der Kehle und den Wunsch verspüren wird, nach Hause zu fahren; ich werde fröhlich bei dem Gedanken, daß ich, aus dem Theater zurück, eine Menge von Einschüben und Korrekturen zu hören bekomme, die ich hätte vornehmen müssen, hören werde, daß Varlamov gut war, Davydov trocken, die Savina lieb, aber böse auf Dalmatov, weil der ihr diesmal auf den kleinen Finger der linken Hand getreten ist... Fröhlich, weil Anna Ivanovna sich schließlich mir zuwenden wird, der ich am wenigsten von allen über das Stück erzählt habe, und sagen:

– »Wie Sie mir auf die Nerven fallen mit Ihrem Stück! Den ganzen Tag ein und dasselbe, ein und dasselbe... Es gibt nichts Langweiligeres auf der Welt als Literaten!«

Und ich werde ihr eine gute Nacht wünschen, auf mein Zimmer gehen, Wein trinken und mich ins Bett rollen.

Bleiben Sie gesund. Ich grüße alle Ihre Angehörigen. »Tatjana« wird, wie es scheint, nicht am 16. Januar gespielt, sondern am 19. *Ihr A. Čechov.*

179) AN A.S. SUVORIN MOSKAU, 6. 1. 1889

6. Jan.

Ich bin ein schrecklich geschäftiger Mensch. Ich habe Sie mit Briefen überschüttet.

Ich war im Loskutnaja. Frei ist im Augenblick nichts, aber zum 10., 11. wird Nr. 7 leer, mit 3 Zimmern und einer kleinen Diele. Preis 8 Rubel pro Tag. Luftheizung. Ofenheizung gibt es nur im »Dresden«, wo die Minister absteigen. Wenn Sie mir einen Tag vor Ihrer Ankunft Bescheid sagen, dann erkundige ich mich im Loskutnaja und werde, wenn Sie frei ist, die Nr. 7 für Sie reservieren.

Die Arbeit kocht. Die 20 Expl. sind Rassochin ausgehändigt und bereits im Umlauf. (Sie hatten mir nicht 24 Expl. geschickt, sondern nur 22.) Ich habe Rassochin aus Prinzip 10 Rubel abgeknöpft – man soll diesem Menschen nichts schenken. Von diesen zehn gebe ich drei dem armen Schlucker, der immer aus der Dependance zu mir kommt: ein sehr eifriger Junge. Sieben für mich.

Aus Petersburg bekomme ich von mir unbekannten Personen weiblichen Geschlechts Briefe mit der Bitte, ihnen zu erklären, warum ich so und nicht anders schreibe. Sie legen Briefmarken für die Antwort bei. Die Marken behalte ich, Antworten schicke ich keine.

Es klingelt. Der Bote der Dependance hat 2 Expl. der »Tatjana« gebracht mit dem Vermerk auf dem Couvert: »Defekt, aber mit Bleistift von mir korrigiert.« Ich habe ihm 3 Rubel gegeben. Er ging bezaubert von dannen.

Wegen der zwei Exemplare habe ich ein bißchen überlegt und bitte um Erlaubnis, sie bis zu Ihrer Ankunft zurückhalten zu dürfen. Die Sache ist die, daß ich heute je ein Exemplar aus dem gestrigen Paket an Lenskij und die Nikulina geschickt habe, sie gebeten habe, anhand dieses Exemplars ihre Rollen zu verifizieren, und erklärt habe, daß es keine Korrekturen mehr geben werde. In den letzten beiden Exemplaren jedoch, die ich eben bekomme, finden sich die Korrekturen, die Sie in Ihrem Telegramm gemeint haben: »Mit den Korrekturen am Adašëv warten Sie.« Ich werde diese Korrekturen aufheben: Sie haben sie von Hand in eines jener Exemplare eingetragen, die vor 5, 6 Tagen ankamen.

Ich bitte Sie, mit neuen Korrekturen zu warten. Ich befürchte, daß die Schauspieler die Exemplare durcheinanderbringen und böse werden. Diese Leute wollen oft nicht verstehen und bringen oft alles durcheinander. Alle Korrekturen, die Sie in den eben erst erhaltenen Expl. vorgenommen haben, bringen Sie auf den Proben ein – das ist am leichtesten und bequemsten. Die Exemplare hebe ich auf, so daß Sie aus Petersb. nichts mitzubringen brauchen. Die Korrekturen an der Rolle Adašëvs sind so geringfügig, daß man sie Lenskij noch am Tag vor der Premiere sagen kann, ohne daß es zu spät wäre.

Kommen Sie so früh wie möglich. Ich habe Lenskij schon lange nicht mehr gesehen. Er spielt zweimal am Tag und soll todmüde sein.

Die hundert Rubel habe ich bekommen – danke.

Sagen Sie Aleksej Alekseevič, daß er »Tatjana Repina« in Moskau in der Butterwoche sehen kann; vorher soll er nicht kommen. Er soll auf mich warten, wir fahren dann zusammen von Piter nach Moskau.

Der Monolog gefällt mir. Sehr originell ist der Anfang. Viel Schablone: der Cousin, der Handschuh, das Photo, das aus der Tasche fällt, das Horchen... In Einaktern soll man *Unsinn* schreiben – darin liegt ihre Stärke. Machen Sie es so, daß die Frau ihn ernstlich verlassen will, – sie findet es langweilig und sucht neue Empfindungen, und er droht ihr ernstlich, ihrem zweiten Mann Hörner aufzusetzen... Das Gespräch über die Hörner ist gut. Das Horchen ist nicht nötig: der Mann kann doch nach Hause kommen, wenn die Frau den Brief geschrieben hat und kurz zu ihrer Freundin gefahren ist, um sich zu verabschieden, um danach zurückzukommen und das Gepäck zu holen. Die Sprache ist angemessen – so sollte sie sein.

Ich liebe Grigorovič sehr, glaube aber nicht, daß er Angst um mich hat. Er ist selber Tendenzschriftsteller und spielt nur den Feind der Tendenz. Mir scheint, ihn quält die beständige Furcht, das Wohlwollen der Menschen zu verlieren, die er liebt, – daher auch seine virtuose Unaufrichtigkeit. *Ihr A. Čechov.*

180) AN A. S. SUVORIN MOSKAU, 7. 1. 1889

Ich schicke Ihnen, Aleksej Sergeevič, noch 2 Varianten. Ich habe einige Änderungen vorgenommen, aber nur unwesentliche. Seien Sie so gut und schicken Sie sie an Fëdorov-Jurkovskij mit der Bitte, die entsprechenden Stellen im Stück auszutauschen.

Verzeihen Sie, daß ich Sie belästige. Sie sind ein vielbeschäftigter Mensch, ich bin im Vergleich zu Ihnen ein Nichtstuer.

Die Änderungen im IV. Akt mache ich, wenn ich die Kopie des Stücks bekommen habe.

Ich erwarte Sie in Moskau.

Ich grüße Anna Ivanovna, Nastja und Borja.

Ihr A. Čechov.

181) AN A. S. SUVORIN MOSKAU, 7. 1. 1889

7. Jan.

Ich schicke Ihnen das Papierchen, das ich Sie bitte mit Ihrer Unterschrift bekräftigt an mich zurückzuschicken. Als Mitglied der Gesellschaft gelten Sie vom 7. Januar an bis zu dem Tage, da genau 50 Jahre nach Ihrem Tode vergangen sind. Und dieses Vergnügen kostet nur 15 Rubel.

Ich habe Ihnen heute zwei Varianten zu meinem »Ivanov« geschickt. Wenn der Ivanov von einem wandlungsfähigen, energischen Schauspieler gespielt würde, würde ich Vieles hinzuschreiben und verändern. Mir ist die Hand freigeworden. Aber o weh! Den Ivanov spielt Davydov. Das bedeutet, ich muß so kurz und grau wie möglich schreiben, eingedenk der Tatsache, daß alle Feinheiten und »Nuancen« zu einem grauen Kreis verschmelzen und langweilig werden. Kann Davydov denn mal weich, mal rasend sein? Wenn er ernste Rollen spielt, dann sitzt ihm eine kleine eintönige und schwachklingende Mühle im Hals, die statt seiner spielt... Mir tut die arme Savina leid, daß sie die verreckte Saša spielen muß. Für die Savina würde ich mich von Herzen freuen, aber wenn Ivanov nur mümmelt, kann ich Saša umarbeiten, solange ich will, es kommt nichts dabei heraus. Ich schäme mich geradezu, daß die Savina in meinem Stück weiß der Teufel was spielen muß. Hätte ich seinerzeit gewußt, daß sie einmal die Saša und Davydov den Ivanov spielen würde, dann hätte ich mein Stück »Saša« genannt und alles Wesentliche auf dieser Rolle aufgebaut, und Ivanov hätte ich nur danebengestellt, aber wer konnte das wissen?

Ivanov hat zwei große, für das Stück schicksalhafte Monologe: einen im III. Akt, am Schluß des IV. den anderen... Den ersten muß er singen, den zweiten grimmig sprechen. Davydov kann beides nicht. Beide Monologe wird er »klug« sprechen, d. h. unendlich schlaff.

Wie heißt Fëdorov mit Vor- und Vatersnamen?

Ich würde mit großem Vergnügen in der Literarischen Gesellschaft ein Referat darüber halten, woher mir der Gedanke gekommen ist, den »Ivanov« zu schreiben. Ich würde öffentlich beichten. Ich hatte den vermessenen Traum gehegt, all das zu summieren, was bisher über die jammernden und melancholischen Menschen geschrieben worden ist, und diesem Schreiben mit meinem »Ivanov« ein Ende zu setzen. Mir war, als hätten alle russischen Belletristen und Dramatiker die Notwendigkeit verspürt, einen entmutigten Menschen zu zeichnen, und alle hätten instinktiv geschrieben, ohne bestimmte Bilder und Ansichten von der Sache. Mit der Idee habe ich annähernd ins Schwarze getroffen, aber die Ausführung taugt überhaupt nichts. Ich hätte warten sollen! Wie bin ich froh, daß ich vor 2, 3 Jahren nicht auf Grigorovič gehört und keinen Roman geschrieben habe! Ich kann mir vorstellen, wieviel Gutes ich verdorben hätte, wenn ich auf ihn gehört hätte. Er sagt immer: »Talent und Frische wiegen alles auf.« Talent und Frische können vieles verderben – das stimmt eher. Außer einem Überfluß an Material und Talent braucht man noch etwas nicht weniger Wichtiges. Man braucht Reife – das zum ersten; zweitens braucht man unbedingt das *Gefühl der persönlichen Freiheit,* und dieses Gefühl begann erst vor kurzem in mir aufzuflackern. Vorher hatte ich es nicht; dies wurde erfolgreich durch meinen Leichtsinn, meine Nachlässigkeit und meine Nichtachtung der Arbeit ersetzt.

Was die adeligen Schriftsteller von der Natur umsonst bekommen haben, das erkaufen sich die Raznočinzen mit dem Preis ihrer Jugend. Schreiben Sie doch mal eine Erzählung darüber, wie ein junger Mensch, Sohn eines Leibeigenen, seinerzeit Ladenschwengel, Kirchensänger, Gymnasiast und Student, erzogen zur Ehrfurcht vor Ranghöheren, zum Küssen von Popenhänden, zur Verbeugung vor fremden Gedanken, zur Dankbarkeit für jedes Stückchen Brot, oft verprügelt, ohne Galoschen zum Unterricht gegangen, der sich geprügelt hat, Tiere gequält hat, gern bei reichen Verwandten gegessen hat, ohne Notwendigkeit geheuchelt hat vor Gott und den Menschen, nur aus dem Bewußtsein seiner Minderwertigkeit, – schreiben Sie, wie dieser junge Mensch tropfenweise den Sklaven aus sich herauspreßt und wie er eines schönen Morgens aufwacht und spürt, in seinen Adern fließt kein Sklavenblut mehr, sondern echtes, menschliches...

In Moskau gibt es den Dichter Palmin, einen sehr geizigen Menschen. Neulich hat er sich den Kopf aufgeschlagen, und ich habe ihn behandelt. Heute, als er zum Verbinden kam, brachte er mir ein Fläschchen echtes Ilang-Ilang mit, das 3 R. 50 K. kostet. Das hat mich gerührt.

Nun denn, bleiben Sie gesund und verzeihen Sie den langen Brief.

Ihr A. Čechov.

182) AN F. A. FËDOROV-JURKOVSKIJ MOSKAU, 8. 1. 1889

8. Januar.

Sehr geehrter

Fëdor Aleksandrovič.

M. G. Savina hat sich einverstanden erklärt, in meinem Stück die Saša zu spielen, die Rolle der Saša ist jedoch überaus blaß und stellt für die Bühne ein armseliges Material dar. Als ich sie vor 1 – 1½ Jahren schrieb, maß ich ihr keine besondere Bedeutung bei. Jetzt dagegen, angesichts der Ehre, die M. G. meinem Stück erweist, habe ich beschlossen, diese Rolle radikal umzuarbeiten, und habe sie stellenweise bereits so stark umgearbeitet, wie es der Rahmen des Stückes gerade noch erlaubte. Ich bitte Sie dringend, mit dem Exzerpieren der Rollen sich nicht zu beeilen und mir *so bald wie möglich* eine Kopie meines Stückes zu schicken. Die Rolle für den III. Akt ist bereits fast fertig, für den IV. könnte ich sie machen, wenn ich das Stück zur Hand hätte. Alle Korrekturen und Varianten bekommen Sie zwei Tage nachdem ich das Stück bekommen habe.

Wenn ich also die Kopie am 15. bekomme, werden Ihnen die Korrekturen am 17. zugestellt, nicht später. Allerdings wäre wünschenswert, wenn ich die Kopie noch eher bekäme.

Alle Korrekturen und Varianten gehen rechtzeitig durch die

Zensur. In dieser Beziehung können Sie ganz beruhigt sein. Ich halte sie nicht zurück.

Meine Adresse: »Moskau, Kudrinskaja-Sadovaja, Hs. Korneev.« Die Kopie des Stückes schicken Sie bitte als eingeschriebenes Streifband an diese Adresse, oder schicken Sie sie an Suvorin mit dem Vermerk: »Zur eiligen Weitergabe an A. P. Čechov.«

Hochachtungsvoll A. Čechov.

183) AN A. S. SUVORIN MOSKAU, 8. I. 1889

8. Jan.

Ich schicke Ihnen, Aleksej Sergeevič, einen Brief der Nikulina. Ich habe ihr geantwortet, der Regisseur werde das Gewünschte bis zum 12. Januar bekommen. Behalten Sie dies im Auge und bringen Sie bald die von der Zensur genehmigten Monologe mit. Ihr Stück wird am 16. gespielt, was ich Ihnen heute telegraphisch mitgeteilt habe. Es kann geschehen, daß es verschoben wird.

Wegen der Proben habe ich der Nikulina geantwortet: »Nach dem 10. Januar wird Aleksej Sergeevič persönlich anwesend sein und alle Sie interessierenden Fragen beantworten.« Mich lädt man zu den Proben ein, nicht weil man Ratschläge haben wollte, sondern wegen Kürzungen, Konzessionen usw. Ich werde nur dann auf die Proben gehen, wenn Sie selbst aus irgendeinem Grunde vor der Premiere nicht kommen können, was, wie ich hoffe, nicht geschehen wird. Ich würde ja morgen hingehen, fürchte aber, Verwirrung zu stiften und dem Gesang der Sirenen zu erliegen.

Lenskij hat offenbar den richtigen Ton getroffen und wird *gut* spielen. Ich war heute bei ihm. Er war zornig, ereiferte sich und trug mir Stellen aus den Monologen vor. Zornig ist er, weil in seiner Rolle wenig sprachliche Bewegung ist, weil Sie ihn im III. Akt die Scherben einer Porzellanvase auflesen lassen. Die Scherben wird er nicht auflesen (niemand kümmert sich darum), sondern mit dem Fuß beiseite stoßen. Zornig ist er über das Wortspiel mit dem Pionier. Mit einem Wort, er hat sich voller

Zorn über die Rolle hergemacht und wird sie mit Feuer spielen. Er und die Ermolova giften sich im I. Akt an: »Ich zu ihr: brrr!... Sie zu mir: brrr!« Ich sagte, so solle es ja auch sein. Er hat offenbar Angst vor sich selber; aber ich habe ihn beruhigt. Ich habe ihm gesagt, daß mir der I. Akt weder beim Lesen noch auf der Probe gefallen habe – mich hätten sein feuilletonistischer Charakter und seine Trockenheit erschreckt, ich sei aber in der Vorstellung verblüfft gewesen von der seltenen Aufmerksamkeit, mit der das Publikum diesem Akt zugehört habe. Ich sagte es ihm ehrlich, und er wurde heiter und hörte auf zu zürnen. Er ist ein Schauspieler, mit dem man reden und streiten kann. Von Kürzungen kein einziges Wort. Ich habe *gut* daran getan, daß ich die letzte Korrektur für mich behalten habe. Die Schauspieler erschrecken nur. Lassen Sie sie erst einmal ihre Rollen begreifen und auswendig lernen, dann können Sie noch eine Million Korrekturen anbringen. Dann haben die Schauspieler für Korrekturen und Varianten einen Hintergrund im Kopf, der einstweilen noch nicht da ist.

Kommen Sie unbedingt und in jedem Fall. Ich flehe Sie an. Wenn Ihnen, weil Sie Petersburg verlassen, Einbußen und Verluste entstehen, sagen Sie im Kontor, sie sollten sie auf meine Rechnung setzen: 10 Jahre werde ich umsonst arbeiten. Wenn Sie nicht kommen, zerstören Sie alle meine Pläne! Übergeben Sie die Zeitung Aleksej Alekseevič und dann mit Gott! Sie müssen sich ausruhen und sich Moskau näher ansehen.

Ich warte auf die Kopie meines Stücks. Ich habe Fëdorov einen schmeichlerischen Brief geschrieben mit der Bitte, sich mit dem Kopieren des Stücks zu beeilen. Sonst wird vieles nicht korrigiert. Wissen Sie was? Saša läuft bei mir im III. Akt wie ein Brummkreisel – so habe ich sie verändert! Ganz für die Savina. Sagen Sie der Savina, daß es mir so schmeichelt, daß sie in meinem Stück eine so blasse und undankbare Rolle übernehmen will, so schmeichelt, daß ich mein Leben daransetze und die Rolle radikal verändere, soweit es der Rahmen des Stückes erlaubt. Die Savina wird bei mir wie ein Brummkreisel laufen, aufs

Sofa springen, und Monologe halten. Damit das Publikum vom Gejammer nicht erschlagen wird, habe ich in einer Szene einen fröhlichen, lachenden, strahlenden Ivanov dargestellt, und mit ihm eine fröhliche Saša ... Das ist doch nicht daneben? Ich glaube, ich habe den Punkt getroffen ... Aber wie schwer es doch ist, vorsichtig zu sein! Ich schreibe und zittere bei jedem Wort, um die Figur des Ivanov nicht zu verderben.

Lassen Sie uns im Sommer zusammen ein Stück schreiben! Jetzt haben wir Erfahrung. Wir haben den Teufel am Schwanzende gepackt. Ich glaube, mein »Waldschrat« wird unvergleichlich viel feiner als der »Ivanov«. Man darf nur nicht im Winter schreiben, unter dem Eindruck von Gesprächen, von Stadtluft, sondern im Sommer, wenn einem alles, was mit Stadt und Winter zu tun hat, komisch und unwichtig vorkommt. Schreiben Sie nie ein Stück im Winter; schreiben Sie keine Zeile fürs Theater, wenn dieses nicht 1000 Verst weit von Ihnen entfernt ist. In Winternächten kann man Novellen schreiben und Romane, was ich auch tun werde, wenn ich klüger geworden bin.

Der Herr beschütze Sie und Ihre ganze Familie! Wenn Sie nicht kommen, bleiben Sie ohne meinen Segen! Kommen Sie, ich flehe Sie an! Alle Meinigen lassen grüßen. *Ihr A. Čechov.*

184) AN A. N. PLEŠČEEV MOSKAU, 15. 1. 1889

15. Jan.

Seien Sie gegrüßt, lieber Aleksej Nikolaevič! Ich schreibe Ihnen, nachdem ich eine Zuchthausarbeit hinter mich gebracht habe. Ach, weshalb haben Sie im Komitee nur meinen »Ivanov« genehmigt? Welche witzlosen Teufel haben Fëdorov verleitet, zu seinem Benefiz mein Stück zu inszenieren? Ich bin zu Tode erschöpft, und kein Honorar kann die Zuchthausanstrengung aufwiegen, die ich in der letzten Woche verspürt habe. Früher habe ich meinem Stück keine Bedeutung beigemessen und mich ihm gegenüber mit herablassender Ironie verhalten: es ist geschrieben, nun denn, zum Teufel damit. Jetzt dagegen, wo es plötzlich unerwartet ins Werk gesetzt wurde, habe ich begriffen, wie schlecht es gearbeitet ist. Der letzte Akt ist niederschmetternd schlecht. Die ganze Woche habe ich mich mit dem Stück herumgeschlagen, habe Varianten gekritzelt, Korrekturen, Einschübe, habe eine neue Saša gemacht (für die Savina), den IV. Akt bis zur Unkenntlichkeit verändert, an Ivanov selbst gefeilt und mich so zu Tode erschöpft, daß ich mein Stück zu hassen begann, und zwar so sehr, daß ich bereit war, mit den Worten Keans zu enden: »Verdrescht Ivanov, verdrescht ihn!«

Nein, ich beneide Jean Ščeglov nicht. Ich begreife jetzt, weshalb er so tragisch lacht. Um für das Theater ein gutes Stück zu schreiben, muß man besonderes Talent besitzen (man kann ein sehr guter Belletrist sein und gleichzeitig Stücke schreiben wie ein Schuster); ein schlechtes Stück schreiben und sich dann bemühen, ein gutes daraus zu machen, sich auf alle möglichen Kunststückchen einlassen, durchstreichen, hinzuschreiben, Monologe einfügen, Tote zum Leben auferwecken, Lebenden das Grab schaufeln – dazu braucht man bei weitem größeres Talent.

Das ist genauso schwer wie ein Paar alte Soldatenhosen zu kaufen und sich, koste es was es wolle, zu bemühen, daraus einen Frack zu machen. Daraus wird kein tragisches Lachen, sondern Pferdegewieher.

Ich komme am 21. oder 22. Januar nach Piter. Zuallererst komme ich zu Ihnen. Wir sollten einen Abend gemeinsam verbringen und Claret trinken. Ich kann Claret jetzt endlich trinken. Vodka wird mir von Tag zu Tag widerlicher, Bier trinke ich keins, Rotwein mag ich nicht, bleibt also nur der Champagner, den ich, solange ich keine reiche Hexe heirate, durch Claret oder ähnliches ersetzen muß.

Wenn ich fertig bin mit meinem »Bolvanov«, setze ich mich hin und schreibe für den »Sev vestnik«. Belletristik ist eine ruhige und heilige Sache. Die erzählerische Form ist die gesetzliche Ehefrau, die dramatische eine effektvolle, laute, freche und ermüdende Geliebte.

Den »Ivanov« werde ich im »Sev. vestnik« *nicht* drucken.

Ich bin völlig ohne Geld. Ich lebe von der Wohltätigkeit meines »Bären« und Suvorins, der mir für die »Billige Bibliothek« für 100 Rubel Erzählungen abgekauft hat. Möge die Vorsehung sie beide behüten!

Suvorin ist gerade in Moskau. Er bringt seine »Tanja« auf die Bühne. Lenskij spielt den Adašëv wunderbar. Ich bin überzeugt, alle Moskauer Damen werden sich, nachdem sie Lenskij als Adašëv gesehen haben, Journalisten zu Liebhabern nehmen. Lenskij ist leidenschaftlich, feurig, effektvoll und ungewöhnlich sympathisch. Das ist gut. Das Publikum soll Journalisten nicht als Karikaturen sehen und nicht in der quälend-klugen Verpackung Davydovs, sondern im rosigen, dem Auge angenehmen Licht. Die Ermolova als Tatjana ist sehr gut.

Ich schreibe ein bißchen an meinem Roman. Ob etwas dabei herauskommt, weiß ich nicht, aber wenn ich daran schreibe, kommt es mir so vor, als läge ich nach einem guten Essen im Garten im frischgemachten Heu. Eine wunderbare Erholung. Ach, erschießen Sie mich, wenn ich den Verstand verliere und mich mit Dingen abgebe, die nicht die meinen sind!

Wo ist Georgik? Sagen Sie ihm, daß ich mich freuen würde, ihn am 26. Januar im Theater zu sehen. Soll er lernen, wie man Stücke schreibt. Bei der Gelegenheit kann er sich mit Material für die sommerlichen Gespräche versehen. Eine Karte verschaffe ich ihm.

Rassochin hat den Garšin-Almanach bekommen. Ich die drei Rubel. Ich bin ein ehrlicher Mensch: ich werde sie zurückgeben. Einen herzlichen Gruß an Ihre Familie. Wenn Nikolaj Alekseevič immer noch im Gefängnis sitzt, dann meinen Gruß auch an den Gefangenen! Alle Meinigen lassen Sie grüßen.

Ihr A. Čechov.

185) AN A.S. SUVORIN MOSKAU, 4. 2. 1889

4. Febr.

Lieber Aleksej Sergeevič, ich schicke Ihnen ein Dokument, dessen Wert nur darin besteht, daß es ein Autograph des großen Špažinskij ist.

Langweilig ist mir und traurig, und niemand, dem die Hand ich reichen könnte. Aus der Atmosphäre des bengalischen Feuers bin ich in eine halbdunkle Vorratskammer geraten und halte mich versteckt. Ich vernehme stark den Ruf zu meiner bescheidenen und schüchternen Belletristik, spüre aber im ganzen Körper eine derartige Faulheit, daß es einfach schlimm ist. Ich koste den Katzenjammer aus.

Nun denn, unsere Saison ist zu Ende. Wir können uns jetzt bis zum nächsten Winter auf unseren Lorbeeren ausruhen, bis uns der Teufel erneut gegen den Ellbogen stößt und uns allen möglichen Unsinn ins Ohr flüstert.

Ich habe Ihre Rezension noch nicht gelesen, ahne sie aber voraus. Ich bin ein bis über beide Ohren ehrgeiziger Mensch, und darum werden Sie verstehen, welche Bedeutung eine Rezension für mich hat, die ein solcher General der Literatur geschrieben hat wie Sie.

Auf meinem Bauernhof werde ich sie eingerahmt an die Wand hängen – das sage ich in vollem Ernst, und wenn ich einmal Kinder und Enkel habe, werde ich mich vor ihnen brüsten: »Über mich hat Suvorin geschrieben.« Sie sind an sich gewöhnt, Sie spüren Ihren hohen Wuchs nicht mehr und werden darum wahrscheinlich nicht verstehen, warum die Schauspieler Angst vor Ihnen haben und nachts ins Kissen beißen, wenn Sie sie beschimpfen oder nicht beachten

Sagen Sie Anna Ivanovna, daß ich den Gleichgültigen nur gespielt habe und schrecklich aufgeregt war. Die Aufmerksamkeit, mit der sie dem Stück zugehört hat, wirkte auf mich wie k a l i u m b r o m a t u m. Während der Vorstellung habe ich nur zwei gesehen: sie und Repin. Warum? Ich weiß es nicht.

Ich wiederhole meine Bitten, mit denen ich Ihnen, wie ich hoffe, noch nicht auf die Nerven falle. 1) Schicken Sie mir die »Kinder« zur Korrektur. 2) Schicken Sie mir die Photos, die Sie von Jurkovskij bekommen, und die von Šapiro; von den letzteren so viele wie möglich, weil die Schauspieler darum gebeten haben. Vergessen Sie nicht, auch das Gruppenbild zu schicken. 3) Das Französische Wörterbuch – ein Bestechungsgeld für mein Wohlverhalten.

Maslov nennt die Schauspieler Geier und niedrige Menschen. Das kommt, weil sie noch nie in seinen Stücken gespielt haben. Nachdem die Schauspieler meinen »Ivanov« gespielt haben, sind sie alle Verwandte von mir. Sie sind mir so nahe wie die Patienten, die ich behandelt habe, oder die Kinder, denen ich einmal Unterricht gegeben habe. Ich kann nicht vergessen, daß die Strepetova nach dem III. Akt geweint hat und daß alle Schauspieler vor Freude ganz verwirrt herumgeschlichen sind wie Schatten; vieles kann ich nicht vergessen, obwohl ich früher die Grausamkeit besaß zu meinen, es sei für einen Literaten unanständig, Arm in Arm mit einem Schauspieler auf die Bühne zu gehen und sich vor dem applaudierenden Publikum zu verbeugen. Zum Teufel mit der aristokratischen Gesinnung, wenn sie verlogen ist.

Ich danke Ihnen nochmals für die Gastfreundschaft und freundliche Aufnahme. Ich grüße Nastjuša und die Knaben. Ich entschuldige mich bei Aleksej Alekseevič, daß ich mich nicht mehr von ihm und seiner Frau habe verabschieden können. Bleiben Sie gesund. *Ihr A. Čechov.*

186) AN A.S. SUVORIN MOSKAU, 6. 2. 1889

6. Februar.

Ihre Idee, die Worte von der Verleumdung an eine andere Stelle zu setzen, ist Ihnen zu spät gekommen, ich finde sie gut, kann sie aber nicht verwenden. Das einzige, was ich gegenwärtig für das Theater tun kann, ist – für mein Stück Honorar in Empfang zu nehmen, allem anderen gegenüber empfinde ich Übersättigung. Umzuarbeiten, hinzuzufügen, ein neues Stück zu schreiben kommt mir derzeit so geschmacklos vor, wie die Suppe nach einem guten Diner zu essen. Die Zukunft, in der ich mich an den »Waldschrat« und an Vaudevilles begeben werde, erscheint mir entfernter denn je.

Die Nadel, die Sie in meine Autoreneitelkeit gepiekt haben, ertrage ich gleichgültig. Sie haben recht. In meinem Brief ist mein Ivanov wahrscheinlich klarer als auf der Bühne. Das kommt, weil ein Viertel der Rolle Ivanovs gestrichen ist. Ich gäbe gern die Hälfte meines Erfolges dafür, wenn man mir erlaubte, mein Stück doppelt so langweilig zu machen. Das Publikum nennt das Theater eine Schule. Wenn die Leute keine Pharisäer sind, dann sollen sie sich mit der Langeweile abfinden. In der Schule *ist* es doch nicht lustig.

In meinem kommodengleichen Hause gibt es viele Neuigkeiten. Das Stubenmädchen Olga heiratet; der weiße Kater, den Sie kennen, ist weggelaufen; der Student hat ein geschwollenes Auge; Serëža Kiselëv bekommt dauernd schlechte Noten in Latein; aus Novočerkassk zurückgekehrt ist die Nichte unseres Hauswirts Korneev, das Kosakenmädchen Zinočka, das in den Nächten zu Gott betet, daß ich mich in keine andere Frau verliebe. Usw. usf.

Mein Herz ist voll der Trägheit und dem Gefühl der Freiheit. Das ist das Blut, das prickelt vor dem Frühling. Trotzdem gehe ich meiner Arbeit nach. Ich stelle das Material für das dritte Buch zusammen. Streiche mitleidlos. Merkwürdig, ich habe zur Zeit eine Manie für alles, was kurz ist. Was ich auch lese, Eigenes und Fremdes – alles kommt mir nicht kurz genug vor.

Heute habe ich Aleksej Alekseevič eine Erzählung für den »Stoglav« geschickt. Soll es ihm eine Lehre sein. Wenn er ehrerbietig mit mir umgeht, schicke ich ihm auch nächstes Jahr eine. Erzählungen habe ich wie Sand am Meer.

Noch einen Auftrag, den Sie nicht zu erledigen brauchen. Wenn Sie auf den Trödelmarkt gehen, um sich Möbel zu kaufen, nehmen Sie doch für mich die Balalajka (Mandoline) mit, die wir an der Tür des einen Möbelladens hängen sahen. Ich gebe Ihnen die zehn Rubel zurück. Schicken Sie sie mir bei Gelegenheit über die Dependance. Im Sommerhaus und auf dem Bauernhof wird sie gute Dienste tun.

Aber wie die kleine Presse meinen »Ivanovs« zerzaust! In allen Tonarten, so als wäre er nicht Ivanov, sondern Boulanger.

Ich grüße herzlich Anna Ivanovna, Nastjuša und Borja. Die m-lles Emily und Adèle mögen entschuldigen, daß ich mich nicht von ihnen verabschiedet habe. Sagen Sie ihnen, ich sei nicht hingegangen aus Angst, sie könnten zu weinen anfangen.

Ich schreibe diesen Brief, während in Piter der zweite Akt meines »Ivanovs« gespielt wird. Nun denn, bleiben Sie gesund und munter. *Ihr A. Čechov.*

187) AN A.S. SUVORIN MOSKAU, 8. 2. 1889

8. Februar.

Die Rezension ist sehr schön; ich kann sie nicht in Gold, nicht in Diamanten aufwiegen, sondern nur mit meinem Herzen. Meine tiefe und ehrliche Überzeugung: ich habe mehr bekommen als verdient.

Heute kam Ihr Brief, in dem Sie von Ihrem Gespräch mit Žitel schreiben. Sie sind der Meinung, ich sollte meinen Ivanov nicht als »fertig« ansehen. Ich bitte Sie, versetzen Sie sich in meine Lage, so als wären Sie Autor meines Stückes, damit Ihr Gefühl Ihnen sagt, wie unrecht Sie haben. Was wäre, wenn man Chlestakov und Čackij ebenfalls als nicht »fertig« ansähe? Wenn mein Ivanov nicht jedem klar wird, so deshalb, weil alle vier Akte von ungeschickter Hand gemacht sind, nicht aber deshalb, weil ich meinen Helden als »fertig« angesehen hätte. Tolstojs Helden werden als »fertig« angesehen; ihre Vergangenheit und ihre Physiognomien sind unbekannt, man errät sie nur aus Andeutungen, aber Sie werden doch nicht sagen, daß diese Helden Sie unbefriedigt gelassen hätten. Der Kernpunkt liegt in den Dimensionen des Talents des Autors – da ist Hund begraben. Die Konturen meines Ivanovs sind richtig, angefangen ist er, wie es sein soll, – mein Gefühl spürt da kein Fehl; verdorben hat ihn die Kolorierung, und weil die Farben schlecht sind, geben Sie den Konturen die Schuld.

Die Frauen sind in meinem Stück überflüssig. Meine Hauptsorge war zu verhindern, daß die Weiber das Zentrum der Schwerkraft an sich ziehen, das nicht in ihnen sitzt. Wenn es mir gelungen wäre, sie schön zu machen, so sähe ich meine Aufgabe in bezug auf sie als ganz und gar nicht erfüllt an. Frauen hatten Anteil am Untergang Ivanovs... Na und? Muß man sich lange damit aufhalten, diesen Anteil zu erklären, der klar ist und schon tausendmal vor mir traktiert worden ist?

Ich bekomme zu meinem »Ivanov« anonyme und nichtanonyme Briefe. Ein Sozialist (offenbar) äußert in seinem anonymen Brief Unmut und macht mir einen bitteren Vorwurf; er schreibt, daß ein junger Mensch nach meinem Stück ums Leben gekommen sei, daß mein Stück schädlich sei u. ä. Alle Briefe interpretieren den »Ivanov« gleich. Anscheinend haben sie ihn verstanden, worüber ich mich sehr freue.

Der Mann aus Kazan hat Sie belogen. »Tanja Repina« ist abgesetzt, nur weil die Ermolova müde ist. Ein Riesenerfolg. Für jede Loge sind schon hundert Anwärter vornotiert – das sagt Lenskij, bei dem ich heute war.

Irgendeine Psychopathin aus der Provinz ist mit Tränen in den Augen durch die Tretjakovgalerie gelaufen und bat mit bebender Stimme, ihr die Tatjana *Repins** zu zeigen, von der sie so viel gehört hatte und von der sie sich in Hysterie versetzen lassen wollte.

Das gesamte denkende Moskau bezichtigt Sie der vorgefaßten Absicht, auf schlechten, verachtenswerten Nerven zu spielen. Man stellt Sie sich als einen sehr verschlagenen Menschen vor und begreift nicht, daß es die Ermolova ist und nicht Sie. Es gehen viele Gerüchte. Ich habe früher einmal erklärt, daß ich meinen »Ivanov« niemandem in Moskau geben würde (obwohl ihn auch niemand haben will), und dieser mein Beschluß ist unumstößlich. Ich hasse es, wenn Moskau anfängt zu diskutieren, auf seine

Weise zu verstehen, zu urteilen... Ich werde dagegen kämpfen. Natürlich ist es komisch, einen Elefanten mit einer Stecknadel erstechen zu wollen, aber trotzdem, Sie können, wenn ich sterbe, in meinem Nekrolog dann schreiben, daß er ein Mensch war, der diese Köchin nicht akzeptiert hat. Streiten Sie nicht mit mir. Wenn mein Starrsinn dumm ist, so erlauben Sie mir, dumm zu sein – das schadet ja niemandem.

Es ist gut möglich, daß meine Schwester in der Butterwoche nach Piter kommt.

Potechin setzt meinen »Ivanov« nur zweimal an, – und das auch noch morgens! Warum hat er Küsse mit mir getauscht? Ist das eine Enttäuschung! Ich hatte mit Tausend gerechnet, und bekommen werde ich 600–700... Das reicht nicht mal für eine Prise Tabak. Offenbar mißfällt es dem Himmel, daß ich einen Bauernhof kaufe.

Ich habe böse Hämorrhoiden, die ich durch langes Sitzen und Blutungen unterhalte. Ich sollte aufhören, mein Herz am Wein zu erfreuen, aber das täte mir doch leid.

Ich grüße Anna Ivanovna, Nastja und Borja. Bleiben Sie gesund und vergessen Sie nicht Ihren Ihnen ergebenen

Doktor Toto.

* Genitiv.

188) AN V. A. TICHONOV MOSKAU, 10. 2. 1889

Lieber Dramatiker, ich kann beim besten Willen, das Debüt des Kritikers Tichonov würdig zu begehen, Ihnen kein einziges herzliches Wort sagen, da die »Nedelja« in Moskau eine solche Seltenheit darstellt wie ein weißer Elefant. Ich habe sie nirgends auftreiben können. Wollen Sie sich nicht bemühen, mir die Nr. zu schicken, in der Ihre Rezension steht? Ich werde sie lesen und dem Haufen Rezensionen einverleiben, der in meinem Archiv die umfangreiche »Affäre Ivanov« bildet.

Soweit ich es aufgrund derjenigen Ihrer Theaterstücke beurteilen kann, die ich auf der Bühne gesehen habe, wird aus Ihnen wohl kaum je ein Theaterkritiker werden. Sie sind ein weicher, empfindsamer, nachgiebiger Mensch, der zu Trägheit neigt, zu starken Gefühlen, und all diese Eigenschaften taugen nicht für einen strengen unparteiischen Richter. Um eine Kritik schreiben zu können, muß man im Herzen ein bißchen jenes pockennarbige Weib sein, das Sie so mitleidlos prügelt. Wenn Suvorin ein schlechtes Stück sieht, dann *haßt* er den Autor, wir dagegen, Sie und ich, ärgern uns nur und kritteln daran herum; daraus schließe ich, daß Suvorin zum Richter taugt und zum Treiber; wir dagegen (ich, Sie, Ščeglov u. a.) sind von der Natur so geschaffen, daß wir nur zu den zu Verurteilenden und den Hasen taugen. Eine andere Klarheit hat die Sonne, eine andere Klarheit hat der Mond...

Schreiben Sie lieber ein Referat und tragen Sie es in der Gorochovaja vor. Sujets gibt es viele.

Vom vielen Trinken in Piter habe ich mir Generalshämorrhoiden zugelegt, durch die ich ziemlich viel Blut verliere. Wehe, Rausch und Lorbeer werden nicht umsonst gegeben!

Nun denn, bleiben Sie gesund und munter. Einen Gruß an Ihren Bruder und die gemeinsamen Bekannten.

Ihr A. Čechov.

10. Febr.

Ich habe kein Briefpapier mehr!

189) AN A. M. EVREINOVA MOSKAU, 17. 2. 1889

17. Febr.

Sehr verehrte Anna Michajlovna!

Ich bin auf Ihre Druckerei böse wie der Teufel. Ich hatte beabsichtigt, die Butterwoche auf dem Lande zu verbringen, und damit gerechnet, daß ich die »Ivanov«-Korrektur am Sonntag oder Montag bekäme und danach frei wäre, aber es kam anders: die Druckerei schickte mir die Korrekturfahnen in kleinen Dosen, stündlich je einen Eßlöffel; heute ist Freitag (abend), und den vierten Akt und den Schluß des dritten habe ich noch immer nicht bekommen und nicht gelesen – und habe auf diese Weise die ganze Woche in Erwartung der Korrektur in Moskau verbracht. Meinetwegen, wenn ich unzuverlässig wäre oder die Korrektur zu lange behalten würde, aber ich habe mich doch unter Volldampf beeilt, mein Leben nicht geschont und die Fahnen jeweils am Tag des Erhalts wieder zurückgeschickt... Wirklich, da wird man, ohne es zu wollen, zum Sozialisten und empört sich über die Zustände.

Nachdem ich meinen gerechten Zorn ausgeschüttet habe, bitte ich Sie um Entschuldigung, daß ich Ihnen mit meinem »Ivanov« so auf die Nerven falle.

Ich gelange mehr und mehr zu der Überzeugung, daß Autoren unbedingt Korrektur lesen müssen.

Die Meinen lassen grüßen. Ich wünsche Ihnen alles Gute und bleibe, wie immer, Ihr aufrichtig ergebener *A. Čechov.*

Am Sonntag habe ich Ihnen durch einen Schaffner die Korrektur des I. und 1/2 II. Aktes geschickt sowie einen Brief an Krjukovskij. Haben Sie sie bekommen?

190) AN I. L. LEONTJEV-ŠČEGLOV MOSKAU, 18. 2. 1889

18. Februar.

Lieber Jean, ich danke Ihnen für die »Herren Theaterfreunde«, die ich bekommen habe. Ein Exemplar habe ich meinem Bruder, dem Pädagogen gegeben, das andere meiner öffentlichen Bibliothek einverleibt (ich nenne sie öffentlich, weil sie von der Öffentlichkeit sehr fleißig bestohlen wird).

In Ihrem Brief trösten Sie mich wegen meines »Ivanovs«. Ich danke Ihnen, versichere Sie aber mit meinem Ehrenwort: ich bin ruhig und vollkommen zufrieden mit dem, was ich getan und bekommen habe. Ich habe getan, was ich konnte und vermochte, – also habe ich recht: die Bäume wachsen nicht in den Himmel; ich habe bekommen mehr als verdient, mehr als nötig gewesen wäre. Nicht einmal Shakespeare hat solche Reden zu hören bekommen wie ich. Was zum Waldschrat brauche ich mehr? Und wenn sich in Piter hundert Leute finden, die die Achseln zucken, verächtlich lächeln, mit dem Kopf nicken, mit Schaum vorm Mund schimpfen oder heuchlerisch lügen – ich sehe dies alles ja nicht, mich kann es nicht beunruhigen. In Moskau riecht es nicht nach Petersburg. Ich sehe täglich hundert Leute, höre aber kein Wort über den »Ivanov«, als hätte ich dieses Stück nie geschrieben, und die Ovationen und Erfolge von Piter erscheinen mir wie ein unruhiger Traum, aus dem ich herrlich ausgeschlafen erwacht bin.

Apropos Erfolg und Ovationen. All das ist so laut und befriedigt so wenig, daß man im Endeffekt nichts verspürt als Ermüdung und den Wunsch, wegzulaufen, wegzulaufen...

Mein Kopf ist voll von Gedanken an den Sommer und an die Ferien. Tag und Nacht träume ich von dem Bauernhof. Ich bin nicht Potëmkin, sondern Cincinnatus. Im Heu zu liegen und einen Barsch an der Angel zu haben, befriedigt mein Gefühl weit mehr als Rezensionen und die applaudierende Galerie. Ich bin offenbar eine Mißgeburt und ein Plebejer.

Ich werde eine Dissertation schreiben über das Thema: »Über die Verfahren, Ivan Ščeglov Haß auf das Theater einzuimpfen.«

Sie schreiben, Burenin wirke bedrückend auf Sie... Meinetwegen, aber lassen Sie sich um Gottes willen von diesem Gefühl nicht unterkriegen und geben Sie dem großen Kritiker nicht klein bei. Was auch immer er aus der Höhe seiner Autorität über die Nutzlosigkeit von unsereinem sagen mag, die wir um des Stückchens Brot willen schreiben, er wird nie recht haben. Es ist nicht zu eng auf dieser Welt, es ist Platz für alle da; wir stören Burenin nicht zu leben, und er stört uns nicht. Die Frage, wer auf Erden nützlich ist und wer nicht, kann weder Burenin lösen, noch können wir es. Verausgaben Sie Nerven und Seelenenergie nicht weiß der Teufel wofür.

Befassen Sie sich mit Belletristik. Sie ist Ihre gesetzliche Ehefrau, das Theater dagegen eine gepuderte Geliebte. Werden Sie entweder ein Ostrovskij, oder lassen Sie die Finger vom Theater.

Eine Mitte gibt es nicht für Sie. Die Mitte wird gebildet von den Dramatikern, für Belletristen dagegen wie mich, Sie, Maslov, Korolenko, Barancevič und Albov, d. h. die literarischen Stabsoffiziere, ziemt es sich nicht, mit den Oberoffizieren der Dramatik einen Kampf ums Dasein zu führen. Der Belletrist muß sich entweder als General unter die Menge der Dramatikspezialisten mischen, oder er soll es ganz lassen.

Wenn Sie sich einen Scherz draus machen wollen, ist es etwas anderes. Warum nicht. Aber dann soll man dabei kein ernstes Gesicht machen und sich nicht von ernsten Gedanken bedrücken lassen.

Sehen Sie, was für ein Moralprediger ich werde! Ich mache selbst vor Hauptleuten nicht halt und predige ihnen Moral. Dabei habe ich doch gar keinen Rang!

Ich gehe jetzt auf einen Ball. Bleiben Sie gesund. Gott segne Sie. *Ihr A. Čechov.*

Für die »Herren Theaterfreunde« ist ein Rubel zu teuer. 25–30 Kop. sollte man dafür verlangen.

Einen Gruß an Ihre Frau. Die Meinen lassen grüßen und danken für den Gruß.

191) AN A. S. SUVORIN MOSKAU, 20. 2. 1889

20 февраля

20. Februar.

Lieber Aleksej Sergeevič, ich wünsche Ihnen Glück zu den Großen Fasten, den Tagen des Gebets, der Reue und der Heuchelei. Für mich haben die Fasten widerwärtig begonnen: ich kam nach einer durchlumpten Nacht um 10½ Uhr nach Hause und habe bis 5 Uhr abends geschlafen. Gestern war ein Essen im Foyer des Theaters Korš mit den Schauspielerinnen, Schauspielern und Generälen. Ein Abschiedsessen, zum Ende der Saison. Die Schauspielerinnen sind ein liebes Völkchen, gestern liebte ich sie und ließ mich derart vom Gefühl übermannen, daß ich mit einigen von ihnen zum Abschied sogar Küsse getauscht habe. Sie haben eine Vornehmheit, die Schauspielern abgeht. Die Männer, die der heiligen Kunst dienen, haben keine Reinheit des Herzens. In ihren Worten, Ansichten und Taten liegt viel Lakaienhaftes. Übrigens nicht bei allen. Ich habe wenig getrunken, aber durcheinander, habe Likör und Kognak gemischt. Jetzt spüre ich eine bedrückende Leere in den Eingeweiden; ein Zustand, als hätte ich im Innern einen Abgrund aus kalten Mauern. Ich möchte in sehr kaltes Wasser viele Nadeln schütten, sie durcheinanderwirbeln und dann trinken, und die Nadeln sollten außerdem noch sauer sein.

Kaufen Sie das Gut in der Nähe von Charkov, lassen Sie die Gelegenheit nicht verstreichen. Wenn Sie die 35 Tausend nicht

---

Text zur Zeichnung: Das Arbeitszimmer des künftigen Finanzministers Michail Čechov.

haben, dann erlauben Sie, daß ich sie für Sie bei Ihnen im Kontor stehle, wo es, wie Sie wissen, schrecklich viel Geld gibt. Wenn Sie wollen, fahre ich hin und sehe mir das Gut an, das Ihnen angeboten wird. Ich habe Lust wegzufahren. Da das Gut Ihnen gehören wird, die Fahrtkosten (Billets) halbe-halbe. Bei der Gelegenheit würde ich mich auch nach einem kleinen Bauernhof für mich umsehen. Wenn Sie das Gut kaufen, kaufe ich mir einen Bauernhof in der Nachbarschaft und werde Sie durch meine agronomischen Kenntnisse, die Ungezwungenheit meiner Hausgenossen, Gastfreundschaft und Musik in Erstaunen setzen. Ich würde mir sogar bei Ihnen eine Parzelle kaufen. Geld werde ich haben. Der »Ivanov« hat volles Haus gemacht; ich werde etwa Tausend bekommen. Für den Sommer beim allgemeinen Zusammenkratzen aus allen möglichen Ecken ein, zwei Tausend, und am 1. März gewinne ich auf mein Los 75 Tausend – das ist sicher, so wahr ich Potëmkin bin. Für die nächste Saison schreibe ich den »Waldschrat«, für den ich sechs bis siebentausend kassieren werde. Soll ich Ihnen nicht was borgen?

Zum Vorsitzenden der Gesellschaft dramat. Schriftsteller wird man Boborykin wählen. Aus irgendeinem Grunde interessieren sich die Hrrn. Mitglieder für meine Meinung; ich gebe zur Antwort, daß ich gegen die Wahl Boborykins nichts einzuwenden habe.

Wird nach Ostern der »Verführer von Sevilla« gespielt?

Schicken Sie mir eine große Photographie von sich und von der Gruppe.

Ich lese Korrektur von meinem Stück. Ich lese und finde, zum Töpfebrennen braucht man kein Heiliger zu sein, Dramen kann man ruhig schreiben. Wenn ich den »Waldschrat« schreibe, werde ich ihn Ihnen vorher nicht zum Lesen geben und Sie auf keine Probe mitnehmen. Ich möchte keinen so verwirrten und zerknitterten Eindruck auf Sie machen, wie Sie ihn beim »Ivanov« unwillkürlich haben mußten, und dazu ist es notwendig, daß Sie das Stück nicht vor der Premiere kennenlernen.

Gestern sah ich die »Heirat« von Gogol. Ein hervorragendes

Stück. Die Akte sind unverschämt lang, aber dank den wunderbaren Qualitäten des Stückes spürt man es kaum.

Wenn Sie nach Moskau kämen, würden Sie mir damit ein großes Vergnügen bereiten. Ich werde Ihnen auf die Nerven gehen – das ist die einzige Mißlichkeit, die Sie in Moskau erwartet, im übrigen wird alles gut gehen: Sie werden sich erholen, sich Moskau ansehen und von unserem Brei kosten, der mir zu schmecken beginnt.

Das Komitee der Dramatikergesellschaft wird sich wahrscheinlich an Sie wenden mit der Bitte, den Druck der Stücke, die der Gesellschaft gehören, zu übernehmen. Dieser Antrag ist vorteilhaft für Sie in kommerzieller Hinsicht, schlecht ist er insofern, als Sie dann *alle* Stücke würden drucken müssen, die guten wie die schlechten, d.h. gleichzeitig Gutes und Schlechtes tun. Drucken sollte man nur Originalstücke, die das Theater-Literaturkomitee genehmigt hat und die an Staatstheatern aufgeführt worden sind, die übrigen sollte man Rassochin und seiner pikanten Frau überlassen.

Mein »Bär« läuft schon in der zweiten Auflage, die bereits zur Neige geht.

Bleiben Sie gesund und glücklich. Anna Ivanovna küsse ich die Hand, und grüße Nastja und Borja, den Pharao.

Ihr A. Čechov.

Grüßen Sie die Vinogradovs. Ich mag sie, die Ärmsten.

192) AN I. M. KONDRATJEV MOSKAU, 5. 3. 1889

5. März.

Sehr geehrter Ivan Maksimovič!

In die Abrechnung, die ich gestern bekam, hat sich ein kleiner Fehler eingeschlichen. Mein »Bär« ist bei Korš 18mal gespielt worden, in der Abrechnung dagegen sind nur 17mal angegeben. Dieser Fehler erklärt sich wahrscheinlich dadurch, daß der »Bär« bei Korš einmal anstelle des Turgenevschen »Abends in Sorrent« gespielt worden ist, was auf den Plakaten nicht angezeigt war.

Übrigens eine ebenfalls sehr unwesentliche Anmerkung zum Katalog: mein Stück »Der Heiratsantrag« wird unter dem Pseudonym »A. P.« veröffentlicht werden.

Verzeihen Sie, daß ich Ihnen mit solchen Lappalien auf die Nerven falle.

Mit aufrichtiger Hochachtung *A. Čechov.*

193) AN A. S. SUVORIN MOSKAU, 5. 3. 1889

5. März.

Ich schicke Ihnen, lieber Aleksej Sergeevič, die »Fürstin«. Der Teufel soll sie holen, sie fällt mir auf die Nerven: die ganze Zeit lag sie bei mir auf dem Tisch herum und wollte abgeschlossen werden. Nun denn, ich habe sie abgeschlossen, aber nicht ganz harmonisch. Wenn Sie sie nicht in allernächster Zeit zu drucken beabsichtigen, dann schicken Sie mir die Korrektur. Ich werde noch feilen.

Ich schreibe an einer weiteren Erzählung. Es hat mich gepackt, ich stehe kaum mehr vom Tisch auf. Übrigens, ich habe mir einen neuen Tisch gekauft.

Danke für das Versprechen, die Wörterbücher zu schicken. Verspricht dir jemand ein Schwein, hol gleich einen Sack und tu es hinein... Für die Wörterbücher werde ich Ihnen ein sehr billiges und nutzloses Geschenk schicken, aber eines, wie nur ich es Ihnen schenken kann. Warten Sie. Ich erlaube mir, Sie an die große Photographie zu erinnern und an meine Bilder von Šapiro. Wenn Šapiro sie Ihnen geschickt hat, schicken Sie sie mir doch...

Svobodin war bei mir und sagte unter anderem, Sie hätten einen Brief von einem Vater bekommen, dessen Sohn sich nach meinem »Ivanov« erschossen habe. Wenn dieser Brief kein Mythos ist, schicken Sie ihn mir bitte. Ich werde ihn zu den Briefen legen, die ich bereits zu meinem »Ivanov« bekommen habe. Den »Graždanin« habe ich nicht gelesen, weil ich 1) diese Zeitung nicht bekomme und mir 2) der »Ivanov« schrecklich auf die Nerven geht; ich kann nichts mehr über ihn lesen, und mir wird sehr unwohl, wenn Leute anfangen, klug und ernsthaft über ihn zu diskutieren.

Gestern bin ich vor die Stadt hinausgefahren und habe mir die Zigeunerinnen angehört. Sie singen schön, die wilden Bestien. Ihr Gesang klingt, wie wenn ein Zug auf einem hohen Bahndamm bei Schneesturm verunglückt: viel Wirbel, Winseln und Poltern ...

Glauben Sie Lejkin nicht. Ich huste kein Blut, habe keine Depressionen und werde auch nicht wahnsinnig werden. Wenn man alles glauben wollte, was zur Zeit in Petersburg über mich geredet wird, dann fließt mein Blut in Strömen, bin ich wahnsinnig geworden, habe die Sibirjakova geheiratet und 20 Millionen Mitgift bekommen.

Ich habe mir in Ihrer Buchhandlung den Dostoevskij gekauft und lese ihn jetzt. Das ist gut, aber schon ziemlich lang und unbescheiden. Sehr prätentiös.

Sagen Sie, wozu hat man Ostrovskijs »Gewitter« dem Gespött der Franzosen preisgegeben? Wer ist auf diese Idee gekommen? Das Stück ist nur inszeniert worden, damit die Franzosen sich einmal mehr wichtigmachen und aus der Höhe ihrer Autorität über etwas herfallen können, was für sie unerträglich langweilig und unverständlich ist. Ich würde alle diese Herren Übersetzer nach Sibirien schicken für ihr unpatriotisches Verhalten und ihren Leichtsinn.

Den »Waldschrat« werde ich im Mai oder im August schreiben. Während des Essens bin ich im Zimmer auf und ab gegangen und habe die ersten drei Akte zur großen Zufriedenheit komponiert, den vierten aber noch kaum entworfen. Der III. Akt ist dermaßen skandalös, daß Sie, wenn Sie ihn sehen, sagen werden: »Das hat ein hinterhältiger und mitleidloser Mensch geschrieben.«

Ich grüße Anna Ivanovna und die Kinder. Ich wünsche Ihnen Gesundheit. *Ihr A. Čechov.*

Und Potëmkin hat am 1. März doch nicht gewonnen!

194) AN A. S. SUVORIN MOSKAU, 6. 3. 1889

6. März.

Ich schicke Ihnen, lieber Aleksej Sergeevič, das sehr billige und nutzlose Geschenk, das ich Ihnen versprochen hatte. Mit den Wörterbüchern werde ich mich langweilen, langweilen also auch Sie sich ein wenig mit meinem Geschenk. Ich habe es auf einen Sitz geschrieben, mich beeilt, darum ist es auch billiger als billig geworden. Dafür, daß ich mich Ihres Titels bedient habe, können Sie mich vor Gericht verklagen. Zeigen Sie es *niemandem,* und wenn Sie es gelesen haben, werfen Sie es in den Kamin. Sie können es auch ungelesen wegwerfen. Ich erlaube Ihnen alles. Sie können beim Lesen sogar sagen: weiß der Teufel, was das soll!

Von der Direktion habe ich 997 Rubel bekommen für den »Ivanov« und den »Bären«. Kein Zigeuner verdient mit seinem lebendigen Bären, was ich mit meinem verreckten verdient habe. 500 Rubel hat das Tier mir eingebracht.

Mein Michajlo hat die Universität abgeschlossen, damit hat auch meine juristische Ausbildung ein Ende genommen, denn nun werden keine juristischen Vorlesungen mehr auf den Tischen herumliegen, und ich werde nicht mehr danach greifen in Stunden der Langeweile und der Muße.

Und immer noch kein Frühling. Ich habe die Kälte schrecklich satt.

Ich setze große Hoffnungen in den Sommer.

Und Stiva Oblonskij hat die Boote vergessen.

Ich grüße alle. Bleiben Sie glücklich. *Ihr A. Čechov.*

195) AN V. A. TICHONOV MOSKAU, 7. 3. 1889

7. März.

Liebster wohlmeinender Freund
Vladimir Alekseevič!

Ihre Rezension hat mich ein bißchen erstaunt: ich habe nicht einmal geahnt, daß Sie die Zeitungssprache so gut beherrschen. Außerordentlich harmonisch, glatt, nüchtern wie ein Protokoll und vernünftig. Ich bin sogar neidisch geworden, denn diese Zeitungssprache ist mir nie gelungen.

Danke für das freundliche Wort und die warme Anteilnahme. Ich bin als Kind so wenig gestreichelt worden, daß ich jetzt, wo ich erwachsen bin, Freundlichkeiten als etwas Ungewohntes, nur selten Erlebtes aufnehme. Darum wollte ich auch zu anderen immer freundlich sein, aber ich kann es nicht: ich bin grobgeworden und träge, obwohl ich weiß, daß unsereins unmöglich ohne Freundlichkeit leben kann.

Neuigkeiten von Korš habe ich keine. Ich weiß nur, daß Solovcov gegangen ist, gehen wird anscheinend auch der alte Poltavcev. Der Regisseur ist Agramov.

Gebe Gott, daß die Komödie, die Sie unterm Herzen tragen, gelingt und Ihnen das bringt, was Sie sich wünschen. Je mehr Erfolg, desto besser für unsere ganze Schriftstellergeneration. Ich glaube entgegen Vagner, daß kein einziger von uns ein »Elefant unter uns« oder irgendein anderes Tier ist und daß wir nicht anders gewinnen können als durch die Anstrengungen der ganzen Generation. Uns alle wird man nicht Čechov, nicht Tichonov, nicht Korolenko, nicht Ščeglov, nicht Barancevič und nicht Bežeckij nennen, sondern die »Achtziger Jahre« oder das »Ende des XIX. Jahrhunderts«. Ein Artel, gewissermaßen.

Neuigkeiten gibt es bei mir nicht. Ich will etwas Romanähnliches schreiben und habe schon damit begonnen. Ein Stück schreibe ich nicht und werde auch so bald keins schreiben, weil ich keine Sujets und keine Lust habe. Um fürs Theater zu schreiben, muß man dieses Geschäft lieben, ohne Liebe kommt nichts Vernünftiges heraus. Wenn die Liebe fehlt, lockt auch der Erfolg nicht.

Ich werde in der kommenden Saison regelmäßig das Theater besuchen und mich im szenischen Handwerk bilden.

Grüßen Sie Ihren Bruder. Die Meinen lassen Sie grüßen, und ich drücke Ihnen freundschaftlich die Hand und sende Ihnen meine herzlichsten Wünsche. Schreiben Sie. *Ihr A. Čechov.*

196) AN A. N. PLEŠČEEV MOSKAU, 7. 3. 1889

7. März.

Schon lange habe ich Ihnen nicht geschrieben, lieber Aleksej Nikolaevič, und schon lange habe ich keine Briefe mehr von Ihnen bekommen. Ich habe Sehnsucht. Wie geht es Ihnen, wie ist Ihr Befinden, was gibt es Neues?

Mein Leben ist grau, wie gewöhnlich. Neues gibt es nicht. Ich warte ungeduldig auf den Frühling und gebe mit vollen Händen das Geld aus, das ich für den »Ivanov« bekommen habe.

A propos »Ivanov«. Die Theaterbibliothek Rassochin bekommt Anfragen aus der Provinz und von Privatpersonen, und Demakov schickt mir aus irgend einem Grunde die Sonderdrucke nicht. Rassochin hat mich mit Briefen überschüttet. Wenn Sie Demakov sehen, mein Lieber, sagen Sie ihm, er möchte sich beeilen.

Ich schreibe Erzählungen. Eine habe ich dieser Tage an Suvorin geschickt, eine zweite bin ich dabei zu schreiben und zu feilen. Im Sommer werde ich an meinem Roman schwitzen. Meinen Roman werde ich Ihnen widmen, das hat mein Herz mir geraten. Ich habe Ihnen noch nie etwas Veröffentlichtes gewidmet, aber in meinen Träumen und Plänen ist Ihnen meine beste Sache gewidmet.

Stücke werde ich keine schreiben. Wenn ich Muße habe, werde ich etwas schreiben pour manger, aber den Herbst und Winter werde ich nur der Belletristik widmen. Mir lächelt nicht der Ruhm des Dramatikers.

Alle meine Angehörigen lassen Sie grüßen. Meine Schwester sendet Elena Alekseevna einen herzlichen Gruß und lädt sie für den Sommer zu uns ein. Nach Luka werden wir Musiker mitnehmen, es wird nicht langweilig werden.

Bleiben Sie gesund, Gott beschütze Sie. *Ihr A. Čechov.*

Mit mir aufs Gymnasium ging ein gewisser P. A. Sergeenko. Er schreibt Gedichte und veröffentlicht. Er schickte mir gestern ein paar Gedichte mit der Bitte, sie an den »Sev. vestnik« zu schicken, die ich hiermit erfülle, nachdem ich dem Autor geschrieben habe, daß ich ihm schon jetzt ein absolutes Fiasko voraussage.

197) AN A. M. EVREINOVA MOSKAU, 10. 3. 1889

10. März.

Verehrte Anna Michajlovna!

Das Honorar habe ich bekommen. Danke. Ich habe mehr bekommen als erwartet, und fürchte, daß Sie meine Schulden nicht abgezogen haben. Ich habe doch einige Schulden bei Ihnen.

Gestern habe ich eine Erzählung abgeschlossen und ins Reine geschrieben, aber für meinen Roman, der mich gegenwärtig beschäftigt. Ach, was für ein Roman! Wenn die verfluchten Zensurbedingungen nicht wären, würde ich ihn Ihnen für November versprechen. In dem Roman kommt nichts vor, was zur Revolution aufriefe, aber der Zensor wird ihn dennoch verunstalten. Die Hälfte aller handelnden Personen sagt: ›Ich glaube nicht an Gott«, es kommt ein Vater vor, dessen Sohn zu lebenslänglicher Katorga verurteilt ist wegen bewaffneten Widerstandes, ein Untersuchungsrichter, der sich seiner Polizistenuniform schämt, ein Adelsmarschall, der gehaßt wird, usw. Reiches Angebot für den Rotstift.

Geld habe ich zur Zeit viel, es reicht zum Leben bis September; ich bin durch keinerlei Versprechen gebunden... Es ist die beste Zeit für einen Roman (einen literarischen natürlich, keinen Liebesroman mit mir als Bräutigam). Wenn ich ihn jetzt nicht schreibe, wann dann? So meine ich jedenfalls, obwohl ich beinahe überzeugt bin, daß mir der Roman in 2–3 Wochen auf die Nerven fallen wird und ich ihn beiseitelegen werde.

Ich habe ein Sujet für eine kleine Erzählung. Ich werde versuchen, diese Erzählung für das Mai- oder Juniheft zu machen. Aber wenn Sie noch bis Juli oder August warten könnten, würde Ihnen mein Roman ein großes Danke sagen.

Schütteln Sie um Gottes willen die Zensur ab! Wenn sie mir bisher auch noch nichts gestrichen hat, so habe ich dennoch

Angst vor ihr und mag sie nicht. Bei dicken Zeitschriften und Zeitungen dürfte es nicht einmal in der Türkei Zensur geben. Beim Theater ist das etwas anderes.

Warten Sie: ich werde alle dicken Zeitschriften aufkaufen und sie ihr Erscheinen einstellen lassen, ich werde nur den »Severnyj vestnik« weiter erscheinen lassen. Dann führen wir elektrisches Licht ein, einen majestätischen Portier, eine eigene Druckerei, redaktionseigene Equipagen, laden Milan als Mitarbeiter ein (für die Rubrik Ausland), und Ašinov machen wir zum Portier... und haben dann 40 Tausend Abonnenten. Obwohl ich, übrigens, meine reiche Braut noch kein einziges Mal zu Gesicht bekommen habe. Und sie mich auch nicht. Ich werde so an sie schreiben: »Liebe nicht mich, sondern die Idee...« Und sie auf diese Weise in Rührung versetzen.

Voll Ungeduld warte ich auf die Sonderdrucke des »Ivanovs«. Soll ich Hrn. Demakov nicht meine Sekundanten schicken?

Ich werde bis Anfang Mai in Moskau hockenbleiben und schreiben. Die schriftstellerische Gewalt ist über mich gekommen. Ich verlasse das Haus nicht und schreibe, schreibe...

Eine Empfehlung an Marija Dmitrievna und Aleksej Nikolaevič.

Die Meinen lassen grüßen, und ich wünsche Ihnen Gesundheit und alles Gute.

Ihr aufrichtig ergebener *A. Čechov.*

Sie haben eine Erzählung von Giljarovskij, darüber, wie die Flöße fahren. Jetzt ist genau die richtige Zeit, sie fahren zu lassen.

198) AN A. S. SUVORIN MOSKAU, 11. 3. 1889

11. März.

Bei der Aufzählung der Reize des Charkover Guts haben Sie den Fluß nicht erwähnt. Ohne Fluß geht es nicht. Wenn es der Donec ist, dann kaufen Sie. Wenn es der Lopan ist oder wenn es Teiche sind, dann kaufen Sie nicht. Wir haben einen Professor, Chirurg, ein kleines, kurzgeschorenes Männchen mit abstehenden Ohren und mit Augen wie Juzefovič; er hat ein Gut. Jeden, der ihm sympathisch ist, lädt er ein, sich ein Gut in der Nachbarschaft zu kaufen. Gewöhnlich nimmt er den ihm sympathischen Menschen beiseite, schaut im sentimental ins Gesicht und sagt seufzend: »Ach, wie herrlich würden wir zusammen leben!« Ich schaue Sie ebenfalls sentimental an und sage: ach, wie herrlich würden wir zusammen leben! Überhaupt fügen Sie mir großen Schaden zu, daß Sie sich kein Gut kaufen.

Ich brauche nur Ihr Photo; Photos von mir brauche nicht ich, sondern diejenigen, die den Anschein erwecken, als bräuchten sie dringend ein Photo von mir. Ich habe doch auch Verehrer! Auch auf den Kopf des kleinen Senka paßt eine Mütze.

Was meinen Sie? Ich schreibe an meinem Roman!! Ich schreibe, schreibe, und ein Ende meines Schreibens ist nicht abzusehen. Ich habe ihn, d. h. den Roman, von vorn begonnen, nachdem ich vieles verbessert und das bereits Geschriebene gekürzt habe. Neun Gestalten habe ich bereits klar umrissen. Was für eine Intrige! Genannt habe ich ihn so: »Erzählungen aus dem Leben meiner Freunde«, und ich schreibe ihn in der Form einzelner, in sich abgeschlossener Erzählungen, die untereinander eng verknüpft sind durch die Gemeinsamkeit der Intrige, der Idee und der handelnden Personen. Jede Erzählung hat einen eigenen Titel. Glauben Sie nicht, der Roman bestünde aus einzelnen Büscheln. Nein, es wird ein echter Roman, ein intakter Körper, wo jede Person organisch notwendig ist. Grigorovič, dem Sie den Inhalt des ersten Kapitels übermittelt haben, ist erschrocken darüber, daß ich einen Studenten genommen habe, der sterben wird und daher nicht den gesamten Roman durchlaufen, d. h. überflüssig wird. Aber dieser Student ist nur ein Nagel in einem großen Stiefel. Er ist ein Detail.

Mit Mühe komme ich mit der Technik zurecht. In dieser Hinsicht ist er noch schwach, und ich spüre, daß ich eine Menge grober Fehler mache. Er wird Längen haben, er wird Dummheiten beinhalten. Untreue Frauen, Selbstmörder, Kulaken, tugendhafte Bauern, ergebene Sklaven, räsonnierende alte Frauen, gutherzige Ammen, provinzielle Witzbolde, rotnasige Hauptleute und »neue« Menschen versuche ich zu meiden, obwohl ich stellenweise sehr ins Klischee abrutsche.

Eben habe ich die Korrekturfahnen zur »Fürstin« bekommen und schicke sie morgen direkt an die Druckerei.

Als Appetitanreger eine Anzeige aus den »Russkie vedomosti«.

Gesucht

wird Person mittleren Alters von Familie, wohnhaft auf einem Landsitz nahe Moskau, als Hilfe in Wirtschafts- und Erziehungsangelegenheiten. Diese Person soll vertraut sein mit den Lebens- und Erziehungsauffassungen unserer Schriftsteller: Doktor Pokrovskij, Golcev, Sikorskij und Lev Tolstoj. Durchdrungen von den Ansichten dieser Schriftsteller und dem Verständnis für die Wichtigkeit körperlicher Arbeit und Schädlichkeit geistiger Überanstrengung soll sich die erzieherische Tätigkeit bei den Kindern auf die Entwicklung von strenger Wahrhaftigkeit, Güte und Nächstenliebe richten.

Schriftliche Angebote sind zu richten unter Nr. 2183 an das Kommissions- und Auskunftei-Kontor »V. Miller«, Moskau, Petrovka, Hs. Kabanov.

Das nennt man Gewissensfreiheit. Für Kost und Logis ist das Fräulein verpflichtet, durchdrungen zu sein von den Auffassungen der Golcev & Co., und die Kinder sind es, sicher aus Dankbarkeit dafür, daß sie so kluge und liberale Eltern haben, von morgens bis abends darauf zu achten, daß sie sich geistig nicht überanstrengen und ihre Nächsten lieben.

Merkwürdig, welche Angst die Menschen vor der Freiheit haben.

Übrigens stand neulich im »Novoe vremja« in der Rubrik Aus Zeitungen und Zeitschriften ein Zitat aus irgend so einer Zeitung, die die deutschen Hausmädchen deshalb anpreist, weil sie den *ganzen Tag* arbeiten wie die Zuchthäuslerinnen und dafür nur 2–3 Rubel im Monat nehmen. »Novoe vremja« unterschreibt dieses Lob und fügt von sich aus hinzu, unser Elend bestehe eben darin, daß wir zu viel überflüssige Dienstboten hielten. Meiner Meinung nach sind die Deutschen Schufte und schlechte Politökonomen. Erstens ist es unmöglich, von Dienstboten im selben Ton zu sprechen wie von Häftlingen; zweitens sind die Dienstboten rechtsfähig und aus demselben Fleisch und Blut wie Bismarck; sie sind keine Sklaven, sondern freie Arbeiter; drittens – je besser die Arbeit bezahlt wird, desto glücklicher der Staat, weshalb wir alle darauf aus sein müssen, daß die Arbeit so gut wie möglich bezahlt wird. Ganz zu schweigen vom christlichen Gesichtspunkt. Was nun die überflüssigen Dienstboten betrifft, so werden sie nur da gehalten, wo viel Geld ist, und bekommen mehr als Abteilungsleiter. Man sollte sie gar nicht in Rechnung stellen, denn sie sind eine zufällige und keineswegs notwendige Erscheinung.

Warum kommen Sie nicht nach Moskau? Was für ein herrliches Leben wir zusammen führen könnten! *Ihr A. Čechov.*

199) AN I. L. LEONTJEV-ŠČEGLOV MOSKAU, 16. 3. 1889

16. März.

Lieber Herr Theaterfreund, ich habe von Bazarov keinerlei Anfrage bekommen, und von seinem Wunsch, meinen »Bolvanov« zu besitzen, weiß ich nichts. Hundert Exemplare habe ich nicht, aber wenn er möchte, kann ich ihm 25 Expl. schicken, die bei mir auf dem Fensterbrett herumliegen. Ich schicke sie ihm, und Sie knöpfen ihm einen Rubel pro Exemplar ab und geben das Geld Svobodin für die Hilfsgenossenschaft der Bühnenbeschäftigten.

In Moskau gibt es ein »Theater Korš«. Eröffnen Sie in Petersburg ein »Theater I. Ščeglov«. Das meine ich ernst.

Ich bin in Eile, mehr zu schreiben habe ich keine Zeit, und darum leben Sie wohl, mon ange.

Mich ärgern die Gerüchte, nicht weil Sie mir von ihnen schreiben, sondern weil alle davon schreiben und die Studenten es nachplappern. Alle Studenten reden davon, ich würde eine Millionärin heiraten. Die reine Perversion.

Übrigens, es ist alles Unsinn auf dieser Welt.

Ihr Antoine Tshekof.

Gestern bin ich aus Charkov zurückgekommen!

200) AN I. L. LEONTJEV-ŠČEGLOV MOSKAU, 21./22. 3. 1889

Ich bin entzückt von Ihrer fieberhaften Tätigkeit, lieber Jean. Sie sind unermüdlich. Mal treiben Sie Handel im Militärmagazin, mal schreiben Sie Novellen, mal planen Sie, ein Theater zu gründen. Das ist besser, als untätig zu versauern und zu jammern.

In der Nachricht von Kostromitinov las ich: »Antworten Sie uns bald, lassen Sie uns nicht schmachten...« Antworten worauf? Was den »Heiratsantrag« betrifft, so habe ich Ihnen bereits geschrieben. Wenn Davydov nicht beabsichtigt, in diesem Stück zu spielen (wie er mir erklärt hatte), so machen Sie damit, was Sie wollen. Sie bitten um Erlaubnis (?!), meinen »Heiratsantrag« wenigstens 1mal spielen zu dürfen. Ich erlaube es und segne Sie in der festen Hoffnung, daß Sie kein Bösewicht sind und mein Vaudeville mindestens fünfmal spielen, sonst lohnt es die Mühe nicht. Jedenfalls liegt das Schicksal meines Vaudevilles in Davydovs Händen. Er ist der Herr. Wenn er absagt, dann sind Sie der Herr. Das ist alles.

Die Schriftsteller müssen ihr eigenes Theater besitzen. Das ist wahr. Aber ich rate Ihnen ab, sich an Suvorin zu wenden. Er liebt das Theater offenkundig von ganzem Herzen und denkt 22 Stunden am Tag ans Theater, aber die 5 Tausend gibt er Ihnen nicht. Ich erhebe keinen Anspruch auf unfehlbare Kenntnis seiner finanziellen Verhältnisse und Taschen, aber soweit ich es aufgrund von Briefen und Gesprächen mit mir beurteilen kann, hat er gegenwärtig keine eintausend Rubel frei verfügbar, nicht eingerechnet die 2–3 Tausend, die er für seine »Tatjana Repina« bekommen wird. Er sagte mir, der Palast, der im Ėrtelev pereulok errichtet wird, das Sommerhaus in Feodosija und das Gut bei Charkov hätten alle seine freien Ressourcen verschlungen und ihm die Flügel stark beschnitten. Das hat er mir gesagt, folglich kann nicht ich es sein, der ihn jetzt um die 5 Tausend bittet. Selbst einmal angenommen, ich täte es, und Ihre und meine Überredungskünste würden ihn entflammen, aber... ich muß Ihnen sagen, daß jede Bitte um Geld unweigerlich durch die Hände des ewig vor Gesundheit strotzenden A. P. Kolomnin ginge, der nicht zögern würde, gegen Ihre Bitte sein eisernes veto einzulegen.

Warten Sie, in 3–4 Jahren gebe *ich* Ihnen die Fünftausend. Ich habe bereits 1½tausend, und in 3–4 Jahren werde ich mich bemühen, das 10fache zu besitzen, wenn ich vorher nicht an Typhus oder Schwindsucht verreckt bin. Wenn Sie das Theater auf Aktienbasis gründen wollen (100 R. pro Aktie), würden Sie mehr als 5 Tausend zusammenbekommen. Machen Sie sich mit den Statuten der »Charkover Genossenschaft« bekannt – das nur nebenbei.

Bazarov schicke ich den »Ivanov«.

Grüßen Sie Ihre Frau und wünschen Sie ihr, daß aus ihrem Mann so bald wie möglich ein Fëdor Adamovič Korš wird.

Ihr A. Čechov.

Anhang

Editorische Notiz

Der vorliegende Band enthält Briefe Čechovs aus der Zeit von 1877 bis März 1889.

In diese Zeit fallen die ersten Briefe Čechovs noch aus Taganrog, Čechovs Studienjahre, die ersten Veröffentlichungen in der humoristischen Zeitschrift »Strekoza«, Čechovs erste literarische Kontakte, die Bekanntschaft mit N. A. Lejkin, die darauffolgenden Jahre fieberhafter Tätigkeit für dessen Zeitschrift »Oskolki« und, parallel dazu, für die »Peterburgskaja gazeta«; das Erscheinen des ersten Erzählungsbandes, der »Märchen der Melpomene« sowie der »Bunten Erzählungen«, die Bekanntschaft mit D. V. Grigorovič und A. S. Suvorin, Čechovs Hinwendung zur größeren Form, die Veröffentlichung der »Steppe«, die Verleihung des Puškinpreises an Čechov für den Erzählungsband »In der Dämmerung«, schließlich Čechovs erste Kontakte mit dem Theater, die ersten Einakter bis zur Uraufführung des ersten abendfüllenden Stückes »Ivanov« in Moskau sowie dessen zweite Inszenierung am Petersburger Alexandratheater.

Von den 623 bekanntgewordenen Briefen, Postkarten und Telegrammen Čechovs aus diesem Zeitraum enthält der vorliegende Band 200, also knapp ein Drittel.

Zum Vergleich wurden bei der Auswahl folgende Ausgaben herbeigezogen:

Anton Tschechow, Briefe 1879–1904, herausgegeben von Gerhard Dick, Berlin, Rütten & Loening, 1968;

Anton Chekhov, Letters on the short story, the drama, and the other literary topics, selected and edited by Louis S. Friedland, New York, Dover publications, 1966 (Nachdruck der Ausgabe von 1924);

Letters of Anton Chekhov, Selection, Commentary and Introduction by Simon Karlinsky, London, The Bodley Head, 1973;

Letters of Anton Chekhov, Selected and edited by Avraham Yarmolinsky, New York, Viking Press, 1973.

Prinzip der vorgelegten Auswahl war, nicht nur die »großen« und z. T. bereits bekannten Briefe Čechovs, seine grundsätzlichen Äußerungen über Literatur, Gesellschaft und Politik zu dokumentieren, sondern Zusammenhänge, Abläufe und Entwicklungen, soweit sie sich in Čechovs Briefen niederschlagen, erkennbar bleiben zu lassen, damit der Leser sie auch ohne ausführlichere Kommentare selbst nachvollziehen kann. Das bedeutete auch, in der Korrespondenz mit den einzelnen Briefpartnern nach Möglichkeit keine allzu großen Lücken entstehen zu lassen, zumindest solange der betreffende Kontakt für Čechov biographisch oder/und literarisch von Wichtigkeit war.

Zu den Prinzipien dieser Ausgabe gehörte ferner, die Briefe ungekürzt vorzulegen und nicht, wie in den Ausgaben von Friedland und Yarmolinsky, nur die »bedeutenden Stellen« zu zitieren. Dies stieß insofern auf Schwierigkeiten, als es bislang noch keine russische Čechov-Ausgabe gibt, die an bestimmten Briefstellen nicht purgierend eingegriffen hätte; auch die neueste, 1974 begonnene historisch-kritische Čechov-Gesamtausgabe setzt, vor allem in Briefen Čechovs an seinen Bruder Aleksandr, in Briefen an Lejkin, an Suvorin und später auch in denen an O. L. Knipper, wo Čechov gelegentlich »obszöne« Wörter gebraucht, eckige Klammern und drei Pünktchen.

Übersetzt wurde nach der Ausgabe: Anton Pavlovič Čechov, Polnoe sobranie sočinenij i pisem, Moskau, Nauka, 1974 f.

In dieser auf 30 Bände berechneten Ausgabe sind 12 Bände für die Briefe Čechovs vorgesehen, davon sind bis Mai 1979 sechs erschienen, die Briefe bis Mai 1897.

Die Anmerkungen dieses Bandes stützen sich im wesentlichen auf die der zitierten Ausgabe. Hinzugezogen wurden ferner vor allem folgende Editionen:

Anton Čechov, Polnoe sobranie sočinenij i pisem, Moskau, OGIZ, 1944–1951, 20 Bände; 8 Bände Briefe.

Anton Čechov, Sobranie sočinenij v dvenadcati tomach, Moskau, Chudožestvennaja literatura, 1960–1964; 12 Bände, davon 2 Bände Briefe;

Čechov v vospominanijach sovremennikov (Čechov in Erinnerungen von Zeitgenossen), Moskau, Goslitizdat, 2. Aufl. 1954;

M. P. Čechov, Vokrug Čechova (Rund um Čechov), Moskau-Leningrad, Academia, 1933, 2. Aufl. 1960;

Literaturnoe nasledstvo (Literarisches Erbe): Anton Čechov, Moskau, Izd. Akademii nauk, 1960.

N. I. Gitovič, Letopis' žizni i tvorčestva A. P. Čechova (Chronik zu Leben und Werk von A. P. Čechov), Moskau, Goslitizdat Chudožestvennoj literatury, 1955.

An Enzyklopädien und Nachschlagewerken hervorzuheben ist der große Ėnciklopedičeskij slovar', Petersburg 1890–1907, 82 Bände und 4 Supplementbände, erschienen im Verlag I. A. Efron.

Die Briefe sind auch in der vorliegenden Ausgabe numeriert. Im Briefkopf erscheint jeweils die fortlaufende Nummer, danach, versal, der Name des Adressaten und das aufgrund des Poststempels eruierte Briefdatum, das nicht immer mit der Datierung Čechovs übereinstimmt. Es folgt, in der Grundschrift, der Brieftext, beginnend mit der Anrede des

Adressaten und der Datierung des Briefes durch Čechov. Fremdsprachige Zitate innerhalb des Briefes gesperrt, Hervorhebungen Čechovs kursiv.

Die Anmerkungen enthalten neben der deutschen Numerierung, dem Briefdatum und Namen des Adressaten jeweils auch die Numerierung der russischen Ausgabe, hier jedoch durchgehend die Numerierung der abgeschlossenen 20bändigen Ausgabe von 1944–1951 und zusätzlich, in Klammern, die Numerierung der neuen, noch nicht abgeschlossenen Ausgabe von 1974 f. Der Leser hat damit Gelegenheit, selbst zu verfolgen, wieviele Briefe zwischen Brief a und b der deutschen Ausgabe ausgelassen worden sind.

Namen – der Briefadressaten wie auch der Personen, die in Čechovs Briefen auftauchen – werden in der Regel nur einmal ausführlicher erklärt, und zwar dort, wo sie zum ersten Mal in Čechovs Briefen erscheinen. Ihre Identifikation und ihr Auffinden in den verschiedenen Bänden dieser Ausgabe soll das Personenregister erleichtern, das in Band 5 dieser Ausgabe enthalten ist. Das Personenregister enthält auch, soweit feststellbar, Angaben über die Zahl der Briefe, die Čechov mit dem betreffenden Briefpartner gewechselt hat.

Band V enthält neben einem Werkregister ferner ein Verzeichnis der erwähnten Zeitschriftentitel und Verlagsnamen, eine Übersicht über die russischen Titel und Rangklassen, über die russischen Feiertage, Fasten und Kirchenfeste, die Erklärung der Transkription sowie der nichtübersetzten Ausdrücke.

Jedem Band sind zwei Verzeichnisse der Adressaten – chronologisch und alphabetisch geordnet – beigegeben sowie eine kurze Chronologie, die sich jedoch aus Umfangsgründen auf die wesentlichsten Daten aus Čechovs Leben beschränken muß.

Anmerkungen

1877–1883

1) *1. 1. 1877 – M. M. Čechov.* 4 (4).

Bruder Miša – Michail Michajlovič Čechov, 1851–1909, Vetter A. P. Čechovs väterlicherseits, Sohn M. E. Čechovs; Angestellter der Firma I. E. Gavrilov, bei der auch Čechovs Vater, nach seiner Flucht aus Taganrog, 1876 eine Anstellung gefunden hatte.

Saša – Aleksandr Pavlovič, 1855–1913, Schriftsteller, Journalist, Čechovs ältester Bruder, studierte seit August 1875 in Moskau Mathematik und Physik, publizierte in Zeitungen und Zeitschriften.

Zu Ostern... nach Moskau fahren – zu Besuch in den Osterferien, vgl. Nr. 2.

mein Schüler – Petja Kravcov, Neffe des neuen Hauseigentümers G. P. Selivanov, nachdem Familie Čechov das Haus hatte verkaufen müssen; Anton und Ivan Pavlovič durften jedoch im Hause wohnen bleiben und erteilten, für Kost und Logis, dem Neffen Nachhilfeunterricht.

Aul – turkotatarisches Wort, ›Dorf‹; Pavlovskij: ›(fast bei allen asiatischen Völkern Rußlands u. bei den meisten Kaukasiern) das Dorf, Gehöft, Gezelt (der Nomaden).‹ Meint das Heimatdorf Kravcovs, wo Čechov in den Ferien mehrmals zu Besuch gewesen war.

Kleinrussen – damals übliche Bezeichnung für die Ukrainer, im Unterschied zu den sog. Großrussen.

Griša – Grigorij Michajlovič, Bruder des Adressaten, 1857–1934.

Liza – Elizaveta Michajlovna, 1858–1884, Cousine Čechovs, Tochter von Michail E. Čechov.

M. Čechov – Michail Egorovič Čechov, Vater des Adressaten.

Vanja – Ivan Pavlovič, 1861–1922, Pädagoge, Schriftsteller, jüngerer Bruder A. P. Čechovs, der nach dem Weggang der Familie 1876 noch ein Schuljahr in Taganrog blieb und erst Sommer 1877 nach Moskau zog.

Halva – orientalische Süßigkeit.

Lomonosov – Michail Vasiljevič, 1711–1765, russischer Universalgelehrter, Dichter, Naturphilosoph, Begründer der Universität Moskau; u. a. Verfasser einer ersten ›Russischen Grammatik‹.

2) *10. 4. 1877 – M. M. Čechov.* 6 (6).

dich noch einmal zu sehen – die Dauer von A. P. Čechovs Moskaubesuch ist nicht mehr genau festzustellen; die Osterferien dauerten bis 3. April, Čechov blieb aber, weil er das Geld für die Rückreise nicht beschaffen konnte, länger.

die 1200 Verst – zwischen Moskau und Taganrog.

die physisch und moralisch gebrochen ist – Evgenija Jakovlevna Čechova, geb. Morozova, 1835–1919, Mutter Čechovs, hatte den Wechsel der Familie nach Moskau, die Trennung der Familie und die Not, die die Familie in Moskau anfangs litt, lange nicht verwinden können. Čechovs Vater war monatelang arbeitslos, so daß sich die 13jährige Tochter zeitweise als Wäscherin verdingen mußte, u. a. Zwischen 1876 und 1879 wechselte die Familie 12mal die Wohnung.

3) *4. 11. 1877 – M. M. Čechov.* 11 (11).

Onkel Mitrofan – Mitrofan Egorovič Čechov, 1836–1894, Kaufmann in Taganrog, Onkel Čechovs väterlicherseits.

Apollon Ivanovič – Arbeitskollege des Adressaten, Angestellter bei der Firma I. E. Gavrilov.

Feodosja Jakovlevna – Feodosija Jakovlevna Dolženko, 1829–1891, Tante Čechovs mütterlicherseits, deren Sohn Aleksej (Alëša) Dolženko durch Vermittlung des Adressaten eine Stelle in der Firma Gavrilov gefunden hatte.

Vanja – I. P. Čechov; Ivan war, nach 5jährigem Besuch des Gymnasiums, am 20. 6. 1877 der Familie nach Moskau gefolgt; bis zum Abitur im Jahre 1879 blieb Anton Čechov in Taganrog allein zurück.

Griša, Elizaveta Michajlovna... – G. M. Čechov und E. M. Čechova.

Aleksandra Michajlovna – Aleksandra Michajlovna Čechova, 1853–1935, Cousine Čechovs, Schwester des Adressaten.

4) *5. 4. 1879 – M. P. Čechov.* 13 (14).

M. P. Čechov – Michail (Miša) Pavlovič, 1865–1936, Schriftsteller, Übersetzer, Jurist, (›der Steuerinspektor‹), Čechovs jüngster Bruder.

»nichtswürdiger und unbedeutender...« – so hatte M. P. Čechov seinen Brief unterschrieben.

Knöchelchen – ein beliebtes Kinderspiel.

Georgij – Georgij Mitrofanovič, 1870–1943, Vetter Čechovs, Sohn von Mitrofan E. Čechov; oft auch ›George‹ genannt.

Madame Beecher-Stowe – Harriet Beecher-Stowe, 1811–1896, amerikanische Schriftstellerin; ihr berühmter Roman ›Onkel Toms Hütte‹ (1851–52) war auch in Rußland (russ. Übersetzung 1858) sehr populär; Čechov hatte im Theater in Taganrog auch eine Bühnenbearbeitung gesehen.

Don Quijote und Hamlet – berühmter Essay von Ivan Sergeevič Turgenev, 1818–1883, aus dem Jahre 1860, in dem Kritiker wie P. Kropotkin ›den wahren Schlüssel zum Verständnis von »Väter und Söhne« und eigentlich allem, was Turgenev geschrieben hat‹ sahen.

Fregatte Pallas – Ivan Gončarov, 1812–1891, hatte 1852–54 an einer Fernost-Expedition teilgenommen (auf dem Kriegsschiff ›Pallas‹) und war dann auf dem Landweg über Sibirien nach Rußland zurückgekehrt. Das Buch erschien 1858.

Darüber, daß ich später komme – Čechov blieb nach den Abiturprüfungen, die Mitte Juni vorüber waren, noch den ganzen Juli in Taganrog, um sich um eines der 10 von der Stadt Taganrog ausgesetzten Stipendien zu bemühen, das ihm auch zugesprochen wurde (25 Rubel monatlich).

Ich werde einen Kostgast mitbringen – um zum Unterhalt der Familie beizusteuern, brachte Čechov, als er am 8. 8. 1879 nach Moskau kam, nicht nur einen, sondern zwei Schulkameraden aus Taganrog mit nach Moskau, D. T. Saveljev und V. I. Zembulatov, die gegen Entgelt die erste Zeit in der Čechovschen Wohnung wohnten und beide ebenfalls Medizin studierten.

5) *28. 4. 1880 – N. P. und I. P. Čechov.* 14 (17).

Nikolaj Pavlovič – N. P. Čechovs zweitältester Bruder, 1858–1889, Maler.

Ivan Pavlovič – I. P. Čechov hatte Ende 1879 eine Stelle als Lehrer an der Zemstvoschule von Voskresensk (heute Istra) bekommen, wo ihn Familienangehörige öfter besuchten und wo A. P. Čhechov später am dortigen Krankenhaus ein Praktikum absolvierte.

Avanco – Besitzer einer Kunsthandlung in Moskau, in der Nikolaj Pavlovič Čechov, 1858–1889, Čechovs zweitältester Bruder, eigene Bilder zum Verkauf anbot.

schielender Ivan Ivanovič... – Scherznamen; Ivan – einer der häufigsten russischen Namen.

Laut Auskunft von Marija Pavlovna Čechova, 1863–1957, Čechovs Schwester, schielte N. P. Čechov von kleinauf ein wenig und kniff, wenn er ging, das eine Auge zusammen, den Kopf leicht schief haltend.

Loboda – entfernt verwandte Familie in Taganrog; Anufrij Ivanovič (auch Anoša, Anosja); Ivan Ivanovič Loboda, Bruder von M. I. Morozova (Čechovs Mutter war eine geborene Morozova).

in Anatomie eine 3 – Ende April/Anfang Mai fanden an der Universität Moskau die Examina statt; ›drei‹ – genügend.

F. – Julij Karlovič Felkel, 1812–1882, Philologe, unterrichtete an der Universität Moskau Deutsch.

so lange nicht geschrieben... – I. P. Čechov lebte seit Anfang 1880 in Voskresensk.

die Gassen gesalzen, Lampe eingeschlagen – nach Mitteilung von M. P. Čechova Familienjargon; umschrieben werden hier die Vergnügen des großstädtischen Lebens, auf die der Adressat in der Kleinstadt Voskresensk verzichten mußte.

Mariupol... – ungeklärt; Mariupol: Bahnstation auf der Strecke Charkov-Simferopol.

6) *6. 3. 1881 – Al. P. Čechov.* 20 (23).

Skandal... – ungeklärt.

Autor der »Somnambulen« – Al. P. Čechov selbst; Aleksandr P. Čechov hatte schon während seiner Studienzeit in verschiedenen Zeitungen und Zeitschriften publiziert, wofür er von seinen jüngeren Brüdern bewundert wurde; Čhechov in einem Brief aus Taganrog vom 9. 3. 1876 an Aleksandr, in deutsch verfaßt: ›Lese und bewundere dich.‹ Die erwähnte Erzählung erschien in den Nrr. 7, 9, 10 und 11 der humoristischen Wochenzeitung ›Budilnik‹, 1881.

7) *8. 5. 1881 – S. Kramarëv.* 21 (24).

... Solomon – Solomon Kramarëv, Schulfreund Čechovs, studierte zu jener Zeit Jura in Charkov; war später Rechtsanwalt in der Stadt Grodno.

und gebe Unterricht – wie schon als Gymnasiast verdiente Čechov auch in seiner Studienzeit Geld durch Nachhilfestunden, vgl. auch weiter unten: ›Stunden sind schwer zu bekommen.‹

Saveljev – Dmitrij Timofeevič, 1857–1909, Schulkamerad Čechovs aus Taganrog, Arzt, damals Student der Medizin, hatte eine Zeitlang als Kostgast im Hause Čechov gelebt.

Makar – Vasilij Ivanovič Zembulatov, 1858–1908, Schulfreund und Studienkollege Čechovs, hatte wie Saveljev eine Zeitlang im Hause Čechov gelebt; sein Spitzname: ›Makar‹.

Goldenvejzer – ungeklärt.

Die Beaconsfields, Rothschilds... – Lord Beaconsfield, d.i. Benjamin Disraeli, 1804–1881, englischer Staatsmann; Mayer Anselm Rothschild, 1743–1812, Gründer des internationalen Bankhauses Rothschild. Anspielung auf die Herkunft des Adressaten, zugleich auf die Judenpogrome, zu denen es nach dem Attentat auf Zar Alexander II. am 1. 3. 1881 in der Ukraine gekommen war und von denen Kramarëv Čechov geschrieben hatte; Kramarëv hatte hinzugesetzt, er zähle Čechov zu denjenigen Christenmenschen, deren Herz bei derlei Nachrichten nicht ›frohlocke‹.

Ljutostanskij – Ippolit Ljutostanskij, 1835–1915, katholischer Priester, zur Orthodoxie übergetreten, Autor antisemitischer Schriften, die er

1882 in einem Traktat ›Zur jüdischen Frage vom Standpunkt der Gegenwart‹ widerrief.

Mitarbeiter des »Novoe vremja« – konservative Petersburger Tageszeitung, herausgegeben von Aleksej Sergeevič Suvorin; verfolgte einen betont antisemitischen Kurs. Vgl. dazu Čechovs Briefe an A. S. Suvorin und Čechovs Äußerungen über seine Mitarbeit am ›Novoe vremja‹, insbesondere im Zusammenhang mit der Affäre Dreyfus, aus Nizza 1897/98.

In Moskau ... rund 150 Rubel im Jahr – Čechov veröffentlichte seit März 1880 in verschiedenen humoristischen Zeitschriften und Wochenzeitungen. Seine ersten beiden Humoresken erschienen in der Petersburger Wochenzeitung ›Strekoza‹ vom 9. 3. 1880, für ein Zeilenhonorar von 5 Kopeken; im 2. Halbjahr 1880 hatte Čechov durch Schreiben (645) Zeilen) 32 Rubel und 25 Kopeken verdient.

Patriotismus – soviel man will – zumal nach dem Russisch-Türkischen Krieg, der Gründung Bulgariens usw., als in Rußland die Wogen des Panslavismus besonders hoch schlugen.

Spasovič – Vladimir Danilovič, 1829–1906, gebürt. Pole (Spasowicz), Jurist, Publizist, Schriftsteller. Autor mehrerer Arbeiten über internationales Strafrecht.

8) *8. 11. 1882 – Al. P. Čechov.* 23 (27).

Zöllnerbruder – nach Abschluß seines Studiums hatte Al. P. Čechov eine Anstellung beim Zoll in Taganrog gefunden.

Fedja – Fëdor Vasiljevič Vasiljev, Moskauer Bekannter der Familie Čechov.

Du sollst nicht ehebrechen – das biblische Gebot, im Russischen als direkter Imperativ konstruiert (vgl. auch weiter unten: ›Du sollst nicht töten‹, im Russischen: ›Töte nicht‹), außerdem mit dem stärkeren Wort: huren, buhlen übersetzt.

Nikolka ist mit Marja in Voskresensk – N. P. Čechov, zusammen mit der Schwester Marija P. Čechova (Maša), vgl. Nr. 5.

Tante – F. Ja. Dolženko.

Anna Ivanovna – A. I. Chruščëva-Sokolnikova, 1847–1888, Ehefrau Al. P. Čechovs seit 1881, war zu dieser Zeit Redaktionssekretärin in der Zeitschrift ›Zritel‹, an der neben Anton Čechov auch dessen Brüder Aleksandr und Nikolaj P. Čechov mitarbeiteten.

cancer prostatae – latein., Prostatakrebs.

Sasa – für ›Saša‹, die russische Koseform für Aleksandr; nach Mitteilung von M. P. Čechov wurde Aleksandr von den Griechen in Taganrog so genannt, ›weil er Griechisch konnte‹; ist sicher aber auch Anspielung auf die Schwierigkeiten der Griechen, ›sch‹ zu artikulieren.

eandem – latein. dieselbe, selbige, eben, ebenselbige

spiritistische Seance – ›Spiritismus, latein., Glaube an die Möglichkeit eines Verkehrs mit den Seelen Verstorbener durch Beschwörung u. Zaubermittel, früher durch Swedenborg und magnetisierende Aerzte (Justinus Kerner) vertreten, neuerlich wieder von Amerika aus (Geschw. Fox, 1849) durch das Auftreten von Vermittlern dieses Verkehrs (Medium) und in Verbindung mit Tischrücken, Geisterklopfen (Klopfgeister) und Geisterschrift (Psychograph) verbreitet.‹ (Meyers Handlexikon, Leipzig, ^{2}1878). Auch im Rußland der 70–90er Jahre ein verbreitetes ›Gesellschaftsspiel‹, wie überhaupt das Interesse für okkulte Kräfte weit verbreitet war. So hatte z. B. der Gaukler Bishop 1884 großen Erfolg mit seiner Demonstration der Kunst des Gedankenlesens. Vgl. Čechovs Erzählungen ›Eine schreckliche Nacht‹ 1884, ›Das Geheimnis‹ u. a. In Čechovs literarischen Notizbüchern findet sich folgende Notiz: ›Ein Mensch, sehr intelligent, redet sein Leben lang Unsinn über Hypnotismus, Spiritismus – und alle glauben ihm; aber ein guter Mensch.‹

Außerdem – kopiert hier M. M. Čechov, der die Marotte hatte, bei jeder Gelegenheit zu sagen: ›außerdem...‹

Gavrilka – Gavriil Aleksandrovič, 1845–1890, Lyriker, Übersetzer. Chruščov-Sokolnikov, erster Mann von A. I.

Anoša – Sommer 1880 war Čechov mit seinem Bruder Nikolaj nach Taganrog zur Hochzeit von Anufrij I. Loboda gefahren, in Nr. 18 der Zeitschrift ›Zritel‹ 1881 erschien Čechovs Humoreske ›Hochzeitssaison‹, mit Karikaturen von Nikolaj, in denen sich die Familie der Hochzeiter wiedererkannte und böse war.

Mirskoj tolk – außer in den Zeitschriften ›Zritel‹, ›Strekoza‹ (1880) und ›Budilnik‹ publizierte Čechov auch in den Zeitschriften ›Mirskoj tolk‹ und ›Svet i teni‹.

vom Onkel – Mitrofan Egorovič Čechov.

Ich arbeite wieder in Piter – Piter: Petersburg. In Petersburg erschien die Zeitschrift ›Strekoza‹, in der Čechov debutiert hatte. Sommer 1882 war Čechov mit N. A. Lejkin, einem der bekanntesten humoristischen Autoren und Herausgeber der satirischen Wochenzeitung ›Oskolki‹, bekanntgemacht worden, wo Čechov ab November 1882 fester und ständiger Mitarbeiter wurde.

Šurka – Aleksandr Gavrilovič Chruščov-Sokolnikov, Sohn von A. I. Chruščova-Sokolnikova aus erster Ehe.

Gerška – Hund Al. P. Čechovs.

Wegen der Papiere – die Universität verzögerte die Zustellung von Dokumenten, die Aleksandr zur Vorlage bei seiner neuen Dienststelle in Taganrog brauchte.

Zacharjin – Grigorij Antonovič, 1829–1897, bekannter russischer Mediziner, Direktor der Therapeutischen Klinik Moskau, Ordinarius an der Universität; das Rezept, das Čechov mit ›Zacharjin‹ unterschreibt, teilt auch die neue Gesamtausgabe nicht mit.

folkt daraus – grammatische Fehler, die Čechov im Scherz in Briefe vor allem an Aleksandr einfließen läßt.

Leonid – Leonid Valentinovič (oder Vladimirovič) Tretjakov, Studienkollege von Al. P. Čechov, der nach Abschluß seines Studiums eine Stelle in der Kreisstadt Suraž (4000 Einw.) bekommen hatte.

9) *25. 12. 1882 – Al. P. Čechov.* 25 (29).

der Schielende – Nikolaj P. Čechov.

ma – Marija P. Čechova.

zwei ma – Čechovs Mutter (Mamaša), E. Ja. Čechova.

Jurist – laut Auskunft von S. M. Čechov hatte Čechovs Vater die Angewohnheit, bei Anblick eines gedeckten Tisches zu sagen: ›Jetzt fehlt noch etwas Juristisches.‹

Europäische Bibliothek – Wochenzeitschrift, hrsg. vom Verleger der Zeitungen ›Mirskoj tolk‹ und ›Svet i teni‹, N. L. Puškarëv, 1841–1906; sie erschien wöchentlich mit 12–15 Bogen Umfang und enthielt jeweils einen abgeschlossenen Roman (Übersetzungen u. a. von E. Zola, A. Daudet).

Putjata – Nikolaj Apollonovič, 1851–1899, Journalist, Übersetzer, ab 1883 Redakteur der ›Europäischen Bibliothek‹ sowie der Zeitschriften ›Svet i teni‹ und ›Mirskoj tolk‹.

Die Übersetzung – für die ›Europ. Bibliothek‹ hatte Al. P. Čechov den Roman ›L'inconnue‹ von E. Texier und C. le Senne übersetzt und trug sich mit dem Gedanken, aus der deutschen ›Gartenlaube‹ auch den Roman ›Recht und Liebe‹ (von L. Schücking) zu übersetzen.

Pastuchov – Nikolaj Ivanovič, 1822–1911, Herausgeber der Zeitung ›Moskovskij Listok‹.

Ukase – sing. ›Ukas‹, Regierungsverordnung, Erlaß; der hier angesprochene Ukas betraf Al. P. Čechov, als Angestellten des Staats, der durch diesen Regierungserlaß seine schriftstellerische Tätigkeit bedroht sah.

Gavrilka Sokolnikov – G. A. Chruščov-Sokolnikov, erster Ehemann von Al. P. Čechovs Frau.

Nikolka – N. P. Čechov; vgl. dazu ausführlich Nr. 12.

»Zritel« – infolge finanzieller Schwierigkeiten hatte die Zeitschrift ihr Erscheinen im Januar 1882 vorübergehend einstellen müssen, erschien aber ab 1883 wieder regelmäßig, im ersten Halbjahr 1883 nahezu wöchentlich mit Arbeiten von Anton P. Čechov.

Kurepin – Aleksandr Dmitrievič, 1847–1891, Publizist, Dramatiker, Redakteur der humoristischen Wochenzeitung ›Budilnik‹ (Moskau); Autor eines regelmäßigen ›Moskauer Feuilletons‹ für die Petersburger

Tageszeitung ›Novoe vremja‹; im ›Budilnik‹ publizierte Čechov ab 1883 nurmehr gelegentlich.
»Mirskoj tolk«, Puškarëv – vgl. oben.
Nadenka in Handschuhen... Nadežda Gavrilovna, Tochter von G. A. und A. I. Chruščova-Sokolnikova.

10) *12. 1. 1883 – N. A. Lejkin.* 28 (31).
Das Honorar – für Dezember 1882 für Veröffentlichungen in den ›Oskolki‹; ›Das Honorar wird aufs Pünktlichste jeden Ersten des Monats geschickt‹, teilte Čechov seinem Bruder Aleksandr am 3. 2. 1883 mit. In den ›Oskolki‹ erschienen, ab November 1882, regelmäßig Kurzgeschichten und Humoresken Čechovs, oft mehrere Arbeiten in einer Ausgabe, bis ins Jahr 1886.
»Das einzige Mittel« – erschienen in ›Oskolki‹ vom 22. 1. 1883.
Erweitern Sie meine Rechte... – Lejkin antwortete zustimmend, allerdings unter der Bedingung, daß Čechov dieses Recht nicht extensiv auslege und mißbrauche, dürfe er auch 140, 150 Zeilen schreiben, ›nur schicken Sie unbedingt für jede Nummer etwas‹. Über die Nöte, termingerecht abzuliefern, vgl. Nr. 11.
Redakteur des »Zritel« – Vsevolod Vasiljevič Davydov, Redakteur der Zeitschrift ›Zritel‹ zwischen 1881 und 1885; Druckereibesitzer.

11) *29. 1. 1883 – G. P. Kravcov.* LN 3 (SS 33).
für die Zeitschriften – Čechov schickte an Kravcov die Zeitschriften ›Sputnik‹, ›Zritel‹ und ›Evropejskaja biblioteka‹.
für Ihre Gastfreundschaft – Čechov hatte Familie Kravcov, die Eltern seines Nachhilfeschülers in Taganrog, in den Ferien mehrfach besucht.
nach Veljun – Ort, an dem Petja Kravcov seinen Militärdienst leistete.
Alëša, Saša... – Kinder des Adressaten; Natalja Parfentjevna – seine Frau.
A. Čechonte – das meistgebrauchte Pseudonym Čechovs, das er erst in Suvorins ›Novoe vremja‹ ablegte.
6–7 *Zeitungen* – 1880 ›Strekoza‹, später ›Zritel‹, ›Budilnik‹, ›Sputnik‹, ›Mirskoj tolk‹, ›Svet i teni‹, ›Oskolki‹ u. a.
per. – Abkürzung f. ›pereulok‹: Gasse.
Hs. – ›Haus‹; in Moskau existierten (im Gegensatz etwa zu Petersburg) keine Hausnummern, die Häuser wurden nach den Namen ihrer Besitzer bezeichnet.

12) *Februar 1883 – Al. P. Čechov.* 33 (36).
zur gelungenen Entbindung – zur Geburt der Tochter Marija Aleksandrovna.

Nikolka – N. P. Čechov.

Lentovskij – Michail Valentinovič, 1843–1906, Schauspieler und Theaterunternehmer, hatte 1876 in Moskau die ›Eremitage‹ gemietet und dort, für Rußland erstmalig, Operetten und Féerien aufführen lassen; gründete 1882 das ›Novyj teatr‹ in Moskau, leitete ab 1885 das Theater ›Skoromoch‹.

Onkels Manifeste – ›Manifeste‹ erließ in Rußland der Zar; gemeint sind die Briefe von Mitrofan E. Čechov aus Taganrog, die sich durch ähnlich barocken Stil auszeichneten.

à la »Kapitän Hatteras – vgl. den Roman ›Die Abenteuer des Kapitan Hatteras‹ von Jules Verne, der in Rußland überaus populär war.

Du hast eine Erzählung – ungeklärt, von welcher Erzählung Al. P. Čechovs hier die Rede ist.

»Schwesterchen« – nach Auskunft von M. P. Čechova ist diese Erzählung nicht publiziert worden.

Pimenovna – Köchin in Taganrog, Bekannte der Familie Čechov.

Stamatič – Nikolaj, griech. Makler in Taganrog, war Stammkunde in P. E. Čechovs Kolonialwarenladen.

in den Herzen lesen – in den Erzählungen ›Mon repos‹ und ›Im Ausland‹ des Satirikers M. E. Saltykov-Ščedrin (1826–1889) kommt, im Zusammenhang mit den Reformen des Jahres 1861 (Aufhebung der Leibeigenschaft), die Rede auf die angeblich neuen Vollmachten der Landgendarmen, wonach diese das Recht hätten, ›in den Herzen zu lesen‹.

Alles ist zusammengebrochen – M. P. Čechova hatte an der Moskauer Lehranstalt für Malerei studieren wollen wie zuvor ihr Bruder Nikolaj, war aber nicht angenommen worden; M. P. Čechova machte daraufhin ihr Lehrerinnenexamen und nahm, sehr viel später, Unterricht in Malerei im Atelier von A. A. Chotjaincëva.

Fedoticha – nach Mitteilung von M. P. Čechova hatte sie, M. P. Čechova, ihrem Bruder von der Moskauer Schauspielerin G. N. Fedotova geschrieben; dieser Brief ist nicht überliefert.

Tretjakov & Co. – L. V. Tretjakov u. a. Kommilitonen von Al. P. Čechov.

Kičeev – Nikolaj Petrovič, 1848–1890, Publizist, Journalist, zwischen 1877 und 1881 Redakteur des Moskauer ›Budilnik‹, Feuilletonist, Theaterkritiker.

Vous comprenez – franz., Sie verstehen.

mit »Vasja« – Vasilij Pavlovič Malyšev, dem Onkel der Gebrüder Tretjakov, Volksschulinspektor.

Stepanov – möglicherweise der Maler Aleksej Stepanovič Stepanov, 1858–1923, Studienkollege und Altersgenosse von N. P. Čechov.

Semën Gavrilovič – Angestellter im Lager der Fa. I. E. Gavrilov.

eine Ma – Al. P. Čechovs neugeborene Tochter Marija Aleksandrovna Čechova, geb. 1883, gest. 1884.
Bekommst du die »Oskolki« – N. A. Lejkin hatte Čechov bestätigt, daß er seinem Bruder Aleksandr die Zeitschrift regelmäßig nach Taganrog schicken lassen werde.
Möchtest du nicht ein kleines Thema? – meint eine Anekdote, einen Stoff für eine Erzählung.

13) *17. 4. 1883 – N. A. Lejkin.* 36 (40).
»Weidenbaum« – veröffentlicht in den ›Oskolki‹ vom 9. 4.
»Der Dieb« – in den ›Oskolki‹ vom 16. 4. 1883.
I. Grěk – Pseudonym von Viktor Viktorovič Bilibin, 1859–1908, humorist. Schriftsteller, Dramatiker, Mitarbeiter, später Redaktionssekretär der ›Oskolki‹, nach 1906 Redakteur der Zeitschrift.
Liodor Ivanovič – L. I. Palmin, 1841–1891, Lyriker, Übersetzer, Mitarbeiter verschiedener humorist. Zeitschriften, einer der Mentoren Čechovs in den ersten Jahren.
Ag. Edinicyn – ›Agafopod Edinicyn‹, Pseudonym von Al. P. Čechov. Anfang März hatte Čechov eine Erzählung seines Bruders an Lejkin geschickt, die aber nicht in den ›Oskolki‹ gedruckt wurde.
Vanja, Mamaša...« – veröffentlicht am 7. 5. 1883; in den ›Gesammelten Werken‹ später mit dem Titel der ›Zwischenfall mit dem Klassiker‹.

14) *13. 5. 1883 – Al. P. Čechov.* 37 (41).
Kleiner Nutzen – Familienjargon aus der Zeit in Taganrog, Ausdruck für das Kleingeld, das kleine Jungen, zusammenbetteln und -schnorren.
Nestlé-Mehl – Nestlés Kindermehl, Kindernahrungsmittel, nach dem Aleksandr gefragt hatte.
Decoct. Salep. – Dekokt: Absud; Salepschleim – offizinelles Mittel gegen Durchfall, besonders bei Kindern, Absud aus der Salepwurzel.
Altee – oder Eibischsirup, aus der Eibischwurzel gewonnener Saft, der, mit Zucker versetzt, als reizmilderndes Mittel gegen Husten verwendet wurde.
Antwort auf meinen Brief – vgl. Nr. 12.
Karamzin und Žukovskij – N. M. Karamzin, 1766–1826, V. A. Žukovskij, 1783–1852, klassische russische Autoren der Zeit vor Puškin, Vertreter der sog. ›Sentimentalen Schule‹.
Onkel, der eine Medaille bekommen hat – – M. E. Čechov war Kirchenältester in Taganrog und für zahlreiche wohltätige Werke mit einer Medaille ausgezeichnet worden.
»Svet i teni« – Zeitschrift, in der Arbeiten von N. P. Čechov erschienen, in der auch Anton P. Čechov gelegentlich publizierte.

Utkina – Lidija Nikolaevna, Herausgeberin des ›Budilnik‹ zwischen 1876 und 1883.
an den Wassern zu Babel... – Psalm 137, Vers 1, weiter: wenn wir an Zion gedachten.
Testov – berühmtes und vornehmes Restaurant, am Theaterplatz gelegen.
Andrjuška Dmitriev – Andrej Michajlovič, gest. 1886, humoristischer Schriftsteller, Übersetzer, Journalist; Mitarbeiter des ›Moskovskij listok‹, Redaktionsmitglied des ›Zritel‹ und der ›Moskovskaja teatralnaja gazeta‹, Mitherausgeber des ›Russkij kurjer‹.
L. V. – L. V. Tretjakov.
»Wort der Zeiten...« – Humoreske von Al. P. Čechov, veröffentlicht im ›Zritel‹ vom 2. 3. 1883.
»Zritel« ist beerdigt – infolge finanzieller Schwierigkeiten konnte die Zeitschrift 1883 nur in der ersten Jahreshälfte erscheinen, 1884/85 erschienen insgesamt nurmehr sechs Ausgaben.
deine »Pfeife« – Erzählung Aleksandrs, die Čechov Anfang März an Lejkin geschickt hatte.
in der Quarantäne – scherzhafter Name für einen Stadtteil von Taganrog (Elisavetinskij park).
Zu meinem großen Kummer – wegen der bevorstehenden Krönungsfeierlichkeiten für Alexander III. in Moskau war ein Teil der Examina auf den Herbst des Jahres verschoben worden, vgl. Nr. 17, 18.
Autorität der Geschlechter – in seinem Brief vom 17./18. 4. hatte Čechov eine naturwissenschaftliche Arbeit, ›Geschichte der Autorität der Geschlechter‹ skizziert, einen Plan, der nicht verwirklicht wurde; nach Abschluß seines Studiums sammelte Čechov Material für eine andere Arbeit (›Über die Medizin in Rußland‹), die ebenfalls Plan blieb.
Turlygin – Jakov Prokofjevič, 1856–1909, Maler, Mitarbeiter an humorist. Zeitschriften, Bühnenbildner am Theater M. V. Lentovskij.
Die »Somnambule« – vgl. Nr. 6.
Nadenka Sok. – Nadežda Gavriilovna Chruščova-Sokolnikova.

15) *26. 5. 1883 – N. A. Lejkin.* 38 (43).

16) *21./24. 8. 1883 – N.A. Lejkin.* 45 (50).
Die Notizen – in den folgenden Briefen oft auch ›das Feuilleton‹, das ›Moskauer Feuilleton‹, oder die ›Splitter‹: seit dem 2. Juli 1883 schrieb Čechov für die ›Oskolki‹ eine 14tägige Übersicht über das Moskauer Kultur- und Gesellschaftsleben unter dem Titel ›Splitter des Moskauer Lebens‹; Pseudonyme: ›Ulysses‹ (Uliss) und ›Ruver‹. Zur Entschlüsselung des Pseudonyms ›Ruver‹ gibt die 1974 begonnene Ausgabe keinen Hinweis, möglicherweise handelt es sich um die phonetische

Transkription des englischen Begriffs ›rover‹, wofür das Wörterbuch von Muret-Sanders folgende Übersetzungen anbietet: ›Umherschweifende(r), Schwärmer(in); Landstreicher. (auch sea-) Seeräuber, Freibeuter, Korsar; auch Seeräuberschiff. Wankelmütige(r)‹, sowie in Zusammensetzungen (to shoot at-s) nach einem gelegentlichen Ziele schießen; ins Blaue, aufs Geratewohl oder auf gut Glück schießen‹.

die Erzählung – ›Protektion‹, veröffentlicht am 27. 8.

eines eben auf Besuch gekommenen... – Al. P. Čechov mit Frau und Tochter.

»Versiegelter Engel« – ›Der versiegelte Engel‹, Novelle von N. S. Leskov aus dem Jahre 1873.

die »Schöne Helena« – ›La belle Hélène‹, Operette von Jacques Offenbach, uraufgeführt 1864 in Paris, in Petersburg 1866 bzw. 1868 am Alexandratheater Petersburg.

Von Ihrer letzten Erzählung... – möglicherweise N. A. Lejkins Erzählung ›Ungehobelt und gehobelt‹ in den ›Oskolki‹ vom 20. 8. oder ›Die neue Rivalin‹, erschienen am 20. 8. in der ›Peterburgskaja gazeta‹, in der Lejkin ebenfalls publizierte; möglicherweise auch ›Aus Gesprächen mit Polizisten‹, ›Peterburgskaja gazeta‹ vom 21. 8. 1883.

»Amusant« – ›Journal Amusant‹, französische humoristische Wochenzeitung.

17) *15./28. 10. 1883 – Al. P. Čechov.* 50 (55).

Sei keine Hose – Familienjargon. In seinen Erinnerungen ›Rund um Čechov‹ erzählt M. P. Čechov die Geschichte, daß alle seine älteren Brüder eine kostenlose Handwerksausbildung erhalten sollten (1874 waren an der Lehranstalt Taganrog sog. Handwerksklassen eröffnet worden); während I. P. Čechov die Buchbinderei erlernte, entschied sich Anton für das Schneiderhandwerk und nähte im Zuge dessen für seinen älteren Bruder Nikolaj eine lange graue Gymnasiastenhose; die Hose fiel, auf Wunsch Nikolajs, sehr eng aus, derart eng, daß Nikolaj auf der Straße zum Gespött der Jungen wurde – mit seinen ›Makkaroni-Hosen‹. Die ›Makkaroni‹-Hosen seien seitdem stehende Rede in der Familie geblieben. – Bedeutung des Ausrufs etwa: ›Hab keine Angst‹, ›Sei kein Frosch‹.

Examina... – die Abschlußprüfungen zogen sich bis Dezember hin.

Leichtsinn der vergangenen Jahre – 1882 hatte Čechov einen Roman (›Ein überflüssiger Sieg‹) und ca. 40 Humoresken und Erzählungen geschrieben. 1883 waren es rund 130 Beiträge für verschiedene Zeitungen und Wochenschriften.

Kačilovskij – bekannter Arzt in Taganrog.

historiae morbi – russ. transkribiert, latein. Krankengeschichten.

Popudolgo – Fëdor Fedoseevič, 1846–1883, Mitarbeiter des ›Budilnik‹,

Journalist. Čechov widmete ihm die Erzählung ›Lebende Ware‹.

Kudrino – Stadtteil in Moskau, in dem Čechov später wohnte (in der Kudrinskaja-Sadovaja).

nomina sunt odiosa – geflügeltes Wort, geht auf Cicero zurück: ›homines notos sumere odiosum est‹ – angesehene Leute zu nennen, ist eine heikle Sache (da zweifelhaft ist, ob sie selbst genannt werden wollen).

Schlafrock-Verhältnis dem Leben gegenüber – auf den Roman ›Oblomov‹ von Gončarov zurückgehendes Bild, das Čechov häufig gebraucht (vgl. Briefe zum ›Ivanov‹): er hat bereits den Schlafrock angezogen, ist ein Oblomov geworden.

N. A. Lejkin war bei mir – Lejkin hatte bereits Anfang September einen Besuch in Moskau angekündigt, war vom 8.–12. Oktober dann in Moskau.

nicht den Schwanengesang anzustimmen – am 1. 10. 1883 hatte Lejkin über Aleksandrs Erzählungen an Čechov geschrieben: ›Sehr blaß und inhaltslos. Er schreibt mir: »wenn Ihnen diese Erzählungen nicht gefallen, dann werden sie mein Schwanengesang sein.« Wieso Schwanengesang? Ich habe doch zwei seiner Erzählungen gedruckt? Er soll es weiter versuchen.‹

N. S. Leskov – ›mein Lieblingsschriftsteller‹, möglicherweise ironisch. Nikolaj Semënovič Leskov, 1831–1895, hatte zwischen 1874 und 1880 verschiedene offiziöse Ämter inne, u. a. das eines Zensors am Ministerium für Volksbildung; seiner satirischen Erzählungen wegen war er 1880 untragbar geworden.

Salon – ›Salon de variétés‹ in Moskau, Amüsierlokal.

Spelunken des Sobolev – im Sobolev pereulok befanden sich einige Freudenhäuser; vgl. Čechovs Erzählung ›Der Anfall‹ (1888), detebe 50/XIV.

Seine Werke mit Faksimile – mit Widmung des Autors befanden sich in Čechovs Bibliothek ›Der Linkshänder‹ (1882) und ›Die Klerisei‹ (Ausgabe von 1878).

Santuriner – Weinmarke.

Roten und Blauen – für: Tomaten und Auberginen.

Mosevna – scherzhaft Kosename für Marija, die Tochter Aleksandrs.

Kontorskaja ulica – Straße in Taganrog, in der Čechov zuletzt gewohnt hatte (Haus Selivanov, vormals Čechov).

Katja – Dienstmädchen bei Aleksandr.

18) *10. 12. 1883 – N. A. Lejkin.* – 53 (59).

Wollen Sie Ruver nicht sterben lassen – seine ›Splitter des Moskauer Lebens‹ unterschrieb Čechov mit ›Ruver‹ bzw. ›Ulysses‹ (vgl. auch die folgenden Briefe). Lejkin lehnte Čechovs Vorschlag ab, bat ihn vielmehr mit Nachdruck, das Feuilleton auch 1884 weiterzuführen, vgl.

Nr. 28. Parallel zu den ›Moskauer Splittern‹ gab es eine Rubrik über das Leben in Petersburg, wie auch ›Notizen aus der Provinz‹.

»Unglück über Unglück« – wurde in der ›ehemaligen Hauptstadt‹, Moskau, d. h. im ›Budilnik‹ veröffentlicht unter dem Titel ›Zur heiligen Nacht‹.

Želtov – Ivan Michajlovič, gest. 1890, Buchhändler, Verleger der ›Russkaja gazeta‹ u. a.

Beljankin – Lavr Lavrovič, gest. in den 20er Jahren, Maler, Karikaturist.

1884

19) *30. 1. 1884 – N. A. Lejkin.* 58 (64).

Piter – umgangssprachlich für: Petersburg.

Das Feuilleton – die Glosse ›Splitter des Moskauer Lebens‹.

Die Erzählung – wahrscheinlich ›Der Nachhilfelehrer‹, veröffentlicht in den ›Oskolki‹ v. 11. Februar. Wie im vergangenen Jahr veröffentlicht Čechov bei Lejkin regelmäßig, wöchentlich mindestens eine Erzählung sowie, 14tätig, sein ›Moskauer Feuilleton‹.

Theater Lentovskij – ›Novyj teatr‹ (Neues Theater) in Moskau.

»Rauch des Lebens« von B. Markevič – Bühnenbearbeitung des Romans ›Der Abgrund‹, erschienen 1883–1884, des dritten Teils einer Romantrilogie über den revolutionären Kampf der russischen Intelligenz aus erzkonservativer Sicht. Den Schriftsteller Boleslav M. Markevič, 1822–1884, hatte Čechov in Babkino, nahe Voskresensk, Sommer 1883 kennengelernt; vgl. Brief Nr. 30. Čechov schrieb die angekündigte Parodie, bat dann aber darum, sie nicht zu veröffentlichen. Vgl. auch ›Die Möwe‹, 1. Akt, detebe 50/1.

Begičev – Vladimir Petrovič, 1828–1891, Dramatiker, 1864–1881 Inspektor für das Repertoire der Moskauer Staatstheater, 1881/82 vorübergehend ihr Direktor.

Vladislavlev – Michail Petrovič, 1827–1909, Sänger, Solist des Bolšoj-Theaters.

unter dem Schutz des Pseudonyms – ›Ruver‹ bzw. ›Ulysses‹ in den ›Splittern des Moskauer Lebens‹.

Volna – Wochenzeitung, in der Čechov gelegentlich veröffentlichte; es ist unklar, um welche »Geschichte« es hier geht. Über I. I. Klang, Redakteur der ›Volna‹, hatte sich Čechov mehrfach in den ›Splittern des Moskauer Lebens‹ lustiggemacht.

20) *20./21. 5. 1884 – N. A. Lejkin.* LN 4 (SS 73).

und Beilage – beigefügt war eine Erzählung von Al. P. Čechov, die nach

Auffassung Lejkins ungeeignet war, weil sie Čechovs Erzählung ›Das Album‹ zu ähnlich war.

acme – latein., griech.: ›Blüte‹, ›Höhepunkt‹.

Petrovskoe-Razumovskoe – Villengegend nahe Moskau.

Valaam – oder Walaam, finnische Inselgruppe im Ladogasee, für ihre Naturschönheiten berühmt.

wenn ich das morgige Examen bestehe – vgl. weiter unten; am 18. 6. richtete Čechov an den Rektor der Moskauer Universität das formelle Gesuch, ihm das Ärztediplom auszuhändigen.

Haus Eleckij – in Moskau, Sretenka, in dem Čechov wohnte.

in den Kreis der Auserwählten – d. h. derjenigen Mitarbeiter, auf deren Pünktlichkeit Verlaß war; Čechov hatte aber 1883 wie auch im Jahr der Abschlußprüfungen regelmäßig jede Woche in den ›Oskolki‹ publiziert, nicht selten mehrere Beiträge pro Ausgabe.

in Novyj Ierusalim – wie 1883, in dem Kloster nahe der Stadt Voskresensk.

das »Delo« segnet das Zeitliche? – die liberal-demokratische Zeitschrift ›Delo‹ hatte besonders unter der Zensur zu leiden, ab Frühjahr 1884 wurde ihr Erscheinen unmöglich; einzelne Hefte konnten erst wieder 1886 erscheinen.

hat mich wild gemacht – Čechovs Verhältnis gegenüber den Liberalen, die in den 80er Jahren die Ideen der 60er Jahre zum Dogma erhoben hatten und schulmeisterlich daran festhielten, war jahrelang gespannt; vgl. Čechovs Brief vom 10. 4. 1890 an V. Lavrov.

derzeitiges Elend mit den Zeitschriften – meint vermutlich das Verbot der traditonsreichen demokratischen Zeitschrift ›Otečestvennyja zapiski‹ (Vaterländische Annalen) im April 1884, die, nach dem Tode Nekrasovs 1877 von N. K. Michajlovskij, M. E. Saltykov-Ščedrin und G. Z. Eliseev geleitet wurde. Eine Zeitschrift, die »ihre Seiten nicht nur der Verbreitung schädlicher Ideen öffnet, sondern unter ihren engsten Mitarbeitern auch Personen hat, die Geheimgesellschaften angehören« (Regierungsbote vom 20. 5. 1884); der Verfolgung durch die regierungsamtliche Zensur unterlagen aber auch zahlreiche andere liberale bis fortschrittliche Zeitschriften.

21) *17. 6. 1884 – N.A. Lejkin.* LN 5 (SS 74).

»Märchen der Melpomene« – erster Erzählungsband Čechovs, nachdem 1882 ein Buchplan an der Zensur gescheitert war; gedruckt in der Druckerei A. Levenson, Moskau, enthielt der Band, mit dem Untertitel ›Sechs Erzählungen von A. Čechonte‹, die Texte: ›Er und sie‹, ›Der Tragöde‹, ›Der Baron‹, ›Rache‹, ›Zwei Skandale‹ und ›Künstlergattinnen‹.

»Peterburgskaja gazeta« – Petersburger (Tages-)Zeitung, an der Lejkin

mitarbeitete und Einfluß genoß; in der ›Peterburgskaja gazeta‹ erschien keine Anzeige des Buches; Lejkin druckte, vom 7. Juli an, in sieben Ausgaben vermutlich den Text der Anzeige, den Čechov für die ›Pet. gaz.‹ geschickt hatte, vgl. auch Nr. 25.

Morgen fahre ich ... – aus den Sommerferien kehrte Čechov am 3. September nach Moskau zurück.

Worte, Worte, Worte – vgl. ›Hamlet‹, II/2.

Dann haben Sie ... – ›Gärung der Gemüter‹, erschienen am 16. 6. in den ›Oskolki‹; Lejkin rechtfertigte sich auf Čechovs Vorwurf: »Das war notwendig. Nur dank diesem Satz ist die Erzählung von der Zensur genehmigt worden. Man mußte erklären, daß alles wegen der Stare gekommen war.« Bei der Redaktion dieser Erzählung für die Buchausgabe (›Bunte Erzählungen‹) nahm Čechov diesen Satz wieder heraus.

mit Ihrem Pflegesohn – Fedja; Lejkin hatte ein Findelkind adoptiert.

22) *25. 6. 1884 – N. A. Lejkin.* 67 (76).

»Die Beamtenprüfung« – in den ›Oskolki‹, 14. Juli; Umfang der Erzählung dort 146 Zeilen; vgl. detebe 50/XI.

die »süßen Klänge« – Zitat aus dem Puškingedicht ›Der Dichter und die Menge‹, 1828.

»Mirskoj tolk« – Zeitschrift, in der Čechov in den vergangenen Jahren gelegentlich publiziert hatte.

Leskov – vgl. Nr. 17, wo Čechov seinem Bruder die Begegnung mit Leskov schildert, sowie Anmerkung zu diesem Brief.

modes et robes – im Original franz.

Golochvastov – Pavel D., 1839–1892, slavophiler Schriftsteller, Mitarbeiter der Zeitschrift ›Russkij archiv‹.

»Rus« – slavophile Zeitschrift, 1880–1886, erschien 14tägig in Moskau, hrsg. von I. S. Aksakov.

Markevič – vgl. Brief Nr. 19 und Anm. Seine Romane ›Der Umbruch‹ und ›Der Abgrund‹ publizierte Markevič in der konservativen, bei der Intelligenz verhaßten Zeitschrift ›Russkij vestnik‹, die von M. N. Katkov herausgegeben wurde.

Savva von Zvenigorod – Kloster in der Nähe der Stadt Zvenigorod, dem hl. Savva geweiht. Vgl. auch Brief an Lejkin vom 14. 7.

einen Auftrag des »Budilnik« – um welchen Auftrag, welches Angebot des ›Budilnik‹ es sich handelt, ist ungeklärt.

23) *27. 6. 1884 – N. A. Lejkin.* – 68 (77).

E-ni – auch Ežini, Variante des Pseudonyms des humoristischen Schriftstellers Nikolaj Michajlovič Ežov, 1862–1941, mit dem Čechov später auch in Briefwechsel stand.

Anzeige – vgl. Nr. 21.

ich gehe ins Zemstvokrankenhaus – zwei Verst von Voskresensk entfernt praktizierte Čechov beim Zemstvoarzt P. A. Archangelskij.

24) *14. 7. 1884 – N. A. Lejkin.* 69 (78).

Zvenigorod – Kreisstadt im westlichen Gouvernement Moskau, im selben Kreis lag auch die Stadt Voskresensk; Zvenigorod, an der Moskva gelegen, war mit 4000 Einwohnern kleiner als Voskresensk. Am hiesigen Zemstvokrankenhaus übernahm Čechov eine 14tägige Vertretung des Zemstvoarztes S. P. Uspenskij.

der geheiligte Savva – Kloster nahe Zvenigorod.

die Terminarbeit – das Feuilleton, die ›Splitter des Moskauer Lebens‹.

mit seiner Alten getraut – kirchlich; Palmin lebte mit seiner Frau, Pelageja Evdokimovna, seit langem in bürgerlicher Ehe.

25) *23. 8. 1884 – N. A. Lejkin.* 73 (83).

im »Novoe vremja« gelobt – in seinem ›Moskauer Feuilleton‹ für das ›Novoe vremja‹ hatte A. D. Kurepin (›K.‹) u. a. geschrieben, die sechs Erzählungen seien wenig lustig, und traurig auch die Bilanz des Autors; A. Čechonte habe sich umsonst von den Einflüsterungen Melpomenes hinreißen lassen; in der Zeitschrift ›Teatralnyj mirok‹ (Nr. 25/1884) stand eine bloße bibliographische Notiz; ›Teatralny mirok‹: Theaterzirkel.

»Nabljudatel« – Monatszeitschrift für Literatur, Politik und populäre Wissenschaft; hrsg. von A. P. Pjatkovskij, Petersburg 1882–1904.

Lukin – Aleksandr Petrovič, gest. 1905, Journalist, Mitarbeiter der ›Russkie vedomosti‹, ›Novosti‹ u. a.

»Christusbraut« – Erzählungsband Lejkins, 1884; die Rezension darüber stand in Nr. 8, dem Augustheft der Zeitschrift.

an die Spl. d. Mosk. Lebens – die ›Splitter‹, das 14tägige Feuilleton Čechovs über das Moskauer Kulturleben.

Palmins »Meereswogen« – Gedicht von L. I. Palmin, erschienen am 18. 8. in den ›Oskolki‹.

B. Markevič – vgl. Nr. 21, 22. Markevič starb am 18. 11. 1884.

Leskov – vgl. Anm. zu Nr. 17.

26) *7. 10. 1884 – N. A. Lejkin.* 78 (88).

Ihr Redakteurswillen – Lejkin hatte Čechov dringend um ›Splitter des Moskauer Lebens‹ gebeten; um welche Erzählung es sich in diesem Fall handelt, ist ungeklärt.

panem et circenses – latein. geflügeltes Wort, das Lejkin häufiger im Sinne von ›etwas los sein‹ gebrauchte, etwas aus dem Moskauer Kulturleben, das man für das Feuilleton hätte verwenden können.

das gute Wort über die »Peterburgskaja gazeta« – Lejkin hatte Čechov mitgeteilt, daß er die Zeitung nun regelmäßig geschickt bekommen werde.

Lichačëv – Vladimir Ivanovič, 1837–1906, Stadtoberhaupt von S. Petersburg 1885–1889, ab 1896 Senator.

Coiffure – Frisur.

Nov – neugegründete Zeitschrift, die ab 1. November in Petersburg erscheinen sollte; eine Mitarbeit Čechovs daran kam nicht zustande.

27) *17. 11. 1884 – N. A. Lejkin.* 83 (92).

Chudekov – Sergej Nikolaevič, 1837–1928, Redakteur und Herausgeber der ›Peterburgskaja gazeta‹, dem Čechov über N. Lejkin angeboten hatte, Feuilletons über die Gerichtsverhandlung gegen I. Rykov zu schreiben, den Hauptbeschuldigten an dem Bankskandal der Bank von Skopin, der seinerzeit großes Aufsehen erregt hatte, und der am 22. November in Moskau begann. Čechovs Prozeßberichte erschienen in der ›Peterb. gaz.‹ täglich vom 24. 11. bis 8. 12.

Reden und Riemen – Erzählung Čechovs aus dem Jahre 1882, die damals von der Zensur verboten worden war; Lejkin schickte sie abermals zur Zensur und konnte sie am 24. 11. veröffentlichen.

»Razvlečenie« – humoristische Zeitschrift, an der Čechov einige Male mitgearbeitet hatte, zum Mißvergnügen Lejkins; Čechovs letzte Erzählung in dieser Zeitschrift erschien in der ersten Januarausgabe 1885.

Meine Erzählung, die in... gedruckt ist – ›Ehe aus Berechnung‹, am 8. 11. 1884; vgl. detebe 50/XI.

Medvedev – Lev Michajlovič, 1865–1904, Lyriker, Kinderautor, Mitarbeiter humoristischer Zeitungen und Zeitschriften.

Ins Strelna – Restaurant außerhalb Moskaus, im Petrovskij Park gelegen.

vorsintflutliche Redaktion – der Wochenzeitschrift ›Rossija‹, Moskau, 1882–1885 und 1887–1890, hrsg. von O. M. und M. I. Umanec, G. I. Paškov.

»Iskra« – legendäre satirische Zeitschrift, erschien in Petersburg, hrsg. von V. S. Kuročkin und N. A. Stepanov, Organ der liberalen demokratischen Intelligenz; auch Lejkin hatte dort jahrelang publiziert, ehe sie 1873 wegen ›schädlicher Ideen‹ und ›umstürzlerischen und vollkommen unangebrachten Äußerungen über die Regierungsmacht‹ verboten wurde.

hüpfte das Kind... – vgl. Lukas 1/44: ›hüpfte das Kind in ihrem Leibe‹.

Heben Sie das Niveau – die ›künstlerische Abteilung‹, die Karikaturen und Zeichnungen in den ›Oskolki‹ waren ein Punkt, an dem Čechov wiederholt Kritik übte; vgl. Brief Nr. 29.

Die kleinen Sachen – ›Am Krankenbett‹, (›Oskolki‹ vom 1. 12.) und, vermutlich, ›Das liberale Herzchen‹ (22. 12.)

28) *10.12. 1884 – N. A. Lejkin.* 87 (96).

das Blut aus der Kehle ... – geplatztes Gefäß – 1884 hatte Čechov bereits mehrfach über seinen Gesundheitszustand geklagt; Ärzte (wie E. B. Meve, Charkov 1959) sind der Ansicht, daß bereits die Bauchfellentzündung, an der Čechov 1875 und 1877 erkrankt war, erstes Anzeichen der Lungentuberkulose war. Čechov hat diesen ersten Blutsturz ernster genommen, als dieser Brief vermuten läßt; seinem Onkel M. E. Čechov schreibt er (am 31. 1. 1885), daß er ernstlich daran gedacht habe, sich Geld zu leihen, um ins Ausland oder auf die Krim zu fahren und sich dort behandeln zu lassen.

Am 23. 12. 1884 schreibt Čechov an Lejkin: ›Meine Gesundheit hat sich gebessert. Ich arbeite nicht nur, sondern gestatte mir sogar den Genuß von Spirituosen.‹

m-me Politkovskaja – Ekaterina Jakovlevna, Schriftstellerin und Sängerin, Bekannte Čechovs aus Zvenigorod.

Pinunze – poln.-rotwelsch für: ›Geld‹; bei Čechov russisch transkribiert (pnënzy).

»Rossija« – vgl. Nr. 27 und Anm.

infusum – medizin. latein., ›Aufguß‹; Mutterkornextrakt wurde als stillendes Mittel gegen übermäßige Blutungen verwendet, in der Geburtshilfe zur Verbesserung der Wehentätigkeit (Brockhaus, Berlin 1903).

1885

29) *22. 3. 1885 – N.A. Lejkin.* 93 (102).

das Feuilleton – die Übersicht ›Splitter des Moskauer Lebens‹ die Čechov auch 1885 weiterführte; die letzte erschien in Nr. 41 (September) der ›Oskolki‹.

drei Sachen – ›Der rote Berg‹ und ›Die Denunziation‹ (›Oskolki‹ vom 30. 3.), die dritte womöglich ›Über den April (Philologische Notiz)‹, ›Oskolki‹ vom 6. April.

Für Kirill und Metod – die beiden Slavenapostel (IX. Jhdt.); am 6. 4. 1885 wurde feierlich der 1000. Todestag des Mönches Metod begangen.

»Apothekertaxe« – eine der erwähnten Bildunterschriften, in den »Oskolki« vom 13. 4. zu einer Karikatur von V.I. Porfirjev.

der Ewige Jude – Bild des legendären, ewig ruhelosen Juden, Anspielung auch auf den Roman gleichen Titels von E. Sue.

Sie sollten das Niveau ... – vgl. Nr. 27 und Anm.

Kleinbürgerschulen – an einer ›Kleinbürgerschule‹ (der kaufmännischen

Gesellschaft) in Moskau war seit Januar 1884 Čechovs Bruder Ivan als Lehrer tätig.

Porf. – V.I. Porfirjev, Mitarbeiter der ›Oskolki‹, Maler und Karikaturist.

Pčelka – humoristische Zeitschrift, wöchentlich, erschien 1881–1890 in Odessa.

Valjano – Mark Valjano, Kaufmann in Taganrog, Millionär, der durch Schmuggelgeschäfte reich geworden war.

Pastuchov – Nikolaj Ivanovič, 1822–1911, Journalist, Herausgeber der Zeitung ›Moskovskij listok‹.

daß Aleksandr Ihnen zusagt – Lejkin hatte Čechov geschrieben, daß er zwei Artikel von Al.P. ›sehr sehr gut‹ fände; Aleksandr publizierte 1885 häufiger in den ›Oskolki‹.

30) *28. 4. 1885 – N.A. Lejkin.* 96 (105).

»Abgeschafft!« – in seinem Antwortbrief bestätigte Lejkin den Empfang der Erzählung, sie erschien am 25. 5.

»Peterburgskaja gazeta« – vgl. Anm. zu den Briefen vom 7. 10. und 17. 11. an N. Lejkin. Über Lejkin erreichte Čechov das Angebot, dort in den Montagsausgaben zu publizieren, unter der Bedingung, daß die Manuskripte jeweils samtsags in Petersburg einträfen; Zeilenhonorar von 7 Kop.

der Ausgaben fürs Sommerhaus wegen – Čechovs Familie wollte in diesem Jahr nicht, wie in den voraufgegangenen Jahren, die Ferien in Voskresensk verbringen; auf der Suche nach einem neuen Quartier für den Sommer hatte Čechov mehrfach mit dem Arzt P.G. Rozanov korrespondiert. Man verfiel schließlich auf das Gut Babkino der Familie A.S. und M.V. Kiselëv, wo der Schriftsteller Boleslav Markevič 1884 den Sommer verbracht hatte.

In »Razvlečenie« – hat Čechov nurmehr in Nr. 1/1885 publiziert.

Kiselëv – Aleksej Sergeevič, Besitzer des Gutes Babkino, wo Čechovs Familie den Sommer der Jahre 1885, 1886 und 1887 verbrachte. Kiselëvs Bruder, Pavel S., war Hofmeister am Kaiserl. Hof in Petersburg; die Frau Kiselëvs, Marija Vladimirovna Kiselëva, 1859–1921, eine geborene Begičëva.

B. Markevičs Schatten – Markevič war am 18. 11. 1884 gestorben.

et caetera – so im Original, latein. ›undsoweiter‹.

Begičëv, Vladislavlev – vgl. Nr. 19 und Anm.

über die Gerichtsverhandlung – gegen Rykov, vgl. Nr. 27; die Striche seitens der Redaktion sind offensichtlich nicht mehr zu rekonstruieren.

mein Maler – Nikolaj P. Čechov.

sonst geht es in Moskau in die Eremitage – zu Čechovs Zeiten eines der ersten und teuersten Restaurants in Moskau, an der Trubnaja ploščad', ›mit Konzertgarten‹ (Baedeker, Lpz. 1907).

»Lazurblaue Blumen – der neueste Erzählungsband von N.A. Lejkin, 1885 erschienen.

Um den Leutnant und die Hebamme... – zwei Bildunterschriften, die N. Lejkin nicht durch die Zensur gebracht hatte.

31) *10. 5. 1885 – M.P. Čechov.* 98 (107).

Begičëv – Vladimir Petrovič, vgl. Brief vom 30. 1. 1884 an N. Lejkin; Schwiegervater von A.S. Kiselëv.

Levitan – Isaak Iljič, 1861–1900, Maler, befreundet mit Nikolaj P. Čechov, durch den Čechov ihn Anfang der 80er Jahre kennengelernt hatte.

Vanja – Ivan P. Čechov.

Marja Vlad. – Marija Vladimirovna Kiselëva.

Mjasnickaja – Einkaufstraße in Moskau.

Giljaj – Vladimir Alekseevič Giljarovskij, 1853–1935, Lyriker, Schriftsteller, Journalist.

Tyško – Ėduard Ivanovič Tyško, Oberst a. D., Bekannter Čechovs aus Voskresensk.

Nikolaj – N.P. Čechov.

Lila, Olga – ungeklärt.

Schreib mir aus dem Enzykl. Wörterbuch ab – in den ›Oskolki‹ veröffentlichte Čechov ›philologische Notizen‹ über die Monate des Jahres (›Über den Juni‹, ›Über den Juli‹ usw.), vermutlich eine Fortführung der Ideen, die Čechov in Brief Nr. 20 skizziert hatte.

32) *14. 9. 1885 – N.A. Lejkin.* 102 (112).

eine Zensurgeschichte – oder eine ›zensurfähige‹ Geschichte, d. h. eine, die die Zensur unbeanstandet passiert.

die Übersicht – meint die ›Splitter des Moskauer Lebens.

»Pet. gaz.« – auch ›Gazeta‹, ›P. g.‹ – die ›Peterburgskaja gazeta‹, in der Čechov 1885 erstmals am 6. Mai und ab 17. 6. regelmäßig, Woche für Woche, Erzählungen publizierte.

Über den September – eine der ›philologischen Notizen‹ über die Monate, vgl. Brief Nr. 31; über den September hat Čechov nicht mehr geschrieben, auch nicht über den Oktober.

Septem, octo – latein. ›sieben, acht‹.

Seinen oft im »Budilnik«... – Zeichnungen von Nikolaj erschienen in den Nrrn. 33, 34 und 35.

33) *24./25. 9. 1885 – N.A. Lejkin.* 103 (113).

danke für die Scherereien – Lejkin hatte Čechov geschrieben, daß er sich seinerseits um Čechovs Honorar bei der ›Peterburgskaja gazeta‹ gekümmert habe.

noch keine neue Wohnung – nach der die Familie Čechov seit ihrer Rückkehr aus Babkino auf der Suche war.

Giljaj – V.A. Giljarovskij.

34) *12./13. 10. 1885 – N.A. Lejkin.* 110 (120).

die neue Wohnung – umgezogen war Čechov am 11./12. 10., wenige Tage zuvor hatte er Lejkin die neue Adresse mitgeteilt: Jakimanka (im Stadtteil Zamoskvorečje), Haus Lebedeva. Diese Wohnung erwies sich jedoch bald als sehr feucht, weshalb Čechov Anfang Dezember in ein anderes Haus (Hs. Klimenkov) in derselben Straße umzog, in die erste große Wohnung in Moskau überhaupt (vgl. Brief Nr. 36).

Das Pogrom... – Lejkin hatte Čechov geschrieben, daß der Zensor diesmal keinen Stein auf dem anderen gelassen habe und es ihm, Lejkin, nur mit Müh und Not gelungen sei, die Zeitschrift als Ganzes zu retten. Von Čechov waren drei Texte inkriminiert: ›In der Fremde‹, ›Tiere‹ sowie bestimmte Teile des Feuilletons ›Splitter des Moskauer Lebens‹.

Komitee – das Zensurkomitee.

eine Erzählung – ›Eine geschlagene Berühmtheit, oder Ein Mittel gegen Trunksucht‹, in den ›Oskolki‹ vom 26. Oktober.

zu Ihrem Kauf – Lejkin hatte Čechov geschrieben, daß er sich ›ein Gut gekauft‹ habe, und zwar den Landsitz der Grafen Stroganov im Kreis Šlisselburg bei Petersburg, am Nevaufer gelegen, mit einem riesigen Palast.

35) *28. 12. 1885 – N.A. Lejkin.* 116 (127).

Die Reise nach Piter – vgl. dazu Nr. 34. Mitte Dezember war Lejkin nach Moskau gekommen und war dann mit Čechov nach Petersburg gefahren, wo Čechov bei ihm wohnte. Während dieses ersten Aufenthalts in Petersburg wurde der Band ›Bunte Erzählungen‹ besprochen. Vgl. dazu auch Brief Nr. 36.

Galimathias – griech. für ›Durcheinander‹, ›Trubel‹, ›Drunter-und-Drüber‹.

Stupin – Aleksandr Dmitrievič, gest. 1915, Moskauer Buchhändler und Verleger.

Levitan – hatte sich bereiterklärt, an den ›Oskolki‹ mitzuarbeiten und Zeichnungen beizusteuern.

aus Furcht vor den Juden – Johannes 19, 38: ›Danach bat den Pilatus Joseph von Arimathia, der ein Jünger Jesu war, doch heimlich aus Furcht vor den Juden, daß er möchte abnehmen den Leichnam Jesu.‹

Amfiteatrov – Aleksandr Valentinovič, 1862–1938, Schriftsteller, Feuilletonist, Mitarbeiter des ›Budilnik‹ u. a.

Pečkovskaja – Natalija Nikolaevna, besaß in Moskau ein Büro für Zeitschriftenabonnements, sollte offenbar stärker für den Vertrieb der ›Oskolki‹ in Moskau eingesetzt werden.

Gudvilovič – Stanislav Petrovič, Arzt in Moskau.

nicht ganz gelungene Neujahrsgeschichte – ›Großmärtyrer zum Neuen Jahr‹, ›Oskolki‹ vom 4. Januar 1886.

Peter-Pauls-Festung – berüchtigtes Gefängnis in Petersburg.

Nevskij – Prachtstraße in Petersburg, Nevskij prospekt.

Fedja – Lejkins Pflegesohn.

Borel, Palkin – Restaurants in Petersburg.

Rogulka und Apel – auch, vgl. u., Apel Apeljič, die Hunde Lejkins.

Lejfert – Besitzer einer Jahrmarktsschaubude auf dem Marsfeld in Petersburg.

Praskovja Nikiforovna – Lejkins Frau.

P.I. Kičeev – Pëtr Ivanovič, 1845–1902, Lyriker, Theaterkritiker, Mitarbeiter der Boulevardpresse.

1886

36) *4. 1. 1886 – Al.P. Čechov.* 118 (128).

Quarantäne-Zöllner – seit August 1885 arbeitete Aleksandr als Sekretär bei der Zollbehörde von Novorossijsk (bis Juni 1886); vgl. auch: ›bei dir in Asien‹.

Judol – altkirchenslav. Wort für ›Tal‹, in Verbindungen: ›Tränental‹, ›Jammertal‹. Möglicherweise auch Schreibfehler (für ›Idol‹); in seinen Briefen vor allem an Aleksandr streute Čechov scherzhaft ›Fehler‹, Verschreiber, Wortspiele, ukrainische Formen usw. ein.

weitere Säuglinge – Anfang Januar erwartete die Familie Aleksandrs ein weiteres Kind, vgl. Nr. 40.

Hose – Familienjargon, vgl. unten: ›Sei keine Hose‹, soviel wie ›Sei kein Frosch‹.

lege eine Seltenheit bei – ungeklärt.

war in Piter – vgl. Brief Nr. 35 und Anm.

»wer aber beharret bis an das Ende« – Markus 13, 13: »..., der wird selig.«

Erakita – nach Auskunft von M.P. Čechova Grieche, Makler aus Taganrog, der einmal im Laden P.E. Čechovs, wo er Stammkunde war, eine Riesenportion Krebse vertilgt hatte.

bis zum nec plus ultra – latein. ›bis zum äußersten‹, zum ›Gehtnichtmehr‹.

Suvorin, Grigorovič, Burenin – die Autoritäten der Literatur, hier: alles, was in der Literatur Rang und Namen hatte.

Suvorin, Aleksej Sergeevič, 1834–1912, Schriftsteller, Publizist, Verleger, Herausgeber der konservativen Tageszeitung ›Novoe vremja‹, an der Čechov ab Mitte Februar mitarbeitete, vgl. Nr. 37.
Grigorovič, Dmitrij Vasiljevič, 1822–1899, Schriftsteller, eine der literarischen Autoritäten, vgl. Čechovs Brief an ihn (28. 3. 1886); auf Anregung Grigorovičs kam die Begegnung zwischen Suvorin und Čechov zustande.
Burenin, Viktor Petrovič, Pseudonym: Graf Aleksis Žasminov, 1841–1926, Schriftsteller, Dramatiker, führender Kritiker des ›Novoe vremja‹; persönlichen Umgang mit B. hat Čechov weitgehend gemieden.
Enden wird er... – V.V. Bilibin wurde 1906, nach dem Tode Lejkins, Redakteur der ›Oskolki‹.
Weshalb diese Angst... – vgl. Nr. 9 und Anm.
Bilibin, D. für Post... – als studierter Jurist war B. beim Departement für Post und Telegraphen angestellt, stand also wie Aleksandr im öffentlichen Dienst.
Levinskij – Vladimir Dmitrievič, 1849–1917, Schriftsteller, seit 1883 der faktische, nach 1893 auch offizieller Herausgeber und Redakteur des ›Budilnik‹, versah verschiedene öffentliche Funktionen.
ernährst dich von wildem Honig... – wie in der Biblischen Geschichte Johannes der Täufer.
Nikolaj bummelt – Ende 1885 hatte Aleksandr besorgt nach ihm gefragt, weil weder im ›Budilnik‹ noch in den ›Oskolki‹ Arbeiten von N.P. Čechov erschienen; Aufträge von Redaktionen erledigte N. ab 1885 immer nachlässiger.
Ivan – ein echter Ivan – einer der häufigsten Namen im Russischen.
Die große Wohnung – Haus Klimenkov, Jakimanka, in der Čechov seit Anfang Dezember 1885 wohnte, vgl. auch Nr. 40.
Miška – Michail P. Čechov hatte 1885 das Jurastudium beendet.

37) *18. 1. 1886 – V.V. Bilibin.* 125 (134).
Seit Sie beim Post- und Telegraphenamt arbeiten – vgl. Anm. zu Nr. 36.
Borel – Restaurant in Petersburg, in das Čechov Bilibin eingeladen hatte.
»Buffet Katharina II.« – Bilibin hatte Č. geschrieben, Lejkin habe sich ein Buffet im Stil Katharina II. gekauft ›und gesagt, er habe 12 Rubel dafür bezahlt‹.
Katharinas Adler – Wortspiel, von ›Adler‹ (orël) abgeleitet die Namen Orlov, gemeint sind die Günstlinge der Zarin, G. G. und A. G. Orlov.
Arakčeev – Aleksej Andreevič, 1769–1834, Staatsmann, Inbegriff der zaristischen Reaktion, der russische Metternich.
Tosečkin – Pseudonym von Vasilij Ivanovič Bogdanov, 1836–1886, Mitarbeiter der ›Oskolki‹.

ein junges Mädchen... – Marija Stepanovna Janova, Schwester des Malers und Freundes von Nikolaj, A.S. Janov; vgl. auch Nr. 40.

ihr einen Heiratsantrag gemacht – vermutlich Evdokija Isaakovna Ėfros, später Konovicer, einer Freundin von Čechovs Schwester; ein entsprechender Hinweis findet sich in einem Brief M.P. Čechovas an L.I. Altšuller vom 27. 5. 1954. Vgl. auch Čechov am 1. 2. 1886 an Bilibin: ›meine *sie* ist Jüdin‹.

Mein Buch – meint die ›Bunten Erzählungen‹, die erste umfangreichere Sammlung Čechovscher Kurzgeschichten, die 1886 im Verlag ›Oskolki‹ Petersburg erscheinen sollte.

drängen Sie L. – N.A. Lejkin.

Golike – Roman Romanovič (Robert Robertovič), geb. 1849, Verleger, Besitzer der Druckerei, in der die ›Oskolki‹ gedruckt wurden.

Eine Erzählung – ›Austern‹ aus dem Jahr 1884, vgl. detebe Nr. 50/XI.

am 12. war Tatjana – oder ›Tatjanentag‹, Gründungstag der Universität Moskau 1775, traditioneller Feiertag der Akademiker Moskaus. Am selben Tag heiratete Čechovs Freund, der Arzt P.G. Rozanov.

38) *28. 1. 1886 – N.A. Lejkin.* 127 (136).

Chudekovs Feinheiten – Chudekov, Redakteur der ›Peterburgskaja gazeta‹, hatte sich an der Buchausgabe beteiligen wollen, dann aber davon Abstand genommen und sich, nach Auffassung Lejkins, Čechov gegenüber in Petersburg brüskierend benommen.

dunkel oder nichtig – Zitat eines Lermontov-Gedichts von 1839 (ohne Titel): ›Es gibt Worte – deren Bedeutung/ist dunkel oder nichtig.‹

Mit allen Bedingungen – Lejkin hatte vorgeschlagen: Auflagenhöhe von 2012 Exemplaren (12 Freiexemplare für die Zensur), Lagerung und Vertrieb durch die Redaktion der ›Oskolki‹; nach Abzug der Druckkosten Teilung des Erlöses 50:50 zwischen Autor und Redaktion.

die übrigen Originale – vgl. Nr. 37; einen ersten Teil der Satzvorlage hatte Čechov bereits nach Petersburg geschickt.

Freund und Patient Šechtel – Franc O. Šechtel, 1859–1926, Architekt, der Familie Čechov befreundet; Mitarbeiter humoristischer Zeitschriften, Čechov hat ihm die Erzählung ›Zwei Skandale‹ (1882) gewidmet.

und »Kleinkram« – Lejkin antwortete mit Gegenvorschlägen, u. a. ›Skizzen und Erzählungen‹, ›Puppen und Larven‹.

I. Grěk – Pseudonym Bilibins.

die Walnüsse... – Anspielung auf einen Satz aus den ›Oskolki‹, den Lejkin geschrieben hatte und den Čechov als ungerechtfertigte Spitze gegen die Verlegerin des ›Budilnik‹, E.Ju. Arnold empfand; Lejkin schrieb zurück, er habe nicht E. Arnold persönlich, sondern ›Verlegerinnen allgemein‹ gemeint.

A. Levitan – Adolf Iljič, 1858–1933, Bruder von Isaak I. Levitan, ebenfalls Maler, Mitarbeiter der ›Oskolki‹ u. a.

39) *1. 2. 1886 – V. V. Bilibin.* 128 (138).

Ich habe Lejkin darüber geschrieben – vermutlich die Geschichte mit den Walnüssen, vgl. Nr. 38.

»Bunte Erzählungen« – diesen Titel bekräftigt Čechov in seinem Brief an Lejkin vom 3. 2. 1886; ›Bunte Erzählungen / von A. Čechonte / Skizzen, Erzählungen, Entwürfe.‹

Hymenäus – der griech. Gott der Hochzeit.

nec plus ultra – latein. ›bis zum äußersten‹, ›aufs äußerste‹, ›bis zum letzten‹.

meine sie ist Jüdin – vgl. Nr. 37.

finis – latein. ›Ende‹, ›Schluß damit‹.

»Attacke auf die Ehemänner« – Čechovs Erzählung ›Den Ehemännern zur Kenntnis (Wissenschaftlicher Aufsatz)‹, wurde von der Zensur verboten.

Korolenko – Vladimir Galaktionovič, 1853–1921, Schriftsteller.

Roman Romanyč – R.R. Golike.

»Severnyj vestnik« – literarische Monatszeitschrift, erschien 1885–1898 in Petersburg, hrsg. von A.M. Evreinova; nach dem Verbot der ›Otečestvennyja zapiski‹ 1884 gruppierten sich bald viele ehemalige Mitarbeiter um diese neue Zeitschrift. Čechov publizierte dort u. a. ›Die Steppe‹, ›Ivanov‹.

Fünfundfünfzig Rubel... – Čechovs Januarhonorar von den ›Oskolki‹.

40) *3. 2. 1886 – Al.P. Čechov.* 130 (140).

»gelesen und getadelt...« – parodiert hier den Rede- und Briefstil seines Vaters.

Dem lahmen Teufel – N.A. Lejkin hinkte leicht.

Lejkin-Brief – der Brief, von dem hier die Rede ist, ist verloren. ›Für den mein Aufenthalt in Piter unvorteilhaft war‹: Anspielung auf die neuen Kontakte, die Čechov in Petersburg hatte schließen können, vor allem zur ›Peterburgskaja gazeta‹, in der er nun häufiger publizierte, bald häufiger als in den ›Oskolki‹. Vgl. ferner auch Nr. 41 über die Veröffentlichungen im ›Novoe vremja‹ Suvorins, und Nr. 42.

Golike – R.R. Golike.

aus einem Brief Bilibins – vom 22./23. 1. 1886.

Für die Taufe – von Aleksandrs Sohn, geb. 7. 1. 1886, auf den Namen Anton.

Rubinštejn – Anton Grigorjevič, 1829–1894, Pianist, Dirigent und Komponist, Begründer des ersten russischen Konservatoriums.

Maša und ihre Ėfros – vgl. Nr. 37 und Anm.

Reve-chave – E.I. Ėfros.
Nelly – Freundin von M.P. Čechova, die zusammen mit ihr und E.I. Ėfros die private Hochschule V.I. Gerje besuchte.
die Baronesse – Margarita K. Markova, verh. Spengler, die Čechov 1884 kennengelernt hatte.
die jungen Damen Janova – Schwestern des Malers A.S. Janov, eines Freundes von N.P. Čechov.
Halt dir ein Brett vor – Familienjargon: vor dem Empfang von Prügeln.

41) *14. 12. 1886 – V. V. Bilibin.* 133 (143).
Sire! – französische Anrede der Könige von Frankreich.
im Department – für Post und Telegraphen, wo Bilibin angestellt war.
»Über die Schädlichkeit...« – vgl. ›Einakter und Fragmente‹, detebe Nr. 50/VIII.
Gradov-Sokolov – Leonid Ivanovič, 1840–1890, Schauspieler, Komiker, 1883–1890 am Theater Korš.
schlechtissime – Verschmelzung auf russisch ›schlecht‹ (plocho) und der latein./italien. Form des Superlativs (-issime): ›sehr schlecht‹, ›miserabel‹; in der ›Peterburgskaja gazeta‹ erschien der Monolog am 17. 2. 1886.
Ihres Ratschlags abgewichen? – Bilibin hatte geschrieben: ›Sie haben natürlich keinerlei Grund sich zu schämen, wenn Sie Ihr Buch mit zwei Händen unterschreiben. Alle loben Sie sehr.‹ Die ›Bunten Erzählungen‹ erschienen mit beiden Namen: ›A. Čechonte (An.P. Čechov)‹; Čechov begann im selben Jahr in der Zeitung ›Novoe vremja‹ unter eigenem Namen zu publizieren, vgl. auch Nr. 42.
Erzählung zum Thema »Alte Jungfer« – eine Anregung Bilibins vom 3. 2. 1886, möglicherweise aber auch nur ein Scherz Čechovs.
Grigorovič schmeichelt mir – Bilibin hatte Čechov geschrieben, Grigorovič solle, wie Lejkin ihm erzählt habe, gesagt haben, Čechov werde unterschätzt.
Auf den Tod Aksakovs – Palmins Gedicht in den ›Oskolki‹ vom 8. 2. 1886. Der Schriftsteller I.S. Aksakov war am 27. Januar des Jahres 1886 gestorben.
Brief von Golike – wegen der Titelvignette zu den ›Bunten Erzählungen‹ stand Čechov auch persönlich mit Golike in Briefwechsel.
Albov – Michail Nilovič, 1851–1911, Schriftsteller.
Barancevič – Kazimir Stanislavovič, 1851–1927, Schriftsteller, publizierte gemeinsam mit M.N. Albov 1886 den Fortsetzungsroman ›Der Babylonische Turm‹.
Vaudeville in 2 Akten – wurde nicht geschrieben. Čechov hat später mehrfach Freunden den Vorschlag gemacht, gemeinsam ein Theaterstück zu schreiben, vgl. Briefe an Suvorin zum ›Waldschrat‹ 1888/89,

detebe Nr. 50/II; vgl. auch die Briefe Nr. 85 und 91 an A.S. Lazarev-Gruzinskij, wo es um ein Vaudeville in zwei Akten geht.

Ci devant – franz. ›ehemals‹, ›vormals‹, ›weiland‹.

Sirout – phonetisch dem genitivus partitivus von russ. ›Käse‹ (syru) ähnlich; Freundin von Čechovs Schwester, vgl. die späteren Briefe ›M-lle Syrout‹.

42) *21. 2. 1886 – A.S. Suvorin.* 138 (149).

Ihren Brief... – erster Brief Čechovs an A.S. Suvorin. Die Briefe Suvorins an Čechov sind nicht bekanntgeworden. Nach Čechovs Tod hatte Suvorin M.P. Čechova um Rückgabe seiner Briefe an Čechov gebeten und sie offenbar vernichtet.

Veröffentlichung der Erzählung – ›Die Seelenmesse‹, erschienen im ›Novoe vremja‹ vom 15. 2. 1886; Unterschrift dort: ›An. Čechov‹. Vgl. detebe Nr. 50/XII.

das Pseudonym A. Čechonte – das Pseudonym Antoša Čechonte gab Čechov erst im ›Novoe vremja‹ auf, vgl. dazu auch die Briefe zur Titelei der ›Bunten Erzählungen‹. Antoša – Koseform von Anton.

im Morgengraun der nebelichten Jugend – Zitat aus dem Gedicht ›Der Abschied/Die Trennung‹ von A.V. Kolcov aus dem Jahre 1840.

schicke eine Erzählung... – ›Die Hexe‹, erschien im ›Novoe vremja‹ vom 8. 3. 1886, vgl. detebe 50/XII.

Das... Honorar – Suvorin zahlte Čechov ein Spitzenhonorar, nämlich pro Zeile 12 Kopeken; die ›Peterburgskaja gazeta‹ hatte Čechov bislang 7 Kopeken gezahlt, sah sich bald darauf aber gezwungen, mit Suvorins Honorar gleichzuziehen. Ende des Jahres erhöhte auch N.A. Lejkin Čechovs Zeilenhonorar.

43) *11. 3. 1886 – V.V. Bilibin.* 146 (157).

Primo – latein./ital. ›Erstens‹.

Ihre Wallfahrten zur dramat. Zensur – Bilibin hatte zusammen mit seiner Braut ein Vaudeville aus dem Französischen übersetzt, das, wie er Čechov geschrieben hatte, von der Zensur verboten worden war.

Mayne Reid – englischer Romanschriftsteller nordirischer Herkunft, 1818–1883, Verfasser zahlreicher Reise- und Abenteuerromane, die auch in Rußland sehr populär waren.

das Stück in 1 Akt – ›Über die Schädlichkeit des Tabaks‹, vgl. Nr. 41. Das Zensurmanuskript des Stückes trägt das Datum der Genehmigung: 17. März 1886.

Sie hätten sich nicht kümmern sollen – Bilibin hatte Čechov dieses Gespräch mit Lejkin referiert:

»Ich sage: es würde nicht schaden, auch Čechovs Honorar zu erhöhen.
Lejkin (erschrocken). – Hat er etwa darum gebeten?

Ich. – Nein... aber... ich möchte annehmen...
Lejkin. – Nein, wirklich, sagen Sie es mir, wenn er darum bittet!
Golike. – Es ist vielleicht schlechter noch, wenn er darum bittet!
Lejkin. – Aber wir geben doch ein Buch von ihm heraus! Damit kann er 1000 Rubel verdienen.«

Mit meiner Braut... – vgl. Nr. 39, 41. Die Geschichte mit den gefälschten Geldscheinen vgl. Simeonov-Piščik im ›Kirschgarten‹, detebe 50/III.

»Kolosja« – literarisch-wissenschaftl. Monatszeitschrift, sie erschien 1884–1893 in Petersburg, hrsg. von I.A. Batalin.

Für das Thema – Bilibin hatte Čechov ein Sujet geschrieben, das Čechov jedoch nicht verwendete.

»Die Hexe« – im ›Novoe vremja‹ vom 8. 3. 1886. Čechovs Verdienst bei den ›Oskolki‹ für Monat Januar vgl. Nr. 39: 55 Rubel und 72 Kopeken.

Darwin – um welchen Darwintitel es sich handelt, ist ungeklärt. In Čechovs Bibliothek befand sich die russ. Übersetzung von ›The variation of animals and plants‹ (1868).

Stullis »Heirat« – erschienen im Oktoberheft des ›Vestnik Evropy‹ 1885: ›Meine Heirat, Aufzeichnungen des V.I. Matveev‹, von F.S. Stulli, 1834–1907, Publizist, Ökonom, eine Zeit Lehrer für Geographie und Geschichte am Gymnasium Taganrog.

Turnefor – Französischlehrer der Gebrüder Čechov am Gymnasium in Taganrog.

Graf Platov – Ivan Ivanovič Platov, 1751–1818, Gutsbesitzer im Dongebiet, bei dessen Witwe Čechovs Großvater Egor Michajlovič, 1799–1879, Kontorist, später Verwalter gewesen war (1855–1870) und auf dessen Gut Plato-Ivanovka die Gebrüder Čechov 1871 und 1872 die Sommerferien verbracht hatten.

die »Hexe« ist nicht nach Ihrem Geschmack – vgl. dazu auch Nr. 44.

44) *28. 3. 1886 – D. V. Grigorovič.* 149 (160).

Ihr Brief... – vom 25. 3. 1886, in dem der Adressat Čechov geschrieben hatte, er habe, vor etwa einem Jahr, zufällig in der ›Peterburgskaja gazeta‹ eine Erzählung von ihm gelesen und seitdem »alles gelesen, was mit *Čechonte* unterschrieben war, obwohl ich im Innern böse war auf den Menschen, der so wenig Selbstachtung besitzt, daß er es für nötig hält, zu einem Pseudonym Zuflucht zu nehmen«; seitdem habe er Suvorin und Burenin »beständig geraten, meinem Beispiel zu folgen. Sie haben auf mich gehört und sind heute, mit mir, der festen Meinung, daß Sie *echtes* Talent haben, – ein Talent, das Sie hoch über den Kreis von Schriftstellern der neuen Generation hinaushebt.« »Aufgrund der vielfältigen Eigenschaften Ihres unbestreitbaren Talents, des sicheren

Gefühls der inneren Analyse, der Meisterschaft in der Beschreibung (der Schneesturm, die Nacht und Örtlichkeit in ›Agafja‹ usw.), des Gefühls für Plastizität, wo in einigen wenigen Zeilen ein ganzes Bild entsteht: die Wölkchen im verlöschenden Abendrot: ›wie Asche auf verglühenden Kohlen« usw. – sind Sie, dessen bin ich sicher, dazu berufen, einige herausragende, wahrhaft künstlerische Werke zu schreiben. Sie begingen eine große moralische Sünde, wenn Sie diese Erwartungen nicht rechtfertigen würden.« Grigorovič rät Čechov, die Terminarbeiten aufzugeben und »lieber zu hungern, wie wir seinerzeit gehungert haben«, und seine Eindrücke aufzusparen für ein großes Werk, das »hundertmal höher eingeschätzt werden würde als hundert wunderschöne Erzählungen, die zu verschiedener Zeit in Zeitungen verstreut erscheinen«. Grigorovič bittet Čechov ferner inständig, von nun an das Pseudonym aufzugeben und unter dem vollen eigenen Namen zu publizieren.

Der »Jäger« – erschienen am 18. 7. 1885 in der ›Peterburgskaja gazeta‹.

Brief von Suvorin – vgl. die Antwort auf dessen Brief: Nr. 42.

die »Hexe« – vgl. Nr. 43.

Schicken Sie mir Ihre Photographie – Grigorovič schickte ein Photo von sich am 2. April, mit der Widmung: ›Von einem alten Schriftsteller einem jungen Talent zum Andenken. 31. März 1886‹.

45) *März 1886 – N.P. Čechov.* 151 (163).

Kleiner Zabelin – Zabelin, Gutsbesitzer aus Zvenigorod, im Familienjargon Synonym für Alkoholiker. Im Unterschied zum ›großen Zabelin‹ nannte A.S. Kiselëv seinen Schwager N.V. Begičëv den ›kleinen Zabelin‹.

Ivanenko – Aleksandr Ignatjevič, 1862–nach 1926, Musiker, Flötist, Bekannter der Familie Čechov.

Miška – Čechovs Bruder M.P. Čechov.

Vučina – wegen seiner Strenge gefürchteter Lehrer an der griechischen Schule von Taganrog, die 1867/68 die Gebrüder Čechov (Anton und Nikolaj) besucht hatten.

Dolgov – Niktopolion Vasiljevič, Pianist, Freund der Familie Čechov.

Jakimanka – Straße in Moskau, in der die Familie Čechov seinerzeit wohnte.

veritas magis amicitiae – latein. ›Freundschaft wiegt Wahrheit nicht auf‹, ›Wahrheit steht höher als Freundschaft‹.

vis-à-vis – franz. ›Gegenüber‹.

die Polevaevs – Familie, mit der Al. und N.P. Čechov seit 1875 bekannt waren; in ihrem Haus in der berüchtigten Gračevka hatten beide als Studenten gewohnt.

Plevako – Fëdor Nikiforovič, 1843–1908, Jurist, Anwalt in Moskau.

Rodzevič – Journalist, Schriftsteller, Mitarbeiter der Boulevardpresse.
Levenberg – Ė. Levenberg, Journalist, Mitarbeiter der ›Novosti dnja‹.
Krylov – Ivan Andreevič, 1768–1844, russischer Fabeldichter. Vgl. das deutsche Sprichwort ›Leere Fass klingen hell‹, ›Leere Fässer machen das meiste Geräusch‹.
Skvorcov – ungeklärt, möglicherweise der Schauspieler Valentin Ivanovič Skvorcov, gest. 1896.
mens sana in corpore sano – im Orig. latein. Geflügeltes Wort für gesunde Erziehung, ›Gesunder Geist in gesundem Körper‹.
die Pickwickier – Roman von Charles Dickens.

46) *6. 4. 1886 – N.A. Lejkin.* 154 (166).
die Originale für das Buch – Lejkin hatte Čechov geschrieben, zu dem Buch im geplanten Umfang fehlten noch 7 Druckbogen Material. Die ›Bunten Erzählungen‹ erschienen Mitte Mai; erste Anzeigen am 17. 5. und 24. 5. in den ›Oskolki‹, am 28. 5. in ›Novosti dnja‹ u. a.
»Über die Schädlichkeit des Tabaks« – vgl. Briefe Nr. 41, 43.
»Geplatzt«... – Erzählungen, die 1886 in den ›Oskolki‹ veröffentlicht wurden und die Lejkin vorgeschlagen hatte, mit in das Buch aufzunehmen. ›Anjuta‹ – vgl. detebe 50/XII.
»Der Alpdruck« – erschienen am 29. 3. im ›Novoe vremja‹, vgl. detebe 50/XII.
Buchstaben einsetzen – Lejkin hatte vorgeschlagen, beide Namen auf die Titelseite zu setzen, d. h. hinter den Namen ›A. Čechonte‹ in kleinerem Schriftgrad und in Klammern ›An.P. Čechov‹ zu setzen; so erschien das Buch denn auch. Vgl. Nr. 42, 44.
Über eine Reise nach Piter – die Lejkin vorgeschlagen hatte, damit Čechov sich mit Suvorin und Grigorovič treffe; vgl. Brief Nr. 48.
etwas wie eine Dämpfung – Symptom der Lungentuberkulose.
hat Angst vor Arsen – das Čechov Bilibin verschrieben hatte.
Chudekov wieder da? – Chudekov war in Südfrankreich gewesen.
von Agafopod einen Brief – vom 1. 4. 1886 aus Novorossijsk, vgl. Nr. 47, die Antwort auf Aleksandrs Brief.
Das »Schwedische Zündholz« – Erzählung aus dem Jahr 1883, Dezember 1883 erschienen im ›Almanach der ›Strekoza‹ auf das Jahr 1884; vgl. detebe 50/I.

47) *6. 4. 1886 – Al.P. Čechov.* 155 (167).
Davydov – Vsevolod Vasiljevič, Begründer und Redakteur der Zeitschrift ›Zritel‹.
Miška – M.P. Čechov.
Du bist Naturwissenschaftler – Aleksandr hatte Mathematik und Physik studiert.

Živčik aus Taganrog – Spitzname des Polizeibeamten Anisim Vasiljevič Petrov aus T., ›schneller Puls‹, ›flinker Bursche‹; Petrov hatte Čechov ein Manuskript geschickt mit der Bitte, es an eine Zeitschrift zu vermitteln.

»Somnambule« – Erzählung von Al.P. Čechov, vgl. Nr. 6.

Brief von Grigorovič – vgl. Nr. 44.

Giljaj – V.A. Giljarovskij.

»Delo« – vgl. Nr. 20 und Anm.

die Samstagsbeilagen – des ›Novoe vremja‹, in denen Čechovs Erzählungen veröffentlicht wurden.

in N. – Novorossijsk, wo Al.P. Čechov als Zollbeamter angestellt war.

Kolka – Koseform des Namens Nikolaj, N.P. Čechov.

Dein Umzug – Aleksandr trug sich mit dem Gedanken, wieder nach Petersburg zu ziehen.

48) *25. 4. 1886 – M.P. Čechov.* 160 (172).

Dominique – bzw. ›Dominik‹, Restaurant auf dem Nevskij prospekt in Petersburg, vom Baedeker als ›weniger anspruchsvoll‹ eingestuft.

Rasstegaj – russisches Gericht.

Ziehen Sie die Hosen stramm – Čechov parodiert hier, wie auch am Schluß des Briefes (›euer euch liebender...‹) den Brief- und Redestil seines Vaters.

Kuzneckij – Kuzneckij most, Straße im Zentrum Moskaus.

Sirusička – vgl. Nr. 41, Deminutiv von Syrout, ›die kleine Syrout‹.

49) *10. 5. 1886 – Al.P. Čechov.* 164 (176).

jetzt an die Adresse – Čechov verbrachte den Sommer auch dieses Jahr in Babkino, wo er seit 1. Mai erwartet wurde.

die »Stadt der Zukunft« – Plan für eine Erzählung, von der Aleksandr geschrieben hatte und die Plan blieb.

die Mondnacht, wenn du schreibst... – vgl. die Erzählung ›Der Wolf‹, erschienen in der ›Peterburgskaja gazeta‹ vom 17. 3. 1886, vgl. detebe 50/XII; vgl. auch die ›Möwe‹, IV. Akt, detebe 50/I.

die fünf Erzählungen, die in »Novoe vremja«... – ›Die Seelenmesse‹, ›Die Hexe‹, ›Agafja‹, ›Der Alpdruck‹ und ›Zu Weihnachten‹; die ersten vier vgl. detebe 50/XII.

50) *30. 7. 1886 – N.A. Lejkin.* 173 (186).

eine Erzählung geschickt – ›Der Steuerinspektor‹, erschienen am 9. 8. 1886.

dreiwöchiger Entr'act – 1885 und 1886 publizierte Čechov in den ›Oskolki‹ und in der ›Peterburgskaja gazeta‹ wöchentlich je eine Erzählung; die Erzählung, die Čechov jetzt schickte: ›Der Ehemann‹, erschien am 9. August; drei Wochen zuvor war erschienen ›Rara avis‹, vgl. beide Erzählungen detebe 50/XII.

ich hatte Hämorrhoiden – unter Hämorrhoiden litt Čechov seit seiner Studienzeit.

Zvenigorod, Zemstvoarzt – Čechov hatte für ein paar Tage die Vertretung des Zemstvoarztes S.P. Uspenskij übernommen.

im Juli habe ich nirgends gearbeitet – Juli 1886 erschienen ›Die Choristin‹ (5. 7., ›Oskolki‹), ›Der Lehrer‹ (›Novoe vremja‹ vom 12. 7.), ›Worterklärungen für »junge Damen«‹ (12. 7., ›Oskolki‹), ›Der unruhige Gast‹ (›Peterburgskaja gazeta‹ vom 14. 7.), ›Rara avis‹ (19. 7., ›Oskolki‹), ›Fremdes Leid‹ (28. 7., ›Peterburgskaja gazeta‹).

Nikolaev. Eisenbahn – Eisenbahnstrecke Moskau-Petersburg, benannt nach dem Zaren Nikolaus; so auch der Petersburger Bahnhof in Moskau, s. u.

zu meinem Buch – erschienen Mitte Mai, vgl. Anm. zu Nr. 46.

Vasiljev – Buchhandlung in Moskau, Besitzer: A.L. Vasiljev.

die dicken Zeitschriften – d. h. die seriösen Literaturzeitschriften und ihre Kritiker, im Unterschied zur ›kleinen‹ humoristischen Presse. So hatte A. Skabičevskij in der Zeitschrift ›Severnyj vestnik‹ die ›Bunten Erzählungen‹ zum Anlaß genommen, die traurige Situation eines Humoristen im damaligen Rußland grundsätzlicher zu schildern: ›Enden wird es damit, daß er sich in eine ausgepreßte Zitrone verwandelt und, gleich einer ausgepreßten Zitrone, in absoluter Vergessenheit irgendwo hinter einem Zaun sterben wird.‹ Und: ›Allgemein stellt das Buch des Hrn. Čechov, so lustig es zu lesen sein mag, das betrübliche und tragische Schauspiel des Selbstmordes eines jungen Talents dar‹, dessen positive Züge Skabičevskij, im Unterschied zum Kritiker der Zeitschrift ›Nov‹ immerhin auch herausgearbeitet hatte. Positiver für Čechov war die Kritik der Zeitschrift ›Russkaja mysl‹, die ihn einen besonders sympathischen Schriftsteller nannte.

Einladung der »Russkaja mysl« – zur Mitarbeit; der entsprechende Brief ist nicht bekannt. Čechovs Mitarbeit an dieser Zeitschrift kam erst 1892 zustande; vgl. auch Nr. 282.

Ich ziehe im September um – im Hs. Klimenkov war es Čechov auf die Dauer zu laut; Herbst 1886 bezog Čechov das Haus Korneev, Kudrinskaja-Sadovaja, das heutige Čechov-Haus in Moskau.

Senatsscherereien mit Fedja – die Adoption Fedjas mußte vom Senat der Stadt Petersburg genehmigt werden.

Apel Apeljič – Hund Lejkins.

51) *12.–16. 9. 1886 – F. O. Šechtel.* 177 (190).

Betrogener... – weil Čechov eine Verabredung mit ihm nicht eingehalten hatte.

bei Korš, geschäftlich – Fëdor Adamovič Korš, 1852–1923, Dramatiker, Übersetzer, Theaterunternehmer, gründete 1882 ein Privattheater in Moskau, das die ersten Stücke Čechovs uraufführte (›Ivanov‹, ›Der Bär‹); vgl. Nr. 52.

»Hagestolz« – Komödie von Ivan S. Turgenev aus dem Jahre 1849.

Davydov – Vladimir Nikolaevič (Pseudonym f. Ivan Nikolaevič Gorelov), 1849–1925, Schauspieler, 1886–1888 bei F.A. Korš engagiert; vgl. Nr. 123.

52) *21. 9. 1886 – M.V. Kiselëva.* 179 (192).

Jašenka und Jadenka – so nannte Čechov die Schwestern Marija und Nadežda Janova.

Merliton – ungeklärt.

auch Sie beginnen... die Adressatin veröffentlichte Erzählungen für Kinder in der Zeitschrift ›Detskij otdych‹; ein Band mit ›Erzählungen aus der griechischen Mythologie‹ erschien 1893.

Übrigens ist es keine große Wonne... – vgl. Trigorin im II. Akt der ›Möwe‹, detebe 50/I.

Zola und Ščedrin – Zola, 1840–1902, französ. Schriftsteller, war auch in Rußland überaus populär, nahezu alle Werke Zolas erschienen noch im selben Jahr der französ. Ausgabe auch in russischer Übersetzung; M.E. Saltykov-Ščedrin, 1826–1889, Schriftsteller, Publizist, letzter Redakteur der Zeitschrift ›Otečestvennyja zapiski‹ (vgl. Anm. Nr. 20); ›Die Herren Golovlëv‹, ›Zeitgenössische Idylle‹ u. a., ›Gesammelte Werke‹ 1889 (9 Bde.).

Sergej – Sergej Alekseevič, Sohn der Adressatin.

schreibe ein Stück für Korš – das nicht abgeschlossen wurde, vgl. Nr. 58; der Titel des Stücks blieb unbekannt.

Novelle für die »Russkaja mysl« – unklar, von welcher Novelle Čechov spricht, möglicherweise ›Schwere Naturen‹ (›Novoe vremja‹ vom 7. 10. 1886) oder ›Im Sumpf‹, 29. 10. 1886 ebd. Vgl. auch Nr. 50.

Das Arztschild – hatte Čechov von seiner Haustür entfernen lassen, nachdem im Januar 1886 zwei seiner Patientinnen, die Mutter und eine Schwester des Malers A.S. Janov, an Unterleibstyphus gestorben waren.

Kokoša – Koseform von ›Nikolaj‹.

Ivan – war seit 1885 nicht mehr in Voskresensk, sondern in einer Kleinbürgerschule in Moskau als Lehrer angestellt.

Ma-Pa – für: Marija Pavlovna; M.P. Čechova war Lehrerin am Mädchengymnasium L.F. Rževskaja; Čechov nannte dieses Privatgymnasium ›Milchschule‹, weil Verwandte der Leiterin eine Milchwirtschaft und Milchgeschäfte in Moskau besaßen.

Bogemskij – abgeleitet von russ. ›bogema‹ (Bohème), Pseudonym, unter dem Michail P. Čechov in der Zeitschrift ›Detskij otdych‹ publizierte, in Nr. 8/1886 die Erzählung ›Am Meeresufer‹.

die Politkovskaja – Bekannte Čechovs aus Zvenigorod, Schrifstellerin.

m-me Sacharova – Elizaveta Konstantinovna, geb. Markova, Schauspielerin am Korš-Theater, die nach ihrer Heirat mit dem Maler A.A. Sacharov ihren Beruf aufgab.

»Eremitage« – Restaurant und Vergnügungslokal in Moskau.

»Rusalka« – Oper von A.S. Dargomyžskij aus dem Jahre 1849 nach der gleichnamigen Verserzählung von A.S. Puškin.

die Skizzen fast verkauft – im Frühjahr 1886 war I.I. Levitan auf der Krim gewesen und hatte von dort eine Reihe von Skizzen mitgebracht, die bei seinen Freunden Aufsehen erregt hatten.

53) *29. 9. 1886 – M.V. Kiselëva.* 180 (193).

A.S. – Aleksej Sergeevič, Ehemann der Adressatin.

Ihre »Galoschen« – Erzählung von M.V. Kiselëva.

Hauptsache im menschlichen Leben ist die Schönschrift – Čechov zitiert hier im Scherz ein handgeschriebenes Kinderbuch, das er 1886 für die Kinder der Adressatin geschrieben hatte.

»Detskij-Bogemskij otdych« – ›Detskij otdych‹, Zeitschrift für Kinder, in der die Adressatin und Bogemskij, Čechovs Bruder Michail, publizierten.

wider das 7. Gebot – ›Du sollst nicht stehlen‹.

nach dem 22. Januar – der Tag, an dem die Adressatin glaubte zu sterben; M.V. Kiselëva hatte sich Čechov gegenüber über die Kälte in Babkino beklagt und geschrieben, wenn diese Kälte anhalte, ›werde sie am 22. Januar in der Blüte ihrer mittleren Jahre dahinsterben‹.

Maupassantmode – Guy de Maupassant, französ. Schriftsteller, 1850–1893, in Rußland sehr populär; Übersetzungen von ›Une vie‹ (1883) 1883, ›Bel-Ami‹ (1885) 1885, ›Mont-Oriol‹ (1886) 1887 usw.

Tralalas, Tandaradeis... – Wortschöpfungen, Familienjargon, im Russischen: ›rylindron, chariton, mordemondija‹; vermutlich gehört auch ›Merliton‹ (vgl. Brief Nr. 52) in diese Reihe. Čechov bildete mit diesen Wörtern auch Namen: ›Marfa Charitonovna, Rylindronova‹ u. a.

Nikolaj... ist ernstlich krank – N.P. Čechov starb 1889 an Lungentuberkulose.

54) *19. 10. 1886 – F.O. Šechtel.* 177 (196).

Rudneva – ungeklärt.

55) *13. 12. 1886 – M.V. Kiselëva.* 193 (206).

gedruckte Novelle, beiliegendes Feuilleton – die Erzählung ›Im Sumpf‹

(Tina), erschienen im ›Novoe vremja‹ vom 29. 10. 1886, vgl. detebe 50/XII.

Veniamin – Archimandrit Veniamin von Moskau, weltlich V.F. Petuchov, 1818–1888.

»Böse Rache« – in einem Brief vom 19. 10. an die Adressatin hatte Čechov sich verschrieben beim Titel einer Erzählung von M.V. Kiselëva (›Ein böser Scherz‹).

daß Anna Pavlovna mir verzeihen wird – einige Leser hatten in der Gestalt der A.P. (in der Erzählung ›Der Ehemann‹, vgl. detebe 50/XII) die Adressatin wiedererkannt.

In Piter... – war Čechov zwischen dem 3. und 8. Dezember.

wie Nana – Roman von Emile Zola, 1880 in russischer Übersetzung erschienen.

Nadežda Vladimirovna – N.V. Golubeva, geb. Begičëva, Schwester der Adressatin, Schriftstellerin.

Vladimir Petrovič – V.P. Begičëv.

Ihr Bruder – N.V. Begičëv.

Kondratjev – Aleksej Michajlovič, 1846–1913, Regisseur am Kleinen Theater Moskau, der das Stück von N.V. Begičëv aufführen sollte.

Šechtel – F.O. Šechtel.

Aleksej Sergeevič – A.S. Kiselëv, Ehemann der Adressatin.

Istra – der Fluß von Babkino.

Sergej – S.A. Kiselëv, Sohn der Adressatin.

Vasilisa – meint A.A. Kiselëva, die Tochter der Adressatin, die Čechov im Scherz mit Vasilisa Pantelevna anredete.

Königin Pomare – Königsfamilie auf Tahiti; Königin Pomare IV. regierte 1827–1877, 1880 wurde die Insel französische Kolonie.

der Falschmünzer – Hund der Familie Kiselëv, von Čechov so genannt.

56) *15. 12. 1886 – V.P. Burenin.* 195 (208).

Popyrnikova – Valentina Aleksandrovna, gest. 1908, Schriftstellerin. ›Denken und Fühlen‹, Band I, befand sich in Čechovs Bibliothek, mit Widmung der Autorin und handschriftlichem Vermerk Čechovs: ›Titelseite und Vignette von meinem verstorbenen Bruder Nikolaj P. Čechov.‹

über den zu sprechen wir... – bei Čechovs Petersburgaufenthalt im Dezember 1886, vgl. Nr. 55.

Vom medizinischen Gesichtspunkt – vgl. Gaev im I. Akt des ›Kirschgarten‹, detebe 50/III.

1887

57) *8. 1. 1887 – Al.P. Čechov.* 203 (216).

Mein Herrz – für ›Herz‹, Schreib›fehler‹ Čechovs, vgl. weiter unten ›verlohren‹.

Wannen sind für Kinder... – auf eine entsprechende Frage Aleksandrs, dessen Frau der Ansicht war, Wannenbäder vor dem Schlafengehen seien für Kleinkinder schädlich.

»Unterwegs« – erschienen im ›Novoe vremja‹ vom 25. 12. 1886, vgl. detebe 50/XII.

»Pet. gazeta« – zahlte Čechov seit November 1886 wie die Konkurrenz, das ›Novoe vremja‹, 12 Kopeken Zeilenhonorar.

Bujlov – Afanasij Dmitrievič, Buchhalter der ›Peterb. gazeta‹.

Gerška – Hund Aleksandrs.

58) *14. 1. 1887 – M.V. Kiselëva.* 205 (218).

»Ihr Larka« – die Erzählung ›Larka – ein Herkules‹, Erzählung der Adressatin, vgl. Nr. 61.

»Unterwegs« – vgl. Nr. 57.

»Sumpf« – vgl. Nr. 55; M.V. Kiselëva hatte Čechov daraufhin geschrieben, daß ihr die Erzählung ›*absolut* nicht gefalle‹, mit einer Begründung, auf die Čechov hier eingeht.

Ma-Pa – Čechovs Schwester Marija.

der Falschmünzer – Hund der Familie Kiselëv.

Olga Andreevna – O.A. Golochvastova, gest. 1894, Schriftstellerin, Nachbarin der Familie Kiselëv.

Gaboriau – Emile, 1835–1873, französ. Romanschriftsteller, Klassiker der Kriminalgeschichte, ›L'affaire Lerouge‹ u. a.

Marlitt – E. Marlitt, Pseudonym f. Eugenie John, 1825–1887, deutsche Romanschriftstellerin, ›Das Geheimnis der alten Mamsell‹ u. a. Autorin der ›Gartenlaube‹.

Pierre Bobo – Pëtr D. Boborykin, 1836–1922, Schriftsteller, den Čechov 1886 in seiner ›Literarischen Rangtabelle‹ als ›Hofrat‹ einstufte, neben Korolenko u. a.

Widerstehe nicht dem Übel – Kernsatz der Tolstojschen Lehre, dargelegt in zahlreichen Traktaten ab Anfang der 80er Jahre, etwa ›Meine Beichte‹ 1882, ›Kurze Auslegung des Evangeliums‹ 1883, ›Worin besteht mein Glaube‹ 1885, ›Die Bergpredigt‹ 1884, ›Was sollen wir also tun?‹ 1886 u. a.

Tolstoj – Lev N. Tolstoj.

Okrejc – Stanislav Stanislavovič, 1834 geb., Publizist, Herausgeber der Petersburger Zeitschrift ›Luč‹; in der ›Literarischen Rangtabelle‹ als einziger eingruppiert, der gar keinen Rang besitzt, nicht einmal den des Kollegienregistrators.

Pince-nez – Pseudonym der Adressatin, vgl. Nr. 53.

Aloë – Pseudonym Aleksandr P. Čechovs.

der Ärztekongreß – an dem Čechov teilnahm, fand vom 4.–11. Januar in Moskau statt.

in Piter hat sie furore gemacht – so hatte Al. P. Čechov ihm am 26. 12. 1886 aus Petersburg geschrieben.

Obolenskij – Leonid Egorovič, 1845–1906, Lyriker, Philosoph, Kritiker, 1883–1890 Herausgeber der Petersburger Zeitschrift ›Russkoe bogatstvo‹.

Der »Nabljudatel« hat mich beschimpft – in einer Kritik der ›Bunten Erzählungen‹, Heft 12/1886.

Vlad. Petrovič – Begičëv, Vater der Adressatin, hatte ein Theaterstück geschrieben mit dem Titel ›Der Feuervogel‹.

ich habe ein Stück... – die Bühnenbearbeitung der Erzählung ›Kalchas‹ (10. 11. 1886 in der ›Peterb. gazeta‹; vgl. detebe 50/XII bzw. detebe 50/VIII), uraufgeführt im Theater Korš am 19. 12. 1888; Davydov – vgl. Brief Nr. 51.

auf vier Viertelchen – laut Auskunft von A.S. Lazarev-Gruzinskij das Lieblingsformat Čechovs: ein normaler Briefbogen geviertelt.

»Sezon« – Theateralmanach, seit 1887 herausgegeben von N.P. Kičeev, ›Kalchas‹ erschien dort in Nr. 1.

»Vokrug sveta« – ›Rund um die Welt‹, Zeitschrift, von der Čechov dem Sohn der Adressatin ein Abonnement geschenkt hatte.

59) *17. 1. 1887 – Al.P. Čechov.* 206 (219).

Onkel Mitrofan Egorovič – Čechovs Onkel väterlicherseits aus Taganrog.

Bedrückten Herzens erwarte ich Lejkin – ab 1887 veröffentlichte Čechov nurmehr sporadisch in den ›Oskolki‹ (insgesamt 14 Erzählungen); L. hatte für den 17. Januar seinen Besuch in Moskau angekündigt, um ›ausführlich zu reden‹.

Quasimodo – vgl. den ›Glöckner von Notre Dame‹, Roman von Victor Hugo.

die Suvorina – Anna Ivanovna Suvorina, Frau A.S. Suvorins.

Mann ihrer Schwester – V.S. Mamyšev, Untersuchungsrichter in Zvenigorod, Schwager A.S. Suvorins.

deine Arbeit am »Novoe vremja« – Aleksandr hatte mitgeteilt, er arbeite an der Zeitung ›von 9 Uhr abends bis zum Erscheinen des Blatts um drei oder vier‹ Uhr morgens.

Maltus – Thomas Robert, 1766–1834, engl. Priester und Ökonom.

Papa und Mama missen essen – in der Familie Čechov geflügeltes Wort, so verballhornt häufig im Briefwechsel Čechovs mit seinem Bruder Aleksandr.

Petersburg libet das Geld – Schreib›fehler‹.

wer die Ehe des Reiches... – Sprichwort; Anspielung Čechovs auf die ›ungesetzliche‹ Ehe seines Bruders, vgl. Nr. 12, Punkt 2.

60) *26. 1. 1887 – N.A. Lejkin.* 211 (222).

eine Vorlesung Zacharjins – ›Lues des Herzens vom klinischen Gesichtspunkt‹, gehalten am 26. 1. 1887 in der Moskauer Medizinischen Gesellschaft; Grigorij A. Zacharjin, 1829–1895, Professor an der Universität Moskau, berühmter Therapeut, Arzt, Lehrer Čechovs.

Literaturfonds – abgekürzt für ›Gesellschaft zur Unterstützung bedürftiger Schriftsteller und Gelehrten‹, gegründet 1859 in Petersburg; Lejkin hatte vorgeschlagen, Čechov als Mitglied zu wählen; die Wahl erfolgte am 2. Februar.

Reise nach Piter – Lejkin hatte mitgeteilt, man wolle in der 2. Fastenwoche eine öffentliche Lesung mit Čechov veranstalten.

Aleks. Pav. – Čechovs Bruder Aleksandr war November 1886 nach Petersburg gegangen, um eine neue Stelle zu suchen; in der ersten Januarhälfte arbeitete er in der Redaktion der Zeitschrift ›Sudochodstvo‹ (Die Schiffahrt), fand dann eine Anstellung im Verlag A.S. Suvorin, vgl. Nr. 61, 64.

Viktor Vikt. – Bilibin, dem Čechovs Erzählung ›Die Anekdote‹, wie Lejkin schrieb, nicht gefallen habe; unter dem Einfluß seiner Frau suche Bilibin neuerdings überall ›liberale Ideen‹, ›irgendwelche gelehrten Frauentypen, die über nichts anderes reden könnten als über Belinskij, Dobroljubov usw.‹

eine Seelenmesse für Nadson – der Lyriker Semën Jakovlevič Nadson, geb. 1862, war am 19. Januar 1887 in Jalta an Tuberkulose gestorben.

Liodor Ivanyč – L.I. Palmin.

Garšin – Vsevolod Michajlovič, 1855–1888, Schriftsteller.

Für die elf Kopeken – am 24. Januar 1887 hatte Lejkin Čechovs Honorar von 8 auf 11 Kopeken heraufgesetzt.

61) *10. 2. 1887 – A.S. Suvorin.* 218 (230).

mit meiner eigenen Erzählung – ›Veročka‹, veröffentlicht im ›Novoe vremja‹ v. 21. 2. 1887, vgl. detebe 50/XIII.

»Larka – ein Herkules« – von M.V. Kiselëva, vgl. Brief Nr. 58.

fahre Ende März – vgl. Brief Nr. 65, Čechov trat seine Reise in den Süden am 2. April an.

Kauf Ihres Puškin – zum 50. Todestag Aleksandr Puškins hatte Suvorin eine Puškin-Ausgabe zum phantastischen Preis von 2 Rubel incl. Versandkosten vorbereitet, die am 29. Januar ausgeliefert worden war; die erste Auflage war, wie Al.P. Čechov seinem Bruder schrieb, ›an einem einzigen Tag ausverkauft‹. Vgl. auch Nr. 63.

Ordinator Zacharjins – Ja.A. Korneev. Zacharjin vgl. Nr. 60.

62) *12. 2. 1887 – D.V. Grigorovič.* 219 (231).

»Karelins Traum« – Auszug aus dem Roman ›Das Petersburg der Vergangenheit‹, erschienen im Januarheft der Zeitschrift ›Russkaja mysl‹.

der Kritiker der »Peterb. vedomosti« – hatte am 6. 2. geschrieben: ›Die Erzählung von Hrn. D.V. Grigorovič kann man vielleicht sogar langweilig und in einigen Details sogar liberal nennen, aber als künstlerische Arbeit ist sie einwandfrei.‹

63) *19./20. 2. 1887 – Al.P. Čechov.* 222 (232).

habe vor Generälen keine Angst – Čechov nannte Suvorin scherzhaft einen ›General der Literatur‹.

Aleksandr Nikolaič – Aufseher in der Firma Gavrilovs in Moskau, wo auch Čechovs Vater arbeitete; ›Plantator‹ als Verballhornung von Exploitateur, Ausbeuter, stehender Ausdruck im Familienjargon, vgl. Nr. 7.

Mord an Nadson – im ›Novoe vremja‹ hatte der Kritiker Burenin eine Polemik gegen Nadson geführt, mit der Behauptung, Nadsons Krankheit sei nur vorgeschützt, um beim Lesepublikum Mitleid zu erwekken. Nadson hatte deswegen nach Petersburg kommen und ein Ehrengericht anstrengen wollen, war darüber aber gestorben (am 19. Januar 1887); viele waren der Ansicht, Burenins Behauptungen, die Kampagne im ›Novoe vremja‹ hätten Nadsons Tod beschleunigt.

Diebstahl an der Ausgabe des Literaturfonds – auch der Literaturfond, eine Autorengenossenschaft der gegenseitigen Hilfe, brachte zum 50. Todestag eine Puškinausgabe heraus, die in Suvorins Druckerei, parallel zum Suvorinschen Puškin, gedruckt wurde. Nach Erscheinen beider Ausgaben wurde festgestellt, daß sich Suvorin der von P.O. Morozov vorgelegten Erstveröffentlichungen frei bedient hatte und sie auch in seine Ausgabe aufgenommen hatte.

einen Verleger denunziert – vermutlich S.S. Okrejc, der im Januar 1887 ein Gerichtsverfahren hatte mit den Puškin-Erben, weil er seine Puškin-Ausgabe wenige Tage vor dem 29. 1. 1887 also vor Ablauf der Schutzfrist, hatte erscheinen lassen.

Womit beschäftigst du dich … – vgl. Nr. 64.

eine Erzählung geschickt – ›Veročka‹, im ›Novoe vremja‹ vom 21. 2. 1887, vgl. Nr. 64, vgl. detebe 50/XIII.

64) *22./23. 2. 1887 – Al.P. Čechov.* 221 (233).
ich meine »Veročka« gelesen... – vgl. Nr. 63 und Anm.
daß du uneheliche Kinder hast – Anspielung auf Aleksandrs Ehe, vgl. Nr. 12, 59.
ausgedienter Zöllner – vgl. Nr. 8; bis Mai 1886 hatte Al. an verschiedenen Zollbehörden gearbeitet, zuletzt in Novorossijsk.
Kavalergardskaja – Nr. 20, Petersburg, Privatadresse Al.P. Čechovs.
Bergamotte – A.A. Ipatjeva, Nikolajs Freundin.
Nadenka – N.S. Janova, Schwester des Malers A.S. Janov, Freundin Marija P. Čechovas.
Malyšëv – Vasilij Pavlovič, Volksschulinspektor, Bekannter der Familie Čechov aus Taganrog.
Šostakovskij – Pëtr Adamovič, 1853–1916, Pianist, Komponist, Begründer der Moskauer Philharmonischen Gesellschaft.
In den »Budilnik« gehe ich morgen – vgl. Nr. 63.
das Kurepinsche Feuilleton – A.D. Kurepin schrieb für das ›Novoe vremja‹ ein regelmäßiges Feuilleton, das in der Ausgabe vom 21. 2. nicht erschienen war.
dennoch eine Samstagsbeilage – die Erzählung ›Zu Hause‹, erschienen am 7. März.
»wumsinnig« – Familienjargon, Bedeutung unklar; russ. ›vumnyj‹; ›umnyj‹, abgeleitet von ›um‹: Sinn, Verstand.
habe Suvorin wegen des Puškin geschrieben – vgl. Nr. 61.
Sašička, wo bist du gewest? – im Original ukrainisch, ironisches Zitat der Kindheit in Taganrog?
Lipskerov – Abraham Jakovlevič, 1848–1910, Redakteur und Herausgeber der Petersburger Tageszeitung ›Novosti dnja‹, war zu 6 Monaten Haft verurteilt worden, weil die Zeitung behauptet hatte, der Leiter des Moskauer Kirchenchors Bystrov zahle seine Sänger nicht (wofür die Zeitung Zeugen brachte). In den ›Novosti dnja‹ war 1884/85 Čechovs Roman ›Das Drama auf der Jagd‹ in Fortsetzung erschienen, und Michail P. Čechov hatte das Honorar einzutreiben.
sitzt Fëdorov – Michail Pavlovič, 1839–1900, Dramatiker, Journalist, nominell Redakteur des ›Novoe vremja‹; an seinen Platz sollte Aleksandr rücken.
»Militärs im Krieg« – von A.N. Maslov-Bežeckij, erschienen 1885. Maslov, Generalleutnant, Lehrer an der Ingenieursakademie, war 1878/79 Militärkorrespondent des ›Novoe vremja‹ und in der Redaktion ein einflußreicher Mann.
Nezlobin-Žitel – Pseudonyme des ständigen Mitarbeiters Aleksandr A. Djakovs, 1845–1895.
Atava – Pseudonym des Schriftstellers Sergej N. Terpigorev, 1841–1895.

65) *10. 3. 1887 – An die Familie Čechov.* 224 (235).
Fëdor Timofeič – Kater der Familie; vgl. auch ›Kaštanka‹, detebe 50/XIII.
die liebe und teure Anna – ›Anna Karenina‹, Roman von Lev N. Tolstoj, erschienen 1873/77.
Kavalergardskaja – Nevskij – soviel wie ›am andern Ende der Stadt‹, entsprechend der Žitnaja ulica im Stadtteil Zamoskvorečje, in der Nähe der Jakimanka, von wo Čechov im September 1886 nach Kudrino (Kudrinskaja-Sadovaja) umgezogen war.
das Telegramm – das Aleksandr geschickt hatte, war Anlaß der Reise Čechovs nach Petersburg, vgl. Nr. 65, 66.
Maša, Sie erinnern sich – im Dezember 1886 hatte Čechov seine Schwester Marija nach Petersburg mitgenommen.
Anna Arkadjevna – A.A. Solovjëva, später die Frau V.V.Bilibins.
Hund ohne Rücken – der Hund Korbo, auf dessen Rücken kein Fell mehr wuchs.

66) *11./12. 3. 1887 – F.O. Šechtel.* 226 (237).
abgeschlossene Erzählung ins Reine – für die ›Peterb. gazeta‹: ›Zu früh‹, erschienen am 16. 3. 1887.
Maulhenkolie – Verballhornung von ›Melancholie‹, im Russischen ›merlechljundija‹ (für ›melancholija‹); Wort, das Čechov noch 1900/1901 in den ›Drei Schwestern‹ benützte, vgl. detebe 50/VI.
Darja Karlovna – Mutter des Adressaten.
Ausstellung der Akademie – deren jährliche Ausstellung, war am 1. März 1887 eröffnet worden.
Peredvižniki – die ›Wander-Aussteller‹, wichtigste Gruppierung der russischen realistischen Malerei des XIX. Jahrhunderts, deren 15. Ausstellung seit 25. 2. 1887 in Petersburg zu sehen war mit Bildern von V.I. Surikov, V.D. Polenov, I.E. Repin, N.V. Nevrev, M.K. Klodt u. a.

67) *17. 3. 1887 – M.V. Kiselëva.* 229 (239).
einen Riesenvorschuß – von 300 Rubel, wie Čechov am 13. 3. seiner Familie mitgeteilt hatte.
Suvorin gibt meine Erzählungen heraus – tags drauf schickte Čechov 16 der im ›Novoe vremja‹ erschienen Erzählungen nach Petersburg, die 1887 (August) in dem Erzählungsband ›In der Dämmerung‹ erschienen; vgl. Nr. 71, 72f.
Ich komme zu Grigorovič – am 14. 3.; Grigorovič starb 1899.
Bertenson, – Lev Berngardovič, 1850–1925, Arzt in Petersburg, Hygieniker; Autor literarischer Biographien (1883 Turgenev, 1911 Grigorovič, 1919 Leskov).
Vasilisa und Serëža – Kinder der Adressatin.

68) *7. 4. 1887 – N.A. Lejkin.* 242 (254).
Santuriner – Weinsorte von der Krim.
g. – Abkürzung für ›gorod‹, russisch ›Stadt‹.
Eremeev – Ivan V. Eremeev, geb. 1860, Arzt in Taganrog.
habe für die »Gazeta« – die Erzählung ›Der Kosak‹, erschien in der ›Petersburgskaja gazeta‹ am 13. 4. 1887.

69) *11. 4. 1887 – M.P. Čechova.* 244 (257).
11. April... – Čechov führte während seiner Reise ein Tagebuch in Briefen, hatte am 7. 4. einen sehr ausführlichen Brief an die Familie geschickt, eine Fortsetzung am 10./11. 4. – Das gesamte Reisetagebuch vgl. den Band ›Tage- und Notizbücher‹ (in Vorbereitung).
Aleksandrs Kummer – Al.P. Čechovs Familie war vollzählig krank, A.I. Čechova lag im Krankenhaus.
Nase – E.I. Ėfros, Freundin der Adressatin; vgl. u. ›M-lle Ėfros‹, ›E.I.‹
Turnürlos – Olga Petrovna Kundasova, 1865–1943, die ›Astronomin‹, Freundin der Adressatin, Bekannte der Familie; ›Turnürlös‹ weil sie keine Turnüre trug.
Jašenka, Jadenka – die Schwestern Janova.
V. Vasilij – Vater Vasilij, weltlich Vasilij Anastasjevič Bandakov, 1807–1890, Geistlicher in Taganrog.
früher zurückkomme... – Čechov kehrte am 17. 5. nach Moskau zurück.

70) *11. 4. 1887 – F.O. Šechtel.* 245 (258).
Nazarovs – ungeklärt, um wen es sich handelt.
spiele den Makler bei meinem Onkel – M.E. Čechov war Kirchenältester an der Michailskirche in Taganrog und hatte bei dem Adressaten den Entwurf eines Glockenturms in Auftrag gegeben, zu dem Engel gehörten, die die Säulen zieren sollten.

71) *26. 5./3. 6. 1887 – Al.P. Čechov.* 262 (276).
Die 103 R. – das Honorar von der ›Peterburgskaja gazeta‹ für die Erzählungen ›Eine Begebenheit‹, ›Der Untersuchungsrichter‹ und ›Spießbürger‹, Mai 1887.
dem Buch – ›In der Dämmerung‹; Aleksandr hatte auf 20 Bogen Umfang bestanden, weil man, bei diesem Umfang, die Vorzensur umgehen konnte: das bedeute ›weniger Scherereien, und das Buch kann schneller erscheinen‹.
Wenn ... das Buch dir aushändigen – Aleksandr hatte geschrieben: ›Niemand rührt dein Buch an, und deine Hoffnungen, daß Suvorin ihm eine Form gäbe, haben sich nicht bewahrheitet... Wahrscheinlich endet die ganze Sache damit, daß man, wenn dein Buch fertig ist,

mich einladen wird, es in Empfang zu nehmen, und dir wird man die Rechnung schicken.‹
bei Anna Ivanovna – Aleksandrs Frau, von der Al. am 25. 5. geschrieben hatte, daß sie bereits wieder zu Hause sei.

72) *8./12. 7. 1887 – Al.P. Čechov.* 278 (290).
eine Erzählung ans »N. vr.« geschickt – die Skizze ›Die Wollblume‹, erschienen am 14. 7.

73) *Ende Juli 1887 – Al.P. Čechov.* 281 (292).
Ganter – scherzhafte Anrede, russisch ›Gusev‹, abgeleitet von ›gus‹ (Gans), einer der zahlreichen komischen Namen, mit denen Čechov seinen ältesten Bruder bedachte.
Umschlag – für das Buch ›In der Dämmerung‹.
Nr. 196 – vom 20. Juli mit der Erzählung ›Der Vater‹, vgl. detebe 50/XIII; das Julihonorar von der ›Peterb. gazeta‹. Im Juli 1887 erschienen von Čechov in den ›Oskolki‹ (4. 7.) die Erzählungen ›Der Fehltritt‹ und ›Ende gut‹, im ›Budilnik‹ (5. 7.) die ›Notizen eines Jähzornigen‹ sowie, im ›Novoe vremja‹, die ›Wollblume‹ (14. 7.).
die Küken – Aleksandrs Kinder.

74) *12. 8. 1887 – Al.P. Čechov.* 285 (297).
so ist mein Buch bereits erschienen – laut Anzeige vom 3. 8. 1887 im ›Novoe vremja‹, wonach die neuen Bücher in der Woche vom 27. 7. bis 2. 8. an die Buchhandlungen ausgeliefert worden waren.

75) *7./8. 9. 1887 – Al.P. Čechov.* 291 (303).
bokú kein mersi – scherzhafte Paraphrase von franz. ›merci beaucoup‹.
rechtfertigst dich, daß mein Buch ... – Aleksandr hatte detailliert dargelegt, weshalb es zu den Verzögerungen bei der Herstellung des Buchs gekommen war (Abwesenheit Suvorins, Sommer etc.).
eine Reise nach Piter – Suvorin hatte im Gespräch mit Čechovs Bruder eine Übersiedelung Čechovs nach Petersburg angeregt, Aleksandr referierte dieses Gespräch in seinem Brief vom 5. 9. wonach Suvorin Čechov ein Fixum von 200 Rubel im Monat zahlen wollte.
Ėlpe – L.K. Popov, Redakteur, 1851–1917, führte unter dem Kürzel ›Elpe‹ (L.P.) die Rubrik ›Wissenschaft‹.
Maslov – vgl. Nr. 63, Militärexperte der Zeitung.
der Oberst – V.K. Petersen, 1842–1906, Autor literaturkritischer Feuilletons, schrieb unter dem Pseudonym ›Ladožskij‹.
Gotberg – Pseudonym f. Višnevickij, Jakov Matveevič, Mitarbeiter des ›Novoe vremja‹.
Prokofjev – Vasilij Alekseevič, Reporter der Zeitung.

Gavrilov – Ivan Egorovič, Kaufmann in Moskau, Besitzer einer Galanteriewarenhandlung, bei dem Čechovs Vater von 1877 bis 1891 als Kontorist beschäftigt war.
Nadson – S. Ja. Nadson, Lyriker, 1862–1887, war am 19. Januar an Tuberkulose gestorben, vgl. Nr. 60, 63.

76) *13. 9. 1887 – M.V. Kiselëva.* 295 (306).
Ekaterina Vasiljevna – Nikitskaja, Gouvernante der Familie Maevskij.
die Würmer in der grünen Schachtel – zum Angeln.
Rezensionen – über Čechovs Band ›In der Dämmerung‹. In Nr. 9 der Zeitschrift ›Severnyj vestnik‹ eine anonyme Besprechung (von N.K. Michajlovskij), konstatierte: ›Fragen ohne Antworten, Antworten ohne Fragen, Erzählungen ohne Anfang und Ende, Fabeln ohne Auflösung: keine Lust, kein Interesse, Faulheit, den wie immer geschürzten Knoten aufzulösen, – es geht ja auch so.‹ Der Kritiker bescheinigt Čechov ein ›eigenartiges und sympathisches Talent‹ und wiederholt die Čechov bekannte – vgl. Nr. 44 an Grigorovič – Forderung nach einem ›ganzen, abgeschlossenen Werk von Hrn. Čechov‹.
Ebenfalls anonym erschien am 5. 9. eine lange Besprechung in den ›Moskovskie vedomosti‹: ›Čechov schreibt in allen Richtungen. Da ist Satire, ist Moral, ist Volkstümlerdenken, Salon, Poesie, Prosa und, schließlich, ein genre mixte.‹ Der Autor habe ein Gefühl für Komposition, habe Beobachtungsgabe, vorliegender Band lasse aber noch keine Antwort zu auf die Frage, ob er, bei allen Anzeichen von Talent, ›ein wirklich echtes Talent‹ besitze.
Zweimal war ich im Theater Korš – vgl. Nr. 51, 52, 58.
... natürlich kein Stück schreiben – vgl. Nr. 77, 79; am 5. Oktober war die erste Fassung des ›Ivanov‹ fertig.
Verner – Evgenij Antonovič, gest. nach 1890; mit seinem Bruder Michail Verleger der Zeitschriften ›Vokrug sveta‹, ›Drug detej‹ und ›Sverčok‹; den jüngeren Bruder, Evgenij, nannte Čechov nach Auskunft von Giljarovskij den ›Hundskragen‹. Noch im selben Jahr brachten die Gebrüder Verner den Erzählungsband ›Unschuldige Worte‹ von Čechov heraus, Verlag der Zeitschrift ›Sverčok‹; er enthielt 21 Erzählungen aus den Jahren 1884–1887; vgl. Nr. 83.
Tyšečka Mützenlos – Rudolf Inanovič Tyško, Offizier, Bekannter Čechovs, ›mützenlos‹ im Unterschied zu dessen Bruder Ėduard, Leutnant a. D. aus Voskresensk.
Ėfros Nase – Evdokija I. Ėfros, vgl. Nr. 37f., 69.
die Jašenkas – die Schwestern Janova.
Zinočka Turnürlos – Zina, Nichte von Ja.A. Korneev, Tochter eines Donkosaken, die die städtisch-modische Turnüre nicht trug.
M-lle Syrout – vgl. Nr. 41.

Hündchen ohne Rücken – Čechovs Hund Korbo, vgl. Nr. 64.
Fëdor Timofeič – Kater Čechovs, vgl. Nr. 64.
Aleksej Serg. – Kiselëv, Ehemann der Adressatin.
Ihre Anekdoten – ›Historische Anekdoten‹, erschienen in den ›Oskolki‹ vom 12. und 19. 12. 1887.

77) *5. 10. 1887 – N. M. Ežov.* 299 (313).
mein Stück – die erste Fassung des ›Ivanov‹, vgl. detebe 50/V, vgl. auch die folgenden Briefe.
mir helfen – worin die Hilfe Ežovs bestand, geht auch aus den Erinnerungen des Adressaten nicht hervor; Čechov nannte Ežov später (vgl. Nr. 81) den ›Brautführer‹ seines ›Ivanov‹. Ežov schrieb über diesen Morgen: ›Anton Pavlovič war schweigsam und irgendwie schlechter Laune. Niemand störte uns. Wir setzten uns, – Čechov sich mir gegenüber. Ich las den »Ivanov« von Anfang bis Ende durch, ohne Unterbrechung... Das Lesen war beendet. Čechov, düster, nachdenklich, schwieg lange. Endlich sagte er: »Ich hoffe auf Davydov und Kiselevskij... Diese Schauspieler werden mich nicht reinlegen...«‹

78) *6./7. 10. 1887 – Al. P. Čechov.* 301 (314).
Burenin – hatte im ›Novoe vremja‹ vom 25. 9. 1887 die Besprechung des ›Severnyj vestnik‹, vgl. Nr. 76, zum Anlaß genommen, polemisch gegen eine bestimmte Richtung der Literaturkritik zu Felde zu ziehen: ›Für die Rezensenten dieser Zeitschrift sind nur diejenigen Werke klar, in denen die Autoren in allem ›Klarheit schaffen‹, d. h. jedem Helden und jeder Erscheinung des Lebens ein Etikett auf die Stirn kleben mit der Aufschrift: dieser Held und diese Erscheinung bedeuten das und das...‹ Burenin charakterisierte dieses Verfahren als Routine der sog. dicken Zeitschriften.
Korolenko – hatte Čechov Anfang 1887 kennengelernt; während seines zweiten Besuches bei Čechov hatte Korolenko ihm geraten, größere Sachen zu schreiben und im ›Severnyj vestnik‹ zu publizieren. Vgl. Nr. 80.
Spott mit dem toten Nadson – vgl. Anm. zu Nr. 60. Burenin hatte den todkranken Nadson in einer Polemik beschuldigt, die Krankheit nur vorzuschützen, um Mitleid für den Autor Nadson zu erwecken. Nadson beabsichtigte daraufhin, nach Petersburg zu fahren und ein Ehrengericht anzustrengen, starb aber darüber; Burenin hielt seine Behauptung auch nach Nadsons Tod aufrecht. Vgl. auch Nr. 63.
Fëdorov oder Bežeckij – vgl. Nr. 64, die Notiz erschien am 9. 10. im ›Novoe vremja‹, Čechov zitiert sie in seinem Brief an G.M. Čechov vom 17. 10.: ›An. P. Čechov hat, wie wir hörten, eine Komödie in vier Akten geschrieben, unter dem Titel »Ivanov«. Das Sujet des Stückes

ist neu. Die erste Aufführung auf der Bühne wird in Moskau vorbereitet.‹

Tuus – latein. ›Dein‹.

79) *10./12. 10. 1887 – Al. P. Čechov.* 302 (316).

das Stück – ›Ivanov‹.

alle Juden aus Paris – füit! – im Original deutsch.

kritzle an einer Samstagsbeilage – ›Gute Nerven‹, erschienen im ›Novoe vremja‹ vom 31. 10. 1887, vgl. detebe 50/XIII.

»Rus. ved.« – ›Russkie vedomosti‹, Moskauer Tageszeitung, liberal, erschien 1863–1918, hrsg. von V.M. Sobolevskij.

Der »Sever« – illustrierte Wochenzeitung, die ab 1888 in Petersburg erscheinen und an der Čechov mitarbeiten sollte; erste Erzählung Čechovs dort erst Januar 1892 (›Der Flattergeist‹).

»Sev. vestnik« – ›Severnyj vestnik‹, literarische Monatszeitschrift, hrsg. von A.M. Evreinova, Redaktion A.N. Pleščeev, erschien in Petersburg von 1885–1898. Čechov veröffentlichte dort ab 1888 (›Die Steppe‹ u. a.).

»R. mysl« – ›Russkaja mysl‹, hrsg. von V.M. Lavrov, Monatszeitschrift, erschien in Moskau 1880–1917, ab 1884 mit dem Redakteur V.A. Golcev. Čechov publizierte dort erst 1892, vgl. Nr. 281.

Kočetov – Evgenij Lvovič, 1845–1905, Journalist, Mitarbeiter der Tageszeitung ›Moskovskie vedomosti‹ und des ›Novoe vremja‹.

Atava – Mitarbeiter des ›Novoe vremja‹, vgl. Nr. 64.

»Flüchtling« – Erzählung Čechovs, erschienen in der ›Peterb. gazeta‹ vom 28. 9. 1887, vgl. detebe 50/XIII.

habe zum ersten Mal ein Stück geschrieben – vorher: ›Platonov‹ (Stück ohne Titel), ›Auf der Großen Straße‹ 1885; ›Über die Schädlichkeit des Tabak‹ 1886, vgl. ›Einakter‹, detebe 50/VIII.

Rolle, die nur ein Talent wie Davydov – Davydov spielte, von dem Stück begeistert, die Titelrolle; vgl. Nr. 83f. und Briefe an Davydov, den Čechov sehr verehrte.

Nach dem 15. erkundige dich – Aleksandr am 22. 10. an Čechov: ›Gegenwärtig haben sich im gesamten russischen Reich erst 315 Esel gefunden, die dich als Genie anerkannt und deine »Dämmerungen« gekauft haben. Diese Summe hat die Druckkosten noch nicht aufgewogen ...‹

Roman von 1500 Zeilen – um welche Arbeit Čechovs es sich hier handelt, ist ungeklärt. Aleksandr antwortete, er könne ›auch 6000 Zeilen schikken – sie würden gedruckt, niemand würde es wagen, sie abzulehnen‹.

Zankoveckaja ist ganz großartig – Marija Konstantinovna, 1860–1934, ukrain. Schauspielerin, die am 5. 10. in Moskau gastiert hatte und im Moskauer Feuilleton des ›Novoe vremja‹ gefeiert worden war; persönlich lernte Čechov die Z. erst Januar 1892 kennen. *Am falschen Platz* – im ukrainischen Theater, das keine Stücke zu spielen hatte, nachdem ukrainische Stücke in ukrainischer Sprache zu spielen verboten war.

Wenn Burenin... – Al.P. Čechov hatte geschrieben, er habe B. die ihn betreffenden Zeilen aus Nr. 78 vorgelesen.

80) *17. 10. 1887 – V.G. Korolenko.* 304 (318).

für das Buch – ›Skizzen und Erzählungen‹ im Verlag ›Russkaja mysl‹, M. 1887.

Diesen Thoreau – Henry T., 1817–1862, amerikan. Schriftsteller; ›Walden, or life in the woods‹ (1854, dt. 1897), T.s. Hauptwerk, erschien 1887, auf Empfehlung von Lev N. Tolstoj, in Fortsetzungen im ›Novoe vremja‹, mit einem Vorwort Suvorins.

mein Stück wird wahrscheinlich... – die Premiere des ›Ivanov‹ fand am 19. 11. in Moskau statt, vgl. Nr. 88. Am 21. 10. schrieb Čechov an seinen Bruder Aleksandr: ›Mein Stück wird bei Korš Ende November oder Anfang Dezember als Benefiz für irgendjemanden gespielt werden. Bedingungen: Prozente von der Abendkasse – mindestens 8% (außer den 5 R. pro Akt, die vom Agenten der Gesellschaft der dramatischen Schriftsteller eingezogen werden). Volles Haus bei Korš – 1100–1500, bei Benefizvorstellungen 2400. Mein Stück wird oft gespielt werden. Das Lob, mit dem es überhäuft wird, und die Hoffnungen aufs bevorstehende Geschäft haben mich ein wenig aufgemuntert. Man erwartet doch immerhin etwas... Wenn die Zensur es nicht durchläßt, was zweifelhaft ist, so werde ich... mich wahrscheinlich nicht erschießen, aber es wäre doch bitter.‹

Erhalten ist ein ›Ivanov‹-Manuskript mit dem Zensurstempel vom 6. November.

81) *24. 10. 1887 – Al.P. Čechov.* 307 (325).

Räuber der Feder... – geflügeltes Wort der 80er Jahre, von B. Markevič gebraucht für liberale Journalisten, später von Ščedrin umgemünzt auf Vertreter der reaktionären Presse.

wegen des Wettbewerbs – Suvorin hatte angeregt, ›In der Dämmerung‹ für den Puškinpreis der Akademie einzureichen, der Čechov im Oktober 1888 verliehen wurde.

aus dem Zeitungsausschnitt – der nicht erhalten ist.

lädst mich ein – Čechov plante eine Reise nach Petersburg für Dezember; Aleksandr war inzwischen umgezogen.

über sein Stück – vermutlich ›Tatjana Repina‹, Drama in fünf Akten, vgl. Briefe 1889.

in der von mir gemachten Besetzung – vgl. auch Nr. 87 an Lejkin. Wie

Čechovs eigene Besetzung ausgesehen hat, ist nicht mehr zu rekonstruieren; die Besetzung der Uraufführung bei Korš vgl. Anm. zu Nr. 89.

Nr. 287 – der ›Peterburgskaja gazeta‹ mit Čechovs Erzählung ›Die Aufgabe‹ (19. Oktober), und Nr. 294 mit der Erzählung ›Das alte Haus‹ (26. 10.) – vgl. detebe 50/XIII.

der Roman – vgl. Brief Nr. 79, die Sache ›von 1500 Zeilen‹ – ist nicht erhalten geblieben.

die Samstagsbeilage – vermutlich die Erzählung ›Der Kuß‹, die am 15. 12. im ›Novoe vremja‹ erschien; wegen der ›Ivanov‹-Proben hatte Čechov die Arbeit daran unterbrochen.

A.I. – Anna Ivanovna, Aleksandrs Frau.

Was die »Dämmerung« kostet – Al.P. Čechov am 30. 10.: Auflage 1500, Druckkosten 391 Rubel 44 Kopeken.

82) *27. 10. 1887 – N.M. Ežov.* 310 (326).

nach Ihrem linken Auge – E. arbeitete damals als Lehrer in Braclav und hatte Čechov gebeten, ihm wegen des verlängerten Aufenthalts in Moskau ein Attest über eine Augenbehandlung zu schreiben.

Vertrag unterschrieben – am 26. 10. 1887. ›Am 16. Oktober des Jahres 1887 verpflichte ich, Unterzeichneter, mich, für das ausschließliche Recht zur Aufführung des Stückes »Ivanov« von Hrn. A.P. Čechov in Moskau, ihm 2% pro Akt von der Abendkasse jeder Vorstellung des genannten Stückes zu zahlen, hierin eingeschlossen auch das Honorar für die Gesellschaft der dramatischen Schriftsteller, wenn Hr. Čechov deren Mitglied wird. Nach dem 1. Juni des Jahres 1888 verliere ich das ausschließliche Recht, bin aber willens, es weiterhin zu spielen zu den Bedingungen des Autorenhonorars in der Gesellschaft der dramatischen Schriftsteller. F.A. Korš.‹

Gruzinskij – A.S. Lazarev-Gruzinskij, Aleksandr Semënovič, 1861–1927, Schriftsteller.

kellerschabt – Neologismus, Verbum, abgeleitet von russ. ›tarakan‹: die Kellerschabe.

83) *29. 10. 1887 – Al.P.* Čechov. 311 (327).

Vas. ostrov – Vasiljevskij ostrov 42, in Petersburg.

15 Erzählungen ... die allerübelsten – in den Band ›Unschuldige Worte‹ wurden 21 Erzählungen aufgenommen, an 14 davon hat Čechov noch Korrekturen vorgenommen. Čechov hat sich verschiedentlich negativ über diesen Band geäußert, jedoch fast alle Erzählungen aus den ›Unschuldigen Worten‹ in die Werkausgabe bei A.F. Marks, Petersburg 1899f. aufgenommen.

Das Schweigen darüber... – am 11./12. 11. schrieb Al.P. Čechov, Bu-

renin und Petersen warteten auf die Genehmigung Čechovs, über die ›Unschuldigen Worte‹ schreiben zu dürfen.
Was soll darauß... – scherzhafter Schreibfehler.
Der Vertrag mit Korš – vgl. Nr. 82,84.
Über Nikolka... – Aleksandr hatte sich nach N.P. Čechov erkundigt, ob er arbeite, was er mache usw.
Botkin – Sergej Petrovič, 1832–1889, bekannter Mediziner, Professor an der Militär-Medizin. Akademie Petersburg.
Voejkova – Hausbesitzerin in Moskau.

84) *4. 11. 1887 – N.A. Lejkin.* 313 (329).
Kleines Theater – das älteste Theater Moskaus, im Unterschied zum Bolšoj Theater, dem ›Großen‹ Theater.
Kiselevskij – Ivan Platonovič, 1839–1898, Jurist, Schauspieler, bis 1886 am Alexandratheater Petersburg, danach bei F.A. Korš in Moskau, spielte im ›Ivanov‹ den Grafen Šabelskij.
Davydov – V.N. Davydov.
als Prämie ein Buch – als Buchprämie für Abonnenten der Zeitschrift wurde 1887 ein Erzählungsband von N.A. Lejkin ausgesetzt; in seinem Antwortbrief bekräftigte Lejkin die Absicht, ein schönes Buch zu machen.
Gebrüder Verner – vgl. Nr. 76, 83.
Presnov – D.N. Presnov, Moskauer Buchhändler.
Salaev – Buchhändler und Verleger.
Glazunov – Aleksandr Iljič, 1826–1889, Buchhändler in Petersburg.
Volf – M. Volf bzw. Wolff, deutsche Buchhandlung in Moskau.
Vasiljev – A.L., Buchhändler in Moskau.
Mamontov – A.I., Moskauer Buchhändler.
Karabasnikov – bzw. Karbasnikov, Nikolaj Pavlovič, 1852–1919, Buchhändler und Verleger in Petersburg.
Smirnov – Buchhändler in Moskau.
habitus – latein. medizin. Konstitution.
Praskovja Nikiforovna – Ehefrau des Adressaten.
hl. Fëdor – Adoptivsohn von N.A. Lejkin, vgl. Nr. 21,35.

85) *10. 11. 1887 – A.S. Kiselëv.* 315 (332).
mein Stück – ›Ivanov‹ vgl. Nr. 89, 90.
Dysenterie – Ruhr, Darmkrankheit.
Ich schwör beim ersten Tag der Schöpfung – Zitat aus der Verserzählung ›Der Dämon‹ von M.Ju. Lermontov.
Dixi – latein. ›Ich habe gesprochen‹, ›Ich habe alles gesagt‹.
dicken Brief mit »Larka« – einer Kindererzählung von M.V. Kiselëva, vgl. Nr. 58,61. Čechov hatte sie am 7. 11. an M.V. Kiselëva zurückge-

schickt mit der Empfehlung, sie an die Kinderzeitschrift ›Rodnik‹ zu schicken, wo sie Aussichten habe, gedruckt zu werden.

Vasilisa – vgl. oben ›Liliša‹, Tochter des Adressaten, *Serëža* – sein Sohn.

86) *15. 11. 1887 – A. S. Lazarev-Gruzinskij.* 318 (334).

»Hamlet« – Vaudeville in 2 Akten, das Čechov mit L.-G. gemeinsam schreiben wollte, vgl. auch Brief Nr. 91. Das Čechovsche Manuskript, das der Adressat zurückschicken sollte, gilt als verlorengegangen. Aus den Erinnerungen Lazarevs ist ein Gerüst des Stückes rekonstruierbar. Akt I sollte hinter den Kulissen einer Provinzbühne während einer Hamletprobe spielen: der Schauspieler Tigrov, Darsteller des Schattens von Hamlets Vater, tritt auf und erzählt von seinem jahrelangen Vagabundenleben als Schauspieler in den dumpfen Provinzstädten; der Akt sollte mit Skandal und großem Durcheinander enden. Akt 2 sollte einige der ersten Szenen des Shakespearschen ›Hamlet‹ zeigen.

Gradov, Svetlov ... – das Ensemble des Theaters Korš. N.N. Solovcov, 1856–1902, Schauspieler und Regisseur, Regisseur der Uraufführung des Einakters ›Der Bär‹, der ihm auch gewidmet ist.

87) *15. 11. 1887 – N. A. Lejkin.* 317 (335).

Malyj teatr – vgl. Nr. 84.

Špažinskij – Ippolit Vasiljevič, 1844–1917, Dramatiker; sein neuestes Stück ›Die Fürstin Kurakina‹ hatte am 15. 11. in Moskau Premiere.

wie wütend Gogol war – nach der Uraufführung des ›Revisor‹ (der ersten Fassung) am 19. April 1836. Vgl. ›Anleitung für diejenigen, die den »Revisor« sachgemäß aufführen wollen‹, vor allem aber Gogols ›Fragment eines Briefes, den der Autor bald nach der Uraufführung des »Revisor« an einen Literaten richtete (am 25. Mai 1836): ›Der Revisor wurde aufgeführt – und mir ist so seltsam zumute, so trübe... Ich hatte es erwartet, ich wußte, wie alles kommen würde, und trotz allem hält mich nun ein Gefühl der Trauer und schwerer Niedergeschlagenheit im Bann. Mein eigenes Werk war mir zum Ekel, erschien mir unsinnig und als wäre es gar nicht von mir. Die Wirkung der Hauptrolle ging verloren; ich hatte es erwartet. Dürr hat keinen Deut davon begriffen, worauf es bei Chlestakow ankommt‹ usw., hier zitiert nach Gogol, ›Sämtliche Werke‹, 5 Bde., Berlin o.J. (Propyläen-Verlag), Band IV.

nach Piter komme ich im Dezember – Čechov kam am 30. 11. in Petersburg an, vgl. Nr. 90, 93f.

88) *16. 11. 1887 – Gesellschaft...* (336).

Gesellschaft der dramatischen Schriftsteller... – Genossenschaft zum

Schutz der Urheberrechte von Bühnenautoren und Komponisten, der beizutreten Lejkin Čechov geraten hatte: ›Denn dann werden Sie, wo auch immer in der Provinz Ihr Stück gespielt werden wird, von überallher mal 2 R., mal 3, mal sogar 5 bekommen... Merken Sie, dies gilt pro Akt. 40% behält die Gesellschaft zum Unterhalt ihrer Agenten ein.‹ In der ›Gesellschaft‹ war Čechov 1888/89 selbst auch aktiv tätig; vgl. Nr. 157, 203, 206, 207.

89) *20. 11. 1887 – Al.P. Čechov.* 319 (337).
mein Stück ist gelaufen... – am 19. 11. 1887, als Benefizvorstellung für den Schauspieler N.V. Svetlov, der die Rolle des Borkin spielte. Die Besetzung:
Ivanov – Davydov V.N.
Anna Petrovna – Glama-Meščerskaja A. Ja.
Šabelskij – Kiselevskij I.P.
Lebedev – Gradov-Sokolov L.I.
Zinaida Savišna – Borozdina N.N.
Saša – Rybčinskaja N.D.
Lvov – Solonin P.F.
Babakina – Koševa B.Ė.
Kosych – Vjazovskij F. P.
Borkin – Svetlov N.V.
Avdotja Nazarovna – Krasovskaja E.F.
Dudkin – Valentinov V.I.
Manilov – vgl. ›Die toten Seelen‹ von N.V. Gogol.
Publikum begreift diesen Schluß nicht – in der am 19. 11. gespielten Version, lautete der Schluß:
SAŠA Nikolaj, gehen wir von hier fort... *Nimmt ihn am Arm.*
LEBEDEV *zu Lvov* Ich als Hausherr... als Vater meines Schwiegersohns... das heißt meiner Tochter, gnädiger Herr...
SAŠA *schreit laut auf und stürzt sich über ihren Mann. Alle laufen auf Ivanov zu.*
LEBEDEV Heiliger Gott, er ist tot... Wasser... Einen Arzt...
ŠABELSKIJ *weinend.*
ALLE Wasser... Einen Arzt ... Er ist tot...
mit der Variante – Redaktionen des ›Ivanov‹ vgl. detebe 50/V.
den Kičeev & Co. ignorieren – Čechov urteilt offenbar nach dem Hörensagen, die Kritik Kičeevs im ›Moskovskij listok‹ erschien erst am 22. 11.; vgl. Nr. 90.
an einer Geschichte für die Samstagsbeilage – vermutlich die Erzählung ›Der Kuß‹, ›Novoe vremja‹ vom 15. 12., detebe 50/XIII; vgl. Anm. zu Nr. 81.

90) *24. 11. 1887 – Al.P. Čechov.* 321 (339).

Maslov – der Brief Čechovs an M. ist nicht erhalten, ebenso wenig der ›Dankesbrief für das Telegramm‹, s. u.

Djukovskij – Michail Michajlovič, 1860–1902, Ökonom. Kollege Ivan P. Čechovs, Bekannter der Familie.

Kurepin – am 22. 11. in ›Novoe vremja‹: ›Mit solch einem Gemisch aus Lob und Protest hat noch kein einziger Autor in letzter Zeit debütiert... Gespielt wurde das Stück von Hrn. Čechov sehr gut. Der junge Autor sollte zufrieden sein: er hat auf einen Schlag das Interesse des Theaterpublikums auf sich gezogen.‹

In den »Mosk. vedomosti« – vom 23. 11. hatte S. Vasiljev geschrieben: ›Nichtsdestoweniger sieht man das Stück mit Interesse und Vergnügen, denn bei aller Unerfahrenheit des Autors äußert sich darin Talent und werden lebendige Personen gezeigt.‹ Die Aufführung sei, vom Spiel der Schauspieler, einwandfrei.

Namenstag deines Ältesten – Nikolaj, am 6. 12.

bring eine Notiz ... – eine derartige Notiz ist nicht erschienen.

91) *24. 11. 1887 – A.S. Kiselëv.* 320 (338).

... verbindlichsten Dank – stehende Redewendung der Babakina im ›Ivanov‹.

In fünf Tagen – Čechov reiste am 29. 11. nach Petersburg.

92) *26. 11. 1887 – A.S. Lazarev-Gruzinskij.* 322 (340)

Liebster Hofrat – L.-G. hatte im Scherz mitgeteilt, er sei zum Hofrat avanciert.

zum »Hamlet« – vgl. Anm. zu Nr. 85.

Schweinerüssel in der Suppenschüssel – für ›Flegel‹, ›ungehobelter Klotz‹; diesen Ausdruck hat Čechov noch im ›Kirschgarten‹ verwendet, vgl. Lopachin im I. Akt, detebe 50/III.

nach meinem Stück – dem ›Ivanov‹; mit Čechovs Erschöpfung und einer Abkühlung gegenüber Korš erklärt L.-G. in seinen Erinnerungen das Nichtzustandekommen des geplanten Vaudevilles, natürlich auch Meinungsverschiedenheiten, wie dieser Brief sie offenbart.

93) *1. 12. 1887 – V.N. Davydov.* 325 (342).

Gehenna und Synedrium – bibl. Bilder für ›Feuer‹, ›Fegefeuer‹; Synedrium, hebr. sanhedrin, der ›Hohe Rat‹.

Der langen Verteidigungsrede nach ... – in den ›Novosti dnja‹ verteidigte eine (anonyme) Besprechung mit dem Titel ›Noch zwei Worte zum »Ivanov«‹ das Stück als ein ›unzweifelhaft originelles Werk eines jungen und talentierten Autors‹.

94) *3. 12. 1887 – die Familie Čechov.* 326 (343).

Michajlovskij – Nikolaj Konstaninovič, 1842–1904, Publizist, Kritiker, Soziologe, hatte im ›Severnyj vestnik‹ anonym über den Band ›In der Dämmerung‹ geschrieben; Čechov hatte M. lange für den Autor des Verrisses der ›Bunten Erzählungen‹ in derselben Zeitschrift gehalten. Vgl. Nr. 76, 50.

Uspenskij – Gleb Ivanovič, 1843–1902, Schriftsteller.

Anna Arkadjevna – Solovjëva, Redaktionssekretärin bei den ›Oskolki‹, später zweite Frau Bilibins.

»Vestnik Evropy« – eine der dicken Zeitschriften, in deren Dezemberheft ein Essay von K. Arsenjev unter dem Titel ›Schriftsteller der letzten Zeit‹ die Autoren Čechov, Barancevič und Iv. Ščeglov verglich; Arsenjev konstatiert großen Fortschritt zwischen den ›Bunten Erzählungen‹ und ›In der Dämmerung‹, bescheinigt Čechov eine Befreiung vom ›anekdotischen Element‹ und hält Čechovs Übergang zur größeren Form ›für sehr wahrscheinlich‹.

»Psychopathie« (von der Burenin... – in seiner Rezension des Bandes ›In der Dämmerung‹, vgl. Nr. 78 und Anm.

Ein Dummkopf vom »Novoe vremja« – meint einen Klatschartikel von V.S. Ljalin, der Äußerungen Čechovs aus einem Gespräch wörtlich zitierte (die ›zahllosen Phantastereien der Herren Schauspieler bei der Aufführung seines Stücks‹ u. ä.).

Alles, was bei Korneev – ist unklar, worum es sich handelt.

95) *25. 12. 1887 – Al. P. Čechov.* 330 (346).

Fensterchen von Polina Jakovlevna – meint den Kontorschalter beim ›Novoe vremja‹, um das Honorar für die Erzählung ›Kaštanka‹ abzuholen, die am 25. 12. mit dem Titel ›In gelehrter Gesellschaft‹ erschienen war, vgl. detebe Nr. 50/XIII.

Vukov – Pavel Ivanovič Vukov, Lehrer der Gebrüder Čechov am Gymnasium von Taganrog.

Saša Selivanova – Aleksandra Lvovna Selivanova-Krauze, Nichte von G.P. Selivanov, der Čechov in Taganrog Nachhilfeunterricht gegeben hatte.

Pleščeev – Aleksej Nikolaevič Pleščeev, 1825–1893, Lyriker, Übersetzer, Redakteur der Zeitschrift ›Severnyj vestnik‹. Čechov hatte Pleščeev in Petersburg kennengelernt.

Ruhmreiche Vergangenheit... – Pleščeev hatte zum Kreis der Petraševzen gehört, war verhaftet, degradiert und nach Orenburg verbannt worden.

Suvorins Schwager – Vasilij Semënovič Mamyšev, Jurist, Friedensrichter in Tver, dann Untersuchungsrichter im Kreis Zvenigorod, verheiratet mit der Schwester von A.I. Suvorina.

Ščeglov – I.L. Leontjev-Ščeglov, 1856–1911, den Čechov ebenfalls in Petersburg kennengelernt hatte.
feminae – latein. ›die Frauen‹.

96) *27. 12. 1887 – Al.P. Čechov.* 331 (348).
Nr. 308 – der ›Peterburgskaja gazeta‹; in der Rechnung geht es um die Honorare für die Erzählungen ›Teure Stunden‹ (9. 11.), ›Der Hammel‹ (7. 12.), ›Jungen‹ (21. 12.) und ›Tränen im Winter‹ (25. 12.); vgl. detebe 50/XIII.
Kalaero – Name eines Griechen aus Taganrog.

97) *Ende Dezember – V.N. Davydov.* 333 (249).
»Kalchas« – der Einakter ›Schwanengesang (Kalchas)‹, geschrieben nach der Erzählung ›Kalchas‹ (10. 11. 1886); vgl. die ›Einakter‹, detebe 50/VIII; vgl. auch den Stückeplan ›Hamlet‹ (mit Lazarev-Gruzinskij) Nr. 86,92. zu ›Kalchas‹ vgl. Nr. 58. Čechov gab das Stück Davydov, damit er es zur Zensur bringen sollte; in einem kurzen Brief vom 3. 1. 1888 erkundigt sich Čechov bei D. nach dem Schicksal des Stücks.

1888

98) *1. 1. 1888 – I.L. Leontjev-Ščeglov.* 334 (350).
Alba – Der Adressat nannte Čechov ›aus irgendeinem Grunde‹ Egmont, vgl. Nr. 103.
Ščeglov – Pseudonym I.L. Leontjevs, abgeleitet von russ. ›ščegol‹, der Stieglitz.
»Ehemann für die Sommerfrische« – Buchtitel der Adressaten, Sammlung humoristischer Erzählungen, die sich gerade im Druck befand.
Lejkin – vgl. Verzeichnis der Adressaten; in den ›Oskolki‹ publizierte Čechov ab 1888 nicht mehr. Vgl. Nr. 104.
»Mignon« – Erzählung des Adressaten, erschienen am 25. 12. 1887 im ›Novoe vremja‹.
Maksim Belinskij – Pseudonym des Schriftstellers I.I. Jasinskij, 1850–1931; *so wären Sie noch mehr gewitzt* – Paraphrase der Krylovschen Fabel ›Der Esel und die Nachtigall‹.
eine Lappalie für den »Severnyj vestnik« – die ›Steppe‹, dort erschienen im Märzheft 1888, vgl. detebe 50/XIII.
dieses literarische »Witwenhaus« – unklar, ob Anspielung auf die Herausgeberin A.V. Sabašnikova und die Redaktrice A.M. Evreinova, oder ob es sich um eine abfällige Äußerung über die Mitarbeiter der

Zeitschrift handelt; zum ›Severnyj vestnik‹ war, nach dem Verbot der Zeitschrift ›Otečestvennyja zapiski‹ 1884, ein großer Teil von Autoren übergewechselt, die die zum Dogma erstarrten Ideale der 60er Jahre hochhielten; im ›Severnyj vestnik‹ waren die für Čechov schmerzlichsten Rezensionen seiner ersten Erzählungsbände erschienen. Vgl. Nr. 20, 50, 76.

Bibikov – Viktor Ivanovič, 1863–1892, Schriftsteller, den Čechov Dezember 1887 in Petersburg kennengelernt hatte. Fünf Bücher B.s. befanden sich in Čechovs Bibliothek, jedoch mit Widmung aus dem Jahr 1891.

Waren Sie in der Akademie? – Leontjev-Ščeglov sollte offenbar für Čechov die Statuten und das Programm der Akademie der Künste beschaffen, die Čechov, auf Vorschlag Ja. Polonskijs, 1888 den Puškin-Preis zuerkannte.

99) *9. 1. 1888 – V. G. Korolenko.* 338 (354)

Abzug meines Stückes – ›Ivanov‹, den Čechov Korolenko zu schicken versprochen hatte; ›Ivanov‹ erschien im Januar als Textbuch der Moskauer ›Theaterbibliothek Rassochin‹.

Brief des alten Grigorovič – vom 30. 12. 1887 aus Nizza, in dem sich G. enthusiastisch über die Erzählungssammlung ›In der Dämmerung‹ äußert und Čechov in puncto Beobachtungsgabe mit Turgenev und L. Tolstoj (›Anna Karenina‹) vergleicht; G. bittet Čechov abermals inständig, sich an eine größere Arbeit zu begeben: ›Ist es für einen Menschen wie Sie nicht vollkommen gleichgültig, ob er 10–15 Erzählungen schreibt oder ob er ebenso viele Kapitel schreibt, die durch ein gemeinsames Interesse, gemeinsame Personen gebunden sind? [...] Es ist schade, daß Sie Ihren Roman abgebrochen haben [vgl. dazu Brief Nr. 100 und Anm.], – dann hätten Sie sich selber von der Richtigkeit meiner Worte überzeugt. Es geht nicht um das Sujet, nicht darum, *daß*, sondern *wie*, – das ist eine große Wahrheit. Erinnern Sie sich an »Verstand schafft Leiden«, den »Revisor«, die »Toten Seelen« usw. Im Grunde sind das unschuldige Anekdoten. Es liegt alles nur an der Ausführung‹. – Čechovs Antwort vgl. Nr. 100.

Verlasset euch nicht auf Fürsten... – Psalm 146, 3: ›sie sind Menschen, die können ja nicht helfen.‹

Flüchtling von Sachalin – Erzählung des Adressaten, erstmals erschienen in Heft 4 des ›Severnyj vestnik‹, 1885; aufgenommen in den Band ›Skizzen und Erzählungen‹, Moskau 1887.

»Unterwegs« – Novelle des Adressaten, zweite Redaktion des Titels ›Fëdor, der Obdachlose‹, an dem die Zensur Anstoß genommen hatte; erschien im Februarheft des ›Severnyj vestnik‹, 1888. Vgl. dazu Nr. 106, 107.

100) *12. 1. 1888 – D.V. Grigorovič.* 341 (357).

Tatjanentag – 12. Januar, seit Gründung der Universität Moskau feierlich begangener Jahrestag der Universität.

Ihr letzter herrlicher Brief – vgl. Anm. zu Nr. 99.

Den abgebrochenen Roman – den Plan, einen Roman zu schreiben, trug Čechov seit Mitte 1887 mit sich herum; A.S. Lazarevskij beschreibt in seinen Erinnerungen Mitte Juli 1887 eine Fahrt nach Babkino, Čechov erzählte: ›Stellen Sie sich eine stille Eisenbahnstation in der Steppe vor, nahe dem Landsitz einer Generalswitwe. Ein klarer Abend. Der Plattform nähert sich ein Zug mit zwei Lokomotiven. Nach einigen Minuten Aufenthalt an der Station fährt der Zug mit einer Lokomotive weiter, die andere Lokomotive bewegt sich, und still und leise rollt ein Güterwagen auf die Plattform zu. Der Waggon hält. Man öffnet ihn. In dem Waggon befindet sich ein Sarg mit dem Körper des einzigen Sohnes der Generalswitwe.‹ Vgl. auch Nr. 107.

Der Selbstmord eines 17jährigen Jungen – G. hatte Čechov geschrieben, wenn er, G., jünger wäre und größere Begabung hätte, würde ›ich ganz bestimmt eine Familie beschreiben und in ihr einen 17jährigen Jüngling, der sich auf den Dachboden stiehlt und sich dort erschießt. Sein ganzes Milieu, alle Gründe, die ihn zu seinem Selbstmord gebracht haben, sind, in meinen Augen, weit ernster und tiefer als die Gründe, die Werther dazu bewegt haben, Hand an sich zu legen. Ein solches Sujet beinhaltet die Frage des Tages‹ – das Problem der allgemeinen Resignation der 80er Jahre in Rußland. Vgl. Brief Nr. 105.

Sein Buch – V.G. Korolenko, ›Skizzen und Erzählungen‹, Moskau 1887.

Fofanov – Konstantin Michajlovič, 1862–1911, Lyriker.

Viehhändler Kolcov – der Lyriker Aleksej Vasiljevič Kolcov, 1809–1842, war Sohn eines Viehhändlers.

Turgenevs, Tolstojs und Ihrer – d. i. der Generation der ›großen Alten‹, im Gegensatz zur Generation der Autoren der 60er und 70er Jahre, der radikalen Demokraten (der Gruppe um die Zeitschriften ›Sovremennik‹ und ›Otečestvennyja zapiski‹):

Černyševskij – Nikolaj Gavrilovič, 1828–1889, Literaturkritiker, Publizist, Philosoph, Schriftsteller; Herausgeber der Zeitschrift ›Sovremennik‹. Sein utopischer Roman ›Was tun?‹ wurde in den 60er Jahren als ›positiver‹ Gegenentwurf zu Turgenevs Roman ›Väter und Söhne‹, zu Turgenevs ›Nihilismus‹ verstanden.

Gl. Uspenskij – G.I. Uspenskij.

101) *18. 1. 1888 – Ja.P. Polonskij.* 343 (359).

auf Ihren Brief – vom 8. Januar 1888; Čechov hatte Polonskij im Dezember 1887 in Petersburg kennengelernt.

Ihr Buch – vermutlich Band IV der ›Gesammelten Werke‹ Polonskijs,

S.-Pb. 1886, der Erzählungen und Novellen enthielt, darunter drei aus dem Jahr 1859; Polonskij galt in erster Linie als Lyriker.

Lermontovs »Taman« – Erzählung oder Kapitel (›Aus Pečorins Tagebuch‹) aus dem berühmten Roman ›Ein Held unserer Zeit‹ von Michail Lermontov, erschienen 1840.

Puškins »Hauptmannstochter« – Erzählung von A.S. Puškin, erschienen 1836.

mir ein Gedicht zu widmen – P. hatte geschrieben, er wolle ihm sein Gedicht ›In der Tür‹ widmen, das in der Zeitschrift ›Sever‹ erscheinen sollte; vgl. Nr. 108.

an der ich mit besonderer Liebe schreibe – Čechov widmete P. die Erzählung ›Das Glück‹ (erschienen am 6. 6. 1887 im ›Novoe vremja‹), 1888 aufgenommen in den Band ›Erzählungen‹; vgl. Brief Nr. 113; und detebe 50/XIII.

an der Spitze der Verlage Leute wie... – Verleger und Herausgeber, die auch Schriftsteller waren.

Belinskij – Vissarion Grigorjevič, 1811–1848, Literaturkritiker, Philosoph, führender Kritiker der Zeitschrift ›Sovremennik‹, berühmt durch seine Aufsätze über Puškin, seinen Briefwechsel mit Gogol u. a.

Herzen – Aleksandr Ivanovič, 1812–1870, Schriftsteller, Publizist, Herausgeber der berühmten Exilzeitschrift ›Kolokol‹.

... und Hundskragen – Čechovs Bezeichnung für die Gebrüder Verner, Herausgeber der Zeitschriften ›Sverčok‹, ›Mirskoj tolk‹, Verleger des Erzählungsbands ›Unschuldige Worte‹; vgl. Nr. 76, 83 sowie Anm.

schreibe an einer großen Sache – der ›Steppe‹; *befriedigt mich nicht:* vgl. Nr. 99; wörtlich so auch am 19. 1. an A.N. Pleščeev.

Vor ein paar Tagen – zwischen dem 3. und 6. Januar war Čechov in Babkino gewesen.

102) *22. 1. 1888 – I.L. Leontjev-Ščeglov.* 345 (361).

»Nedelja« – vom 3. 1. 1888 mit einem Aufsatz ›Über die Machtlosigkeit der jungen Schriftsteller‹ von P.A. Disterlo, der die Ansicht vertrat, ›Čechov, Korolenko und Garšin haben keine Macht über die Gesellschaft, bleiben ohne Einfluß‹, was der Autor mit dem Fehlen einer großen Idee, eines Ziele setzenden Ideals erklärt, als Gegenbeispiel: Lev N. Tolstoj.

Für alles, alles sei dir Dank gesagt – erster Vers des Gedichts ›Dankbarkeit‹ (1840) von Michail Lermontov.

bei Palkin – Restaurant in Petersburg.

riquiquirieren – Ausdruck aus der Erzählung ›Mignon‹ von Leontjev-Ščeglov, abgeleitet von franz. ›riquiqui‹ – (schlechter) Schnaps.

»Mignon« – vgl. Nr. 98.

»amare, morire« – italien. ›lieben, sterben‹.

fahre an den Kuban, Sommer in Slavjansk – Čechov plante fürs Frühjahr 1888 eine Reise in den Nordkaukasus, ins Kubangebiet, und wollte den Sommer auf einem Landhaus in der Nähe von Slavjansk verbringen. Am 15. 2. sagte er A.S. Kiselëv für diesen Sommer ab: ›Meine ganze Familie möchte in den Süden. An fünf Orten wird bereits für uns gesucht: in Slavjansk, in Sumy, am Azovschen Meer usw.‹ Auf Rat von A.I. Ivanenko entschloß sich Čechov für ein Sommerhaus in der Ukraine, das Gut Lintvarëva.

Brief von A.N. Pleščeev – vgl. Čechovs Antwort, Nr. 103.

103) *23. 1. 1888 – A.N. Pleščeev.* 346 (362).

eine schlechte Erzählung für die »Pet. gazeta« – ›Schlafen, nur schlafen‹, erschienen am 25. 1. 1888.

Abschließen werde ich die »Steppe« – abgeschickt, mit Brief an A.N. Pleščeev, am 3. Februar.

Ostrovskij – Pëtr Nikolaevič, 1839–1906, Ingenieur, Literaturkritiker, Bruder des Dramatikers A.N. Ostrovskij; P. N. Ostrovskij hatte Čechov am 27. 12. 1887 aufgesucht.

Leontjev – I.L. Leontjev-Ščeglov.

104) *4. 2. 1888 – A.S. Lazarev-Gruzinskij.* 351 (366).

Antwort auf den Brief – vom 21. 1. 1888.

Lejkin und Bilibin schweigen... – in den ›Oskolki‹ veröffentlichte Čechov seit 1888 nicht mehr, auch der Kontakt zu Bilibin wurde seltener; von Lejkin bekam Čechov am 25. 2. einen Brief, der seinen Besuch in Moskau Anfang März ankündigte. Mit Lejkin zusammen fuhr Čechov dann auf eine Woche nach Petersburg.

105) *5. 2. 1888 – D.V. Grigorovič.* 355 (368).

vorgestern Čechov hatte die ›Steppe‹ am 3. 2. an Pleščeev geschickt.

Um den 10. Januar – vgl. Nr. 100, vgl. dort auch das Thema vom Selbstmord eines 17-jährigen Jungen.

werde ich sie fortsetzen – diesen Plan hat Čechov nicht realisiert; die Absicht hatte er auch am 3. 2. Pleščeev gegenüber geäußert; vgl. Nr. 107.

zwei Kräfte: Mensch und Natur – vgl. hierzu ›Onkel Vanja‹, I. Akt Astrov und Vojnickij, II. Akt Sonja und Elena Andreevna, detebe 50/IV.

Wie schade, daß Sie nicht in Rußland sind – D.V. Grigorovič verbrachte aus Gesundheitsgründen den Winter 1887/88 in Nizza.

106) *5. 2. 1888 – A.N. Pleščeev.* 354 (369).

die 75 Rub. bekommen – am 19. 1. hatte Čechov sich an P. gewandt, um im ›Literaturfonds‹ Hilfe für den Übersetzer und Journalisten N.A. Putjata zu erwirken, der krank sei und kaum mehr arbeiten könne (als Korrektor an der Zeitung ›Mosk. vedomosti‹); 22. 2. an Leontjev-Ščeglov: ›er stirbt an Schwindsucht‹.

Korolenkos Novelle – ›Unterwegs‹, erschienen im Februarheft, vgl. dazu Nr. 99.

Benefiz für Davydov – im Theater F.A. Korš, wo Davydov den ›Bürger als Edelmann‹ (Le Bourgeois Gentilhomme) von Molière spielte.

107) *9. 2. 1888 – A.N. Pleščeev.* 357 (372)

Ihr letzter Brief – vom 8. 2., in dem P. sich begeistert über die ›Steppe‹ geäußert hatte; er und Korolenko hätten sich von der Lektüre nicht losreißen können, kritische Einwände könne er nicht machen, er sei einfach hell begeistert.

mit einem Telegramm geantwortet – das erwähnte Telegramm ist unbekannt geblieben.

die Herausgeberin – Antonina Vasiljevna Sabašnikova, die die Zeitschrift bis 1889 herausgab, wurde dann von Anna Michajlovna Evreinova, 1844–1919, der Redaktrice der Zeitschrift, abgelöst.

wenn wir im Sommer die Volga entlangfahren – Pleščeev hatte Čechov geschrieben, er und Korolenko planten, im Sommer zusammen mit Čechov eine Volgareise zu unternehmen.

wird Korolenko bei mir sein – A.N. Pleščeev hatte mitgeteilt, Korolenko reise am 9. 2. nach Moskau und wolle Čechov besuchen.

»Unterwegs« – vgl. Nr. 99, 106.

was für ein Romansujet – vgl. Nr. 100.

was Egoruška betrifft – Hauptperson der ›Steppe‹; die Absicht, die Novelle fortzusetzen, hatte Čechov bereits in seinem Brief vom 3. 2. an Pleščeev geäußert; die folgenden Eigennamen sind Personen aus der ›Steppe‹.

die Große Straße – auf der die Bettler, Vagabunden und Pilger, die Gorkijschen ›Bosjaki‹ von Nord nach Süd und Süd nach Nord durch Rußland zogen; vgl. Čechovs gleichnamigen Einakter, detebe 50/VIII.

im Jahre 1877 – wie aus einem Brief von Čechovs Vater hervorgeht, war dies 1875.

Hochzeit eines Schneiders – laut Auskunft von N.D. Telešov die Hochzeit des Lyrikers I.A. Belousov.

honoris causa – latein. ›ehrenhalber‹.

Tartarus – die Unterwelt, die Hölle der griech. Mythologie.

die Korrekturfahnen – bekam Čechov nicht geschickt, Pleščeev ließ diese Frage unbeantwortet.

108) *22. 2. 1888 – I.L. Leontjev-Ščeglov.* 365 (379).

alle Ihre Bücher – in Čechovs Bibliothek befanden sich, mit Widmungen des Adressaten vom 9. und 15. 12. 1887 der Roman ›Der Gordische Knoten‹, S.-Pbg. 1887; der Erzählungsband ›Die erste Schlacht‹, S.-Pbg. 1887, darin die erwähnten Erzählungen ›Pospelov‹ und ›Die Idylle‹; ›Ein russischer Denker. Ausgewählte Gedanken und Fragmente aus den Werken Gogols, seinen Briefen und Erinnerungen an ihn, ausgewählt von Ivan Ščeglov‹, S.-Pbg. 1887.

wie dies Ihre Rezensenten tun – N. Ladožskij am 6. 11. 1887 in den ›Peterburgskie vedomosti‹, K. Arsenjev im Dezemberheft der Zeitschrift ›Vestnik Evropy‹, O.F. Miller am 6. 1. 1888 im ›Russkij kurjer‹; eine anonyme Besprechung im Januarheft des ›Severnyj vestnik‹.

Pomjalovskij – Nikolaj Gerasimovič, 1835–1863, Schriftsteller, stark von Dobroljubov und Černyševskij beeinflußt, bekannt geworden durch die Novellen ›Das Kleinbürgerglück‹ und ›Molotov‹, 1861 in der Zeitschrift ›Sovremennik‹ erschienen.

jour fixe bei ma tante – jour fixe als russisches Lehnwort; *ma tante* franz. ›meine Tante‹.

Daudet – Alphonse Daudet, 1840–1897, französischer Schriftsteller.

Ihre Theaterstücke – ›Der Theaterspatz‹ (1887) u. a. Komödien und Vaudevilles.

»Ehemann für die Sommerfrische«, »Mignon« – Erzählungen des Adressaten, vgl. Nr. 98, 102.

die »Klapperschlange« – Erzählung, erschienen am 16. 2. 1888 im ›Novoe vremja‹.

Ein Moskauer Schriftsteller – N.A. Putjata, vgl. Nr. 106.

Vaudeville »Der Bär« – vgl. auch den folgenden Brief; der ›Bär‹ vgl. die ›Einakter‹, detebe Nr. 50/VIII.

109) *22. 2. 1888 – Ja.P. Polonskij.* 336 (380).

Gedicht »In der Tür« – Polonskij hatte Čechov das Gedicht vor Erscheinen der Zeitschrift ›Sever‹ in der Druckfahne geschickt, vgl. dazu Nr. 101.

düstere Geschichte im Stile Albovs – die ›Lichter‹, erschienen im Juniheft des ›Sev. vestnik‹, vgl. detebe Nr. 50/XIV.

»Der Bär« – vgl. die ›Einakter‹, detebe Nr. 50/VIII; vgl. auch Nr. 108.

eine kleine Erzählung für das »Novoe vremja« – ›Ein unangenehmer Vorfall‹, erschienen am 3. Juni. Vgl. detebe Nr. 50/XIV.

110) *6. 3. 1888 – A.N. Pleščeev.* 369 (385).

Feuilleton Burenins – im ›Novoe vremja‹ vom 4. März.

P.N. Ostrovskij – Brief vom 4. März, der ausschließlich der ›Steppe‹ gewidmet war. Vgl. Anm. zu Nr. 103.

Bureninsche Merežkovskij-Kritik – V.P. Burenin hatte sich in derselben Ausgabe der Zeitung über ein Gedicht von D.S. Merežkovskij mokiert, das mitten im Winter die Schwalben des Frühlings besang.
Schwer ist das Leben auf dieser Welt! – Paraphrase des berühmten Schlußsatzes der Erzählung von Nikolaj Gogol ›Wie Ivan Ivanovič und Ivan Nikiforovič sich verzankten‹.
Ich komme nach Piter – Čechov fuhr am 13. März für 8 Tage nach Petersburg.
Den ganzen Februar habe ich nichts veröffentlicht – letzte Publikation Čechovs am 25. 1. (›Schlafen, nur schlafen‹) in der ›Peterburgskaja gazeta‹, für die er, lt. Brief vom 29. 1. an Aleksandr, ein Honorar von 34 Rubel 56 Kopeken bekommen hatte.
die Volgareise nicht vergessen – vgl. Nr. 107.

111) *7./10. 3. 1888 – V.N. Davydov.* 371 (387).
Abreise in die heimatlichen Gefilde – Davydovs Familie lebte in Petersburg, auch während Davydov bei F.A. Korš engagiert war; vgl. Nr. 123.
»Kalchas« – Čechovs Einakter ›Schwanengesang (Kalchas)‹, vgl. detebe 50/VIII sowie Nr. 97 und Anm.
Wohin ich am Samstag... – Čechov fuhr am 13. März nach Petersburg und blieb für 8 Tage, vgl. Nr. 112, 113.

112) *14./15. 3. 1888 – M.P. Čechov.* 372 (388).
Redaktion des »Novoe vremja« – in Petersburg, Malaja Italjanskaja.
Lejkin – war zu Fastenbeginn nach Moskau gekommen, hatte Čechov für eine öffentliche Lesung in Petersburg gewinnen wollen, mit Jasinskij, Barancevič, Pleščeev, Polonskij u. a.
»Christusbraut« – erfolgreicher Roman L.s, der damals in die 3. Aufl. ging.
im »Moskva« – Hotel ›Moskva‹ in Petersburg, Nevskij prospekt Nr. 49, vom Baedeker als ›ganz russisches Gasthaus‹ klassifiziert.
ein Hund heißt Fëdor Timofeič – wie der Kater der Familie Čechov; alle drei Namen hatte Čechov in der Erzählung ›Kaštanka‹ verwendet, vgl. detebe Nr. 50/XIII. Die Erzählung ›Kaštanka‹ sollte, so war in Petersburg verabredet worden, noch 1888 als Kinderbuch erscheinen.
Sabašnikovskij vestnik – der ›Severnyj vestnik‹, 1885–1888 herausgegeben von Antonina Vasiljevna Sabašnikova.
Palkin – Restaurant in Petersburg, Nevskij prospekt Nr. 47, Ecke Vladimirskij prospekt, ›Russisches Speisehaus‹ (Baedeker).
Votre à tous – franz. ›euer aller‹, ›ganz euer‹.
Gej – Pseudonym des Journalisten Bogdan V. Gejman, der seit 1876 die Rubrik Ausland am ›Novoe vremja‹ leitete.

113) *24. 3. 1888 – Al.P. Čechov.* 375 (391).

Martember – scherzhafte Kontamination aus ›März‹ (mart) und der Endung von ›November‹, ›Dezember‹ (-abr'), analog zu den Datierungen in Gogols ›Aufzeichnungen eines Wahnsinnigen‹.

Leutnant Pleščeev – jüngster Sohn von A.N., Nikolaj Alekseevič Pleščeev.

für das zweite Buch – Čechov am 22. 3. an A.S. Lazarev-Gruzinskij: ›Wir drucken die 2. Auflage der »Dämmerungen«, ein neues Buch und ein Kinderbuch »In gelehrter Gesellschaft«.‹ Meint das Kinderbuch ›Kaštanka‹, das aber erst 1892 erschien.

Titel des Buches – ›Erzählungen‹, S.-Pbg., A.S. Suvorin, 1888.

Anordnung der Erzählungen – am 11. oder 12. 4. an Aleksandr korrigiert Čechov diese Reihenfolge, indem er bittet, die Erzählung ›Im Sumpf‹ nachträglich aufzunehmen und vor die ›Steppe‹ zu setzen; dies erwies sich aber als undurchführbar, weshalb ›Im Sumpf‹ nach der ›Steppe‹ und vor der Erzählung ›Der Kuß‹ gesetzt wurde.

Das »Glück« – vgl. dazu Nr. 101.

Neupokoev – Arkadij Iljič, 1848–1906, Kontorist, später Direktor der Druckerei A.S. Suvorin; Wortspiel mit der semantischen Bedeutung des Namens: ›pokoj‹ – Ruhe, Frieden; ›upokoit'‹ – beruhigen, besänftigen; ›ne-‹ – die Negation (nicht, un-).

mit Puškin sagen: – Čechov zitiert das berühmte Gedicht ›Lied‹ von Puškin (hier in der Übersetzung von Karoline von Jaenisch-Pavlova, 1833):

›Ein Augenblick ist mein gewesen:
Du stand'st vor mir mit einem Mal,
Ein raschentfliegend Wunderwesen,
Der reinen Schönheit Ideal‹, usw.

Landauer – viersitziger Wagen mit zurückgeschlagenem Verdeck.

Romanzen der Pavlovskaja – Ėmilija Karlovna, 1853–1935, berühmte Opernsängerin, Sopranistin, 1884–1888 in Petersburg, danach am Bolšoj Theater in Moskau engagiert.

»Kolokol« – berühmte Zeitschrift, herausgegeben von Aleksandr Herzen in London 1857–1867, in Rußland verboten.

»Istoričeskij vestnik« – Zeitschrift für Geschichte, erschien im Verlag A.S. Suvorin, seit 1880 redigiert von Generalmajor S.N. Šubinskij, 1837–1915.

Gavrilovs Tochter zu heiraten – Scherz; *Gavrilov* – Moskauer Unternehmer und Kaufmann, bei dem Čechovs Vater als Kontorist und Aleksej Dolženko angestellt waren.

114) *29. 3. 1888 – A.N. Maslov-Bežeckij.* 380 (397).

Lavrov, Golcev – Vukol Michajlovič Lavrov, 1852–1912, Kritiker, Herausgeber der Zeitschrift ›Russkaja mysl‹; Viktor Aleksandrovič Golcev, 1850–1906, Publizist, Redakteur der ›Russkaja mysl‹, vgl. zu diesem Brief auch Nr. 119.

Petersen – Vladimir Karlovič, 1842–1906, Journalist, Mitarbeiter des ›Novoe vremja‹, schrieb dort unter dem Pseudonym N. Ladožskij.

115) *31. 3. 1888 – A.N. Pleščeev.* 383 (399).

Nozdrëv – Gestalt aus N.V. Gogols Roman ›Die Toten Seelen‹.

Ivan Ivanyč... – vgl. die Erzählung ›Wie Ivan Ivanovič und Ivan Nikiforovič sich verzankten‹ aus Gogols Erzählungsband ›Mirgorod‹.

Anzahlung überwiesen – am 29. 3. hatte Čechov an Lejkin geschrieben, der Preis für das Sommerhaus betrage, für den ganzen Sommer, 100 Rubel.

Junge Damen im Überfluß – vgl. die Beschreibung der Töchter Lintvarëv Nr. 127.

so unentschlossen von der Volga – vgl. Nr. 107, 110.

Alles still... Die Pappeln... – alle eingestreuten Gedichtzitate dieses Briefes aus dem Band ›Gedichte‹ von A.N. Pleščeev, den Pleščeev Čechov am 11. 12. 1887 dediziert hatte.

Melancholische Mandoline – Beiname der Zeitschrift ›Severnyj vestnik‹ in Literatenkreisen.

Ihr Sohn N.A. – Nikolaj Alekseevič, der ›Leutnant‹, vgl. Nr. 113.

an einer kleinen Novelle – ›Lichter‹, vgl. detebe Nr. 50/XIV.

Aristarchov – Arsenij Ivanovič, eigtl. Vvedenskij, 1844–1909, Kritiker; hatte am 31. 3. über das Märzheft des ›Severnyj vestnik‹ geschrieben, wobei er eine Erzählung von Gleb Uspenskij (aus dem Zyklus ›Lebende Zahlen‹) hervorgehoben hatte, im Gegensatz zu der ›Steppe‹, die A. ›Resultat der Unerfahrenheit und, vielleicht, auch einer gewissen Undurchdachtheit‹ genannt hatte.

Kondratjev – Ivan Maksimovič, 1841–1924, Sekretär der Gesellschaft der russischen dramatischen Schriftsteller und Opernkomponisten.

Aleksandr Aleks. – Aleksandr Alekseevič Pleščeev, 1858–1944, Dramatiker, Theaterkritiker, ältester Sohn des Adressaten.

A.M. Evreinova – Anna Michajlovna, 1844–1919, Redakteurin und, ab 1889, auch Herausgeberin des ›Severnyj vestnik‹, mit der Čechov im März 1888 in Petersburg 3mal zusammengetroffen war; Čechov beschreibt sie in seinem Brief vom 25. 3. an M.V. Kiselëva als ›sehr liebe und kluge alte Jungfer, die den Grad eines »Doktors der Rechte« besitzt und im Profil Ähnlichkeit hat mit einem gebratenen Star.‹

herzlichen Brief von Polonskij – dem Čechov am 25. 3. geschrieben hatte, er wolle ihm die Erzählung ›Das Glück‹ widmen, vgl. Nr. 113. Čechov hatte Polonskij in Petersburg nicht besucht, weil er am verabredeten Tage krank war.

116) *3. 4. 1888 – A.S. Suvorin.* 387 (403).
mein Buch – ›Erzählungen‹, vgl. Brief Nr. 113, auch Nr. 117.
werde ich noch Texte schicken – schickte später, vgl. Nr. 113, noch die Erzählung ›Im Sumpf‹.
»Kaštanka« – erschien erst 1892 als Buch.
den Kramskoj, den ich lese – Suvorin hatte Čechov das Buch ›Ivan Nikolaevič Kramskoj. Sein Leben, seine Korrespondenz und kunstkritischen Aufsätze, hrsg. von V.V. Stasov‹, S.-Pb. 1888, Verlag A.S. Suvorin geschickt. Kramskoj, einer der führenden Maler der Peredvižniki, geb. 1837, war am 6. 4. 1887 gestorben.
Repin – Ilja Efimovič, 1844–1930, Maler.
Bakalovič – Stepan Vladislavovič, geb. 1857, Maler.
S.P. Botkin – Sergej Petrovič, 1832–1889, Therapeut, Professor an der Militär-Medizinischen Akademie in Petersburg.
Viktor Petrovič – Burenin, der im ›Novoe vremja‹ am 1. 4. 1888 einen Nachruf auf Garšin geschrieben hatte.
Garšin – Vsevolod Michajlovič, geb. 1855, hatte am 24. 3. 1888 Selbstmord begangen.
Nastja – Anastasija Alekseevna, verh. Mjasoedova-Ivanova, Tochter A.S. Suvorins aus zweiter Ehe.
Borja – Boris Alekseevič, 1879–1940, Sohn A.S. Suvorins aus zweiter Ehe.
Mit dem »Novoe vremja« »gebrochen« – Čechovs letzte Erzählung im ›Novoe vremja‹ war am 1. Januar 1888 erschienen, es konnte so aussehen, als veröffentliche Čechov nur noch im ›Severnyj vestnik‹.
mit meiner Novelle – ›Lichter‹, erschienen im Juniheft des ›Severnyj vestnik‹, vgl. detebe Nr. 50/XIV.

117) *5. 4. 1888 – Al.P. Čechov.* 390 (406).
leif a chejm – jidd., ›lauf ums Leben‹; laut Kommentar der russ. Ausgabe 1974 f: ›lauf nach Hause‹, ›lauf heim‹.
Wenn das teure Papier... – vgl. Nr. 116.

118) *5. 4. 1888 – Al.P. Čechov.* 392 (408).
Sie braucht dringend ärztliche Hilfe – Al.P. Čechov hatte geschrieben, seine Frau, Anna Ivanovna (A.I.) habe ständig wechselnde Temperatur.
S.P. Botkin – vgl. Anm. zu Nr. 116.
Deine Bitte werde ich Mutter ausrichten – Al.P. Čechov hatte gefragt, ob die Mutter nicht nach Petersburg kommen könne.
Auf Trauschein leben – Al.P. hatte keinen Trauschein, denn er war mit Anna Ivanovna Sokolnikova nicht verheiratet. Scherz Čechovs, Anspielung auf die Geschichte, als Aleksandr 1883 von Taganrog nach

Moskau gegangen war und mit seinen Dokumenten aus Versehen auch den elterlichen Trauschein mitgenommen hatte.

genügend Text für 20 Bogen – Antwort Aleksandrs vom 10. 4.: das Material umfasse erst 15 Bogen (vgl. Nr. 113); Čechov schickte daraufhin noch drei Erzählungen: ›Im Sumpf‹, ›Der Brief‹ und ›Der Geheimrat‹ aus dem Jahr 1886, vgl. detebe Nr. 50/XII.

Korbo, Gerška – Hunde, die Aleksandr gehörten; Korbo, das ›Hündchen ohne Rücken‹, war aber in Moskau geblieben, es wurde nicht eingeschläfert, starb November 1888; Čechov am 6./7. 11. 1888 an Aleksandr: ›Korbo, canis clarissimus, mortuus est. Gaudeo te asinum, sed non canem esse, nam asini diutius vivunt.‹ (Korbo, der berühmte Hund, ist tot. Ich freue mich, daß du ein Esel bist und kein Hund, denn Esel leben länger.)

deine Heldentat – die freie Ehe Aleksandrs mit A.I. Chruščova-Sokolnikova, unter der Aleksandr litt; A. trennte sich aber ›aus Mitleid‹ nicht von seiner Frau, die, in den letzten Jahren ihres Lebens, schwer krank war.

119) *7. 4. 1888 – A.N. Maslov-Bežeckij.* 393 (409).

»Russkaja m.« – die Zeitschrift ›Russkaja mysl‹; vgl. Nr. 114.

Mačtet – Grigorij Aleksandrovič, 1852–1902, Schriftsteller.

Man lädt mich seit langem ein – vgl. Nr. 52.

Kalium bromatum – Bromkalium, damals gebräuchliches Beruhigungsmittel.

Stavropol – es gab zu Čechovs Zeiten ein Stavropol im Kaukasus, eins an der Volga; über ›Ivanov‹-Aufführungen in einer der beiden Provinzstädte ist nichts mitgeteilt.

»Graždanin« – ein entsprechender Brief in Čechovs Archiv nicht vorhanden; Čechov hat dort nicht veröffentlicht.

120) *17. 4. 1888 – A.N. Pleščeev.* 401 (417).

mein kleiner Bruder – M.P. Čechov.

zu meiner Novelle – am 9. 4. hatte Čechov P. über seine Schwierigkeiten mit der Erzählung ›Lichter‹ geklagt, woraufhin P. von allzu langem Feilen abriet.

Gespräche mit Korolenko – K. war am 6./7. April bei Čechov zu Besuch gewesen. Pleščeev hatte geschrieben, er wisse nicht genau, wie Korolenko zu ihm, Pleščeev, stehe.

Michajlovskij – Nikolaj Konstantinovič, 1842–1904, Publizist, Literaturkritiker, Soziologe; trug sich mit dem Gedanken, die Mitarbeit am ›Severnyj vestnik‹ aufzugeben, vgl. Nr. 121.

Über den Garšin-Almanach – nach Garšins Selbstmord bereitete der ›Severnyj vestnik‹ einen Almanach vor, der dem Andenken an G. gewidmet sein sollte; parallel dazu plante eine Gruppe von Schriftstellern (um Albov und Barancevič) einen zweiten Almanach, nachdem man sich mit Pleščeev nicht hatte einigen können. Čechov war aufgefordert, an beiden Almanachen mitzuarbeiten, und hatte Barancevič die Erzählung ›Der Flüchtling‹ geschickt, vgl. detebe Nr. 50/XIII.

habe Ščeglov eingeladen – im Brief vom 15. 4., vgl. auch Nr. 121.

121) *18. 4. 1888 – I. L. Leontjev-Ščeglov.* 403 (418).

»Ehemann...« – Ivan Ščeglov, ›Der Ehemann für die Sommerfrische, seine Taten, Beobachtungen und Enttäuschungen. – In den Bergen des Kaukasus‹, Petersburg 1888; mit Widmung vom 16. 4. 1888.

Kritik zu meiner »Steppe« – aus der Zeitung ›Nedelja‹ vom 27. 3. und 10. 4. von R.D. Disterlo, ›Eine neue literarische Generation‹; Disterlo hatte u. a. geschrieben, es gehöre viel ›seelisches Gleichgewicht, Ruhe und Sorglosigkeit dazu, sich in unserer Zeit mit derart epischem Pathos der Schilderung der Natur hinzugeben‹, und: unter den Autoren der jungen Generation gebe es ›wesentliche Anzeichen für ein pantheistisches Verhältnis gegenüber der Natur‹, sie alle seien ›durchdrungen vom Geist der Affirmation, nicht der Negation der Wirklichkeit. Hr. Čechov ist seiner Natur nach ein Pantheist und Maler. Für ihn gibt es auf der Welt nichts, was der Kunst unwürdig wäre.‹

eine sehr langweilige Novelle – ›Lichter‹.

voran! ohn' alle Furcht und Zweifel – Zitat eines Gedichts von A.N. Pleščeev, vgl. Nr. 115.

Babikov (oder Bibikov) – V. I. Bibikov hatte am 9. und 23. 4. Erinnerungen an Garšin veröffentlicht.

Sancho Belinskij – I.I. Jasinskij, der unter dem Pseudonym Maksim Belinskij schrieb.

Minskij – Nikolaj Maksimovič, eigtl. Vilenkin, 1855–1937, Lyriker.

Dysenterie – griech./latein. für Ruhr, Durchfall.

Michajlovskij – vgl. Anm. zu Nr. 120; Ščeglov hatte Čechov mitgeteilt, M. wolle den ›Severnyj vestnik‹ verlassen. In einem Brief an Korolenko gab M. als Begründung Meinungsverschiedenheiten mit der Herausgeberin, A.M. Evreinova, an.

122) *18./24. 4. 1888 – Al. P. Čechov.* 402 (419).

M. Suvorin – Michail Alekseevič, 1860–1936, Sohn A.S. Suvorins aus erster Ehe, hatte Al. mitgeteilt, das Buch sei an allen Bahnhofs-Buchkiosken vorrätig.

Der Alte – A.S. Suvorin.

A.I. – Anna Ivanovna Chruščova-Sokolnikova, Aleksandrs Frau.

Knoch – Andrej Ėduardovič, 1815–1895, Petersburger Arzt.

ductus – latein., in der Anatomie: Kanal, Gang, Verbindungskanal.

Parenchymen – griech. in der Anatomie ›das Gewebe‹, besonders die spezifischen Gewebselemente eines Organs im Gegensatz zu den übrigen Bestandteilen desselben (Brockhaus, 1903).
Blagorodnov – fiktiver Name, abgeleitet von russ. ›blagorodnyj‹: vornehm, edelmütig.

123) *23. 4. 1888 – V.N. Davydov.* 407 (423).
Petersburg hat gewonnen – Davydov beendete sein Engagement am Theater Korš in Moskau und kehrte für immer ans Petersburger Alexandratheater zurück.
Wenn »Kalchas« ... – vgl. Nr. 97, 111; Čechov hatte den Einakter Davydov gegeben, damit dieser ihn zur Zensur bringe. Offenbar hat Davydov ihn Čechov zurückgegeben, bei der Zensur wurde das Stück erst Oktober 1888 eingereicht.

124) *3. 5. 1888 – I.L. Leontjev-Ščeglov.* 415 (431).
dahin – im Original deutsch; vermutlich Anspielung auf das berühmte Goethe-Gedicht ›Kennst du das Land, wo die Zitronen blühn‹ aus dem ›Wilhelm Meister‹: ›Dahin! Dahin / Möcht ich mit dir, o mein Geliebter, ziehn!‹ – Čechov fuhr spätestens am 5. 5. In einem Brief vom 10. 5. bestürmte er Leontjev-Ščeglov nochmals, nach Sumy zu kommen.
die Erzählung an den »Sev. vestnik« – ›Lichter‹, dort erschienen im Juniheft. Vgl. detebe Nr. 50/XIV.
eine Erzählung für das »Novoe vremja« – ›Ein unangenehmer Vorfall‹, dort erschienen am 3. Juni, vgl. detebe Nr. 50/XIV.
Leman – Anatolij Ivanovič, 1859–1913, Schriftsteller; ›Skizzen aus dem Kadettenleben‹; ›Theorie des Billardspiels‹. Es existiert ein Briefentwurf an Leman vom 30. 4. 1888, der wörtlich beinhaltet, was Čechov Ščeglov referiert.
Korejša – Ivan Jakovlevič, 1780–1861, geisteskranker ›Prophet‹, der in einer Moskauer Psychiatrischen Klinik gelebt hatte.

125) *11. 5. 1888 – N.A. Lejkin.* 425 (440).
Ihr bärtiger Timofej – Diener bei Lejkin.
Stroganov – ungeklärt.
Dalkevič – M.M. Dalkevič, Karikaturist, Mitarbeiter an den ›Oskolki‹.
den ganzen Sommer Waise – L. hatte mitgeteilt, er werde den halben Sommer allein verbringen, nachdem er Frau und Pflegesohn zur Kur nach Pjatigorsk in den Kaukasus geschickt habe.
Mit »Satyr und Nymphe« – Roman N.A. Lejkins, zu dem L. Čechovs Meinung wissen wollte; L. hatte Čechov das Buch mit Widmung vom 25. 2. 1888 geschickt; desgl. das Buch ›Stukin und Chrustalnikov.

Epopöe aus dem Bankleben‹, Petersburg 1886, das Lejkin im April, mit Widmung vom 28. 4., geschickt hatte.

ein Urteil anzumaßen – Paraphrase eines Verses aus der klassischen Komödie ›Verstand schafft Leiden‹ von A. Griboedov; Molčalin, III/3.

Mačtet – vgl. Anm. zu Nr. 119.

die »Sklavin« von Barancevič – Roman von B., 1888 in Petersburg als Buchausgabe erschienen.

im Stil Ostrovskijs – A.N. Ostrovskij, 1823–1886, Dramatiker, dessen Stücke oft im Milieu der Kaufleute und Kleinbürger spielen.

Pomjalovskij – vgl. Anm. zu Nr. 108.

Muravlin – Pseudonym des Staatsmannes Fürst Dmitrij Petrovič Golicyn, 1860–1917, Mitglied des Staatsrats, Romanschriftsteller.

126) *Mitte Mai 1888 – I.P. Čechov.* 420 (441).

Ivanenko – Aleksandr Ignatjevič, 1862–1926, Flötist, Moskauer Bekannter der Familie Čechov.

Artemenko – Grigorij Aleksandrovič, Arbeiter im Werk Charitonenko, lebte auf dem Gut der Familie Lintvarëv.

Charitonenko – Ivan Gerasimovič, 1820–1891, Besitzer einer Zuckerfabrik in Sumy.

Dame des Hauses A.V. – Aleksandra Vasiljevna Lintvarëva, 1833–1909, Besitzerin des Gutes Luka bei Sumy. Beschreibung der Familie vgl. folgenden Brief.

Georges – Georgij Michajlovič, 1865–1943, jüngster Sohn der Familie, Pianist.

Elena – Elena Michajlovna Lintvarëva, 1859–1922, Ärztin, nicht die älteste Tochter, vgl. Nr. 127.

Zinaida – Zinaida Michajlovna Lintvarëva, 1857–1891, Ärztin, älteste Tochter von A.V. Lintvarëva.

Natalja – Natalja Michajlovna Lintvarëva, 1863–1943, Lehrerin.

Bestuževsche Lehranstalt – in Petersburg.

Pavel – Pavel Michajlovič Lintvarëv, 1861–1911, ältester Sohn der A.V. Lintvarëva, Zemstvo-Angestellter.

Tante – F.Ja. Dolženko, Schwester von Čechovs Mutter.

Aleksej – A. Dolženko, Vetter Čechovs.

Semaško – Marian Romualdovič, Cellist im Orchester des Bolšoj Theaters in Moskau, Bekannter der Čechovs.

127) *30. 5. 1888 – A.S. Suvorin.* 431 (447).

für meine hundert Rubel – die Čechov für den ganzen Sommer Miete zahlte.

Schablone ... Müller und Tochter – vgl. das epische Gedicht ›Rusalka‹ von A.S. Puškin.

Schopenhauer – Arthur, 1788–1860, deutscher Philosoph, in Rußland lange verboten, zugänglich nur im Original oder in den Exilzeitschriften (A. Herzens ›Kolokol‹); erst Anfang der 90er Jahre diskutiert, 1892 erschien in russischer Übersetzung (von A.A. Fet) ›Die Welt als Wille und Vorstellung‹; ›Gesammelte Werke‹, 4 Bde., Petersburg 1900–1910.

Akathistos – in der russisch-orthodoxen Liturgie ›ein Stück, bei dem die Gemeinde steht, im besonderen der Hymnus auf die Maria, der am Sonnabend der fünften Woche der Fasten gesungen wird‹ (Brockhaus, 1901).

Maler Makovskij – Nikolaj Egorovič, 1842–1886.

wenn sie mit Pleščeev spricht – A.N. Pleščeev war ab etwa 20. 5. bei Čechov in Sumy zu Gast.

älteste Tochter – Zinaida Michajlovna, vgl. Nr. 126.

zweite Tochter – Elena Michajlovna.

dritte Tochter – Natalja Michajlovna.

Krylovs Fabeln in ukrainischer Übersetzung – das Ukrainische war im Zarenreich keine offiziell anerkannte Sprache, vgl. Anm. zu Brief Nr. 79. Ivan Andreevič Krylov, 1769–1844, russischer Fabeldichter, der russische Lafontaine.

Ševčenko – Taras Grigorjevič, 1814–1861, ukrainischer Nationaldichter.

der älteste Sohn – Pavel Michajlovič Lintvarëv.

Čajkovskij – Pëtr Iljič, 1840–1893.

zweite Sohn – Georgij Michajlovič Lintvarëv.

träumt von einem Leben nach Tolstoj – gemäß der Tolstojschen Lehre: fern der städtischen Zivilisation, die als eines der modernen Übel erkannt wurde, im Gegensatz zur idealisierten Einfachheit des Bauernlebens.

Zankoveckaja – Marija Konstantinovna, eigtl. Adasovskaja, 1860–1934, ukrainische Schauspielerin, vgl. Anm. zu Nr. 79.

Panas Sadovskij – entweder Mikola Karpovič Sadovskij, oder Panas Karpovič Saksaganskij, beides ukrainische Schauspieler, mit bürgerlichem Namen Tobilevič.

Vata – Valentina Nikolaevna Ivanovna, Nichte von A.V. Lintvarëva.

»hört zu und frißt« – aus der Fabel ›Der Kater und der Koch‹ von Ivan Krylov.

Die Erzählung – ›Ein unangenehmer Vorfall‹, erschienen am 3. 6.

zu den »Lichtern« – im Juniheft des ›Severnyj vestnik‹ erschienen; ›Nikolaj und Maša‹ – da keiner der Briefe Suvorins an Čechov erhalten ist, ist dieser Gedankengang nicht mehr zu erklären.

Ingenieur mit Kisočka – Gestalten aus der Erzählung ›Lichter‹. Čechov hat diese Erzählung später übrigens nicht in seine ›Gesammelten Werke‹ aufgenommen.

Ščeglov-Leontjev wirft mir vor... – vgl. Nr. 128.
wie sich das einst Sokrates... – gemeint ist der berühmte Satz des Sokrates: ›Ich weiß, daß ich nichts weiß.‹
Voltaire – möglicherweise aus den Mémoires pour servir à la vie de M. de Voltaire' 1760: ›Es geht darum, daß wir über uns selbst nichts wissen, daß Leben, Wahrnehmung, Denken, Fähigkeit der Bewegung uns in einer unbewußten Gestalt gegeben sind, daß uns die Urgrundlagen der Materie unbekannt sind wie alles übrige auch, daß wir Blinde sind...‹
Ihr Theaterstück – ›Tatjana Repina‹, vgl. Nr. 166ff. Vgl. auch detebe Nr. 50/VIII, Čechovs gleichnamigen Einakter.
Krylov – Viktor Aleksandrovič, 1838–1906, Dramatiker.
Tichonov – Vladimir Alekseevič, 1857–1914, Schriftsteller, Dramatiker.
Vater Paisij – Archimandrit, den Čechovs Onkel Mitrofan Egorovič in Taganrog noch als einfachen Mönch kennengelernt hatte.
Aleksej Nikolaevič – A.N. Pleščeev.

128) *9. 6. 1888 – I.L. Leontjev-Ščeglov.* 432 (448).
mit A.N. Pleščeev – der seit dem 20. 5. in Sumy zu Gast war.
beobachten Ihre Erfolge – in den Petersburger Zeitungen; am Theater Krestovskij hatten zwei Stücke des Adressaten Premiere: ›In den Bergen des Kaukasus‹ (darüber das ›Novoe vremja‹ und die ›Peterburgskaja gazeta‹ vom 15. 5.) und der ›Theaterspatz‹ (›Novoe vremja‹ vom 27. 5.).
»Der Gordische Knoten« – vgl. Anm. zu Nr. 108.
Was den Schluß meiner »Lichter« betrifft – vgl. dazu Nr. 127. Ščeglov hatte Čechov geschrieben, der Schluß habe ihn ›nicht voll befriedigt‹, er sei so abrupt, dabei sei es doch Sache des Schriftstellers, sich zurechtzufinden, ›insbesondere in der Seele seines Helden, sonst kann seine Psychik nicht erklärt werden‹.
Mein Buch ist erschienen – die ›Erzählungen‹, erschienen im Verlag A.S. Suvorin, Petersburg 1888, Ende Mai.

129) *21. 6. 1888 – N.A. Lejkin.* 435 (452).
Gouv. Poltava – dort spielen die ersten Erzählungsbände von N.V. Gogol, ›Der Jahrmarkt von Soročincy‹, ›Mirgorod‹, ›Abende auf dem Vorwerk bei Dikanka‹.
Paysan und Pan – ›paysan‹ als russisches Lehnwort; ›pan‹ – poln. für ›Herr‹, ›Gutsherr‹, ›Gutsbesitzer‹.
Lazarev und Ežov heiraten – L. hatte geschrieben, er habe von beiden Heiratsanzeigen bekommen, als Dritter im Bunde ›würde es nicht schaden, wenn auch Sie heiraten würden‹; als dritter Mitarbeiter der ›Oskolki‹.
»Erste Nacht« – vermutlich die von Čechov so betitelte Erzählung Lej-

kins ›Der Morgen der Jungverheirateten‹, erschienen in der ›Peterburgskaja gazeta‹ vom 2. 6.

Kaktus - Pseudonym von P.K. Martjanov; auch ›Äsop-Kaktus‹, Autor des Bandes ›Die Blüte unserer Intelligenz. Wörterbuch bekannter Persönlichkeiten des XIX. Jahrhunderts in Silhouetten, kurzen Charakteristiken, Bildunterschriften und Epitaphien‹, S.-Pbg. 1890.

Zeichnungen von Dalkevič – vgl. Nr. 125.

mein Bruder... zurückgekehrt – Aleksandr war nach dem Tod seiner Frau bis etwa 10. 6. in Sumy gewesen.

in meiner Abwesenheit – in Moskau.

Lazarevs Adresse – am 26. 6. schrieb Čechov A.S. Lazarev-Gruzinskij einen Gratulationsbrief zur Hochzeit, mit der Bitte, auch Ežov Glück zu wünschen.

Pleščeev – war am 11. Juni abgereist.

Petrovskij – Sergej Aleksandrovič, Redaktionssekretär und nach Katkovs Tod 1887, Redakteur der ›Moskovskie Vedomosti‹; besaß eine Lizenz für Bahnhofsbuchhandel.

130) *14. 7. 1888 – M.P. Čechova.* 441 (458).

Feodosija – Hafenstadt auf der Krim, wo Suvorin ein Sommerhaus besaß und wo Čechov ihn besuchen wollte, vgl. Nr. 127. Am 5. oder 6. 7. hatte Čechov die Absicht bestätigt, um den 10. Juli dorthin zu fahren, in einem Brief an Pleščeev.

Ivanenko – vgl. Nr. 126.

»Ich kann daran nichts...« – laut Auskunft von M.P. Čechova stehende Redensart des Ministers M.N. Ostrovskij gegenüber seinem Bruder, dem Dramatiker A.N. Ostrovskij, als Kommentar zu dessen Erzählungen von seinem Lebenswandel.

Gogols »Schreckliche Rache« – Erzählung von N.V. Gogol aus dem Band ›Abende auf dem Vorwerk bei Dikanka‹.

»Popovki« – seetüchtige Schiffe von rundlicher Form, konstruiert nach Plänen des Vizeadmirals Popov.

unser Kapitän Michel – Michail P. Čechov, jüngerer Bruder Čechovs, der eine Leidenschaft für Schiffsmodelle hatte (Auskunft von S.M. Čechov).

Gurzufs, Massandras – Badeorte an der Krimküste in der Umgebung von Jalta.

Ajvazovskij – Ivan Konstantinovič, 1817–1900, Maler, vgl. Nr. 132; vgl. auch ›Der Waldschrat‹, detebe Nr. 50/II.

Marineoberstaatsanwalt – der Stellvertretende Marineoberstaatsanwalt Konstantin Fëdorovič Vinogradov, geb. 1852, aus Petersburg.

131) *18. 7. 1888 – I. L. Leontjev-Ščeglov.* 442 (459).

Palkin – Restaurant in Petersburg, am Nevskij prospekt, das Čechov bei seinen Petersburg-Aufenthalten bevorzugte.

Suvorin-Schmerz – dem Begriff Weltschmerz nachgebildet (Šmerc als Lehnwort); Leontjev hatte geschrieben, er sehne sich nach Suvorin, mit dem man sich so gut unterhalten könne. Ob Čechov nicht wisse, wann Suvorin nach Petersburg zurückzukehren gedenke.

Wenn Sie tatsächlich eine Komödie... – Leontjev hatte sein langes Schweigen damit entschuldigt, daß er an einer abendfüllenden Komödie sitze.

»Theaterspatz« – vgl. Nr. 128.

132) *22./23. 7. 1888 – Familie Čechov.* 443 (460).

Ajvazovskij... mit Glinka – Michail Ivanovič Glinka, 1804–1857, Komponist, schrieb nach Puškins Verserzählung die Oper ›Ruslan und Ljudmila‹; in Glinkas Notizen findet sich folgende Bemerkung: ›Gajvazovskij... hat mir drei Tatarenliedchen mitgeteilt, vorauf ich zwei von ihnen für die Lezginka verwendet habe, das dritte für das Andante in der Szene Ratmirs im 3. Akt der Oper »Ruslan und Ljudmila«.‹

Tarnovskaja – Praskovja Nikolaevna, gest. 1910, Ärztin; Frau von Veniamin Michajlovič Tarnovskij, Professor an der Medizinisch-Chirurgischen Akademie in Petersburg.

Bežeckij – A.N. Maslov-Bežeckij.

Aleksandra Vasiljevna – Lintvarëva und Töchter, vgl. Nr. 126, 127.

das Geld für den Bauernhof – Čechov plante, im Gouvernement Poltava einen Bauernhof zu kaufen, offenbar war davon schon vor seiner Abreise nach Feodosija die Rede gewesen; vgl. dazu ausführlich Nr. 134f.

Antonida Fëdorovna – Lintvarëva, Frau Pavel L.s

Suvorins Sohn – Aleksej Alekseevič, 1862–1937, Sohn Suvorins aus erster Ehe, Journalist, Verleger. Als Ziel der Reise gibt Čechov in einem Brief vom 24. 7. an Aleksandr Samarkand an, vgl. auch Brief Nr. 133.

Lidija Fëdorovna – Michajlova, Lehrerin aus Moskau.

Elena Ivanovna – Smagina, Verwandte der Familie Lintvarëv, Schwester der Gutsbesitzer S.I. und A.I. Smagin, die Čechov auf seiner Suche nach einem geeigneten Bauernhof öfter besuchte.

133) *13. 8. 1888 – A.N. Pleščeev.* 454 (470).

ich bin zurückgekehrt – nach Sumy, am 7. August.

dem Schicksal gefiel es – Čechov am 12. 8. an Lejkin: ›Mein Begleiter Suvorin-fils bekam ein Telegramm über den Tod seines Bruders und konnte nicht weiterfahren.‹ Am 2. 8. war in Zvenigorod A.A. Suvorins jüngerer Bruder Valerian an Diphtherie gestorben.

Der kleine »Manasein« – gemeint ist der Friedensrichter von Sumy, D.V. Dekonor, vgl. Nr. 126, den Čechov den ›kleinen Manasein‹ getauft hatte, im Unterschied zum Justizminister N.A. Manasein.

Mein Roman – vgl. Nr. 100, 107.

eine Novelle für den »Sev. vestnik« – ›Der Namenstag‹, vgl. Nr. 139, 141, 144, 146.

Jetzt, nach dem Tod seines Sohnes – vgl. oben.

der Garšin-Almanach – Pleščeev schrieb zurück, er sei damit noch nicht weiter, weil alle Leute in den Ferien seien; vgl. Nr. 120, 139.

134) *27. 8. 1888 – A.N. Pleščeev.* 459 (475).

Erzählung für das Oktoberheft – ›Der Namenstag‹ erschien erst im Novemberheft, vgl. Nr. 139.

einen Bauernhof kaufen – vgl. Nr. 132, 136.

Antoine Šponka – vgl. die Erzählung von N.V. Gogol ›Ivan Fëdorovič Šponka und seine Tante‹ aus dem Band ›Abende auf dem Vorwerk bei Dikanka‹.

Chorol – Nebenfluß des Psël, entspringt im Kreis Gadjač, Gouvernement Poltava, fließt durch den Kreis Mirgorod und mündet im Kreis Kremenčug in den Psël. Vgl. Nr. 136.

Vata – Valentina Nikolaevna Ivanova, Nichte von A.V. Lintvarëva; Vatas liebes Mütterlein: Schwester von A.V. Lintvarëva.

Smagin – Gutsbesitzerfamilie im Gouvernement Poltava, mit der Familie Lintvarëv verwandt; an die Gebrüder Sergej und Aleksandr Ivanovič S. hatte Čechov sich mehrfach gewandt wegen des Bauernhofs, den er suchte.

die »Russkaja mysl« – Pleščeev hatte geschrieben, der ›Severnyj vestnik‹ habe kein Glück, er werde nicht aus der Vorzensur entlassen; die Evreinova sei vor einigen Tagen beim Zensor Feokistov gewesen, der von einem ähnlichen Ansinnen nichts habe hören wollen. Auf den Hinweis, daß in der ›Russkaja mysl‹ dieselben Autoren schrieben wie im ›Severnyj vestnik‹, habe Feokistov gesagt: ›Die »Russkaja mysl« gehört voll und ganz *uns*. Sie schreibt, wie wir es wünschen, berät sich in allem mit uns. Das ist zur Zeit die beste Zeitschrift.‹ Pleščeev äußerte die Vermutung, die ›Russkaja mysl‹ intrigiere heimlich gegen den ›Severnyj vestnik‹ und besteche womöglich die Zensoren.

Ihr Sohn – Aleksandr Alekseevič Pleščeev, 1858–1944, Dramatiker, hatte, wie Pleščeev mitteilte, eine Komödie in vier Akten abgeschlossen.

Ihre Söhne – Aleksandr und Nikolaj Alekseevič.

Anna Michajlovna – A.M. Evreinova.

Gruß von Fausek – Viktor Andreevič, 1861–1910, Zoologe aus Petersburg, Bekannter der Familie Lintvarëv.

135) *28. 8. 1888 – Al.P. Čechov.* 460 (476).

Wenn irgendwo in Čuchloma – auf den Provinzbahnhöfen; Al. hatte mitgeteilt, die 2. Aufl. der ›Dämmerungen‹ sei noch nicht ausgeliefert worden.

zu deiner Ehe – nach dem Tod seiner Frau (28. 5.) war Aleksandr in Sumy gewesen und hatte die Töchter Lintvarëva kennengelernt; dachte der Kinder wegen rasch wieder zu heiraten.

Gotbergs & Co. – Reporter des ›Novoe vremja‹, vgl. Brief Nr. 75.

Čochov – Spitzname der Familie für die Vettern väterlicherseits, Grigorij und Michail Michajlovič Čechov.

Mironov – Unternehmer in Taganrog.

in die Tundra gehen – nach Petersburg.

136) *29. 8. 1888 – A.S. Suvorin.* 461 (477).

Am 2. September – Čechov wollte am 5. 9. in Moskau zurück sein.

komme Sie abholen und begleite Sie... – Moskau hat 9 Bahnhöfe; aus dem Süden kommend, mußte man durch Moskau zum im Norden gelegenen Nikolaj-Bahnhof fahren. Suvorin hielt sich am 24. 9. auf der Durchreise einen Tag in Moskau auf.

Ihr enzyklopädisches Wörterbuch – Suvorin plante, ein Enzyklopädisches Wörterbuch herauszugeben, es blieb jedoch bei dem Plan.

Gr. Platov – vgl. Nr. 118; Graf Matvej Ivanovič Platov, 1751–1818, Gutsbesitzer im Dongebiet, bei dessen Witwe Čechovs Großvater Egor Michajlovič, 1799–1879, Kontorist, später Verwalter war (1855–1870) und wo, von Taganrog aus, Anton und seine Brüder 1871 und 1872 die Sommerferien verbracht hatten, auf dem Gut Plato-Ivanovka.

Šponkas und Korobočkas – Šponka vgl. Nr. 134; Korobočka: Gutsbesitzerin aus Gogols Roman ›Die Toten Seelen‹.

pour plaisir – franz. ›zu meinem Vergnügen‹, ›zum Spaß‹.

A.N. Ostrovskij – Aleksandr Nikolaevič, 1823–1886, Dramatiker, Bruder des Kritikers Pëtr N.O., vgl. Nr. 103; Sohn A.N. Ostrovskijs: Michail Aleksandrovič, 1866–1888.

Aleksej Alekseevič – Suvorin, mit dem Čechov den Kaukasus bereist hatte, vgl. Nr. 132, 133.

die Vinogradovs – vgl. Brief Nr. 130.

aufhören, große Sachen zu schreiben – nach der längeren Erzählung ›Der Namenstag‹ schrieb Čechov die Erzählung ›Der Anfall‹, ›Märchen‹, ›Die Fürstin‹, ›Der Schuster und der Teufel‹; zur größeren Form kehrte er erst im Sommer 1889 zurück (›Eine langweilige Geschichte‹, ›Der Waldschrat‹).

137) *11. 9. 1888 – A.S. Suvorin.* 465 (480).
Korrektur der Moskauer Äskulapiade – im Verlag Suvorin erschien ein Jahreskalender, für den Čechov sich bereit erklärt hatte, die Abteilung Medizin zu betreuen.
In meinem letzten Brief – Nr. 136.
die Herren Maler und Künstler – A.A. Suvorin hatte geschrieben, das Erscheinen des Kalenders werde sich verzögern, weil die Klischees für die Abbildungen nicht rechtzeitig fertiggeworden seien; vgl. auch Čechovs Äußerungen über die Unzuverlässigkeit seines Bruders Nikolaj, z. B. Nr. 12, Nr. 36.
die Kunstreiterin Godefroy – Marija Godefroy; Suvorin hatte mitgeteilt, es sei ein Zirkus eröffnet worden, und die Kinder seien von der Godefroy hell begeistert. Der Name Marie Godefroy erscheint in Čechovs Erzählung ›Der Literaturlehrer‹ (1894), die zurückgeht auf die Erzählung ›Die Spießbürger‹ (1889); vgl. detebe Nr. 50/XV.
junge Dame (aus Sumy) – vermutlich Natalja M. Lintvarëva, vgl. Nr. 138.

138) *14. 9. 1888 – I.L. Leontjev-Ščeglov.* 466 (482).
lege necessitatis – latein. ›der Notwendigkeit gehorchend‹, ›notgedrungen‹.
mit liberalen Jungfrauen zanken – vgl. Nr. 137.
ich kehre zur »Pet. gaz.« zurück – nur in der ›Peterburgskaja gazeta‹ veröffentlichte Čechov 1888 eine Erzählung (25. 12., ›Der Schuster und der Teufel), in den anderen Zeitungen und Zeitschriften auch 1889/90 nicht.
der »Bär« ... zur Zensur – der ›Bär‹ war am 30. 8. im ›Novoe vremja‹ erschienen, wo ihn der Adressat hatte lesen können; durch die Zensur ging das Stück am 4. Oktober, vgl. Nr. 140.
»Berge des Kaukasus« – vgl. Nr. 128.
in Gestalt eines Gymnasiasten – Sergej, Sohn von A.S. und M.V. Kiselëv, der in Moskau aufs Gymnasium kam.
Tichonov – V.A. Tichonov.
»Ehemann fürs Sommerhaus« – Leontjev hatte den Roman zu einem Stück umgearbeitet und Čechov gebeten, bei F.A. Korš nachzuhaken; das Stück hatte am 30. 9. bei Korš Premiere, vgl. Nr. 140, 141.

139) *15. 9. 1888 – A.N. Pleščeev.* 467 (483).
Erzählung für das Oktoberheft – vgl. Nr. 134; Čechov schloß die Erzählung ›Der Namenstag‹ am 30. 9. ab.
Anna Michajlovna – A.M. Evreinova.
Garšin-Almanach – Pleščeev hatte am 13. 9. geschrieben, man wolle im Oktober damit in Satz gehen, habe aber noch so gut wie keine Texte,

›und mir ist aufgetragen worden, Sie unter Tränen zu bitten, uns etwas zu geben, etwas sehr Kurzes, und sei es nur 1/2 Bogen, wenn Sie nicht mehr schicken können.‹

hat sich mit meiner Person befaßt – Garšin hatte, wie Pleščeev und andere bezeugen, mit großer Begeisterung die ›Steppe‹ gelesen, sogar zweimal gelesen, er sei ›wie von Sinnen‹ (Pleščeev am 10. 8. an Čechov).

in Gestalt einer kleinen Skizze – Erzählung ›Die Schönen‹, im ›Novoe vremja‹ vom 21. 9., vgl. detebe Nr. 50/XIV.

Ščedrin – M.E. Saltykov-Ščedrin.

noch ein Thema – vgl. die Erzählung ›Der Anfall‹, die im Dezember denn auch im Almanach ›Dem Andenken an V.M. Garšin‹ erschien. Vgl. detebe Nr. 50/XIV.

Kauf des Bauernhofes – vgl. Nr. 134, 136.

Wenn Ihre Vermutung in bezug auf Korolenko... – Pleščeev hatte am 8. 9. geschrieben, Korolenko wolle sich offenbar vom ›Severnyj vestnik‹ abwenden und fester an die ›Russkaja mysl‹ binden, wobei ihn Michajlovskij – vgl. Nr. 120, 121 – zu bestärken scheine.

Protopopov – Michail Alekseevič, 1848–1915, Kritiker.

Impacatus – ungeklärt, um wessen Pseudonym es sich hier handelt.

Georgik – Georgij M. Lintvarëv, vgl. Nr. 126.

Leontjev – I.L. Leontjev-Ščeglov.

140) *2. 10. 1888 – A.S. Suvorin.* 473 (489).

kocht im Herzen von Korš – am 24. 9. war Suvorin bei Čechov gewesen und hatte ihm von seiner Absicht, ein eigenes Theater zu führen, erzählt; Čechov hatte sich erboten, Korš die Frage zu stellen, ob er nicht verkaufen wolle, Korš blieb Besitzer des Theaters bis 1918.

Zankoveckaja – vgl. Anm. zu Nr. 79, 127.

Rybčinskaja – Natalja Dmitrievna, eigtl. Dmitrevskaja, gest. 1920, Schauspielerin, 1883–89 bei F.A. Korš engagiert; spielte im ›Ivanov‹ die Saša, im ›Bär‹ 1888 Elena Ivanovna; später im Theater Abramova in Čechovs ›Waldschrat‹ die Sonja.

einen Brief, den ich beilege – vom 1. 10., in dem Korš Einnahmen und Ausgaben des Theaters aufrechnet.

Ihre Jungfer – vermutlich Sekretärin Suvorins.

Sljunin – Nikolaj Vasiljevič, geb. 1850, Arzt, Mitarbeiter des ›Novoe vremja‹.

Žitel – und Nezlobin: Pseudonyme des Publizisten und Journalisten A.A. Djakov, 1845–1895, Mitarbeiter des ›Novoe vremja‹.

mein Bruder – Aleksandr P. Čechov.

»Ehemann fürs Sommerhaus« – Komödie von I.L. Leontjev-Ščeglov, die am 30. 9. bei Korš Premiere hatte, vgl. Nr. 141.

Jean – für Ivan (Leontjev-Ščeglov).

Glama – Aleksandra Jakovlevna Glama-Meščerskaja, 1859–1942, Schauspielerin im Ensemble Korš, ab 1892 bei N.N. Solovcov in Kiev, spielte im ›Ivanov‹ die Sarrah, im ›Bär‹ Elena Ivanovna.

Gradov – Leonid Ivanovič Gradov-Sokolov, 1845–1890, Schauspieler, Mitglied des Ensembles F.A. Korš, später im Theater E.N. Goreva; spielte im ›Ivanov‹ den Lebedev.

Die »Berge des Kaukasus« – vgl. Nr. 128, 138.

Aleksej Alekseevič – Suvorin junior.

Meine Novelle – der ›Namenstag‹.

Alexandriner – eigentlich: ›an die Alexandrinka‹, d.h. das Alexandratheater, Staatstheater in Petersburg, an das den ›Ivanov‹ zu schicken Suvorin Čechov geraten hatte.

»Bär« ist durch die Zensur gegangen – Zensurstempel vom 4. 10.; im ›Novoe vremja‹ war der ›Bär‹ am 30. 8. erschienen. Gegenüber dem Text der Zeitungsveröffentlichungen weist das Textbuch der Theaterbibliothek E.N. Rassochina, erschienen Oktober 1888, geringe Abweichungen auf, die auf Eingriffe der Zensur zurückgehen könnten; so z. B. ist in der 5. Szene ein saftiger Fluch gestrichen, desgl. in Szene Nr. 9. Vgl. die ›Einakter‹, detebe Nr. 50/VIII.

Solovcov – Nikolaj Nikolaevič, eigtl. Fëdorov, 1857–1902, Schauspieler, Regisseur, Theaterunternehmer, 1887–1889 Regisseur am Theater F.A. Korš, danach am Theater Abramova; spielte im ›Bären‹ den Smirnov, Čechov hat S. diesen Einakter gewidmet. Eröffnete 1891 in Kiev eigenes Theater, wo er einen Monat nach dem Petersburger Mißerfolg der ›Möwe‹ 1896 das Stück mit großem Erfolg inszenierte, wie später auch andere Čechov-Stücke, z. B. ›Onkel Vanja‹, ›Ivanov‹, ›Drei Schwestern‹, die Einakter ›Der Bär‹, ›Der Heiratsantrag‹, ›Das Jubiläum‹.

Trezor – Hund Suvorins.

Katalog der dram. Gesellschaft – dramatische Gesellschaft, abgekürzt für ›Gesellschaft der dramatischen Schriftsteller und Opernkomponisten‹, vgl. dazu Nr. 88. Čechov hatte Suvorin offenbar geraten, der Gesellschaft beizutreten.

141) *4. 10. 1888 – A.N. Pleščeev.* 474 (490).

Die Erzählung – ›Der Namenstag‹.

200 sind abgearbeitet – mit der Erzählung ›Die Schönen‹, erschienen am 21. 9., vgl. Nr. 139.

Brief aus dem Theater Korš – vom 1. 10., in dem Čechov P. um dessen Übersetzung des Stückes ›Eherne Stirnen‹ gebeten hatte, das der Schauspieler Svetlov für seine Benefizvorstellung wollte; ›Les effrontés‹ von Emile Augier.

Svetlov – Nikolaj Vladimirovič, eigtl. Potëmkin, gest. 1909, seit 1885 bei

F.A. Korš engagiert, spielte im ›Ivanov‹ den Borkin, vgl. Brief Nr. 89.
Pavel Lintvarëv – vgl. Nr. 126, 127.
Jean Ščeglov. Sein »Ehemann... – vgl. Nr. 140.
George – G.M. Lintvarëv, der in Petersburg das Konservatorium besuchen wollte.
Brief an Anna Michajlovna – A.M. Evreinova; Čechovs Brief, offenbar der Begleitbrief zum ›Namenstag‹, ist unbekannt.

142) *4. 10. 1888 – A.N. Pleščeev.* 475 (491).
Nachricht, die Svetlov... – vgl. Nr. 141. Pleščeev hatte wegen des Augier-Stücks absagen müssen, nachdem dies am Alexandratheater unter Vertrag war, und Svetlov stattdessen seine Übersetzung ›Ein schlechter Mensch‹ von Julius Rosen (vermutlich das Stück ›O diese Männer‹) vorgeschlagen.
Baskov per. – Baskov pereulok, Adresse der Redaktion des ›Sev. vestnik‹; P. hatte gefragt, warum er den Text nicht direkt d. h. an ihn privat geschickt habe.
Anna Michajlovna – A.M. Evreinova.
was Merežkovskij geschrieben hat – vgl. Nr. 155.
Notovič – Osip Konstantinovič, 1849–1914, Journalist, Herausgeber der Zeitung ›Novosti i birževaja gazeta‹.
Gradovskij – Grigorij Konstantinovič, 1842–1915, Journalist, Mitarbeiter Notovičs.

143) *9. 10. 1888 – D. V. Grigorovič.* 480 (496).
Leute, die Sie gesehen haben... – Pleščeev hatte geschrieben, G. habe aus einer neuen Novelle gelesen, die im Januarheft des ›Russkij vestnik‹ von 1889 erscheinen werde.
Der Preis – der Puškin-Preis der Akademie der Wissenschaften, der Čechov, auf Vorschlag von Jakov Polonskij, für den Erzählungsband ›In der Dämmerung‹ zuerkannt worden war, verbunden mit 500 Rubel. Die Sitzung der Akademie hatte am 7. 10. stattgefunden.
möchte einen Roman schreiben – vgl. Nr. 100, 107, 133, aber auch Nr. 136, 181. Vgl. Nr. 198, 204.
Ich habe nicht das Recht... – Aleksandr und Anton wurden als Autoren immer wieder verwechselt, weshalb Grigorovič Čechov nahegelegt hatte, dafür zu sorgen, daß ihm nicht Sachen zugeschrieben würden, für die er, Čechov, nicht verantwortlich sei. Aleksandr unterzeichnete mit ›Al. Čechov‹, wogegen Anton (in seinem Brief vom 24. 9. 1888 an Aleksandr) nichts einzuwenden hatte.

144) *9. 10. 1888 – A.N. Pleščeev.* 481 (497).
daß Sie meine Erzählung gelesen haben – nach Lektüre des ›Namenstags‹

hatte Pleščeev geschrieben: ›Der Mittelteil der Novelle ist, ich muß es gestehen, – ein wenig langweilig. Sehr lange tritt die Handlung auf der Stelle; es wiederholen sich manchmal sogar ein und dieselben Ausdrücke, so daß der Leser mit den Gastgebern zu wünschen beginnt, daß die Gäste nur bald wieder abfahren. Aber die letzten Kapitel werden wieder interessant.‹ Pleščeev hatte Čechov ferner vorgeworfen, er mache sich lustig über die Ukrainophilen, die die Ukraine vom ›russischen Joch befreien‹ wollten, und spotte über die Menschen der 60er Jahre.

Nein, ich werde weder den Ukrainophilen streichen noch ... – in der Einzelausgabe der Erzählung 1893 (im Verlag ›Posrednik‹) strich Čechov den ›Ukrainophilen‹ wie den ›Menschen der 60er Jahre‹.

in die Richtung Tolstojs – Brief Pleščeevs: ›das Gespräch Olga Mich. mit den Weibern über das Gebären und die Einzelheit, daß ihr plötzlich der Nacken ihres Mannes ins Auge sticht, – könnte als Nachahmung von »Anna Karenina« aufgefaßt werden, wo Dolly ebenfalls in einer ähnlichen Situation mit den Weibern redet und wo Anna plötzlich die mißgestalteten Ohren ihres Mannes bemerkt.‹ In der ›Posrednik‹-Ausgabe der Erzählung fehlt die Stelle mit dem Nacken des Mannes.

Bräutigam eines uns bekannten Fräuleins – ungeklärt.

Schauspieler Lenskij – Aleksandr Pavlovič, eigtl. Verviciotti, 1847–1908, Schauspieler, Regisseur, seit 1884 am Kleinen Theater in Moskau, wo Čechov ihn im Herbst 1888 kennengelernt hatte.

Antwort an Svetlov – vgl. Nr. 142.

Die »Ketten« von Sumbatov – Theaterstück des Schauspielers und Dramatikers Aleksandr Ivanovič Sumbatov-Južin, 1857–1927, das 1888 S.s neuestes Stück war.

145) *10. 10. 1888 – A.S. Suvorin.* 483 (500).

Nachricht von dem Preis - vgl. Nr. 143, 144.

Jean Ščeglov – I.L. Leontjev-Ščeglov reiste am 10. Oktober ab.

Dame, Liebhaberin von Talenten – vermutlich S.P. Kuvšinnikova, 1847–1907, Schülerin und Freundin des Malers I.I. Levitan.

Lenskij – A.P. Lenskij, vgl. Nr. 144.

Inspektor der Kleinbürgerschulen – M.M. Djukovskij, 1860–1902, Bekannter der Familie Čechov.

Anna Ivanovna – A.I. Suvorina.

die »Listki« – wörtl. die ›kleinen Blätter‹, ›Blättchen‹, die Boulevardpresse.

Rasstrygin – ungeklärt, um wen es sich handelt.

Anzeige meiner beiden Bücher – der bei Suvorin erschienenen Sammlungen ›In der Dämmerung‹ und ›Erzählungen‹.

solo – italien. ›allein‹.

Professor aus Charkov – Vladimir Fëdorovič Timofeev, Professor für Chemie, war im Sommer 1888 in Luka zu Gast gewesen.
vorwurfsvoll-zärtlichen Brief – vgl. Nr. 147.
mein Leitartikel – den Artikel ›Moskauer Heuchler‹ im ›Novoe vremja‹, anonym, erschienen am 9. 10. 1888.
Erzählung des Lehrers Ežov – ›Allein!‹, Ežov hatte sie Čechov zur Lektüre geschickt und in einem Brief vom 9. 10. gebeten, sie ans ›Novoe vremja‹ weiterzuschicken. Die Erzählung erschien dort am 15. 10. 1888.

146) *10./11. 10. 1888 – A.N. Pleščeev.* 479 (502).
Pëtr Dmitrič – Person aus Čechovs Erzählung ›Der Namenstag‹.
meine letzte Erzählung – ›Der Namenstag‹.

147) *13. 10. 1888 – Al.P. Čechov.* 486 (503).
Fëdorov – Michail Pavlovič, 1839–1900, nominell Redakteur des ›Novoe vremja‹, Herausgeber der ›Billigen Bibliothek‹, Dramatiker.
Mitrofan Egorovič – M.E. Čechov, Onkel Čechovs, Kirchenältester in Taganrog.
Žitel – vgl. Nr. 140.
Leitartikel für Suvorin – die Glosse ›Moskauer Heuchler‹, erschienen am 9. Oktober.
M.M. Čechov – vgl. Nr. 135: Michail Michajlovič Čechov.
»Unterwegs« von Bežeckij – A.N. Maslov-Bežeckij, ›Unterwegs‹.
Erzählungen und Skizzen‹ – Petersburg, A.S. Suvorin, 1888.
Pokrovskij – Fëdor Platonovič, Priester in Taganrog.
Alferaki – Ljubov Kuzminična, 1823–1906, Frau des Kaufmanns Alferaki in Taganrog.
Brief an Ščerbina – im Čechovschen Familienarchiv befindet sich der Entwurf eines Bittbriefs von P.E. Čechov an L.K. Alferaki, den Sohn N.P. Čechov in ihre Obhut zu nehmen und ihm eine Ausbildung als Künstler zuteil werden zu lassen. Von einem Brief an den aus Taganrog gebürtigen Lyriker N.F. Ščerbina ist nichts bekannt.

148) *14. 10. 1888 – A.S. Suvorin.* 487 (504).
Jean Ščeglov – I.L. Leontjev-Ščeglov.
mein Protégé Ežov – vgl. Nr. 145.
vor drei Jahren auf dem Kreisgericht – während der Gerichtsverhandlung gegen I. Rykov im Dezember 1884, vgl. Nr. 28.
Enkel Ašanins – gemeint ist S.A. Kiselëv, der Enkel von V.P. Begičev, der wiederum in Boleslav Markevičs Roman ›Vor einem Vierteljahrhundert‹ als Ašanin geschildert wird, vgl. Nr. 19.
seine Mutter - M.V. Kiselëva.

»Der Verführer von Sevilla« – von A.N. Maslov-Bežeckij, vgl. Nr. 149f.

149) *Mitte Oktober – A.N. Maslov-Bežeckij.* LN 16 (505).
Gradov-Sokolov – Schauspieler, vgl. Nr. 140.
»Tartuffe« – Komödie von Moliere.
Petipa – Marius Mariusovič, 1850–1919, Schauspieler, wechselte 1888 vom Alexandratheater Petersburg ans Theater F.A. Korš, blieb dort jedoch nur eine Spielzeit.
zwei einaktige Sachen – am Theater F.A. Korš war der ›Bär‹ in Vorbereitung, das Kleine Theater plante Čechovs Einakter ›Schwanengesang (Kalchas)‹ aufzuführen, vgl. Nr. 152.
Krjukovskij – Arkadij Fëdorovič, 1839–1911, Dramatiker, Übersetzer, Zensor für dramatische Literatur in Petersburg.
M.P. Fëdorov – vgl. Nr. 147.
Bazarov – Vladimir Alekseevič, eigtl. N.V Michajlovskij, 1840–1895, Dramatiker, Schauspieler, Regisseur, Herausgeber einer Textbücher-Bibliothek analog zu der Rassochins.

150) *18. 10. 1888 – A.S. Suvorin.* 489 (507).
Anfang des Stückes – ›Der Waldschrat‹; der Anfang ist in der Gestalt nicht erhalten, so daß nicht mehr zu klären ist, ob Čechov von Suvorin geschriebene Passagen beibehalten hat. Ursprünglich wollte Čechov mit Suvorin das Stück gemeinsam schreiben. Am 24. 10. schrieb Čechov an Suvorin: ›Der »Waldschrat« eignet sich für einen Roman, ich weiß das sehr wohl. Aber für einen Roman habe ich nicht die Kraft. Meine Zeit ist noch nicht gekommen. Eine kleine Novelle schreiben, das könnte ich. Wenn ich die Komödie »Der Waldschrat« schreiben würde, so hätte ich in erster Linie nicht die Schauspieler und die Bühne im Auge, sondern das Literarische. Wenn das Stück von literarischer Bedeutung wäre, wäre ich schon froh.‹ Vgl. weiter Nr. 161.
ein Denkmal nicht von Menschenhand ... – Paraphrase des berühmten Gedichts ›Der Dichter‹ von A.S. Puškin.
6) Galachov – ursprünglich ›Garanin‹.
Aleksej Alekseevič – Suvorin junior, machte zu der Zeit in der Moskauer Buchhandlung Suvorin Inventur.
Bogolepov – Angestellter in der Moskauer Buchhandlung Suvorins; ›bogolepyj‹: ›1, gottwürdig, gotteswürdig; 2. von göttlicher Schönheit glänzend‹ (Pavlovskij).
Botkin – Sergej Petrovič, 1832–1889; *Zacharjin,* Grigorij Antonovič, 1829–1897, *Rudolf Virchow,* 1821–1902, *Pirogov,* Nikolaj Ivanovič, 1810–1881: bekannte Mediziner.

151) *20. 10. 1888 – A. S. Lazarev-Gruzinskij.* 490 (509).
Glückwunsch – zum Puškinpreis.
»jenes Glückskind ohne Ahnen« – Zitat aus dem III. Gesang der Verserzählung ›Poltava‹ von A.S. Puškin, zitiert in der Übersetzung von B. Tutenberg.
Potëmkin – Fürst Grigorij Aleksandrovič, 1739–1791, Günstling der Zarin Katharina II., sprichwörtlich die ›Potëmkinschen Dörfer‹ für Vorspiegelung falscher Tatsachen.
»Razvlečenie«, »Volna« – hier despektierlich für die ›kleine Presse‹, Boulevardpresse, im Gegensatz zu den erlauchten dicken Zeitschriften, in denen ›die Literatur‹ stattfand.
Ežov – hatte Čechov eine weitere Erzählung geschickt, ›Die Ohrfeige‹, die Suvorin nicht gefiel und nicht im ›Novoe vremja‹ erschien.
Ihre Samstagsbeilage – die Erzählung ›Erste Unterrichtsstunde‹.
Nefedov – Filipp Diomidovič, 1838–1902, Schriftsteller.
Boborykin – Pëtr Dmitrievič, 1836–1922, Schriftsteller.

152) *26. 10. 1888 – A. P. Lenskij.* 495 (513).
»Kalchas« – vgl. Nr. 149; das Stück sollte am Kleinen Theater, an dem der Adressat engagiert war, gespielt werden; die Aufführung kam aber nicht zustande.
zwei Fegefeuer – einmal die reguläre dramatische Zensur, die das Stück am 9. 11. passierte, woraufhin es, vermutlich noch im November, in der Moskauer Theaterbibliothek E.N. Rassochina als Textbuch erschien; zum andern das ›Komitee‹, auch ›Literatur-Komitee‹ und ›Theater-Literatur-Komitee‹ genannt, das zu prüfen hatte, ob sich das betreffende Stück für eine Aufführung an einem Staatstheater eignete (zu denen das Kleine Theater gehörte). Vgl. Nr. 156, 154.
Lidija Nikolaevna – Lenskaja, geb. Korf, Ehefrau Lenskijs.

153) *27. 10. 1888 – A. S. Suvorin.* 496 (515).
Ežov ist... – Suvorin hatte sich über Ežov offenbar negativ geäußert im Zusammenhang mit der Erzählung ›Die Ohrfeige‹, vgl. Brief Nr. 151.
Aleksej Alekseevič – Suvorin jun.
Morgen wird bei Korš – ›Der Bär‹ hatte im Theater F.A. Korš am 28. 10. 1888 Premiere und wurde ein Dauererfolg. Die Rolle des Smirnov spielte N.N. Solovcov, Elena Ivanovna spielte N.M. Rybčinskaja, vgl. Nr. 154 f., 160.
Ich habe noch ein Vaudeville geschrieben – ›Der Heiratsantrag‹, vgl. Nr. 156; vgl. detebe Nr. 50/VIII, die ›Einakter‹.
Triškas Kaftan – sprichwörtlich: Trifons (Triškas) Kaftan, der so oft mit so vielen verschiedenen Flicken ausgebessert worden ist, daß man den Stoff, aus dem er eigentlich gemacht war, nicht mehr erkennen kann.

Einer der Romane ist seit langem geplant – vgl. Nr. 100, 107, 133, 143.
daß Sie meine Artikelchen – am 9. 10. die Glosse ›Moskauer Heuchler‹, vgl. Brief Nr. 147; am 26. 10. hatte Suvorin im ›Novoe vremja‹ einen Nachruf Čechovs (ohne Titel, ohne Unterschrift) auf den Zoologen N.M. Prževalskij veröffentlicht.
»Stoglav« – der Jahreskalender des Verlags A.S. Suvorin, hrsg. von A.A. Suvorin jr. Vgl. Nr. 137.
Atropin – ›dient als Augenheilmittel und gegen Nervenübel, hebt die giftigen, aber nicht die schmerzstillenden Wirkungen des Morphiums auf und wird deshalb zugleich mit letzterem angewandt.‹ (Meyers Handlexikon, 1878). Vgl. Nr. 157.
Viele Literaten verhaftet – V.A. Golcev war ›im Zuge einer Verhaftungswelle in Moskau‹ verhaftet worden, ›infolge dessen, daß sich ein illegal in Moskau lebender Verbannter auf Suche nach Arbeit an ihn gewandt hatte‹ (Č. Vetrinskij, V.A. Golcev). Die Erzählung ›Die Neunte Symphonie‹ von G. war in Heft 9/1885 in der ›Russkaja mysl‹ erschienen.

154) *2. 11. 1888 – I.L. Leontjev-Ščeglov.* 499 (517).
danke für Ihre Mühen – der Adressat kümmerte sich in Petersburg darum, den Einakter ›Schwanengesang (Kalchas)‹ durch die Zensur zu bringen.
zum »Bären« – am 2. 11. an M.V. Kiselëva: ›hat erstaunlichen Erfolg. Vasiljev hat ihn in den »Moskovskie vedomosti« verrissen, alle anderen dagegen und das Publikum sind – im siebten Himmel.‹
Vasiljev – S. Vasiljev, Pseudonym des Theaterkritikers Sergej Vasiljevič Flerov, 1841–1901.
»Theaterspatz« – vgl. Nr. 128, 131.
»Ehemann...« – vgl. Nr. 140, 141; Ščeglov hatte sich zu weiteren Änderungen am Stück entschlossen.
Stieglitznerven – Spiel mit der Semantik des Pseudonyms von I.L. Leontjev, ›Ščeglov‹; vgl. Anm. zu Brief Nr. 98.
»Gewalt der Hypnose« – wie aus Leontjevs Tagebuch hervorgeht, hatte Čechov am 11. 12. 1887 die Absicht geäußert, ein Vaudeville zu diesem Titel zu schreiben; Leontjev erinnerte Čechov am 30. 9. daran.
Tichonov – vgl. Nr. 138.

155) *3. 11. 1888 – A.S. Suvorin.* 501 (520).
Fedotov – Aleksandr Filippovič, 1841–1895, Schauspieler, Übersetzer, Dramatiker, am Kleinen Theater Moskau und am Alexandratheater Petersburg; gründete gemeinsam mit Stanislavskij die ›Gesellschaft der Kunst und Literatur‹; Lehrer und Direktor der von ihm gegründeten ›Lehranstalt für Dramatik‹.

Aufsatz des Dichters Merežkovskij – ›Die alte Frage anläßlich eines neuen Talents‹ (über die Erzählungsbände ›In der Dämmerung‹ und ›Erzählungen‹). M., Dmitrij Sergeevič, 1866–1941, konstatiert in diesem Aufsatz (erschienen im ›Severnyj vestnik‹ 11/1888) ein außergewöhnlich ›weites und mystisches Gefühl für die Natur‹ und einen ›nüchternen, gesunden Realismus‹; hebt das ›humane Verhältnis zu den allergewöhnlichsten, grauen Menschen‹ hervor, bekräftigt zugleich, in Čechovs Erzählungen herrsche der Typ des erfolglosen Träumers vor. Nimmt Čechov in Schutz gegen den Vorwurf, es fehle Čechov an einer allgemeinen ›sozialen Tendenz‹ und versucht abschließend, den Schaffensprozeß biologisch zu erklären.

Archimedes – 287–212 v.u.Z., griechischer Mathematiker, Physiker.

Lenskij las eine Erzählung von mir – A.P. Lenskij las auf diesem Abend die am 4. 11. in den ›Moskovskie vedomosti‹ erschienene Humoreske ›Ach, das Publikum!‹

die Kreditgesellschaft – L. war Mitglied des Direktoriums einer Gesellschaft für wechselseitigen Kredit.

»Nihilisten« – zum Begriff des ›Nihilismus‹, der auf Turgenevs Roman ›Väter und Söhne‹ (1862) zurückgeht, vgl. die Erzählung ›Ein unangenehmer Vorfall‹, detebe Nr. 50/XIV und Anmerkungen, sowie ›Das Duell‹, detebe Nr. 50/XVII.

Michajlovskij – N.K. Michajlovskij.

ein kleines Unglück – vgl. Nr. 157.

Familienoberhaupt zu sein – Paraphrase eines Stoßseufzers von Famusov aus dem I. Akt der klassischen russischen Komödie ›Verstand schafft Leiden‹ von A. Griboedov.

Maslovs Stück liest Petipa – Petipa vgl. Nr. 149; Maslovs Stück – ›Der Verführer von Sevilla‹, vgl. Nr. 148, 149, 164.

als Mitglied der Lit. Gesellschaft – zum Mitglied der ›Russischen Gesellschaft für Literatur in Petersburg‹ wurde Čechov am 19. 12. 1888 gewählt.

156) *7. 11. 1888 – I.L. Leontjev-Ščeglov.* 505 (524).

der Großvater – A.N. Pleščeev, der Mitglied des ›Komitees‹ war.

wenn das Stück genehmigt wird – zur Aufführung am Alexandratheater in Petersburg.

Savina – Marija Gavrilovna, 1854–1915, Schauspielerin, von 1875 bis zu ihrem Tode am Alexandratheater.

Sazonov – Nikolaj Fëdorovič, 1843–1902, Schauspieler, seit 1863 am Alexandratheater.

Dalmatov – Vasilij Pantelejmonovič, eigtl. Lučič, 1852–1912, Schauspieler, Dramatiker, 1884–1895 und 1901–1912 am Alexandratheater.

Vasiljeva – Nadežda Sergeevna, verh. Taneeva, 1852–1920, 1878–1897 am Alexandratheater, in den Jahren 1883 bis 1889 Mitglied des ›Komitees‹.

»Der Heiratsantrag« – trägt das Zensurdatum: 10. 11. 1888, erschien als Textbuch der ›Theaterbibliothek E.N. Rassochina‹ im Dezember 1888 in Moskau.

Krjukovskij – A.F. Krjukovskij.

da lebt in der Stadt Soundso ein – Pëtr Ivanovič Bobčinskij: aus Gogols Komödie ›Der Revisor‹ (IV/7); Bobčinskij sagt diesen Satz zweimal, während er Chlestakov das Geld zusteckt: Seiner Kaiserlichen Majestät soll Kenntnis gegeben werden von der Tatsache der Existenz des P.I. Bobčinskij.

Bazarov – V.A. Bazarov.

Rassochin, Schöpfer des Milaškin – Person aus dem Stück ›Auf Manöver‹ von S.F. Rassochin, das bei Korš gespielt wurde.

V. Krylov – V.A. Krylov.

die Venezianischen Dogen – d. h. die Mitglieder des Komitees; am 10. 11. Čechov an A. Pleščeev: ›so nennt man bei Ihnen in Piter das Theaterkomitee, in dem Sie sitzen‹.

»Sekt« verloren – bei der Vorbereitung seines Garšin-Almanachs, des ›Gegenalmanachs‹ zu dem des ›Severnyj vestnik‹, hatte Barancevič Čechov um eine unveröffentlichte Erzählung gebeten; Čechov hatte die Erzählung ›Sekt‹ vorgeschlagen, geschickt und zurückgeschickt bekommen; der Almanach ›Die rote Blume‹, hrsg. von Barancevič, erschien ohne Beitrag von Čechov.

157) *7. 11. 1888 – A.S. Suvorin.* 506 (525).

über den Maler... – Čechovs Bruder Nikolaj.

Volksschulinspektor – vermutlich V.P. Malyšev.

Oper »Evgenij Onegin« – von P.I. Čajkovskij, 1879, nach dem Roman in Versen von Aleksandr Puškin.

Ežov ist gekränkt – vgl. Nr. 151, 153.

»Medea« – Drama in 4 Akten in Versen und Prosa, von A.S. Suvorin und V.P. Burenin, 1883.

Viktor Krylov – vgl. Nr. 156. Vorsitzender der Gesellschaft war seit 1886 S.A. Jurjev, 1821–1888, Publizist, Philosoph, Dramatiker, Übersetzer; Begründer der Zeitschrift ›Russkaja duma‹ 1880, die sich bald in ›Russkaja mysl‹ umbenannte.

158) *11. 11. 1888 – I.L. Leontjev-Ščeglov.* 510 (529).

Abarinova – Antonina Ivanovna, eigtl. Rejchelt, 1842–1901, Opernsängerin und Schauspielerin, seit 1878 am Alexandratheater, spielte 1889 im ›Ivanov‹ die Babakina und, in der ›Möwe‹, Polina, die Frau Šamraevs.

Savina – vgl. Nr. 156, 159.
über das Theater streiten – was Leontjev-Ščeglov für das nächste Wiedersehen angekündigt hatte; vgl. Brief Nr. 159 (an Suvorin): ›In meinen Briefen an Ščeglov erkläre ich meinen Haß auf das Theater. Ich will ihm diesen Haß einpflanzen, sonst wird er hinter den Kulissen noch ganz zum alten Weib.‹
Karpov – Evtichij Pavlovič, 1857–1926, Dramatiker und Regisseur, am Alexandratheater seit 1892; Regisseur der Petersburger ›Möwe‹ von 1896. Sein Stück ›Krokodilstränen‹ hatte am 9. 11. N.P. Kičeev in den ›Novosti dnja‹ besprochen; vgl. Nr. 159.
Skizzen aus dem Militärleben – ›Die erste Schlacht und andere Skizzen‹, S.-Pbg. 1887, ›Der gordische Knoten‹, Roman, S.-Pbg. 1887.
»Spatz« – ›Der Theaterspatz‹, Komödie des Adressaten.
»Grauer Ziegenbock« – Komödie in 3 Akten von V.A. Tichonov.
»Mäuschen« – Komödie in 3 Akten von Edouard Pailleron, 1834–1899; russische Übersetzung des Stücks ›La souris‹ 1887.
»Freier Vogel« – Komödie in 3 Akten von E.P. Karpov, vgl. dazu auch Brief Nr. 159.

159) *11.11. 1888 – A.S. Suvorin.* 511 (530).
Savina, mein kleines Malheur – vgl. Nr. 158.
Abarinova – vgl. Nr. 158.
die Erzählung für den »Garšin-Almanach« – ›Der Anfall‹.
Sobolev pereulok – Straße in Moskau, in der sich mehrere Freudenhäuser befanden, vgl. Erzählung ›Der Anfall‹, detebe Nr. 50/XIV, vgl. auch Nr. 168.
»Krokodilstränen« – vgl. Nr. 158.
Stück »Anna Karenina« – nach dem berühmten Roman von L.N. Tolstoj; von wem diese Bühnenbearbeitung stammt, ist unbekannt.

160) *13. 11. 1888 – A.N. Pleščeev.* 512 (531).
die Erzählung – ›Der Anfall‹, vgl. Nr. 159.
weil ich nirgends veröffentliche – seit dem ›Namenstag‹ (im Novemberheft des ›Severnyj vestnik‹), für den Čechov 300 Rubel zu erwarten hatte (Brief vom 6. 11. an Aleksandr), publizierte Čechov erst wieder am 25. 12. in der ›Peterburgskaja gazeta‹ die kurze Erzählung ›Der Schuster und der Teufel‹.
Sabašnikova – vgl. Nr. 112; Antonina Vasiljevna Sabašnikova, Herausgeberin des ›Severnyj vestnik‹, heiratete 1888 den Vetter von A.M. Evreinova, Grigorij A. Evreinov, Stellvertreter des Ministers für Verkehrsangelegenheiten.
Evreinova – Anna Michajlovna, 1844–1919, Redakteurin des ›Severnyj vestnik‹ von 1885 bis Mai 1889, ab 1889 auch Herausgeberin.

Korolenko, Novelle – K. publizierte im Dezemberheft des ›Sev. vestnik‹ die Novelle ›Nachts‹.

der Aufsatz von Merežkovskij – vgl. Nr. 155.

Protopopov – Kritiker, vgl. Nr. 139.

die Savina will meinen »Bären« spielen – vgl. Nr. 159.

Geschmack des weiblichen Geschlechts getroffen – vgl. Nr. 161.

Jatj, Fita – ›kritische‹ Buchstaben der russischen Rechtschreibung, die erst mit der Schriftreform von 1918 abgeschafft wurden; Klippe beim orthographisch richtigen Schreiben für Volksschüler, Setzer, Korrektoren u. a.

161) *15. 11. 1888 – A. S. Suvorin.* 514 (532).

»Kaštanka« – die im März 1888 in Petersburg verabredete Ausgabe der Erzählung als Kinderbuch und Luxusausgabe erschien erst 1892.

Stepanov – Aleksej Stepanovič, 1858–1923, Maler.

Nastja, Borja – Kinder des Adressaten aus zweiter Ehe.

Erzählung für den Garšin-Almanach – ›Der Anfall‹, erschienen Dezember 1888, vgl. 139, 159 f., 160; den Titel hatte Čechov – ›falls Sie ihn für die Ankündigung brauchen‹ – Pleščeev bereits am 3. 11. mitgeteilt.

Ihre Erzählung – vermutlich die Erzählung, die Suvorin später überschrieb mit ›Glückliche Gedanken‹, vgl. Nr. 165.

Die Repina – Titelheldin des Dramas von Suvorin, vgl. die folgenden Briefe, vgl. auch Čechovs ›Einakter‹, detebe Nr. 50/VIII.

Warum lehnen Sie es ab ... – zum ›Waldschrat‹ vgl. Nr. 150. Čechov schrieb das Stück im Sommer 1889 allein.

Oper »Judith« – von A.N. Serov nach Motiven der Biblischen Geschichte, wurde im Herbst 1888 am Marientheater Petersburg gespielt.

böses Weib – ›Die Fürstin‹, vgl. detebe Nr. 50/XIV, im ›Novoe vremja‹ erschienen am 26. 3. 1889.

162) *16./17. 11. 1888 – I.L. Leontjev-Ščeglov.* 513 (534).

Johannes Leonis filius – latein. ›Johann, Sohn des Leo‹, die wörtliche Übersetzung des Vor- und Vatersnamens.

für Smolensk – wo, wie Leontjev mitgeteilt hatte, Liebhaber den ›Bären‹ aufführen wollten.

zu einer Verstimmung – vgl. Nr. 158.

über den Spatzen reden – die Komödie ›Der Theaterspatz‹, die bei Korš gespielt werden sollte.

Potëmkin – vgl. Nr. 151.

Cordelia – Leontjev hatte am 13. 11. geschrieben, er habe, ›mit übergroßem Widerwillen‹, seine Novelle ›Cordelia‹ angefangen.

Coquelin jr. – wie Čechov den Gymnasiasten Sergej A. Kiselëv nannte, nach dem Komiker Ernest Alexandre Honoré Coquelin, 1848-1909, der 1888 in Rußland gastierte.

163) *16. 11. 1888 – Al. P. Čechov.* 515 (533).

500 Lorbeeren – der Puškinpreis war mit 500 R. dotiert.

Suvorini filius – latein. ›Suvorins Sohn‹.

Wenn im Alexandratheater mein »Bär« – vgl. Nr. 158, 159, 162.

die Nachricht von deiner illegitimen Ehe – am 8. 11. hatte Aleksandr mitgeteilt, er habe die Gouvernante seiner Kinder, N. A. Golden, geheiratet; die kirchliche Trauung fand erst im Sommer 1889 statt, daher scherzhaft ›illegitim‹.

Quecksilberchlorür – Quecksilber-Chlorverbindung, ›Kalomel‹; ›Das Kalomel wird als mildes Abführmittel sehr geschätzt und auch bei Brechdurchfall, Cholera, Abdominaltyphus, Syphilis, bei Wassersucht sowie bei chronischen Leber- und Nierenleiden, äußerlich als mildes Ätzmittel bei Hornhauttrübungen, chronischen Geschwüren und Feigwarzen vielfach benutzt.‹ (Brockhaus, 1903)

Averkiev – Dmitrij Vasiljevič, 1836–1905, Dramatiker, Schriftsteller, Theaterkritiker; Al. hatte geschrieben, Averkiev u. a. verbreiteten das Gerücht, der ›Severnyj vestnik‹ befinde sich in einer finanziell kritischen Situation.

»Rodina« – ›Die Heimat‹, illustrierte Zeitschrift für die Familie.

Mitrofan – Egorovič, Čechovs Onkel aus Taganrog; es handelte sich um Michail P. Čechov.

Ėfros – Evdokija I. Ėfros.

Karolina Egorovna – Švarckopf, Schwester von M. E. Polevaeva, in deren Haus in Moskau Aleksandr als Student gewohnt hatte.

164) *24./25. 11. 1888 – A. S. Suvorin.* 519 (539). Der Anfang des Briefes ist verloren.

Zola – Emile Zola, 1840–1902, französischer Romanschriftsteller, auch in Rußland sehr populär.

was für eine Erzählung – Erzählung, die – vgl. Nr. 165 – deutlich auf die Novelle ›Das Duell‹ verweist; Čechov schrieb diese Erzählung während seines Aufenthalts in Petersburg (2.–15. 12.) zu Ende, sie wurde in der Druckerei Suvorin gesetzt, aber nicht veröffentlicht; in Brief Nr. 166 bittet Čechov Suvorin, ihm die Fahnen der Erzählung nach Moskau nachzuschicken, er wolle weiter daran arbeiten.

Pečorin – Gestalt aus dem Roman ›Ein Held unserer Zeit‹ von M. Ju. Lermontov.

Onegin – Titelgestalt des Romans in Versen ›Evgenij Onegin‹ von A. S. Puškin.

»Der Reisende 1. Klasse« – von 1886, vgl. detebe Nr. 50/XII.

Lejkin... komisches Vaudeville – das L. über Čechov an das Theater F. A. Korš vermitteln wollte und am 7. 11. an Čechov geschickt hatte (›Der Vetter von der Feuerwehr‹).
Maslov, Schicksal seines Stückes – am Theater Korš, ›Der Verführer von Sevilla‹, vgl. Nr. 148, 149, 155, 165.
Ein spanisches Stück – ›El Gran Galeoto‹ (1881) des spanischen Dramatikers José Echegaray y Eizaguirre, 1832–1916, das am 18. 11. (als Benefiz für M. M. Petipa) bei Korš durchgefallen war.

165) *28. 11. 1888 – A.S. Suvorin.* 521 (540).
»Glückliche Gedanken« – vgl. Nr. 161; als Titel bereits ›besetzt‹ durch zwei Bücher des englischen Humoristen F. C. Burnand (›Happy Thoughts‹, ›More Happy Thoughts‹); Čechov schreibt statt ›Burnand‹ in der Regel ›Bernard‹, ›Burnard‹.
träume von Petersburg – wohin Čechov am 2. 12. für 14 Tage fuhr.
Direktor der Moskauer Theater – V. P. Begičev, Vater von M. V. Kiselëva.
Echegaray – vgl. Anm. zu Nr. 164.

166) *18. 12. 1888 – A.S. Suvorin.* 529 (552).
Siegesglocke erschalle – Zitat aus dem Gedicht ›Chor für eine Quadrille‹ von Gavriil R. Deržavin, 1743–1816; bei Deržavin: ›Siegesdonner‹.
Nikulina – Nadežda Alekseevna, 1845–1923, seit 1863 Schauspielerin am Kleinen Theater, Moskau; erfolgreiche Charakterdarstellerin, Komikerin. Spielte 1891 im ›Heiratsantrag‹ des Kleinen Theaters, Moskau, die Natálja Stepanovna.
Über Čechovs Bemühungen um die Besetzung des Dramas ›Tatjana Repina‹ von A. S. Suvorin am Kleinen Theater Moskau vgl. auch die folgenden Briefe. In Petersburg, wo am Alexandratheater die Premiere der zweiten Fassung des ›Ivanov‹ vorbereitet wurde, hatte Čechov am 11. 12. 1888 die Premiere von ›Tatjana Repina‹ in folgender Besetzung gesehen:

Repina – M. G. Savina
Olenina – Paščenko
Kokoškina – A. I. Abarinova
Adašev – V. N. Davydov
Sabinin – V. P. Dalmatov
Matveev – K. A. Varlamov
Zonenštejn – P. M. Svobodin
Kotelnikov – N. N. Sazonov
Raisa Solomonovna – V. V. Strelskaja.

Vgl. dazu Brief Nr. 167 – Čechovs Vorstellungen zur Petersburger ›Ivanov‹-Besetzung.

Lenskij, Fedotova, Ermolova, Rybakov, Rybčinskaja – Schauspieler am Kleinen Theater, Moskau.

Krylov – V. A. Krylov; ›das Stück‹ – vermutlich ›Der Triumph der Tugend‹, das am 25. 11. 1888 bei F. A. Korš herauskam.

Krečinskij – Titelgestalt der Komödie ›Krečinskijs Heirat‹ von A. V. Suchovo-Kobylin, 1854; Typ des heruntergekommenen Adeligen, der sein Glück in einer Geldheirat sucht. ›Ein ansehnlicher Mann, regelmäßiges und auffälliges Gesicht, dichte Koteletten; trägt keinen Schnurrbart; etwa vierzig Jahre alt.‹

mari d'elle – französisch, ›ihr Ehemann‹, ›der Mann seiner Frau‹.

die Korrektur meiner Erzählung, vgl. 164, 165.

»Ivanov« ist fertig – für die Aufführung (der zweiten Redaktion) am Alexandratheater, Petersburg. Nach seiner Rückkehr aus Petersburg (und nachdem sich Čechov bereits im Oktober mit dem Stück befaßt hatte), schrieb Č. am 17. 12.: ›Ich habe mich bereits an den »Ivanov« gemacht. In zwei Tagen wird er fertig sein. Er wird harmonisch, aber wenig szenisch. Die drei ersten Akte sind in Ordnung.‹

167) *19. 12. 1888 – A.S. Suvorin.* 530 (553).

Leškovskaja, Makšeev, Gorev – Schauspieler am Kleinen Theater, Moskau.

Južin – A. I. Sumbatov-Južin, Schauspieler und Dramatiker.

Sadovskaja, Medvedeva, Michajlo Sadovskij, Grekov – Schauspieler am Kleinen Theater, Moskau.

Meinen »Bolvanov« – ›Ivanov‹; russ. ›bolvan‹: Dummkopf, Tölpel. Klotz.

Ivanov, Sarrah ... – vgl. ›Ivanov‹, detebe Nr. 50/V; auch: Nr. 89.

Savina, Svobodin, Sazonov, Varlamov – Schauspieler am Alexandratheater, Petersburg.

Potechin – Aleksej Antipovič, 1829–1908, Dramatiker, Theaterdirektor, 1886–1890 Leiter des Alexandratheaters.

Grigorovič, ich sei überheblich – weil Čechov ihn während seines Petersburg-Aufenthaltes im Dezember nicht besucht hatte.

mein »Bär« den Herren Ministern vorgespielt – als Wohltätigkeitsvorstellung war der ›Bär‹ am 27. 11. 1888 im Beisein des Finanzministers I. A. Vyšnegradskij gespielt worden; noch einmal, am 15. 12. 1888, in den Räumen des Außenministeriums (A. F. Gamburger). Darsteller: M. G. Savina, N. F. Sazonov und K. A. Varlamov.

Meržeevskij – Ivan Pavlovič, 1838–1908, Psychiater, Professor an der Militär-Medizinischen Akademie Petersburg.

Žitel – A. A. Djakov, ›Bilder und Skizzen‹, S.-Pbg. 1889.

Die »Fürstin« – wurde erst im März 1889 abgeschlossen, erschien im ›Novoe vremja‹ am 26. 3. 1889; vgl. detebe Nr. 50/XIV. Vgl. auch Nr. 161.

schicke ich ein Märchen – im ›Novoe vremja‹: ›Ein Märchen‹ (später umbenannt in ›Die Wette‹); vgl. detebe Nr. 50/XIV.
Chudekov – Redakteur der ›Peterburgskaja gazeta‹, hatte Čechov für eine Erzählung für die Weihnachtsnummer, Umfang ca. 200 Zeilen, 100 Rubel geboten (schrieb Čechov Suvorin am 17. 12.); ›Der Schuster und der Teufel‹, erschienen am 25. 12., vgl. detebe Nr. 50/XIV.
Danke für meine Schwester – Čechov war zusammen mit seiner Schwester Maša nach Petersburg gefahren; M.P. Čechova war einige Tage länger geblieben.
Dalmatov – Schauspieler am Alexandratheater, Petersburg.

168) *20. 12. 1888 – I. L. Leontjev-Ščeglov.* 532 (554).
Solovcov – N.N. Solovcov.
Orfanov – Michail Ivanovič, 1847–1884, Schriftsteller, stand den ›Narodniki‹ nahe.
Erzählung für die »Pet. gaz.« – vgl. Nr. 167.
Sobolev pereulok – d. h. die dort befindlichen Freudenhäuser, in Moskau. Vgl. Nr. 144, 145, 159 zu der Erzählung ›Der Anfall‹.

169) *22. 12. 1888 – N. A. Nikulina.* 534 (557).
das Stück – ›Tatjana Repina‹ von A. S. Suvorin, mit den letzten Korrekturen des Autors, vgl. Nr. 170.

170) *23. 12. 1888 – A. S. Suvorin.* 536 (559).
das Stück – ›Tatjana Repina‹, vgl. Nr. 169.
Tatiščev – Sergej Spiridonovič, 1846–1906, Journalist, Historiker, Mitarbeiter des ›Russkij vestnik‹, ›Novoe vremja‹.
Michnevič – Vladimir Osipovič, 1841–1899, Schriftsteller, Publizist, Kulturhistoriker.
hat nur Grigorovič bemerkt – was Čechov vermutlich A. S. Suvorin mitgeteilt hatte. Grigorovič selbst schrieb an Čechov erst am 27. 12., die Naturbeschreibungen seien noch meisterhafter als in früheren Erzählungen, die Zeilen 6 bis 11 auf Seite 296 (im ›Almanach dem Andenken Garšins‹) seien einfach herrlich: die Beschreibung des ersten Schnees.
Muravlin – Fürst Dmitrij Petrovič Golicyn, 1860–1917, Mitglied des Staatsrats, Schriftsteller, den Čechov im Dezember in Petersburg kennengelernt hatte.
»Bär« in zweiter Auflage – als Textbuch in der ›Theaterbibliothek Rassochin‹.
ein Vaudeville... für die Minister – vgl. Anm. zu Nr. 167.
Vaudeville »Blitz und Donner« – mehr als dieser Brief ist darüber nicht bekannt.
an Chudekov – vgl. Nr. 167, 168.

für das »Novoe vremja« schreiben – ›Die Fürstin‹, vgl. Nr. 167.
Pravdin, Rykalova – Schauspieler am Kleinen Theater.
Material für die »Kinder« – Buch für Kinder, das im März 1889 im Verlag A. S. Suvorin erschien, bestehend aus Čechovs Erzählungen ›Kinder‹, ›Vanka‹, ›Ein Ereignis‹, ›Die Köchin heiratet‹, ›Der Flüchtling‹ und ›Zu Hause‹. Vgl. detebe Nr. 50/XI, XII, XIII.
für den dritten Erzählungsband – der offenbar in Petersburg im Dezember besprochen worden war: ›Mürrische Menschen‹, erschienen 1889.
Kaštanka – vgl. Nr. 161.
Zu Neujahr das Märchen – vgl. 167.

171) *26. 12. 1888 – A.S. Suvorin.* 539 (565).
Palmin – vgl. Brief Nr. 170.
Zu Neujahr das Märchen – vgl. 167, 170.
Jużin – A. I. Sumbatov-Južin.
Mein Maler – Čechovs Bruder Nikolaj, vgl. 157.
Ihr Fragment – ›Die Mutter Ivans des Schrecklichen‹, am 25. 12. im ›Novoe vremja‹ erschienen, stellte ein Fragment aus dem gleichnamigen Stück dar.
N. Lavreckij – Pseudonym, unter dem A. S. Suvorin am 20. 12. seine Erzählung ›Die Geschichte einer Nacht‹ veröffentlicht hatte.
Rassochin – Herausgeber einer ›Theaterbibliothek‹ von Textbüchern zum Vertrieb in der Provinz.
Mitglied der Gesellschaft – der ›Gesellschaft der dramatischen Schriftsteller und Opernkomponisten‹, vgl. Nr. 88.
Beerdigung von Jurjev – der Publizist, Philosoph, Dramatiker, Übersetzer S. A. Jurjev war am 26. 12. 1888 gestorben.

172) *30. 12. 1888 – A.S. Suvorin.* 542 (565).
der Regisseur – F. A. Fëdorov-Jurkovskij, 1842–1915, Regisseur am Alexandratheater Petersburg.
Katkov – Michail Nikiforovič, 1818–1887, konservativer Publizist, Herausgeber der Zeitung ›Moskovskie vedomosti‹ und der Zeitschrift ›Russkij vestnik‹, Wortführer des großrussischen Chauvinismus, Panslavismus und der Interessen des Landadels; P. Kropotkin nennt ihn in seinen Memoiren den ›üblen Genius der Reaktion‹, seine Zeitung ›ein Giftblatt‹.
die Zucchi – Virginia Zucchi, 1847–1930, italienische Ballerina, ab 1885 drei Jahre am Marientheater Petersburg engagiert, bildete danach eine eigene Truppe, mit der sie in Moskau und in der Provinz gastierte.
Bulgarien – meint die russenfeindliche Politik des Fürsten von Bulgarien, Prinz Ferdinand von Coburg, die 1887 zum Abbruch der diplomatischen Beziehungen beider Länder geführt hatte; Bulgarien war als Er-

gebnis des Russisch-Türkischen Krieges erst 1878 ein eigener Staat geworden, auf Drängen Rußlands.
Dr. Bertenson – Lev Berngardovič Bertenson.
Michajlov – Pseudonym des Schriftstellers A. K. Šeller, 1838–1900, populäre Romane aus dem Leben der russischen Intelligenz der 60er/70er Jahre: ›Faule Sümpfe‹ 1864, ›Šupovs Leben‹ 1865, ›Wo gehobelt wird, da fallen Späne‹ 1871.
Proporjev, Ochljabjev, Navarygin – Personen aus dem Stück ›Ketten‹ von A. I. Sumbatov-Južin.
»Rudin« – Roman von Ivan Turgenev, 1856, Rudin – einer der typischen ›überflüssigen Menschen‹; vgl. zu diesem Begriff z. B. ›Das Duell‹, wo dieser Begriff ausführlich diskutiert wird.
Kotelnikov – Figur aus ›Tatjana Repina‹ von A. S. Suvorin.
Argenton bei Daudet – Gestalt aus dem Roman ›Jacques‹ von Alphonse Daudet, 1840–1897.
Kiselevskij – I. P. Kiselevskij, hatte 1887 bei Korš im ›Ivanov‹ den Grafen Šabelskij gespielt, war dann am Alexandratheater engagiert, kehrte 1889 nach Moskau zurück an das Theater Abramova.

173) *31. 12. 1888 – I. L. Leontjev-Ščeglov.* 543 (566).
Fëdorov-Jurkovskij – F. A. Fëdorov-Jurkovskij, vgl. 172.
Potechin – A. A. Potechin, vgl. Nr. 167, 172.
Strepetova – F. A. Strepetova, Schauspielerin am Alexandratheater, Petersburg.
heute einen Brief geschickt – ein Brief Čechovs an den Regisseur oder das Alexandratheater ist nicht überliefert; Čechov meint vermutlich den an Suvorin, vgl. Nr. 172.
Mej – Lev Aleksandrovič Mej, 1822–1862, Lyriker; Autor historischer Dramen, deren eines, ›Die Bürgerin von Pskov‹, 1888 mit großem Erfolg am Alexandratheater in Petersburg gegeben wurde.
ein anderes Stück – das nächstfolgende große Stück Čechovs: ›Der Waldschrat‹, geschrieben Sommer 1889, vgl. Nr. 150; vgl. detebe 50/II.

1889

174) *2. 1. 1889 – Al. P. Čechov.* 545 (569).
N. A. – Natalja Aleksandrovna Golden, Aleksandrs zweite Frau.
Nasreddin – oder Nasr-ed-Din, 1831–1896, Schah von Persien.
Čochov – Spitzname der Familie für die Vettern väterlicherseits, Grigorij und Michail Michajlovič Čechov.
I. E. Gavrilov – Kaufmann in Moskau, Besitzer einer Galanteriewarenhandlung, bei dem Čechovs Vater als Kontorist arbeitete.

175) *2. 1. 1889 – A.N. Pleščeev.* 546 (568).

Oberoffizierswitwe – Spitzname für I. L. Leontjev-Ščeglov, dem Čechov unter dem Siegel der Verschwiegenheit von Suvorins Angebot erzählt hatte, nach Petersburg zu ziehen, um für 500 R. monatlich eine Stelle am ›Novoe vremja‹ anzunehmen.

der Regisseur – F. A. Fëdorov-Jurkovskij hatte Pl. aufgesucht und gefragt, ob der ›Severnyj vestnik‹ den ›Ivanov‹, den er, Fëdorov-Jurkovskij für sein Benefiz gewählt habe, nicht im *Januar*heft veröffentlichen könne; Brief von Pl. an Čechov (vom 31. 12. 1888), das Heft sei seit dem 23. 12. ausgedruckt.

meine ehrliche Meinung über das Stück – vgl. Nr. 172

Buchhandlung Suvorin – die Dependance in Moskau.

Von dem Almanach – ›Dem Andenken Garšins‹; am 19. 12. war im ›Novoe vremja‹ nur eine kurze bibliographische Notiz erschienen. Pl. hatte geschrieben, Suvorin habe für ein Exemplar des Almanachs 25 Rubel bezahlt, wichtiger sei aber eine Rezension in der Zeitung.

Dort hat er seinen Ruhm begründet – nach der Rückkehr aus der Verbannung hatte Korolenko 1885 in der ›Russkaja mysl‹ die Erzählung ›Makars Traum‹ publiziert; 1887 erschien im Verlag der ›Russk. mysl‹ der Band ›Skizzen und Erzählungen‹, 1888 die Novelle ›Der blinde Musikant‹.

Notiz in bezug auf »Verstand... – am 29. 12. hatte sich eine Notiz im ›Novoe vremja‹ darüber mokiert, daß in dem Almanach, in der Biographie Garšins, ein Zitat aus dem ›Revisor‹ von Gogol fälschlicherweise A. Griboedov, dem Autor der Komödie ›Verstand schafft Leiden‹, zugeschrieben worden war.

176) *3. 1. 1889 – A.S. Suvorin.* 547 (570).

Abarinova, Svobodin, Apollonskij – Schauspieler am Alexandratheater, Petersburg, das den ›Ivanov‹ vorbereitete.

Davydov den Lebedev? – vgl. Nr. 177.

Ihr Bahnhofsmädchen – die Verkäuferin am Bahnhofskiosk der Moskauer Buchhandlung Suvorin; in den früheren Jahren der intensiven Mitarbeit an ›Oskolki‹ und ›Peterburgskaja gazeta‹ war Čechov, um die Postzustellung zu beschleunigen, immer auf den Bahnhof gefahren.

»Tatjana« mit den Änderungen – vgl. Nr. 169, 170.

die Kopie des Monologs – vermutlich aus dem Vaudeville ›Männliches Leid‹ von A. S. Suvorin, möglicherweise auch ein nachträglich verfaßter Monolog für ›Tatjana Repina‹.

Brief Potechins zur Besetzung – des ›Ivanov‹ am Alexandratheater, der nicht erhalten ist.

mein Bruder – Aleksandr P. Čechov.

kein Wort über »Dem Andenken Garšins« – vgl. Nr. 175.

177) *4. 1. 1889 – N. V. Davydov.* 549 (571).
Mein verstorbener »Ivanov« – vgl. Nr. 166, 172, 184.
bei Gamburger – Andrej Fëdorovič, 1821–1899, russischer Diplomat, Staatssekretär im Außenministerium, vgl. Anm. zu Nr. 167.
Ananjev – ungeklärt, um wen es sich handelt.
Dank für Brot und Salz – die Symbole der russischen Gastfreundschaft, offenbar war Čechov bei seinem Besuch in Petersburg Dezember 1888 mit Davydov zusammengetroffen.
Pavel Pavlovič – nicht geklärt, um wen es sich handelt.

178) *4. 1. 1889 – A. S. Suvorin.* – 550 (572).
für Fëdorov – F. A. Fëdorov-Jurkovskij, Regisseur des ›Ivanov‹ am Alexandratheater, Petersburg.
habe den IV. Akt nicht – vgl. Nr. 176.
Tatiščev – S. S. Tatiščev, vgl. Nr. 170.
aufzuhören, sich mit Lappalien zu befassen – für das Theater zu schreiben? Tatiščev hatte ›Hernani‹ von Victor Hugo ins Russische übersetzt, erschienen in der ›Billigen Bibliothek‹ des Verlags Suvorin. Von welchem himbeersüßen Dithyrambus T.s die Rede ist, ist ungeklärt, ungeklärt, wo T. über ›Tatjana Repina‹ geschrieben hat.
Savina – M. G. Savina, Schauspielerin am Alexandratheater.
N. Lavreckij – Pseudonym A. S. Suvorins, unter dem er Erzählungen veröffentlichte, vgl. Nr. 171; im übertragenen Sinn: die Belletristik.
Anna Ivanovna – Suvorina, A. S. Suvorins zweite Frau.
Ščeglov – I. L. Leontjev-Ščeglov.
alle dunkelhaarigen Frauen in den Logen – vgl. ›Die Möwe‹, II. Akt, Trigorin; detebe Nr. 50/I.
Michnevič – V. O. Michnevič, vgl. Nr. 170.
»Tatjana« – die Moskauer Premiere fand am 16. 1. 1889 statt.

179) *6. 1. 1889 – A. S. Suvorin.* 553 (576).
Loskutnaja – Hotel in Moskau, Tverskaja ulica (heute ul. M. Gorkogo), wo Čechov für Suvorin eine Suite bestellen sollte.
Adašëv – Person aus ›Tatjana Repina‹ von Suvorin.
Der Monolog – vgl. Nr. 176.

180) *7. 1. 1889 – A. S. Suvorin.* 554 (578).
die Kopie des Stückes bekommen – vgl. Nr. 178, 182.
erwarte Sie in Moskau – zu den letzten Proben der ›Tatjana Repina‹ im Kleinen Theater, Moskau; Premiere war am 16. Januar.

181) *7. 1. 1889 – A. S. Suvorin.* 555 (579).
Mitglied der Gesellschaft – der russischen dramatischen Schriftsteller und Opernkomponisten, vgl. Nr. 88.
Fëdorov – F. A. Fëdorov-Jurkovskij; Vor- und Vatersnamen brauchte Čechov für die offizielle Anrede im Brief.
keinen Roman geschrieben – vgl. Nr. 100, 107, 133, 136.
Palmin, der sich den Kopf... – L. I. Palmin, vgl. Nr. 170, 171.
Ilang-Ilang – Parfum, das sog. ›Orchideenöl‹.

182) *8. 1. 1889 – F. A. Fëdorov-Jurkovskij.* 556 (580).
Kopie meines Stückes – vgl. Briefe 178, 180.
gehen rechtzeitig durch die Zensur – Zensurstempel der sog. zweiten Redaktion: 3. 1. 1889, der aber für das gesamte Stück, nicht für noch zu genehmigende nachträgliche Korrekturen galt.

183) *8. 1. 1889 – A. S. Suvorin.* 557 (581).
telegraphisch mitgeteilt – das Telegramm ist nicht erhalten.
in der Vorstellung – am 11. 12. 1888 in Petersburg.
Saša im III. Akt – vgl. Varianten zu ›Ivanov‹, detebe Nr. 50/V.
Im Sommer zusammen ein Stück – vgl. Nr. 150 und Kommentar dazu.

184) *15. 1. 1889 – A. N. Pleščeev.* 559 (583).
im Komitee – vgl. Anm. zu Brief Nr. 152.
mit den Worten Keans – Titelfigur eines Theaterstücks von Alexandre Dumas-père, 1802–1870; ›Kean, ou Désordre et génie‹, 1836, 1837 am Alexandratheater in russischer Erstaufführung.
komme am 21. oder 22. Januar – Čechovs erster Brief aus Petersburg: am 19. 1. 1889.
Claret – in England Bezeichnung für französischen Rotwein; in Deutschland auch für: gewürzten Rotwein.
»Bolvanov« – für: ›Ivanov‹, vgl. Nr. 167.
»Ivanov« werde ich nicht im »Sev. vestnik« veröffentlichen – Pleščeev redete Čechov daraufhin zu, den ›Ivanov‹ doch im ›Severnyj vestnik‹ erscheinen zu lassen; ›Ivanov‹ erschien im Märzheft.
für 100 Rubel Erzählungen – vgl. ›das dritte Buch‹, ›dritter Erzählungsband‹, der im Dezember 1888 besprochen worden war, vgl. Nr. 170.
Suvorin ist gerade in Moskau – zu den Abschlußproben seines Stückes ›Tatjana Repina‹ (›Tanja‹) am Kleinen Theater.
Adašëv – gespielt von P. A. Lenskij, Person aus dem Stück ›Tatjana Repina‹ von A. S. Suvorin.
Ermolova – M. N. Ermolova, spielte die Titelrolle.
an meinem Roman – vgl. Nr. 100, 107, 133, 136, 181.

George – G.M. Lintvarëv, der in Petersburg das Konservatorium besuchte. Die Premiere fand am 31. 1. 1889 statt.

Nikolaj Alekseevič im Gefängnis – Pleščeevs jüngster Sohn hatte im Suff randaliert, war verhaftet und degradiert worden, wie Pleščeev am 31. 12. 1888 geschrieben hatte.

185) *4. 2. 1889 – A.S. Suvorin.* 565 (590).

Špažinskij – I. V. Špažinskij, Vorsitzender der Gesellschaft der dramatischen Schriftsteller; es geht um das Mitgliedsbillett für A. S. Suvorin.

Langweilig ist mir und traurig... – Paraphrase eines Gedichts von M. Ju. Lermontov aus dem Jahre 1840; in der Übersetzung von F. Fiedler: ›Und einsam und traurig... Vergebens die Sehnsucht, im Leid / Die Hand einem Freunde zu reichen!...‹

Ihre Rezension – über die Premiere des ›Ivanov‹ vom 31. Januar 1889 in Petersburg, erschienen am 6. 2. im ›Novoe vremja‹, vgl. Nr. 187. Die Aufführung wurde ein großer Erfolg. In der Regie von F. A. Fëdorov-Jurkovskij spielten:

Ivanov – V. N. Davydov
Sarrah – P. A. Strepetova
Šabelskij – P. M. Svobodin
Lebedev – K. A. Varlamov
Zinaida Savišna – E.I. Žuleva
Saša – M. G. Savina, später V. A. Mičurina
Lvov – A.S. Černov
Borkin – V. P. Dalmatov
Babalcina – N.B. Chlebnikova
Kosych – N.I. Ardi
Avdotja Nazarovna – V.V. Strelskaja

Čechov war am 2. Februar nach Moskau zurückgefahren; am 3. 2. an Barancevič: ›Ich bin aus Piter geflohen. Der Dunst hat mich überwältigt. Ich war erschöpft, und ich habe mich auch die ganze Zeit geschämt. Wenn ich kein Glück habe, bin ich tapferer, als wenn ich Glück habe. Bei einem Erfolg werde ich feige und verspüre den starken Wunsch, unter den Tisch zu kriechen.‹

Auf meinem Bauernhof – den Čechov zu kaufen beabsichtigte, vgl. Nr. 132, 134f.

Kalium bromatum – latein. ›Bromkalium‹, in der Medizin ›(als kalium bromatum offizinell) gegen Nervenstörungen und Schlaflosigkeit angewendet‹ (Brockhaus, 1901).

»Kinderschar« zur Korrektur – vgl. Nr. 170.

Jurkovskij – F. A. Fëdorov-Jurkovskij.

Šapiro – Konstantin Aleksandrovič, gest. 1900, Petersburger Photograph, Autor eines Photoalbums russischer Schriftsteller.

das Französische Wörterbuch – von N. A. Makarov.

186) *6. 2. 1889 – A.S. Suvorin.* 567 (591).

Ihre Idee, die Worte von der Verleumdung – im ›Ivanov‹, Akt IV, Szene VIII.

Zukunft... »Waldschrat« – vgl. Nr. 150.

In meinem Brief ist der »Ivanov« – vgl. Nr. 172, 173.

mein kommodengleiches Haus – Hs. Korneev in Moskau, Kudrinskaja-Sadovaja.

der Student – Michail P. Čechov.

Hauswirt Korneev – Ja. A. Korneev, 1845–1921, Arzt.

stelle das Material für das dritte Buch zusammen – Čechovs dritte Erzählungssammlung im Verlag A. S. Suvorin, ›Mürrische Menschen‹, erschienen 1889, vgl. Nr. 170, 184. Insgesamt Čechovs fünftes Buch.

Aleksej Alekseevič eine Erzählung – für den illustrierten Kalender ›Stoglav‹, hrsg. von A. A. Suvorin, vgl. Nr. 137, 153; Čechov schickte die Erzählung ›Sekt‹ aus dem Jahr 1887; in späteren Jahren veröffentlichte Čechov nicht mehr im Kalender Suvorins.

die kleine Presse – in den ersten Tagen nach der Petersburger Premiere erschienen Rezensionen, die von einem ›rauschenden Erfolg‹ sprachen; andere dagegen: ›Čechovs Drama hatte keinen großen Erfolg, obwohl es vorzüglich gespielt wurde‹ (›Syn otečestva‹, 1. 2.); in derselben Zeitung vom 2. 2. wurde die Frage gestellt, wo unter intellektuellen und gebildeten Menschen Čechov Leute angetroffen habe, die zu einer solchen Reihe ›solch schändlicher Handlungen fähig‹ seien; ›von Herrn Čechov ist vorläufig nur schwerlich ein gutes Theaterstück zu erwarte3. Selbst in seinen belletristischen Werken erscheint als Hauptmangel das Fehlen einer Fabel, einer Handlung. Skizzen, kleine Bilder, Einzelcharaktere – das ist vorläufig seine Sphäre.‹ (›Den‹, 2. 2. 1889)

Boulanger – Georges Erneste Jean Marie, franz. General und Politiker, Führer der Boulangisten, von dessen Plänen, in Frankreich durch einen Staatsstreich an die Macht zu kommen, die Zeitungen Anfang 1889 voll waren.

Adèle – Gouvernante der Kinder Suvorins.

187) *8. 2. 1889 – A.S. Suvorin.* 568 (593).

Die Rezension – A. S. Suvorins zum ›Ivanov‹ des Alexandratheaters, erschienen am 6. 2. im ›Novoe vremja‹. Bei all seinen Mängeln (der Handlungsarmut, und der Tatsache, daß die Figur Ivanovs ›den größeren Rahmen des Romans oder der großen Novelle erfordert‹ hätte), sei das Stück ›eine herausragende und frische Erscheinung, sowohl in seinen Personen, die wirklich lebendige Menschen sind, in seinen Milieubildern wie auch in seiner wahrhaft talentierten Objektivität‹; Suvorin kennzeichnete die Weltanschauung Čechovs als ›vollkommen selbständig, sehr kompliziert, human, aber ohne Sentimentalität, unabhängig von jeglichen Richtungen‹, sie zeichne sich durch ›starken gesunden Menschenverstand und Liebe zum Leben‹ aus. Nichts bei Čechov sei ›vergiftet durch irgendwelche vorgefaßten Meinungen‹, weshalb es auch weder in der Form, die er seinem Werk gegeben habe, noch in den Charakteren, die er zeichne, irgendwelche Anzeichen von Klischee gebe. ›Er liebt keine Phrasen, kein Gejammer, keine Verzweiflung und erscheint als Freund der ganz gewöhnlichen Menschen... er ist, wie mir scheint, der Schriftsteller, der, in künstlerischen Bildern, mehr an Wahrheit sagt als alle seine Altersgenossen und Zeitgenossen, dem Talente nach.‹ In seiner Rezension zitierte Suvorin mehrfach indirekt Čechovs Brief vom 30. 12. 1888, vgl. Nr. 172.

Žitel – der Kritiker und Publizist A. A. Djakov.

Chlestakov – Gestalt des falschen Revisors, Schwindlers und Hasardeurs aus N. V. Gogols klassischer Komödie ›Der Revisor‹.

Čackij – Gestalt aus Aleksandr Griboedovs klassischer Komödie ›Verstand schafft Leiden‹.

Da ist Hund... – deutsch so im Original.

anonyme Briefe zum »Ivanov« – am 1. 2. erhielt Čechov einen mit ›V. T.‹ gezeichneten Brief, der sich empört mit Ivanovs Rat an die Jugend auseinandersetzt (›Heiraten Sie weder Jüdinnen noch Psychopathinnen noch Blaustrümpfe, sondern wählen Sie sich etwas Alltägliches, Graues, ohne grelle Farben‹ usw., vgl. detebe Nr. 50/V) und der den jungen, kämpferischen Ivanov und die kämpfende Jugend allgemein in Schutz nimmt gegen diesen zynischen Rat; der Brief enthält den Vorwurf, gestern sei ›Ihr Drama zum ersten Mal gegeben worden, und heute hat es bereits Wirkung gehabt auf einen Angehörigen dieser Jugend. Welch bitterer Vorwurf gegen Sie‹ usw. Čechov lehnte es ab, auf diesen anonym erhobenen Vorwurf einzugehen, woraufhin der Autor des Briefes seinen Namen preisgab, es war eine Kursstudentin namens V. M. Trenjuchina. Čechovs Antworten an sie sind nicht erhalten.

»Tanja Repina« ist abgesetzt – lt. Mitteilung der ›Novosti dnja‹ vom 30. 1.; die nächste Vorstellung fand erst wieder am 10. 2. statt.

Tatjana Repins; *Genitiv* – meint: ein Bild ›Tatjana‹ des Malers I. E. Repin, das nicht existiert.

Potechin – A. A. Potechin, Direktor des Alexandratheaters.

nur zweimal – ›Ivanov‹ wurde in der fraglichen Zeit nur am 13. und 15. Februar gegeben, jeweils morgens, wo, wie Čechov am 13. 2. an Suvorin mutmaßte, die Kasseneinnahmen ›14 R. 43 K. nicht übersteigen‹ würden.

188) *10. 2. 1889 – V. A. Tichonov.* 569 (594).

Debüt des Kritikers Tichonov – in der Zeitung ›Nedelja‹ vom 6. 2. hatte Tichonov über den ›Ivanov‹ geschrieben, allerdings anonym; über das Zustandekommen dieser Veröffentlichung hatte V. A. Tichonov zuvor informiert.

Ihre Theaterstücke – an den Theatern von Moskau und Petersburg wurden in den 80er Jahren folgende Tichonov-Stücke gespielt: ›Über den Rand‹, ›Jeder Schwester einen Ohrring‹, ›Der Faulenzer‹, ›Nach der Trennung‹, ›Der Trumpf‹, ›Ohne Steuer und Ruder‹.

Eine andere Klarheit... – 1. Korinther, 15/41.

in der Gorochovaja – Straße in Petersburg, wo sich der Sitz der ›Russischen Gesellschaft für Literatur‹ befand.

auf Ihren Bruder – A. A. Tichonov, 1853–1914, Schriftsteller, der unter dem Pseudonym ›Lugovoj‹ veröffentlichte.

189) *17. 2. 1889 – A. M. Evreinova.* LN 19 (SS 601).

ich bin böse auf Ihre Druckerei – der ›Ivanov‹ war, wohl noch während Čechovs Petersburgaufenthalt, für das Märzheft des ›Severnyj vestnik‹ in Satz gegangen; am 8. 2. hatte Čechov die Adressatin gebeten, ihm die Fahnen in drei Exemplaren zu schicken. Vgl. Nr. 184.

Butterwoche auf dem Lande – in Babkino bei Familie Kiselëv; sagte in einem Brief vom 17. 2. an M. V. Kiselëva ab.

190) *18. 2. 1889 – I. L. Leontjev-Ščeglov.* 576 (603).

die »Herren Theaterfreunde« – die der Adressat, Autor dieses Stücks, in zwei Exemplaren geschickt hatte.

meinem Bruder, dem Pädagogen – Ivan P. Čechov.

Ich bin nicht Potëmkin – vgl. Nr. 151, 162, 191 u. a.

Cincinnatus – Lucius Quinctius, ›ein Muster altröm. Tugend und Sitteneinfalt, wurde 460 v. Chr. zum Konsul gewählt und erwies sich als ein entschiedener und thatkräftiger Gegner der plebejischen Tribunen.‹ (Brockhaus, 1901)

Burenin wirke bedrückend auf Sie – Leontjev hatte geschrieben, er würde gern öfter in die Redaktion des ›Novoe vremja‹ gehen, wenn sich dort nicht Burenin fortlaufend über ›unsereinen‹ mokieren würde, der, ›so sagt er, nur um des lieben täglichen Brotes willen jeden beliebigen Mist schreibe‹.

Es ist nicht zu eng auf dieser Welt – vgl. Trigorin in der ›Möwe‹, III. Akt: ›Es ist doch Platz für alle da...‹

werden Sie ein Ostrovskij – A. N. Ostrovskij, Autor zahlreicher Komödien (›Der Wald‹ u. a.); im Bilde Čechovs geblieben, einer der ›Generäle‹ der Dramatik.

Belletristen wie... – meint: die Autoren unserer Generation: A. N.

Maslov-Bežeckij, geb. 1852; V.G. Korolenko, geb. 1853; K.S. Barancevič, geb. 1851; M.N. Albov, geb. 1851.

selbst vor Hauptleuten – Leontjev-Ščeglov hatte am Russisch-Türkischen Krieg 1877/78 im Rang eines Hauptmanns der Artillerie teilgenommen; meint hier wohl aber ›Hauptmann‹ im Gegensatz zu den ›Generälen‹ wie A.S. Suvorin, Grigorovič u.a.

191) *20. 2. 1889 – A.S. Suvorin.* 579 (605).

so wahr ich Potëmkin bin – vgl. 151, 162, 190.

schreibe den »Waldschrat« – vgl. Nr. 150, 161, 186.

der »Verführer von Sevilla« – von A. N. Maslov-Bežeckij, vgl. Nr. 148f.

die »Heirat« von Gogol – das zweite, weniger bekannte Stück von N. V. Gogol, ›Die Heirat. Eine vollkommen unwahrscheinliche Begebenheit in zwei Akten‹, geschrieben 1833.

Mein »Bär« schon in der zweiten Auflage – die erste Auflage des Textbuchs bei Rassochin war im Oktober erschienen, der schon im Dezember – vgl. Nr. 170 – die zweite gefolgt war.

die Vinogradovs – die Čechov im Sommer 1888 in Feodosija kennengelernt hatte, Familie des Marineoberstaatsanwalts K. F. Vinogradov, vgl. Nr. 130.

192) *5. 3. 1889 – I.M. Kondratjev.* 585 (612).

die Abrechnung – um die Čechov in einem kurzen Brief vom 28. 2. gebeten hatte: die Abrechnung der Gesellschaft der dramatischen Schriftsteller und Opernkomponisten für die abgelaufene Saison 1888/89.

»Abend in Sorrent« – von Ivan Turgenev, ein Stück, das erst nach Turgenevs Tod entdeckt worden war, geschrieben 1851/52 (Datum am Ende des Texts: 10. Januar 1852), 1885 am Alexandratheater uraufgeführt, noch in derselben Saison am Theater F. A. Korš erfolgreich.

unter dem Pseudonym »A. P.« – wie bereits der ›Bär‹ am 30. 8. 1888; der ›Heiratsantrag‹ erschien im ›Novoe vremja‹, am 3. Mai 1889.

193) *5. 3. 1889 – A.S. Suvorin.* 586 (613).

schicke Ihnen die »Fürstin« – vgl. detebe Nr. 50/XIV; im ›Novoe vremja‹ erschien die Erzählung am 26. März.

schreibe an einer weiteren Erzählung – unklar, um welche Erzählung es sich hier handelt, um den Anfang der ›Langweiligen Geschichte‹ oder um die Erzählung, von der Čechov am 10. 3. an A. M. Evreinova erschreibt, er habe ›eine Erzählung abgeschlossen und ins Reine geschrieben, aber für meinen Roman‹ (vgl. Nr. 197).

Für die Wörterbücher … nutzloses Geschenk – vgl. Nr. 194.

Svobodin – P. M. Svobodin, 1850–1892, Schauspieler.

Ich huste kein Blut – am 24. 2. hatte Čechov an Lejkin geschrieben:

›Bluthusten, Gott war gnädig, hatte ich seit Petersburg nicht mehr.*‹ Am Ende des Briefes: ›*Ich hatte welchen, aber nur ganz leicht.‹

die Sibirjakova – Witwe des sibirischen Mäzens und Goldindustrieellen Sibirjakov, Aleksandr Michajlovič, geb. 1849 (das Todesdatum teilt der Russische Brockhaus nicht mit).

Dostoevskij – eine 12-bändige Dostoevskij-Ausgabe, erschienen in Petersburg 1889.

Ostrovskijs »Gewitter« – Tragödie von A. N. Ostrovskij aus dem Jahre 1860, die, lt. Mitteilung des ›Novoe vremja‹ vom 27. 2. am Theater Beaumarchais in Paris aufgeführt werden sollte; nach der Premiere äußerte sich Ostrovskijs Tochter in einem Interview (vom 2. 3. 1889, ›Novoe vremja‹) über die Pariser Aufführung, außer Karikaturen sei von dem Stück nichts übriggeblieben; ähnlich äußerten sich auch andere russische Beobachter.

Potëmkin hat am 1. März nicht gewonnen – vgl. Nr. 191.

194) *6. 3. 1889 – A.S. Suvorin.* 587 (616).

das sehr billige und nutzlose Geschenk – vgl. Nr. 193. Čechov schickte eine Szene in einem Akt mit dem Titel ›Tatjana Repina‹, vgl. Einakter, detebe Nr. 50/VIII, in dem er mit den Personen des Suvorinschen Stükkes ›weiterspielt‹: die Trauung des Offiziers Sabinin mit der reichen Vera Olenina, nach dem Selbstmord der Repina.

997 Rubel für den »Ivanov«... – von der Direktion des Alexandratheaters. Čechov am 2. 3. an Aleksandr: ›Das Geld – 994 Rubel – habe ich bekommen und danke dir, daß du es nicht verbraucht hast.‹

Mein Michajlo – Michail P. Čechov, jüngerer Bruder Čechovs.

setze große Hoffnungen in den Sommer – d. h. in den ›Waldschrat‹, den Čechov im Sommer schreiben wollte. Am 2. 3. an Aleksandr: ›Wenn ich in der nächsten Saison mit meinem neuen Stück 3444 Rubel verdiene...‹

Stiva Oblonskij – den Sommer 1888 hatte Suvorin auf dem Gut der Familie Obolenskij im Gouv. Tula verbracht, wo er die Boote zurückgelassen hatte, die von dort auf das Gut Luka gebracht werden sollten, für Čechov; vgl. Nr. 132. Čechov in Anspielung auf ›Anna Karenina‹: Oblonskij.

195) *7. 3. 1889 – V.A. Tichonov.* 590 (618).

Ihre Rezension – vgl. Nr. 188; Tichonov hatte geschrieben, der ›Ivanov‹ sei für ihn ›ein ganzes Theater-Ereignis‹; ›Das Fehlen von Theaterroutine hat ihm die Möglichkeit gegeben, sich weiter und freier auf der Bühne zu entwickeln, als unsere hauptamtlichen Dramatiker dazu imstande wären.‹ Für den Zuschauer, der anfangs sicherlich befremdet sei, beantworte sich die Frage, ob das denn so möglich sei, ob das denn gut sei, eindeutig in dem Sinne, daß es so nicht nur möglich sei, sondern so sein müsse; daß das alles nicht nur gut sei, sondern auch talentiert.

Solovcov ist gegangen – ging als Regisseur und Schauspieler an das Theater Abramova, ein neu gegründetes Privattheater in Moskau. Am 27. 12. 1889 hatte dort der ›Waldschrat‹ Premiere.

Poltavcev – Evgenij Nikolaevič, gest. 1892, Schauspieler am Theater F. A. Korš.

Regisseur ist Agramov – Michail Vasiljevič, eigtl. Avramov, gest. 1893, in der Spielzeit 1889/90 am Theater Korš engagiert.

die Komödie, die Sie ... – Tichonov hatte mitgeteilt, er trage sich bereits seit drei Jahren mit der Absicht, eine Komödie zu schreiben.

entgegen Vagner – Nikolaj Petrovič, 1829–1907, Zoologe und Schriftsteller; T. hatte Čechov geschrieben, er habe ›noch einen weiteren Verehrer von Ihnen entdeckt, und was für einen Verehrer! Er stellt Ihr Talent *über* alle russischen Schriftsteller, der zeitgenössischen wie der älteren (ohne Ausnahme).‹

nicht Čechov, nicht Tichonov ... – unsere Generation, vgl. Brief Nr. 190.

will etwas Romanähnliches schreiben – unklar, ob Čechov hier noch an ›den Roman‹ denkt (vgl. Nr. 100, 107, 133, 136, 181, 184), oder ob es sich hier bereits um den Plan der ›Langweiligen Geschichte‹ handelt; vgl. Anm. zu Nr. 198.

196) *7. 3. 1889 – A. N. Pleščeev.* 591 (617).

gebe mit vollen Händen das Geld aus – vgl. Nr. 194, das Honorar für ›Ivanov‹ und ›Bär‹.

Demakov – Vasilij Fëdorovič, Besitzer der Druckerei, in der der ›Severnyj vestnik‹ gedruckt wurde, vgl. Nr. 197.

Eine habe ich dieser Tage ... – die Erzählung ›Die Fürstin‹, vgl. Nr. 193.

eine zweite ... – vgl. Nr. 193, 197, 198.

pour manger – im Original russisch transkribiert, wörtlich ›fürs Essen‹, ›fürs tägliche Brot‹, als Brotarbeit.

Elena Alekseevna – E. A. Pleščeeva, geb. 1860, Tochter A. N. Pleščeevs.

P. A. Sergeenko – Pëtr Alekseevič, 1854–1930, Schriftsteller.

197) *10. 3. 1889 – A. M. Evreinova.* 592 (619).

das Honorar bekommen – für den Abdruck des ›Ivanovs‹ im Märzheft des ›Sev. vestnik‹.

eine Erzählung abgeschlossen, für meinen Roman – vgl. Nr. 193, 196, 198.

Roman, einen literarischen natürlich – im Russischen besaß das Wort

Roman die zweite Bedeutung im Sinne von ›Liebesgeschichte‹, ›Affäre‹.

Sujet für eine kleine Erzählung – ungeklärt, um welches Sujet und um welche Erzählung es sich handelt.

Schütteln Sie die Zensur ab – vgl. Nr. 134; einige Zeitschriften und Zeitungen waren von der Vorzensur befreit.

Milan als Mitarbeiter – Milan Obrenović IV., 1854–1901, serbischer König, der am 6. März 1889 abgedankt hatte.

Ašinov – Nikolaj Ivanovič, politischer Abenteurer, vgl. Anm. Nr. 206.

»Liebe nicht mich ...« – Gedicht des Studenten V. G. Dechterev, das Ivan Turgenev in seinem Roman ›Neuland‹, Kapitel VIII, zitiert.

meine reiche Braut – meint im Scherz die Witwe Sibirjakova, vgl. Nr. 193, 199.

Herrn Demakov meine Sekundanten schicken – vgl. Nr. 196; Čechov bekam die ihm zugesagten Sonderdrucke bald darauf, vgl. Nr. 199.

Marija Dmitrievna – M. D. Fëdorova, Mitarbeiterin des ›Severnyj vestnik.‹

Aleksej Nikolaevič – A. N. Pleščeev.

Erzählung von Giljarovskij – die Erzählung ›Die Flößer‹ von V. A. Giljarovskij erschien im ›Sev. vestnik‹ nicht, sie wurde 1892 von den ›Moskovskie vedomosti‹ veröffentlicht.

198) *11. 3. 1889 – A.S. Suvorin.* 593 (621).

Reize des Charkover Guts – das Suvorin zu kaufen beabsichtigte, vgl. Nr. 191, 199.

ein Professor, Chirurg – um wen es sich hier handelt, ist ungeklärt.

Juzefovič – Vladimir Michajlovič, gest. 1893, Mitglied der ›Hauptverwaltung für Pressewesen‹, Mitglied der ›Russischen Gesellschaft für Literatur‹.

schreibe an meinem Roman – zu dem Roman vgl. Nr. 100, 107, 133, 136, 181, 195, 197. Erste ausführlichere Auskunft in Čechovs Briefen über den Roman, dessen Konzeption sich in den Jahren, die Čechov daran arbeitete, mehrfach geändert hat und von dem nicht mit Sicherheit gesagt werden kann, ob er gänzlich unveröffentlicht geblieben ist oder ob nicht zumindest Teile daraus, in Form von einzelnen Erzählungen, dennoch erschienen sind. Eine Konzeption war, den Roman aus ›Erzählungen meiner Freunde‹ bestehen zu lassen, mit einem verbindenden Erzähler, was an die Trilogie ›Der Mensch im Futteral‹, ›Stachelbeeren‹ und ›Über die Liebe‹ erinnert (1898). An eine andere erinnert sich Suvorin 1904 (4. 7. im ›Novoe vremja‹): ›Mit einem hat er sich lange abgequält – ihm gelang kein Roman, aber er träumte von ihm und machte sich viele Male von neuem an die Arbeit. Der große Rahmen wollte ihm irgendwie nicht gelingen, und er verwarf die angefan-

genen Kapitel. Eine Zeitlang wollte er sich der Form der »Toten Seelen« bedienen, d. h. seinen Helden in die Lage Čičikovs versetzen, der durch Rußland reist und die Vertreter Rußlands kennenlernt. Einige Male entwickelte er mir das weitverzweigte Thema eines Romans mit einem halb phantastischen Helden, der ein ganzes Jahrhundert lebt und an allen Ereignissen des XIX. Jahrhunderts teilnimmt.‹
Eine weitere Hypothese, wonach Teile des geplanten Romans später die Novelle ›Das Duell‹ ergeben haben, wird heute zu mindest skeptisch beurteilt.

die Korrekturfahnen zur »Fürstin« – erschienen am 26. 3 1889.

Doktor Pokrovskij – Egor Arsenjevič, 1834–1895, Arzt, Direktor eines Kinderkrankenhauses in Moskau, Autor von Aufsätzen zur Leibeserziehung von Kindern.

Golcev – V. A. Golcev, Redakteur der Zeitschrift ›Russkaja mysl‹.

Sikorskij – Ivan Alekseevič, Psychiater, Professor an der Universität Kiev, Autor von Aufsätzen über Psychiatrie des Kindesalters, Erziehungsfragen.

Lev Tolstoj – der sich in den 60er Jahren ausgiebig, auch praktisch, mit pädagogischen Fragen auseinandergesetzt, in Jasnaja Poljana eine eigene Schule für Bauernkinder gegründet, Lesebücher für Volksschulen zusammengestellt hatte etc.

199) *16. 3. 1889 – I. L. Leontjev-Ščeglov.* 595 (622).

von Bazarov keinerlei Anfragen – Bazarov vgl. Nr. 156; Anfrage 100 Expl. der Neufassung des ›Ivanov‹ zu erwerben zum Vertrieb des Stückes in der Provinz, woran Leontjev in seinem Brief vom 15. 3. erinnert hatte.

Svobodin – P. M. Svobodin.

aus Charkov wiedergekommen – zwischen dem 12. und 15. 3. war Čechov in Charkov gewesen, um in der Nähe der Stadt einen Bauernhof zu besichtigen.

ein »Theater I. Ščeglov« – vgl. Nr. 200.

mon ange – im Orig. russisch transkribiert, ›mein Engel‹.

ich würde eine Millionärin heiraten – vgl. Nr. 193, 197: die Witwe Sibirjakova.

200) *21./22. 3. 1889 – I. L. Leontjev-Ščeglov.* 596 (623).

planen, ein Theater zu gründen – vgl. Nr. 199. Auf die Anspielung, in Moskau gebe es ein Theater F. A. Korš (ein Privattheater), antwortete Leontjev, genau in diese Richtung habe er gedacht, allerdings ›handelt es sich, unter uns, das ist noch streng geheim, nicht um ein Theater I. Ščeglov, sondern – um ein Theater Aleksej Suvorin. Warum sollte A. S. nicht auch sein eigenes Theater aufmachen, wo er schon eine eigene Druckerei, eine eigene Zeitung, eigene Buchhandlungen hat?‹ Gedacht sei an ein ›Théâtre libre‹, à la Antoine; Leontjev bat Čechov, auch von sich aus an Suvorin heranzutreten.

Kostromitinov – Nikolaj Innokentjevič, 1834–1900 Direktor des ›Artist. Zirkels‹ von Petersburg; Leontjev hatte seinem Brief eine Benachrichtigung beigelegt, aus der hervorging, daß am 20. 3. eine Probe der beiden Stücke ›Der Ehemann fürs Sommerhaus‹ und ›Der Heiratsantrag‹ angesetzt sei.

Davydov – V. N. Davydov.

rate Ihnen ab, sich an Suvorin zu wenden – Leontjev schrieb zurück, er habe nicht um Geld gebeten, sondern um moralische Unterstützung, um die Idee eines ›Théâtre libre‹ bei Suvorin zu bestärken; er verwies auf ein Gespräch mit Suvorin, in dem dieser gesagt habe: ›Wenn Sie damit anfangen sollten, meine Zeitung stünde Ihnen voll zur Verfügung.‹

Palast im Ėrtelev pereulok – in Petersburg. Verlagshaus von A. S. Suvorin.

A. P. Kolomnin – Aleksej Petrovič, 1849–1910, Schwager A. S. Suvorins, Rechtsanwalt, verwaltete die Finanzen der Zeitung und der Buchhandlungen.

veto – im Original latein.

Theater auf Aktienbasis, »Charkover Gesellschaft« – am 6. 3. hatte die Zeitung ›Russkie vedomosti‹ über eine Schauspielergenossenschaft berichtet, die Idee einer Assoziation mit dem Ziel, die materielle und künstlerische Lage der Schauspieler in der Provinz zu verbessern: dargestellt wurde dieses Modell am Beispiel der ›Charkover Genossenschaft der dramatischen Schauspieler‹, der es, innerhalb von drei Jahren, gelungen sei, das Theater in Charkov zu ungeahnten Höhen zu führen. – Die Idee eines Theaters auf Genossenschaftsbasis vgl. auch in der ›Langweiligen Geschichte‹, an der Čechov im März schrieb, vgl. detebe Nr. 50/XVII.

Bazarov schicke ich den »Ivanov« – vgl. Nr. 199.

Verzeichnis der Adressaten

1) chronologisch

1)	1877, 1. 1.	M. M. Čechov
2)	1877, 10. 4.	M. M. Čechov
3)	1877, 4. 11.	M. M. Čechov
4)	1879, 5. 4.	M. P. Čechov
5)	1880, 28. 4.	N. P. und I. P. Čechov
6)	1881, 6. 3.	Al. P. Čechov
7)	1881, 8. 5.	S. Kramarëv
8)	1882, 8. 11.	Al. P. Čechov
9)	1882, 25. 12./1. 1. 1883	Al. P. Čechov
10)	1883, 12. 1.	M. A. Lejkin
11)	1883, 29. 1.	G. P. Kravcov
12)	1883, Februar	Al. P. Čechov
13)	1883, 17. 4.	N. A. Lejkin
14)	1883, 13. 5.	Al. P. Čechov
15)	1883, 26. 5.	N. A. Lejkin
16)	1883, 21./24. 8.	N. A. Lejkin
17)	1883, 15./28. 10.	Al. P. Čechov
18)	1883, 10. 12.	N. A. Lejkin
19)	1884, 30. 1.	N. A. Lejkin
20)	1884, 20./21. 5.	N. A. Lejkin
21)	1884, 17. 6.	N. A. Lejkin
22)	1884, 25. 6.	N. A. Lejkin
23)	1884, 27. 6.	N. A. Lejkin
24)	1884, 14. 7.	N. A. Lejkin
25)	1884, 23. 8.	N. A. Lejkin
26)	1884, 7. 10.	N. A. Lejkin
27)	1884, 17. 11.	N. A. Lejkin
28)	1884, 10. 12.	N. A. Lejkin
29)	1885, 22. 3.	N. A. Lejkin
30)	1885, 28. 4.	N. A. Lejkin
31)	1885, 10. 5.	M. P. Čechov
32)	1885, 14. 9.	N. A. Lejkin
33)	1885, 24./25. 9.	N. A. Lejkin
34)	1885, 12./13. 10.	N. A. Lejkin
35)	1885, 28. 12.	N. A. Lejkin
36)	1886, 4. 1.	Al. P. Čechov
37)	1886, 18. 1.	V. V. Bilibin
38)	1886, 28. 1.	N. A. Lejkin

39)	1886, 1. 2.	V. V. Bilibin
40)	1886, 3. 2.	Al. P. Čechov
41)	1886, 14. 2.	V. V. Bilibin
42)	1886, 21. 2.	A. S. Suvorin
43)	1886, 11. 3.	V. V. Bilibin
44)	1886, 28. 3.	D. V. Grigorovič
45)	1886, März	N. P. Čechov
46)	1886, 6. 4.	N. A. Lejkin
47)	1886, 6. 4.	Al. P. Čechov
48)	1886, 25. 4.	M. P. Čechov
49)	1886, 10. 5.	Al. P. Čechov
50)	1886, 30. 7.	N. A. Lejkin
51)	1886, 12./16. 9.	F. O. Šechtel
52)	1886, 21. 9.	M. V. Kiselëva
53)	1886, 29. 9.	M. V. Kiselëva
54)	1886, 19. 10.	F. O. Šechtel
55)	1886, 13. 12.	M. V. Kiselëva
56)	1886, 15. 12.	V. P. Burenin
57)	1887, 8. 1.	Al. P. Čechov
58)	1887, 14. 1.	M. V. Kiselëva
59)	1887, 17. 1.	Al. P. Čechov
60)	1887, 26. 1.	N. A. Lejkin
61)	1887, 10. 2.	A. S. Suvorin
62)	1887, 12. 2.	D. V. Grigorovič
63)	1887, 19./20. 2.	Al. P. Čechov
64)	1887, 22./23. 2.	Al. P. Čechov
65)	1887, 10. 3.	Familie Čechov
66)	1887, 11./12. 3.	F. O. Šechtel
67)	1887, 17. 3.	M. V. Kiselëva
68)	1887, 11. 4.	M. P. Čechova
69)	1887, 7. 4.	N. A. Lejkin
70)	1887, 11. 4.	F. O. Šechtel
71)	1887, 26. 5./3. 6.	Al. P. Čechov
72)	1887, 8./12. 7.	Al. P. Čechov
73)	1887, Ende Juli	Al. P. Čechov
74)	1887, 12. 8.	Al. P. Čechov
75)	1887, 7./8. 9.	Al. P. Čechov
76)	1887, 13. 9.	M. V. Kiselëva
77)	1887, 5. 10.	N. M. Ežov
78)	1887, 6./7. 10.	Al. P. Čechov
79)	1887, 10./12. 10.	Al. P. Čechov
80)	1887, 17. 10.	V. G. Korolenko
81)	1887, 24. 10.	Al. P. Čechov

82)	1887, 27. 10.	N. M. Ežov
83)	1887, 29. 10.	Al. P. Čechov
84)	1887, 4. 11.	N. A. Lejkin
85)	1887, 10. 11.	A. S. Kiselëv
86)	1887, 15. 11.	A. S. Lazarev-Gruzinskij
87)	1887, 15. 11.	N. A. Lejkin
88)	1887, 16. 11.	Gesellschaft d. dramatischen Schriftsteller und Opernkomponisten
89)	1887, 20. 11.	Al. P. Čechov
90)	1887, 24. 11.	Al. P. Čechov
91)	1887, 24. 11.	A. S. Kiselëv
92)	1887, 26. 11.	A. S. Lazarev-Gruzinskuj
93)	1887, 1. 12.	V. N. Davydov
94)	1887, 3. 12.	Familie Čechov
95)	1887, 25. 12.	A. P. Čechov
96)	1887, 27. 12.	Al. P. Čechov
97)	1887, Ende Dezember	V. N. Davydov
98)	1888, 1. 1.	I. L. Leontjev-Ščeglov
99)	1888, 9. 1.	V. G. Korolenko
100)	1888, 12. 1.	D. V. Grigorovič
101)	1888, 18. 1.	Ja. P. Polonskij
102)	1888, 22. 1.	I. L. Leontjev-Ščeglov
103)	1888, 23. 1.	A. N. Pleščeev
104)	1888, 4. 2.	A. S. Lazarev-Gruzinskuj
105)	1888, 5. 2.	D. V. Grigorovič
106)	1888, 5. 2.	A. N. Pleščeev
107)	1888, 9. 2.	A. N. Pleščeev
108)	1888, 22. 2.	I. L. Leontjev-Ščeglov
109)	1888, 22. 2.	Ja. P. Polonskij
110)	1888, 6. 3.	A. N. Pleščeev
111)	1888, 7./10. 3.	N. V. Davydov
112)	1888, 14./15. 3.	M. P. Čechov
113)	1888, 24. 3.	Al. P. Čechov
114)	1888, 29. 3.	A. N. Maslov-Bežeckij
115)	1888, 31. 3.	A. N. Pleščeev
116)	1888, 3. 4.	A. S. Suvorin
117)	1888, 4. 4.	Al. P. Čechov
118)	1888, 5. 4.	Al. P. Čechov
119)	1888, 7. 4.	A. N. Maslov-Bežeckij
120)	1888, 17. 4.	A. N. Pleščeev
121)	1888, 18. 4.	I. N. Leontjev-Ščeglov
122)	1888, 18./24. 4.	Al. P. Čechov

123)	1888, 23. 4.	V. N. Davydov
124)	1888, 3. 5.	I. L. Leontjev-Ščeglov
125)	1888, 11. 5.	N. A. Lejkin
126)	1888, Mitte Mai	I. P. Čechov
127)	1888, 30. 5.	A. S. Suvorin
128)	1888, 9. 6.	I. L. Leontjev-Ščeglov
129)	1888, 21. 6.	N. A. Lejkin
130)	1888, 14. 7.	M. P. Čechova
131)	1888, 18. 7.	I. L. Leontjev-Ščeglov
132)	1888, 22./23. 7.	Familie Čechov
133)	1888, 13. 8.	A. N. Pleščeev
134)	1888, 27. 8.	A. N. Pleščeev
135)	1888, 28. 8.	Al. P. Čechov
136)	1888, 29. 8.	A. S. Suvorin
137)	1888, 11. 9.	A. S. Suvorin
138)	1888, 14. 9.	I. L. Leontjev-Ščeglov
139)	1888, 15. 9.	A. N. Pleščeev
140)	1888, 2. 10.	A. S. Suvorin
141)	1888, 4. 10.	A. N. Pleščeev
142)	1888, 4. 10.	A. N. Pleščeev
143)	1888, 9. 10.	D. V. Grigorovič
144)	1888, 9. 10.	A. N. Pleščeev
145)	1888, 10. 10.	A. S. Suvorin
146)	1888, 10./11. 10.	A. N. Pleščeev
147)	1888. 13. 10.	Al. P. Čechov
148)	1888, 14. 10.	A. S. Suvorin
149)	1888, Mitte Oktober	A. N. Maslov-Bežeckij
150)	1888, 18. 10.	A. N. Suvorin
151)	1888, 20. 10.	A. S. Lazarev-Gruzinskij
152)	1888, 26. 10.	A. P. Lenskij
153)	1888, 27. 10.	A. S. Suvorin
154)	1888, 2. 11.	I. L. Leontjev-Ščeglov
155)	1888, 3. 11.	A. S. Suvorin
156)	1888, 7. 11.	I. L. Leontjev-Ščeglov
157)	1888, 7. 11.	A. S. Suvorin
158)	1888, 11. 11.	I. L. Leontjev-Ščeglov
159)	1888, 11. 11.	A. S. Suvorin
160)	1888, 13. 11.	A. N. Pleščeev
161)	1888, 15. 11.	A. S. Suvorin
162)	1888, 16./17. 11.	I. L. Leontjev-Ščeglov
163)	1888, 16. 11.	Al. P. Čechov
164)	1888, 20./25. 11.	A. S. Suvorin
165)	1888, 28. 11.	A. S. Suvorin

166)	1888, 18. 12.	A. S. Suvorin
167)	1888, 19. 12.	A. S. Suvorin
168)	1888, 20. 12.	I. L. Leontjev-Ščeglov
169)	1888, 22. 12.	N. A. Nikulina
170)	1888, 23. 12.	A. S. Suvorin
171)	1888, 26. 12.	A. S. Suvorin
172)	1888, 30. 12.	A. S. Suvorin
173)	1888, 31. 12.	I. L. Leontjev-Ščeglov
174)	1889, 2. 1.	Al. P. Čechov
175)	1889, 2. 1.	A. N. Pleščeev
176)	1889, 3. 1.	A. S. Suvorin
177)	1889, 4. 1.	N. V. Davydov
178)	1889, 4. 1.	A. S. Suvorin
179)	1889, 6. 1.	A. S. Suvorin
180)	1889, 7. 1.	A. S. Suvorin
181)	1889, 7. 1.	A. S. Suvorin
182)	1889, 8. 1.	F. A. Fëdorov-Jurkovskij
183)	1889, 8. 1.	A. S. Suvorin
184)	1889, 15. 1.	A. N. Pleščeev
185)	1889, 4. 2.	A. S. Suvorin
186)	1889, 6. 2.	A. S. Suvorin
187)	1889, 8. 2.	A. S. Suvorin
188)	1889, 10. 2.	V. A. Tichonov
189)	1889, 17. 2.	A. M. Evreinova
190)	1889, 18. 2.	I. L. Leontjev-Ščeglov
191)	1889, 20. 2.	A. S. Suvorin
192)	1889, 5. 3.	I. M. Kondratjev
193)	1889, 5. 3.	A. S. Suvorin
194)	1889, 6. 3.	A. S. Suvorin
195)	1889, 7. 3.	V. A. Tichonov
196)	1889, 7. 3.	A. N. Pleščeev
197)	1889, 10. 3.	A. M. Evreinova
198)	1889, 11. 3.	A. S. Suvorin
199)	1889, 16. 3.	I. L. Leontjev-Ščeglov
200)	1889, 21./22. 3.	I. L. Leontjev-Ščeglov

Verzeichnis der Adressaten

2) alphabetisch

Kurze Chronologie

1860 – März 1889

1860 *17. Januar:* Anton Pavlovič Čechov wird als dritter Sohn des Kaufmanns und Kolonialwarenhändlers Pavel Egorovič Čechov und Evgenija Jakovlevna Čechova, geb. Morozova, in Taganrog geboren.
Pavel Egorovič, Čechovs Vater, geboren 1825 noch als Leibeigener, von seinem Vater Egor Michajlovič 1841 freigekauft, hatte 1844 in Taganrog eine Kaufmannslehre angetreten, 1854 geheiratet und sich 1857 als Kaufmann selbständig gemacht.
1855 Geburt des ersten Sohnes Aleksandr.
1858 Geburt des Sohnes Nikolaj.

1861 *18. April:* Ivan Pavlovič Čechov geboren.

1863 *31. Juli:* Marija Pavlovna Čechova geboren.

1865 *6. Oktober:* Michail Pavlovič Čechov geboren.

1867 *Herbst:* Nikolaj und Anton Čechov besuchen die Griechische Schule in Taganrog, die Prominentenschule der Stadt. Die Gebrüder Čechov singen (bis 1875) in dem von ihrem Vater organisierten Kirchenchor.

1868 *23. August:* Anton Čechov besucht die Vorbereitungsklasse des Gymnasiums Taganrog.

1869 *August:* Čechov im Gymnasium Taganrog eingeschult.
12. Oktober: Evgenija Pavlova Čechova geboren, gest. September 1871.

1872 *Mai–Juni:* Čechov bleibt in der 3. Klasse sitzen, wegen Arithmethik und Geographie.

1873 *Herbst:* Čechov erlernt in der Handwerksklasse der Kreisschule Taganrog das Schneiderhandwerk.
Erster Besuch des Theaters. Čechov sieht die Operette ›Die Schöne Helena‹.

1874 *Sommer:* Čechovs Vater eröffnet ein neues Geschäft, die Familie zieht in ein eigenes Haus in der Kontorskaja ulica in Taganrog um.

1875 *Anfang des Jahres:* Die materielle Situation der Familie verschlechtert sich, Čechovs Vater hat sich finanziell übernommen. Taganrog, ehemals wichtigste Hafen- und Handelsstadt am Schwarzen Meer, hat infolge der Versandung des Hafens und der Eröffnung einer Eisenbahnlinie zwischen Moskau und Rostov-am-Don an Bedeutung verloren.
Sommer: Čechov erkrankt an Peritonitis.
August: Aleksandr zieht, nach bestandenem Abitur, mit seinem Bruder Nikolaj nach Moskau. Nikolaj studiert dort Malerei, Aleksandr Mathematik und Physik. Aleksandr beginnt, in humoristischen Zeitschriften zu veröffentlichen.
Anton Čechov wiederholt die 5. Klasse.

1876 *23. April:* Čechovs Vater flieht vor seinen Gläubigern zu seinen Söhnen nach Moskau.
23. Juli: Čechovs Mutter folgt ihrem Mann mit den beiden jüngsten Kindern. Anton und Ivan dürfen im ehemals eigenen Hause wohnen bleiben, Anton erteilt den Kindern des neuen Besitzers, für Kost und Logis, Nachhilfeunterricht.

1877 *20. März:* Čechov besucht über die Osterferien die Familie in Moskau. Čechovs Vater ist arbeitslos, die Familie leidet Not, wechselt in Moskau zwischen 1876 und 1879 insgesamt 12mal die Wohnung.
20. Juni: Ivan geht ebenfalls nach Moskau. Anton bleibt bis zum Abitur allein in Taganrog zurück.

1879 *15. Juni:* Čechov besteht das Abitur, bleibt jedoch in Taganrog, und bemüht sich um eines der 10 von der Stadt ausgesetzten Stipendien, das er zugesprochen bekommt: 25 Rubel monatlich.
8. August: Čechov kommt nach Moskau, immatrikuliert sich zum Studium der Medizin.
12. November: In der Moskauer Zeitschrift ›Budilnik‹ wird eine Erzählung von Antoša Čechonte, ›Die gelangweilten Philanthropen‹, angekündigt, die aber nicht erscheint.
24. Dezember: Čechov schickt an die Petersburger Wochenzeitung ›Strekoza‹ die Erzählung ›Ein Brief des Gutsbesitzers Stepan Vladimirovič N. an seinen gelehrten Nachbarn Dr. Fridrich‹.

1880 *9. März:* In der ›Strekoza‹ erscheint Čechovs Erzählung ›Brief des Gutsbesitzers ...‹ Zeilenhonorar: 5 Kopeken. 1880 erscheinen in der ›Strekoza‹ insgesamt 11 Humoresken von Čechov, im zweiten Halbjahr 1880 verdient Čechov durch Schreiben in der ›Strekoza‹ 32 Rubel 25 Kopeken.

1882 *Januar:* Der ›Zritel‹ muß wegen finanzieller Schwierigkeiten sein Erscheinen vorübergehend einstellen.
Čechov schreibt 1882 rund 40 Humoresken und Erzählungen, von denen er 32 in verschiedenen humoristischen Zeitungen und Zeitschriften unterbringen kann. Aufgrund einer Wette schreibt er den Roman ›Ein überflüssiger Sieg‹, eine Parodie auf den ungarischen Erfolgsautor M. Jókai.
18. Juni: Im Moskauer ›Budilnik‹ erscheint die erste Folge des Romans ›Ein überflüssiger Sieg‹; letzte Folge am 27. August.
Sommer: Čechov zu Gast in Voskresensk, wo sein Bruder Ivan eine Anstellung als Lehrer gefunden hat.
20. November: Čechov beginnt seine Mitarbeit an der Petersburger humoristischen Zeitschrift ›Oskolki‹, herausgegeben von N. A. Lejkin.

1883 *1. Januar:* Im wieder erscheinenden ›Zritel‹ mehrere Kurzgeschichten Čechovs. Čechov publiziert 1833 etwa 130 Humoresken, Feuilletons und Erzählungen, schreibt eine längere Erzählung (›Das schwedische Zündholz‹) und wendet sich im übrigen konsequent der kleinen Form zu.
Mai: Čechov fährt mit Familie in die Ferien nach Voskresensk.
2. Juli: In den ›Oskolki‹ erscheint ›Der Tod eines Beamten‹.
Juli: Čechov beginnt in den ›Oskolki‹ mit einem 14tägig erscheinenden Feuilleton ›Splitter des Moskauer Lebens‹.
8. Oktober, bis 12.: Čechov lernt in Moskau N. A. Lejkin und den Schriftsteller N. S. Leskov kennen.
Oktober: Vorbereitung auf die Abschlußprüfungen.
Dezember: Examina.

1884 Im ›Almanach der »Strekoza« auf das Jahr 1884 erscheint Čechovs Kriminalerzählung ›Das schwedische Zündholz‹.
Čechov publiziert 1884 etwa 110 Kurzgeschichten, Feuilletons, Humoresken, vor allem in den Petersburger ›Oskolki‹; gelegentliche Mitarbeit an anderen Zeitschriften und Zeitungen.
Januar: Weitere Examina, die sich bis Mai hinziehen.
Mai: Čechov stellt seinen ersten Erzählungsband, die ›Märchen der Melpomene‹, zusammen.
21. Mai: Ende der Examina.
18. Juni: Gesuch an den Rektor der Universität Moskau um Aus-

händigung des Ärztediploms. Danach Abreise in die Ferien nach Voskresensk.
Mitte Juni: Die ›Märchen der Melpomene‹ erscheinen: ›Sechs Erzählungen von A. Čechonte‹, Moskau, A. Levenson.
4. August: In der Zeitung ›Novosti dnja‹ erscheint die erste Folge des Kriminalromans ›Ein Drama auf der Jagd‹; bis Ende des Jahres erscheinen 20 Folgen, abgeschlossen wird der Roman erst April 1885.
3. September: Rückkehr nach Moskau. Čechov praktiziert als Arzt.
September–Oktober: Čechov arbeitet an seiner Dissertation.
24. November: Čechov berichtet in der ›Peterburgskaja gazeta‹ in mehreren Folgen über den Gerichtsprozeß gegen den Bankdirektor I. Rykov.
7.–8. Dezember: Erste Lungenblutungen. Čechov denkt an ärztliche Behandlung, an eine Auslandsreise.

1885 *Januar:* Čechov veröffentlicht in diesem Jahr rund 130 Kurzgeschichten, Humoresken, Feuilletons, regelmäßig in den ›Oskolki‹, dort nicht selten mehrere Beiträge in einer Nummer. Bis April erscheint in Fortsetzungen in den ›Novosti dnja‹ das ›Drama auf der Jagd‹.
März: Čechov denkt an einen weiteren Erzählungsband.
Ende April: Die ›Peterburgskaja gazeta‹ bietet Čechov an, regelmäßig dort zu veröffentlichen (Zeilenhonorar: 8 Kopeken).
6. Mai: Čechovs erste Erzählungen in der ›Peterburgskaja gazeta‹, in der Čechov nun, parallel zu seinen Veröffentlichungen in den ›Oskolki‹, wöchentlich eine Arbeit publiziert.
6. Mai: Čechov fährt mit seiner Familie in die Ferien auf das Gut Babkino, freundet sich mit dem Besitzer von Babkino, A. S. Kiselëv und dessen Frau an. Praktiziert als Arzt.
20. September: Der Einakter ›Auf der großen Straße‹ von der Zensur verboten.
24.–25. September: Rückkehr nach Moskau.
11.–12. Oktober: Čechov zieht mit seiner Familie in den Stadtteil Zamoskvorečje, Hs. Lebedev, Jakimanka.
Ende Oktober: Čechov gibt das Feuilleton ›Splitter des Moskauer Lebens‹ auf.
Anfang Dezember: Erneuter Umzug in das Haus Klimenkov, ebenfalls in der Jakimanka.
10. Dezember: Čechov fährt, gemeinsam mit N. A. Lejkin, nach Petersburg. Während der Begegnungen mit Lejkin wird der neue

Erzählungsband (›Bunte Erzählungen‹) besprochen. Wohnt bei Lejkin. Lernt Grigorovič, lernt A. S. Suvorin kennen.
Dezember–Januar 1886: Čechov behandelt die Mutter und drei Schwestern seines Bekannten, des Malers Janov, gegen Typhus; die Mutter und eine Schwester sterben. Čechov beschließt daraufhin, seine Privatpraxis aufzugeben, und läßt das Arztschild an seiner Tür entfernen.

1886 *Januar:* Čechov veröffentlicht in diesem Jahr ca. 120 Erzählungen, Kurzgeschichten, Humoresken, vor allem in den ›Oskolki‹ und, parallel dazu, in der ›Peterburgskaja gazeta‹ sowie in den Literaturbeilagen des ›Novoe vremja‹.
2. Januar: A. S. Suvorin bietet Čechov an, in der konservativen Tageszeitung ›Novoe vremja‹ zu publizieren, Čechov sagt zu.
19. Januar: Čechov schickt das Manuskript des Bandes ›Bunte Erzählungen‹ an Lejkin.
14. Februar: Čechov schließt den Monolog ›Über die Schädlichkeit des Tabaks‹ ab.
15. Februar: ›Die Seelenmesse‹, Čechovs erste Erzählung im ›Novoe vremja‹, erscheint. Čechov erhält beim ›Novoe vremja‹ ein Zeilenhonorar von 12 Kopeken. Er trennt in Zukunft zwischen humoristischer ›Terminarbeit‹ für ›Oskolki‹ und ›Peterburgskaja gazeta‹ und ernsteren Arbeiten für das ›Novoe vremja‹, in dem er außerdem nicht mehr unter Pseudonym schreibt. Im ›Novoe vremja‹ erscheinen 1886 insgesamt 16 Erzählungen.
25. März: D. V. Grigorovič schreibt an Čechov, bestätigt Čechov ein ›echtes Talent, – ein Talent, das Sie hoch über den Kreis von Schriftstellern der neuen Generation hinaushebt‹ und appelliert an Čechov, sich auf größere, anspruchsvolle Werke zu konzentrieren.
März–April: Čechov klagt mehrfach über Bluthusten.
24. April: Čechov fährt nach Petersburg. Begegnungen mit Grigorovič und Suvorin, mit denen er sich anfreundet ›wie es enger nicht geht‹.
10./11. Mai: Abreise in die Ferien nach Babkino.
Mitte Mai: Die ›Bunten Erzählungen‹ erscheinen.
Anfang September: Rückkehr nach Moskau, Umzug in das Haus Korneev, Kudrinskaja-Sadovaja.
Ende September: Erste Anzeichen einer ernsteren Erkrankung von Čechovs Bruder Nikolaj, der vorübergehend bei Čechov wohnt.
28. Oktober: Die ›Peterburgskaja gazeta‹ erhöht Čechovs Honorar auf 12 Kopeken pro Zeile.
29. Oktober: Im ›Novoe vremja‹ erscheint die Erzählung ›Im Sumpf‹.

Anfang November: Die liberale Zeitschrift ›Russkaja mysl‹ bietet Čechov an, dort zu publizieren.
2. Dezember: Čechov fährt mit seiner Schwester für eine Woche nach Petersburg.
Dezember: Das Dezemberheft der Zeitschrift ›Russkoe bogatstvo‹ (›wo Lev Tolstoj publiziert‹) bringt einen Aufsatz über ›Čechov und Korolenko‹.

1887 *Januar:* Čechov veröffentlicht in diesem Jahr ca. 65 Erzählungen, regelmäßig in der ›Peterburgskaja gazeta‹, nurmehr gelegentlich in den ›Oskolki‹. Im ›Novoe vremja‹ erscheinen 1887 insgesamt 11 Erzählungen.
14. Januar: Čechov schreibt den Einakter ›Schwanengesang (Kalchas)‹.
Anfang Februar: Čechov plant eine Reise in den Süden, ›wo ich den Frühling begehen und das im Gedächtnis auffrischen will, was bereits zu dunkeln beginnt‹ (an Suvorin).
Februar: Lernt in Moskau den Schriftsteller V. G. Korolenko kennen.
9.–15. März: Čechov in Petersburg, wo er die Familie seines Bruders Aleksandr gegen Typhus behandelt. Begegnungen mit D. V. Grigorovič und A. S. Suvorin, der die im ›Novoe vremja‹ erschienenen Erzählungen als Buch herausbringen will.
18. März: Čechov schickt die Satzvorlage für das Buch ›In der Dämmerung‹ nach Petersburg.
2. April: Čechov fährt über Tula, Charkov nach Taganrog, unternimmt von dort eine Reise durch die Steppe.
17. Mai: Rückkehr nach Moskau, von dort (sofort) Weiterreise nach Babkino in die Ferien.
3. August: Das ›Novoe vremja‹ annonciert das Erscheinen des Bandes ›In der Dämmerung. Skizzen und Erzählungen‹, von A. Čechov.
2. September: Rückkehr aus den Ferien nach Moskau.
5. September: Čechov lehnt ein Angebot Suvorins, für ein monatliches Fixum von 200 Rubel fest nach Petersburg zu ziehen, ab.
Anfang September: Die Verleger Verner kaufen Čechov für 150 Rubel Erzählungen ab, um daraus ein Buch zu machen (›Unschuldige Worte‹).
Der Theaterunternehmer F. A. Korš schlägt Čechov vor, ein Stück für ihn zu schreiben. Čechov beginnt mit der Arbeit an ›Ivanov‹.
5. Oktober: Čechov hat die erste Fassung des ›Ivanov‹ beendet.
Ende Oktober: In Moskau erscheint im Verlag der Zeitschrift ›Sverčok‹ der Erzählungsband ›Unschuldige Worte‹, dessen Čechov sich schämt.

16. November: Čechov tritt der Gesellschaft der russischen dramatischen Schriftsteller und Opernkomponisten bei.
19. November: Uraufführung des ›Ivanov‹ im Theater F. A. Korš. Der Kritiker A. D. Kurepin resumiert: ›Mit solch einem Gemisch aus Beifall und Protest hat noch kein einziger Autor in letzter Zeit debutiert... Gespielt wurde das Stück von Hrn. Čechov sehr gut. Der junge Autor kann zufrieden sein: er hat auf einen Schlag das Interesse des Theaterpublikums auf sich gezogen.‹
29. November: Čechov fährt nach Petersburg, wohnt dort bei seinem Bruder Aleksandr. Lernt in Petersburg den Redakteur der Zeitschrift ›Severnyj vestnik‹, A. N. Pleščeev, kennen, lernt I. L. Leontjev-Ščeglov kennen.
14. Dezember: Rückkehr nach Moskau. Čechov begibt sich an die Arbeit an der ›Steppe‹.
Ende Dezember: Čechov schließt die zweite Fassung seines Einakters ›Schwanengesang (Kalchas)‹ ab.

1888 *Januar:* Čechov schreibt für den ›Severnyj vestnik‹ an der Novelle ›Die Steppe‹.
8. Januar: Erhält aus Nizza einen Brief von Grigorovič, der an ihn appelliert, einen Roman zu schreiben.
3. Februar: Čechov schickt das Manuskript der ›Steppe‹ an A. N. Pleščeev nach Petersburg. Pleščeev und V. G. Korolenko äußern sich begeistert.
19. Februar: Uraufführung des Einakters ›Schwanengesang (Kalchas)‹ am Theater F. A. Korš in Moskau.
22. Februar: Čechov hat den Einakter ›Der Bär‹ geschrieben.
1. März: In Heft III des ›Severnyj vestnik‹ erscheint ›Die Steppe‹, die von der Kritik positiv aufgenommen wird.
13. März: Čechov fährt für acht Tage nach Petersburg, wohnt dort bei Suvorin. Bespricht mit ihm einen weiteren Erzählungsband, die 2. Auflage des Bandes ›In der Dämmerung‹ sowie eine illustrierte Einzelausgabe der Erzählung ›Kaštanka‹.
Begegnungen mit A. N. Pleščeev, I. L. Leontjev-Ščeglov und der Herausgeberin des ›Severnyj vestnik‹, E. M. Evreinova.
Ende März: Čechov mietet für den Sommer den Seitenflügel des Gutshauses Luka in Sumy, Gouvernement Charkov.
April: Čechov arbeitet an der Novelle ›Lichter‹ für den ›Severnyj vestnik‹, an der Erzählung ›Ein unangenehmer Vorfall‹ für das ›Novoe vremja‹.
5. Mai: Abreise der Familie nach Sumy. Schließt Freundschaft mit der Gutsbesitzerfamilie Lintvarëv in Luka.

Ende Mai: Auslieferung des Bandes ›Erzählungen‹ im Verlag A. S. Suvorin, Petersburg 1888.
12.–20. Juni: Čechov bereist die Ukraine auf den Spuren Gogols. Trägt sich mit dem Gedanken, einen Bauernhof im Gouvernement Poltava zu kaufen.
10. Juli: Fährt nach Feodosija am Schwarzen Meer zu Suvorin.
23. Juli: Verläßt Feodosija, fährt mit Suvorins Sohn in den Kaukasus.
7. August: Rückkehr nach Sumy.
22. August: Čechov fährt wieder ins Gouvernement Poltava auf der Suche nach einem geeigneten Bauernhof.
30. August: Im ›Novoe vremja‹ erscheint ›Der Bär‹.
5. September: Rückkehr nach Moskau.
Anfang September: Čechov arbeitet an der Erzählung ›Der Namenstag‹ sowie an der Erzählung ›Der Anfall‹.
Oktober: Čechov nimmt Korrekturen am ›Ivanov‹ vor für eine Aufführung am Alexandratheater Petersburg.
4. Oktober: ›Der Bär‹ wird von der Zensur genehmigt.
7. Oktober: Die Petersburger Akademie der Wissenschaften spricht Čechov für den Band ›In der Dämmerung‹ den mit 500 Rubel dotierten Puškin-Preis zu.
18. Oktober: Čechov entwirft in einem Brief an Suvorin den Plan der Komödie ›Der Waldschrat‹, die er mit A. S. Suvorin gemeinsam schreiben will.
28. Oktober: Uraufführung des ›Bären‹ im Moskauer Theater F. A. Korš. Das Stück wird ein Riesenerfolg.
1. November: ›Der Namenstag‹ erscheint im ›Severnyj vestnik‹.
Anfang November: A. S. Suvorin erhöht Čechovs Honorar auf 20 Kopeken pro Zeile.
10. November: Der Einakter ‹Der Heiratsantrag‹ wird von der Zensur genehmigt.
13. November: Čechov schickt das Manuskript der Erzählung ›Der Anfall‹ an Pleščeev. Begibt sich an die Erzählung ›Die Fürstin‹.
2. Dezember: Čechov fährt für 14 Tage nach Petersburg. Sieht dort die Premiere des Stückes ›Tatjana Repina‹ von A. S. Suvorin am Alexandratheater.
16. Dezember: Čechov kehrt nach Moskau zurück, begibt sich erneut an die Überarbeitung des ›Ivanov‹ für das Petersburger Alexandratheater.
Zweite Hälfte Dezember: Am Kleinen Theater wird die Inszenierung von Suvorins ›Tatjana Repina‹ vorbereitet, an der sich Čechov als Gewährsmann Suvorins beteiligt. In Petersburg wird die ›Ivanov‹-Aufführung vorbereitet.

Čechov lernt P. I. Čajkovskij kennen. Lehnt erneut ein Angebot Suvorins ab, nach Petersburg zu ziehen und für 500 Rubel die Stelle eines Redakteurs am ›Novoe vremja‹ anzunehmen.

1889 *3. Januar:* Der ›Ivanov‹ (Zweite Redaktion) von der Zensur genehmigt.
10.–11. Januar: A. S. Suvorin kommt nach Moskau.
16. Januar: Premiere von ›Tatjana Repina‹ am Kleinen Theater.
18. Januar: Čechov fährt gemeinsam mit Suvorin nach Petersburg.
31. Januar: Premiere des ›Ivanov‹ am Alexandratheater Petersburg, die ein mittlerer Erfolg wird. Čechov reist am 2. Februar nach Moskau zurück.
Mitte Februar: Čechov liest die ›Ivanov‹-Korrekturen für die Zeitschrift ›Severnyj vestnik‹.
1. März: Der ›Ivanov‹ erscheint im ›Severnyj vestnik‹.
5. März: Čechov schickt das Manuskript der ›Fürstin‹ an Suvorin, schreibt für Suvorin den Einakter ›Tatjana Repina‹.
nach 5. März: Čechov arbeitet an einem Roman.
26. März: ›Die Fürstin‹ erscheint im ›Novoe vremja‹.
Ende März: Čechovs Bruder Nikolaj erkrankt schwer. Čechovs Diagnose ist anfangs: Lungenentzündung. Es ist Lungentuberkulose im letzten Stadium.